L'EXTRÉMISTE

Du même auteur

Les Émirs de la République, en coll. avec Jean-Pierre Séréni, Seuil, 1982.

Les Deux Bombes, Fayard, 1982, nouvelle édition, 1991.

Affaires africaines, Fayard, 1983.

V, l'affaire des « avions renifleurs », Fayard, 1984.

Secret d'État, Fayard, 1986.

Les Chapelières, Albin Michel, 1987.

La Menace, Fayard, 1988.

L'Argent noir, Fayard, 1988.

L'Homme de l'ombre, Fayard, 1990.

Vol UT 772, Stock, 1992.

Le Mystérieux Docteur Martin, Fayard, 1993.

Une jeunesse française, François Mitterrand, 1934-1947, Fayard, 1994.

Pierre Péan

L'EXTRÉMISTE

François Genoud, de Hitler à Carlos

Fayard

Heil Hitler !

Le jeune Suisse romand — tout juste dix-sept ans — vit en Allemagne depuis un an et demi. Hitler est devenu son héros. Cela fait quelques mois qu'il est apprenti chez les Strauven, des fabricants de papiers peints installés à Bonn. Quand la fabrique est fermée, Wilhelm Strauven se fait un devoir de promener le jeune François, qui se sent bien seul. À la fin d'octobre 1932, il l'emmène ainsi faire un tour en voiture dans les environs ; à Bad Godesberg, le bon Wilhelm décide de passer voir son ami Dreesen, propriétaire d'un bel hôtel[1]. Là, surprise : au salon, Adolf Hitler se repose !

C'est par Rudolf Hess que le futur Chancelier a connu les Dreesen et leur hôtel où il a ses habitudes quand il voyage dans la région. Hess avait fréquenté l'école Otto Kühne à Bad Godesberg ; quand ses parents venaient lui rendre visite, eux-mêmes descendaient déjà à cet hôtel. Petit à petit, des liens s'étaient noués entre les Dreesen et les Hess, et c'est Rudolf Hess qui recommanda cette bonne adresse à Adolf Hitler.

En cet automne 1932, tout sourit à Hitler qui ne bénéficie de la nationalité allemande que depuis huit mois. Depuis son alliance avec le « tsar de la presse » Hugenberg, nouveau chef du Parti national du peuple allemand, et avec les anciens combattants du Stahlhelm (« Casques d'acier[2] »), il est accepté par les anciennes élites. Au deuxième tour des élections présidentielles, le 10 avril 1932, il a obtenu 36,8 % des voix contre

1. Cet hôtel existe toujours ; il est tenu par son petit-fils.
2. L'équivalent français des Croix-de-Feu.

53 % au vieux maréchal Hindenburg. Aux législatives du 31 juillet dernier, le parti nazi a doublé son score en voix. Depuis lors, tous les moyens modernes de propagande, orchestrés par Joseph Goebbels, mettent l'Allemagne en condition, jusque dans ses plus modestes villages, et préparent l'avènement, désormais considéré comme inéluctable, du chef national-socialiste. Grâce au travail de Hermann Göring, président du Parlement, et de Walther Funk, nouveau responsable des finances du parti nazi, Hitler a maintenant derrière lui les principaux capitaines d'industrie, de grands aristocrates et un nombre appréciable de personnalités des sphères gouvernementales. Il a noué des contacts au plus haut niveau de l'appareil d'État et c'est donc un homme qui ne doute plus de son succès prochain qui se repose tranquillement dans le salon de l'hôtel Dreesen avant d'aller soulever la foule dans quelque meeting de la région.

Les souvenirs de François Genoud sont à la fois flous et intenses. Soixante-trois ans se sont écoulés, mais il est manifeste qu'il s'agit là d'une des grandes heures de sa vie.

Wilhelm Strauven appartenait au mouvement « Casques d'acier », mais n'était pas pour autant un admirateur inconditionnel de Hitler : il trouvait ses idées dangereuses, même si, bien élevé, il ne laissait rien paraître de ses réserves. C'est lui qui présenta le jeune Suisse romand au Führer.

« Je lui ai dit quelques mots, notamment mon grand intérêt pour le national-socialisme... »

Ayant appris par Strauven l'itinéraire du jeune homme à la découverte de l'Allemagne depuis près de deux ans, Hitler daigne le regarder et lui répondre : « C'est avec votre génération que nous construirons une Europe fraternelle, m'a-t-il dit. »

L'adolescent est intimidé : « À l'époque, on parlait beaucoup de lui. C'était mon héros... Ça l'est toujours. »

Après cette poignée de main et cet échange de quelques mots, il restera impressionné pour la vie.

Cela demeura longtemps un secret, car les Strauven aussi bien que les Dreesen lui demandèrent ensuite de ne point parler de cette rencontre. Il apprit ainsi que ces derniers étaient très liés à Hitler, qu'ils l'avaient souvent hébergé et même caché lorsque, clandestin, il était recherché par les Français à l'époque de l'occupation de la Ruhr.

« Ce n'est que beaucoup plus tard que j'ai mesuré à quel point ma voie avait été régie par le Destin. Je n'ai jamais rien décidé, choisi. Peut-être en va-t-il de même pour chacun de nous, mais, moi, j'en suis conscient. »

En guise d'avertissement

Comment, dira-t-on, s'intéresser à un personnage qui n'éprouve aucune honte, aucun état d'âme à revendiquer haut et fort son admiration pour l'homme qui a ordonné la « solution finale » ?

Dès les années 1950, il est le « mystérieux » Genoud. Au milieu des années 1960, il devient dans les journaux le « banquier suisse » aux agissements équivoques, voire frauduleux. À partir des années 1970, on ne parle plus de lui que comme du « banquier nazi suisse » qui tire les ficelles du terrorisme international...

Il était tentant de faire le portrait — j'allais écrire le procès — d'un tel diable. La lecture de la presse et les rumeurs courant sur son compte m'auraient fourni suffisamment de matériaux pour évoquer ce destin méphistophélesque et exhiber quelques-uns de ses masques. Mais je connais ce Lucifer-là depuis 1978 et il m'aurait fallu bien de la mauvaise foi pour en brosser ce tableau sommaire. Nos rencontres, qui se sont succédé depuis près de vingt ans, ont-elles émoussé à ce point mon esprit critique ? Ont-elles instillé dans mes yeux de quoi voir le noir en gris, et le gris en blanc cassé ? Me suis-je laissé manipuler, pour reprendre un mot à la mode ? Le lecteur jugera.

J'ai la faiblesse de croire qu'en chaque homme — fût-ce le plus foncièrement mauvais, et cette définition ne s'applique certes pas à mon personnage — existe, tantôt grande, tantôt infime, une part de lumière. Il m'a fallu une certaine opiniâtreté pour la déceler chez cet homme qui a tout fait pour noircir ses traits. Non seulement il a rencontré Hitler, mais il ne rate jamais une occasion de proclamer que « le Führer était un génie ». Quand d'aventure il a accompli ce que j'appelle — ce que la plupart des gens appellent — une bonne action, il s'en excuse ainsi : « Mon Führer me comprendra... »

Je l'ai connu au printemps de 1978. Je travaillais alors à la préparation d'une cover-story *du* Nouvel Économiste *consacrée à Akram Ojjeh*[1]*, grand intermédiaire des marchands d'armes français avec l'Arabie Saoudite. Je cherchais des témoignages sur Ojjeh et ses proches. On me conseilla de contacter un avocat algérien, André Mécili*[2]*, qui me présenta lui-même quelque temps plus tard François Genoud. Ce nom ne m'était pas inconnu : je le rattachais à l'affaire dite du « trésor du FLN », qui défrayait régulièrement la chronique depuis une bonne douzaine d'années*[3]*.*

Les conditions de notre premier rendez-vous me frappèrent. Très poli, prévenant, Genoud tint beaucoup à s'asseoir le dos au mur dans le café où nous avions choisi de nous attabler : « Je préfère faire face à ceux qui voudraient me tuer... », me dit-il avec un grand flegme.

Depuis 1978, je l'ai revu une ou deux fois par an. J'ai pu ainsi constater que l'homme était fort bien informé sur un certain nombre de sujets sensibles, et qu'il possédait un carnet d'adresses extrêmement varié pour un « banquier nazi ». Depuis l'arrestation de « Carlos », je l'ai revu à diverses reprises à Paris où il s'est beaucoup démené pour venir en aide à son ami terroriste. Je lui confirmai alors mon souhait d'écrire un jour sur lui, tout en lui rappelant que nous étions en complet désaccord sur à peu près tout. J'avais néanmoins pu constater que ses engagements aux côtés des nationalistes algériens, avant et après l'indépendance, et ses sentiments propalestiniens étaient en partie les miens.

---

1. L'article, intitulé *Akram Ojjeh : enfin la vérité ?*, fut publié le 1er mai 1978.
2. André Mécili a été assassiné le 7 avril 1987 par un truand algérien exécutant un « contrat » commandité par la Sécurité militaire algérienne.
3. Cf. *infra* p. 285 *sq*.

Je n'étais pas le seul à être intrigué par François Genoud. Les grands services secrets — CIA, MI5, BKA, DST, DGSE, et surtout Mossad — possèdent tous de très volumineux dossiers à son sujet, dont ils font « fuiter » de temps à autre quelques éléments dans la presse. Il est évident qu'il est le Suisse le plus surveillé depuis 1934 : comptes rendus de filatures, d'écoutes téléphoniques, d'infiltrations diverses donnent de lui une image de pervers polymorphe, tant il est impossible de reconstituer un profil cohérent à partir d'observations aussi morcelées et éclectiques. Toute tentative de faire son portrait à partir du témoignage de ses amis se révèle encore plus troublante et problématique : on s'aperçoit en effet que beaucoup d'entre eux sont morts, mais bien peu de mort naturelle...

Ce nazi, ce provocateur, cet aventurier affiche son intérêt quasi morbide pour les personnages haïs et rejetés par la société. Lui-même se plaît à défendre des causes considérées par la plupart comme dangereuses, malsaines ou ambiguës. Par-delà les schémas tout faits, ses ressorts sont néanmoins visibles : il rejette le droit des vainqueurs et l'ordre établi. François Genoud est le produit d'un siècle qui, après avoir sacrifié des millions de morts au cours de la Grande Guerre, s'est ordonnancé autour de nouvelles règles imposées par les puissances victorieuses dans le cadre du traité de Versailles et de quelques autres moins connus, comme celui de Sèvres. Ce nouvel ordre, en humiliant nombre de peuples, que ce soit en Europe ou au Moyen-Orient, portait en germe l'éclosion et les victoires du fascisme, mais aussi bien des mouvements qui ébranlèrent et secouent encore aujourd'hui le monde arabe. François Genoud a vécu de manière passionnelle ces humiliations. Il les a cultivées parfois jusqu'à l'absurde, faute d'accepter les remises en question qu'un tempérament entier assimile volontiers à des trahisons. Incapable de se faire comprendre, il s'est construit un personnage en endossant non sans délectation les habits de Lucifer.

Ce personnage qui n'a rien fait pour être aimé, rappelant au contraire constamment son passé pour mieux se faire détester, a joué néanmoins un rôle non négligeable dans l'histoire contemporaine, et a côtoyé certains de ses plus grands acteurs. À l'origine de beaucoup de ses actes, on trouve fréquemment une rencontre avec un prisonnier ou un individu qui risque de perdre sa liberté et qu'il cherche d'emblée à aider, y compris lorsqu'il s'agit d'un adversaire idéologique ou d'un ennemi. Cet homme a foncièrement l'âme d'un visiteur de prison. Amoureux fou de la liberté, il exècre la démocratie et a toujours adhéré à des systèmes liberticides...

Le 15 mai 1995, il accepta enfin de me parler, de tout me dire sur sa vie, simplement parce que le temps était venu pour lui de quitter ce monde :

« Regardez-moi, je ne suis plus qu'un vieillard essoufflé, moi, l'aventurier ! Je ne peux pas accepter cette existence-là. »

Il me parla de la mort comme d'une prochaine et agréable compagne, regrettant que ceux qui avaient décidé de l'abattre en 1993 se fussent montrés d'aussi stupides amateurs.

François Genoud a donc accepté que je le confesse ; il m'a également donné plein accès à ses archives, sans m'imposer ni même me suggérer pour autant des clés d'interprétation, persuadé que si l'Histoire lui a donné tort de son vivant, les causes et les hommes qu'il a soutenus resurgiront un jour sous des oripeaux plus flamboyants.

Ce personnage avait tout pour m'inspirer de l'aversion. J'abomine sa première cause : le nazisme. Je souscris ardemment aux paroles du juge Jackson qui déclarait, le 20 novembre 1945, en ouvrant le procès de Nuremberg : « Les crimes que nous cherchons à condamner et à punir ont été si prémédités, si néfastes et dévastateurs que la civilisation ne peut tolérer qu'on les ignore, car elle ne pourrait survivre à leur répétition. Que quatre grandes nations exaltées par leur victoire, profondément blessées, arrêtent les mains vengeresses et livrent volontairement leurs ennemis captifs au jugement de la loi est l'un des plus grands tributs que la Force paya jamais à la Raison[1]. *» Depuis la fin de la dernière guerre, Genoud fonde son action sur la conviction que ce procès fut un déni de justice : en un mot comme en cent, c'est un « révisionniste ».*

J'ai essayé de comprendre comment on pouvait être Genoud. Les auteurs de biographies n'aiment guère les personnages linéaires, sans rugosités. En l'occurrence, j'ai été servi ! En refermant ce livre, le lecteur comprendra peut-être pourquoi j'ai décidé de consacrer quelques mois à raconter la vie de cet homme.

1. *Procureur à Nuremberg*, par Telford Taylor, Paris, Éditions du Seuil, 1995.

Avec Sacco et Vanzetti

Le père de Genoud, qui se prénommait lui-même François, naquit français et devint suisse dans son enfance parce que son Savoyard de père ne voulait pas porter l'uniforme en 1870 : il avait horreur de la guerre. Le grand-père avait été un stuqueur très habile, devenu compagnon du Tour de France et franc-maçon, qui promenait son savoir-bien-faire dans les châteaux et belles demeures de France, d'Angleterre et d'Espagne ; il avait acheté la bourgeoisie lausannoise en 1888, alors que son fils avait onze ans. La citoyenneté suisse de la famille Genoud n'entama en rien l'amour immodéré de la France dans lequel François, père de notre personnage, fut bercé.

En 1901, ce père, qui a alors vingt-quatre ans, fonde la maison F. Genoud & Cie, commerce de papiers peints. Il est entreprenant et ne reste pas les deux pieds dans le même sabot. Ses affaires se développent rapidement. Leur chiffre, de 25 000 francs la première année, est passé à 500 000 francs à la veille de la guerre ; la maison emploie alors trente-cinq commis et employés, et a implanté une succursale à Berne en 1909. Premier levé le matin, c'est le patron qui éteint les lumières du magasin après avoir travaillé douze à quatorze heures chaque jour ouvrable que... Dieu fait. Oh, le mot est sacrilège chez les Genoud où le père cultive un anticléricalisme à la française ! Il est franc-maçon et ne manque pas un atelier de la loge « Espérance et Cordialité ». Yvonne Genoud, une sœur de notre personnage, se souvient même d'être allée à un arbre de Noël, place Chaudron, organisé par la loge de son père[1].

Le patron de la maison Genoud est un homme respecté à Lausanne. Il est associé avec le beau-fils du directeur de la banque cantonale neuchâtelloise, et les établissements de la place lui accordent des lignes de crédit pour une valeur totale de 150 000 francs.

La femme du bourgeois de Lausanne, issue d'une famille de Neuchâtel, est d'origine protestante. Fort éprise de son futur époux, elle a bien accepté la petite Marguerite, âgée de quatre ans, sa fille d'un premier mariage. Elle lui donne Nanette en 1907, Yvonne en 1909, Pierre en 1912. Puis un dernier-né, François, le 26 octobre 1915. Le père a beau être suisse et mobilisé sous les couleurs de la Confédération, son cœur bat toujours, de l'autre côté de la frontière, pour le drapeau tricolore. Et non content de lui donner du « François » comme premier prénom, il lui accole ceux de George (comme George V d'Angleterre) et Albert (comme Albert Ier de Belgique), deux rois qui combattent aux côtés des Français. « Pour mon père, fervent républicain, c'était un hommage aux deux "vaillants monarques". Pour son fils, ce devait être un bon passeport pour la vie dans le combat entre le Bien, la France, et le Mal, l'Allemagne... », raconte Genoud, élevé dans une ambiance très francophile. Les premiers uniformes qu'entrevoit le tout jeune François sont ceux d'officiers français, souvent reçus dans l'appartement de six pièces de l'avenue de Morges. Yvonne Genoud, qui a quatre-vingt-six ans aujourd'hui, se souvient encore de « la couleur bleue de Lausanne pendant la guerre, à cause des uniformes des internés français. Le jour de leur départ, la ville est devenue grise... ».

1. Entretien avec l'auteur, le 24 septembre 1995.

2. En vertu d'accords passés à la fois entre la Suisse et l'Allemagne et entre la Suisse et la France, sous l'égide du Vatican, des prisonniers de guerre malades ou blessés pouvaient séjourner en Suisse pendant quelque temps. La Confédération a accueilli des prisonniers de toutes les parties du conflit. Au début de 1916, il y avait 37 515 « internés français » répartis dans les cantons de langue romande.

Un jour de mai 1917, la même Yvonne revient à la maison en disant à sa mère : « Il paraît qu'il y a un espion dans l'avenue de Morges. » C'était son père.

J'ai consulté aux Archives fédérales de Berne l'important dossier intitulé « Affaire Ernest Panchaud et consorts[1] ». S'y trouve décrite une histoire qui a dû beaucoup influencer le destin de François Genoud.

Tout commence par l'arrestation, début mai 1917, à Francfort, de Charles Breithaupt, un Suisse natif de Neuchâtel, soupçonné d'espionnage contre l'Allemagne. Or Charles est le frère de Marie Genoud, épouse du patron de la maison Genoud.

Le 19 mai, Breithaupt fait une confession accablante : il donne tous les noms et détails de ses activités d'espionnage, menées contre espèces sonnantes et trébuchantes versées par la maison Genoud. Quelques jours plus tard, le général du 18e corps d'armée envoie le procès-verbal d'interrogatoire à Berne.

Le 31 mai, trois policiers suisses débarquent à 18 h 30 au 33 de l'avenue de Morges, dans l'appartement des Genoud, situé au troisième étage. Seule Mme Genoud est sur place. Ils fouillent avec minutie les six pièces et mettent la main sur quelques lettres échangées avec l'Allemagne. Ils ont un mandat d'amener et embarquent Mme Genoud dans les locaux de la Sûreté. Ils cueillent François Genoud à 11 heures du soir et l'écrouent à la prison de l'Évêché. Vers une heure du matin, le magasin de papiers peints, situé 31, rue de Bourg, est perquisitionné à son tour. Le même jour est arrêté l'associé de Genoud, Ernest Panchaud.

Dans les locaux de la Sûreté, Marie Genoud reconnaît avoir transmis des lettres à l'intention de prisonniers de guerre, mais déclare ignorer complètement que son mari ait pu s'occuper d'espionnage. Celui-ci nie avoir participé à un service de renseignement.

Le 7 juin, les époux Genoud sont à nouveau interrogés et confrontés aux déclarations de leur frère et beau-frère Charles

1. 1250 a, b et c.

Breithaupt, toujours emprisonné à Francfort. Des lettres trouvées avenue de Morges confirment que François Genoud s'est bel et bien rendu à plusieurs reprises en Allemagne au cours de l'automne précédent. Il y est aussi question du petit François : « C'est toujours le bon gars aux poings solides, ne pleurant que pour percer des dents... » Genoud père ne comprend pas la déposition de son beau-frère, qui a peut-être été faite « pour attirer la pitié des juges, car il n'y a aucune vengeance de sa part. Nous avons vécu en bonne harmonie... », dit-il d'un ton bien conciliant.

Finalement, pour ne pas compromettre Marie Genoud, Panchaud est obligé de reconnaître qu'il a présenté un ami français nommé Clairin à Breithaupt, et que tous deux ont monté un petit service de renseignement contre paiement de 600 francs par mois au frère de Mme Genoud, émoluments versés par la Maison Genoud. Mais le torchon a eu tôt fait de brûler entre Clairin et Breithaupt, le premier reprochant au second ses renseignements stupides ou tendancieux.

La rumeur est toujours prompte à filer dans une bonne ville bourgeoise comme Lausanne. Elle s'empare rapidement de la Maison Genoud, qui n'était pas si solide que l'on croyait, qui a même, dit-on alors, falsifié sa comptabilité, voire émis de fausses traites. « Je vous le dis, mais ne le répétez pas : elle a touché des sommes considérables de la France... » D'autres prétendent que c'est de l'Allemagne...

C'est vrai qu'avec la guerre François Genoud a beaucoup perdu sur les actions qu'il possédait dans des sociétés immobilières, et qu'il a comblé ces « trous » en prélevant sur son commerce. Sa mobilisation n'a guère arrangé les choses et, en 1917, il n'a plus guère de liquidités.

Les bruits ainsi colportés atteignent Genoud dans sa prison. Il enrage. Il écrit plusieurs lettres au juge pour attirer son attention sur la situation de sa famille ; il se recommande de personnes honorablement connues et affirme que ces rumeurs risquent de porter atteinte à la bonne santé financière de la Maison Genoud...

S'il est accusé d'infraction à l'ordonnance du Conseil fédéral du 6 août 1914 portant sur l'état de guerre, le juge doit néanmoins considérer que les faits reprochés ne sont point trop graves, puisqu'il le fait libérer le 17 juin 1917.

Le petit François n'a pas deux ans, mais, soixante-huit ans plus tard, sa sœur Yvonne et lui-même déclarent avoir gardé ces événements en mémoire.

« François était adorable, si mignon que j'avais toujours envie de l'embrasser, mais il échangeait son autorisation de baisers contre des billes. Il faisait payer les plaisirs qu'il nous accordait. Il avait un caractère affirmé mais tendre, avec quelque chose de féminin et en même temps de très rigoureux pour dissimuler sa tendresse », se souvient Yvonne qui réside à Pully, à quelques centaines de mètres de son frère. « Notre père était affectueux mais impartial vis-à-vis de ses enfants, poursuit-elle. On pouvait parler de bonheur dans la sécurité. Mais notre mère a beaucoup souffert de ses infidélités, et c'est François qui l'a le plus durement ressenti. Sa rigueur était celle qu'il reprochait à son père de ne pas avoir. »

Probablement faut-il chercher là une explication partielle de l'attitude de François Genoud par rapport à tout ce que représentait son père : la bourgeoisie, l'amour de la France, l'acceptation de l'ordre dominant, celui qui résultait du traité de Versailles et de ses annexes.

Genoud a du mal à reconnaître qu'il ait pu se construire en fonction de l'univers de son père. Il affirme « avoir eu une enfance particulièrement heureuse, dans une atmosphère familiale très douce, chaleureuse... Notre maison a toujours été hospitalière, ouverte à de nombreux "internés français et belges[1]" pendant la Grande Guerre. Cela appartient à mes premiers souvenirs... »

Puis son père acheta en 1920 une maison sise avenue Rambert, où les souvenirs de François se font plus nombreux. Il se rappelle également que le patron de la Maison Genoud fit édifier au début des années 1920 un magasin dans le centre de Lausanne, avenue de l'École-Supérieure, avec deux petites maisons attenantes qui servaient de dépôts (le tout fut détruit et remplacé par un grand building en 1937). Malgré l'aisance matérielle apparente et les grosses voitures dans lesquelles on partait en vacances en famille, Genoud a néanmoins gardé souvenir que son père avait de constants soucis financiers. Toute la maisonnée redoutait la faillite. Il se rappelle aussi un père éminemment changeant, très optimiste un jour, versant le lendemain dans un pessimisme noir.

Dès ses premières années, le petit François se montra très lié à Marguerite, née en 1902, fille d'un premier mariage de son père. Mais c'est quand il parle de sa mère que son ton se fait le plus chaleureux : « J'étais extraordinairement attaché à ma mère. Elle était neuchâteloise, d'origine allemande badoise du côté de son père, anglaise du côté de sa mère (descendant directement de l'amiral Colingwood, bras droit de Nelson, personnage très intéressant qui avait eu un oncle exécuté par les Stuart). Je n'aime pas l'Angleterre, mais je suis sorti de là quand même... Ma mère était une femme merveilleuse. J'étais un peu son préféré. J'avais des liens très étroits avec elle et je les ai gardés jusqu'à sa mort en 1958. C'est un personnage qui a occupé une place capitale dans ma vie. Elle ne m'a absolument pas suivi dans mon idéologie nazie. Elle en a même probablement été surprise, un peu choquée, mais elle était très libérale... »

Ce libéralisme s'exprime dans le choix de l'établissement où va étudier le jeune François. Il entame en effet sa scolarité avec la « méthode Montessori », à l'esprit on ne peut plus ouvert. Quittant sa mère sur le seuil de l'école, place de l'Ours, il ne tarde pas, le jour de la rentrée, à connaître sa première frayeur : il se trompe d'escalier et se retrouve dans le bureau du directeur. Il pleure toutes les larmes de son corps, dévale l'escalier quatre à quatre et retourne chez sa mère qui s'emploie à le consoler...

« Mignon », mais monnayant volontiers son affection, le petit François, alors âgé de cinq à six ans, trompe son monde. Il emprunte tous les jours, pour aller à l'école et en revenir, la rue

Marteret, et passe devant le salon de coiffure de M. Chiolero. La petite boutique aux rideaux tout blancs attire irrésistiblement le garnement. N'y tenant plus, il ramasse une poignée de cailloux, ouvre subrepticement la porte et balance ses projectiles, telle une bombe, dans le magasin propret... Il renouvellera cet « attentat » deux ou trois fois, jusqu'au jour où le figaro, qui l'attendait, lui empoigna le bras et lui passa un savon dont l'octogénaire se souvient encore aujourd'hui.

Il trouve bientôt une autre arme pour combattre l'ordre établi, l'univers trop compassé de Lausanne : l'écriture, qu'il commence tout juste à maîtriser. Il griffonne des insultes sur de petits bouts de papier qu'il dépose dans les boîtes à lettres du voisinage. Il aime à se moquer du monde. Rien ne le fait plus rire que « Gourdiflo », un héros de bandes dessinées publiées dans *Mon Journal* où on le voit par exemple tenter de trouver le beurre à couper le fil...

Encore dans l'enfance, François a des idées sur tout. Il ne supporte pas la mode des années 1920, la juge ridicule et ne se prive pas de le dire. Ses sœurs, plus âgées, ont beau lui remontrer qu'il n'y comprend rien, il n'en démord pas.

Les années qui suivent n'ont guère marqué Genoud. Tout donne l'impression d'une famille bourgeoise sans histoires, vivant dans l'aisance. Les vacances d'été sont longues et se déroulent au-dessus de Lausanne, principalement à Cossonnay. L'hiver, Mme Genoud emmène la famille passer deux à trois semaines à la montagne. On roule carrosse depuis 1920. Vers la fin de la décennie, François peut étaler ses jambes dans une superbe Buick équipée de strapontins.

Le premier Allemand que François fréquente est Erwin, qui prend ses repas à la maison cependant qu'Yvonne est allée prendre pension dans la famille Breimer, au nord de Hanovre.

Pierre, le frère aîné, a introduit François chez les « Éclaireurs », mais celui-ci ne supporte pas d'être traité en « cadet ».

Au printemps de 1927, à onze ans et demi, il entre au collège scientifique appelé familièrement collège de la Mercerie, situé à côté de la cathédrale. Il se retrouve au premier rang, devant le professeur Jeanmairet, à côté de Roger Glatz, né en 1914 à Saint-Pétersbourg, arrivé à Lausanne après la révolution d'Octobre. Les deux enfants ne se quitteront plus pendant quelques années.

Le jeune François est très impressionné par son « maître de classe ». Jeanmairet rentre d'Éthiopie, auréolé du prestige d'avoir été instructeur des troupes de l'empereur Hailé Sélassié. Il passe pour critique à l'égard de l'ordre social, ce qui plaît fort à François, toujours disposé à s'enflammer, à prendre la défense des faibles et des opprimés. Subversif, Jeanmairet explique en effet aux petits Lausannois que les « productifs » sont condamnés à vivre médiocrement toute leur vie alors que les « inactifs », qui ont le loisir de se cultiver, gagnent vite de l'argent et ne se privent pas d'exploiter les premiers. Une telle société ne peut être qu'injuste et Genoud s'insurgera toute sa vie contre un tel ordre : « J'ai toujours pensé avec respect à ce type-là. J'aimais sa vision des choses. Il a éveillé mon côté social, qui joue chez moi un rôle très important. Dans le national-socialisme, c'est ça que j'aime : c'est la communauté nationale, c'est un peuple uni ; tout le monde travaille... », déclare-t-il aujourd'hui.

Son ami Roger Glatz[1], qui a partagé au collège le même banc, les mêmes profs, se souvient fort bien de Jeanmairet, de ses récits sur l'Éthiopie, mais absolument pas de ses critiques de l'ordre social : « Jeanmairet avait l'esprit international, ce n'était pas un Suisse lausannois. C'était un homme élégant, portant bien l'habit. » Le samedi matin, le maître leur lisait *Le Livre de la jungle*, de Kipling : « On était très intéressés. » Glatz, dont les souvenirs se sont effilochés, se rappelle François comme un garçon « très sympathique, ouvert, gai, intelligent, et très mignon au point que, dans une pièce de Molière, *Le Malade imaginaire,* c'est naturellement lui qui a interprété le premier rôle de fille ». Pendant cinq ans, il a parcouru avec lui le chemin reliant le collège à leurs domiciles, voisins l'un de

1. Entretien avec l'auteur, le 3 octobre 1995.

l'autre. « Un bon élève ? Non, un élève moyen. Assez sportif, il jouait aux billes et au ping-pong... »

François s'enflamme pour son premier héros : Charles Lindbergh qui, à bord du *Spirit of Saint Louis*, traverse l'Atlantique les 20 et 21 mai 1927. « Cela déchaîna l'enthousiasme du monde. Pour moi, garçon de onze ans, ce fut le premier héros dont je vécus la prouesse heure par heure. Toute sa vie, il resta digne du jeune héros qu'il avait été[1]. Mais si 1927 me fournit pour la vie mon héros américain, cette même année me communiqua à vie l'aversion du système américain... »

Mme Genoud et ses enfants avaient l'habitude de passer les vacances d'été à Cossonnay ; une tante de François (la sœur de sa mère) était mariée à un certain Landsrath qui y possédait une propriété rurale. Le jeune François lisait alors avec avidité la *Tribune de Lausanne*. Tous les matins de ce mois d'août 1927, ses dix centimes en poche, il courait donc jusqu'au bourg de Cossonnay pour être le premier à l'arrivée du car postal, et le premier à acheter la *Tribune*. Il avait ainsi le sentiment de connaître les nouvelles avant tout le monde.

Depuis quelques mois déjà, il suivait l'affaire Sacco et Vanzetti, mais c'est dans le courant de ce mois qu'il va en souffrir au point d'en rester marqué de manière indélébile et d'en parler encore avec passion et rage près de soixante-dix ans plus tard.

Le dimanche 31 juillet, François est heureux de constater que ses compatriotes se remuent pour venir en aide aux deux anarchistes italiens immigrés aux États-Unis et condamnés à mort depuis juin 1921 pour avoir participé, l'année précédente, à l'assassinat d'un garçon de recettes. À Genève, la veille, un meeting de protestation a réuni plusieurs centaines de personnes. Un communiqué a été remis à l'ambassade américaine, affirmant que « la population de Genève, ville choisie par l'ancien président des États-Unis d'Amérique, Wilson, pour

1. Genoud lui écrira, le 27 avril 1954, pour lui demander de rédiger la préface à *Pilote de Stukas*, écrit par l'as allemand de la Deuxième Guerre mondiale, le colonel Rudel.

devenir le siège d'institutions de justice internationale ; convaincue de la pleine innocence de Sacco et Vanzetti contre lesquels, au cours de sept effrayantes années de martyre, nul témoignage sérieux, nulle expertise ou preuve convaincante n'ont pu être fournis ; considérant que, par contre, un ensemble impressionnant de faits nouveaux ou arbitrairement écartés jusqu'ici n'a rien laissé subsister de la terrible accusation ; réclame la libération immédiate de Sacco et Vanzetti au nom des sentiments les plus hauts de solidarité universelle, au nom du devoir même de la conscience humaine de s'affirmer contre toute iniquité, quel que soit l'État où elle est commise ». Le même journal raconte une manifestation à Fribourg. La Suisse neutre bouge enfin contre ce déni de justice qui fait si mal au jeune François Genoud.

Le 5 août, il apprend par la *Tribune* que l'exécution est fixée au 10, que les deux Italiens ont été transférés dans la cellule des condamnés à mort à Charleston, mais que la défense paraît optimiste sur le sort que le gouverneur Fuller va réserver au tout dernier rapport qu'il a fait établir : « Dans les milieux bien informés, on émet l'opinion que les condamnés ne seront pas exécutés et que l'on surseoira à l'exécution en attendant la décision de la juridiction du Massachusetts qui va tâcher d'obtenir la révision du procès... »

Le lendemain, il lit avec une particulière attention une violente attaque du journal italien *L'Ambrosiano* contre les États-Unis : « La très fameuse démocratie américaine a accompli, après des années de méditations et d'études, le grand geste d'envoyer à la chaise électrique deux hommes dont la culpabilité est bien loin d'être démontrée. Leur seul tort est d'être italiens. Le monde éprouvera de l'horreur en apprenant la nouvelle injuste dictée par les scrupules d'un puritanisme fanatique et par l'aversion des autochtones envers les Italiens. Ainsi récompense-t-on les sacrifices et les travaux d'une masse d'émigrés qui ont consacré leurs forces à la prospérité de l'Amérique. L'affaire Sacco et Vanzetti reste comme l'une des pages les plus sombres et les plus affreuses de l'histoire des

États-Unis. La sécheresse de cœur manifestée par les Yankees dans la question des dettes de guerre trouve aujourd'hui une démonstration tragique et sanglante. » Une rage anti-américaine est en train de prendre corps. Ces lignes vengeresses contribuent à l'éducation politique d'un garçon à la sensibilité exacerbée, qui n'oublie jamais rien.

Le lendemain 6 août, la *Tribune* évoque l'affaire en première page, parle du martyre des deux condamnés et reproduit l'attaque de *L'Ambrosiano*, à laquelle s'ajoute celle du *Corriere della Sera* qui écrit : « Au temps des barbares, lorsque la corde servant à la pendaison d'un condamné se brisait, le peuple demandait la grâce, et celle-ci était accordée. Si, dans le procès Sacco et Vanzetti, il n'y a pas eu d'irrégularités, le sursis fait de renvois successifs a créé non seulement une anomalie, mais une monstruosité. » Dans les pages intérieures du quotidien, le Sacco and Vanzetti Defense Committee convie « les millions de gens qui, de par le monde, se sont levés pour leur défense, à intervenir et à se joindre à nous dans notre effort ultime et désespéré pour arrêter la main du bourreau ». Dans la même livraison, le jeune lecteur peut constater qu'il n'est pas seul à s'indigner : les protestations s'élèvent de partout, même si elles sont surtout le fait des syndicats et partis de gauche.

Le dimanche 7 août, la *Tribune* se fait l'écho des dernières protestations, évoque l'interdiction par le gouvernement français des manifestations en faveur de Sacco et Vanzetti, des explosions dans le métro de New York, dans une église de Philadelphie, à Baltimore, le mouvement de grève générale accompagné de violences en Argentine, etc.

Le lundi 8, François peut lire en grosses lettres : « L'espoir diminue. » Le rapport demandé par le gouverneur Fuller conclut à la culpabilité des deux Italiens. De vives protestations continuent de s'élever du monde entier.

Le lendemain, le titre n'est pas meilleur : « Vaine agitation. » Les différents articles apprennent au jeune lecteur que les recours ont été rejetés, que des manifestations violentes se multiplient, notamment en France et en Suisse (deux mille personnes à Genève).

Dans la *Tribune* du 10 août, François Genoud n'apprend rien de neuf sur le fond de l'affaire, mais il est content de savoir que « Mussolini est intervenu aussi » ; dans un télégramme adressé au père de Sacco, le président du Conseil italien affirme : « Depuis longtemps, je m'occupe du sort de Sacco et Vanzetti. J'ai fait, dans la limite des règles internationales, tout mon possible pour [les] sauver. » Le jeune François est exalté par cette intervention du Duce que son père a l'habitude de critiquer mais qui, cette fois, selon le fils, s'attire l'admiration paternelle.

« Ce fut Mussolini qui intervint le plus vigoureusement en leur faveur. Il s'agissait de deux anarchistes, donc d'antifascistes. Mais, pour le Duce, défenseur de tous les Italiens, cela n'avait aucune influence. Cela gagna mon cœur à Mussolini et, à l'opposé, la barbarie du système américain qui, six ans après leur condamnation — six ans de recours, d'espoirs, de désespoirs —, finit par exécuter ces deux innocents, fut à l'origine d'une aversion croissante pour ces hypocrites », déclare aujourd'hui Genoud avec une rage à peine contenue.

Le jeudi 11 août, lui qui ne rêve que plaies et bosses contre les responsables du sort de Sacco et Vanzetti, est heureux de lire que la veille, à Bâle, après une démonstration rassemblant sept mille ouvriers, une bombe a explosé, faisant une douzaine de blessés. Le lendemain, léger espoir : le gouverneur Fuller a accordé un sursis de douze jours. Dans la *Tribune* du 17, il apprend que le cas des deux hommes est examiné par la Cour suprême, que le pape est lui aussi intervenu, et qu'une bombe a été déposée au domicile d'un juré.

François Genoud vit cette affaire comme s'il en allait de sa propre vie ou de celle d'êtres chers. C'est alors qu'un télégramme d'Afrique du Sud arrive à Cossonnay : sa chère, sa tendre Marguerite vient d'avoir son troisième enfant ; la jeune maman se porte comme un charme. Enfin une bonne nouvelle !

Mais, le samedi 20 août, catastrophe : la Cour suprême des États-Unis rejette l'ultime pourvoi de Sacco et Vanzetti. Le lendemain, la *Tribune* titre : « Les portes se ferment. » Le lundi 22, c'est « La sourde oreille » ; l'opinion américaine n'écoute pas les protestations, et vaines se révèlent les démarches des avocats des condamnés. Le 23 août, ce sont « Les dernières heures ». Mais ce qui frappe François Genoud, c'est le réveil de ses compatriotes : une manifestation réunit plus de cinq mille personnes, malgré la pluie. Après le rassemblement officiel, les manifestants se dirigent par petits groupes vers le consulat américain qui occupe le deuxième étage de la Bourse, rue Petitot. Gendarmes et agents de la Sûreté ont du mal à contenir la foule. Des cris fusent : « Assassins ! À bas la police ! » Des cailloux, des œufs sont jetés sur les agents. Vers 9 heures du soir, après avoir été excités par l'anarchiste Tronchet, les manifestants se retrouvent rue de Rive devant le cinéma « Étoile » où l'on projette un film américain ; une autre salle est attaquée, un garage et une agence américaine sont saccagés, des vitres brisées au siège de la SDN, un poste de police assiégé... Ces violences font un mort. À Zurich et à Bâle, les manifestations ont été tout aussi violentes.

Le mercredi 26, la direction de la *Tribune* semble épouvantée par toute cette agitation autour de l'affaire. Dans un éditorial intitulé « Ceux qui font fausse route », le rédacteur, après avoir témoigné une certaine compréhension pour ceux qui se sont apitoyés honnêtement sur le sort des deux Italiens, conclut : « Mais, à l'observateur impartial, il apparaît que le sentiment unanime de pitié provoqué par le douloureux calvaire de ces deux hommes a été exploité dans un but tout différent, et nettement politique. Certains agitateurs ont cherché à tirer parti de cette réaction naturelle de l'âme humaine pour provoquer des désordres et préparer le terrain pour l'action révolutionnaire. Et, contre cette exploitation de sentiments généreux, on ne saurait trop énergiquement protester ! Qu'y a-t-il de commun entre l'affaire Sacco et Vanzetti et l'explosion de la bombe de la Barfusserplatz, à Bâle, qui causa la mort de deux innocents ? [...] En quoi les désordres de Genève, les scènes de pillage devant le Palais de la SDN, la mort du malchanceux père de famille Schaefer, ont-ils retardé l'exécution de Boston ? Sans conteste, la manifestation de la réprobation populaire a dévié de son but... Il est bien évident que, quelle que soit la compassion que suscite le sort de Sacco et Vanzetti, les autorités qui ont la responsabilité du pouvoir et le devoir de faire respecter les institutions que notre peuple s'est librement données ne sauraient admettre que l'ordre fût troublé et que la rue devienne le théâtre de scènes de pillage et de bagarres scandaleuses comme celles qui eurent lieu lundi à Genève. Et ce serait faire injure à nos autorités que de supposer qu'elles pourraient se dérober à ce devoir, quelque douloureux qu'il puisse être. »

François Genoud enrage de cette hypocrisie des bourgeois helvètes.

Ce n'est qu'en page 6 du journal que l'exécution est annoncée. Le correspondant de l'Associated Press, seul journaliste à y avoir assisté, raconte que les manifestations ont pu être contenues grâce aux précautions de la police qui avait mis des mitrailleuses en batterie aux abords de la prison. « Sacco était pâle, mais il se dirigea d'un pas assuré, les yeux brillants, vers le fauteuil électrique. Lorsqu'il fut assis, il cria en italien : "Vive l'anarchie !", puis il ajouta en anglais : "Adieu à ma femme, à mon enfant et à tous mes amis, bonsoir messieurs, adieu ma mère !" Vanzetti entra alors dans la salle d'exécution. Il serra la main des deux gardiens, marcha sans l'aide de personne et s'assit sur le fauteuil. Il commença de protester de son innocence, mais le bourreau l'empêcha de continuer en fixant les bandages de la tête. Les dernières paroles du condamné furent : "Je veux pardonner à certains ce qu'ils me font maintenant." Les corps de Sacco et Vanzetti ont été transportés dans une salle voisine où l'on a procédé à l'autopsie... »

Genoud n'a fait que parcourir le reste de cette page, consacré aux manifestations violentes et à la trentaine d'arrestations opérées à Genève. Il enrage. Il pleure. Il invective l'Amérique « abjecte » qu'il haïssait déjà pour le massacre de ses Peaux-

Rouges... Il rentre au foyer familial et y laisse éclater ses sentiments tumultueux.

Les jours suivants, il lit encore la *Tribune*, mais se renferme. C'est alors qu'une seconde catastrophe lui tombe sur la tête : le 1er septembre, un télégramme en provenance d'Afrique du Sud annonce que Marguerite, sa demi-sœur, est décédée. Choc terrible pour François : « 1927 fut aussi l'année du premier drame de ma vie, la mort de Marguerite, ma sœur aînée, ma préférée, quelques jours après qu'elle eut donné naissance à son troisième enfant, en Afrique du Sud, dans la province du Cap. Ce fut mon premier grand chagrin. »

Cette mort a probablement contribué à amplifier sa rage vis-à-vis de ce qu'il appelle encore aujourd'hui une « abjection ». Le jeune François à la sensibilité exacerbée s'est sans doute formé et peut-être figé en cette fin de l'été 1927. « Tout s'est éveillé à ce moment-là. Je me suis ouvert à l'extérieur. Ces événements ont été absolument essentiels dans ma vie... »

Les années suivantes au collège de la Mercerie n'ont pas laissé de traces indélébiles chez Genoud ni chez son camarade Glatz. Après Jeanmairet, ils ont eu pour professeur principal Marcel Monnet qui, selon Glatz, avait « très bon cœur, mais n'était pas très international... Lui était lausannois... ». Ils ont eu également pour professeur d'histoire le colonel Robert Moulin, « admirateur de Mussolini, homme d'extrême droite qui appartenait au mouvement “Ordre et Tradition” ». Glatz n'en conclut pas qu'il ait pu influencer Genoud, mais il est probable que l'enseignement et la personnalité de Moulin ont contribué à le faire devenir ce qu'il est... À propos de cette période, Glatz cite encore deux noms d'élèves : Henri Hotth et Gerald Huser. Sur le premier, « très gentil », pas grand-chose à dire, si ce n'est que son père était professeur de dessin au collège classique. Quant au second, il était lui aussi d'extrême droite. Genoud se remémore également ces deux noms, mais sans pouvoir y ajouter rien de précis. Ses souvenirs hors du collège de la Mercerie sont heureusement plus vifs.

François sort pour la première fois de Suisse en 1929. Il visite en voiture la France tant aimée par sa famille. Il « fait » les châteaux de la Loire, pousse jusqu'en Bretagne, revient par le Mont-Saint-Michel, puis Paris la Ville-lumière. Il se souvient de la « Tour Eiffel scintillant à la gloire d'André Citroën dont la Croisière jaune, deux ans plus tard, m'enthousiasmera et exercera une influence certaine sur la suite des événements[1]... ».

Le 24 octobre 1929 éclate la Grande Crise : « Elle modifiera le destin du monde, et chaque destin en particulier. Dans mon petit univers, le coup aurait pu être fatal pour le petit commerce de mon père. S'ouvrent ainsi les années 1930, les années noires... »

À l'orée de cette décennie, François, qui n'a pourtant que quinze ans et finit son cycle primaire au collège, s'intéresse déjà beaucoup à la politique. Sous des dehors de jeune adolescent convenable, lausannois et policé, il est de plus en plus révolté contre l'ordre politique dominant : « Comme la plupart des enfants, j'imagine, je me suis passionné pour les héros d'autrefois : Roland de Roncevaux, Bertrand du Guesclin et tant d'autres, et, dans les temps plus proches de nous, pour le combat désespéré des Peaux-Rouges contre les envahisseurs blancs. Lorsque j'ai commencé à m'intéresser à ce qui se passait dans notre monde, vers dix, douze ans, donc à la fin des années 1920, j'ai été anéanti en constatant que le destin m'avait condamné à vivre à une époque aussi fade, poussiéreuse, aux préoccupations aussi basses, dépourvues de panache. Au cinéma, les "Actualités" nous montraient nos "grands hommes" sous la forme de petits vieux rebondis en jaquettes et hauts-de-forme, marchant à petits pas saccadés. Les seules batailles dont il était question, c'était entre les devises : le franc français se battait héroïquement et désespérément — comme toujours — contre les assauts de la livre sterling ou du dollar, et il y avait la déroute du mark... Le credo, c'était : la guerre mise

---

1. Cf. *infra* p. 67 *sq*.

hors la loi, la paix éternelle. C'est dans ce monde-là, dans cette démocratie insipide que j'allais devoir vivre... Cette idée-là était absolument terrible ! »

Genoud s'est d'abord formé en lisant Zola et Balzac. Il est captivé par les idées véhiculées par Georges Oltramare, lequel va devenir le chef du mouvement pro-nazi l'Union nationale[1]. Il a parcouru Maurras et Daudet — il s'en imprègne plus qu'il ne les lit vraiment — et feuillette de temps à autre *L'Action française*. Francophile, il est néanmoins déjà hostile à la démocratie. Mais, comme sa famille, il est encore hostile à l'Allemagne.

Les parents de François Genoud ont balisé son chemin : il doit faire son apprentissage pour entrer le plus rapidement possible dans la maison Genoud, donc apprendre les ficelles des différents métiers qui le prépareront un jour à assurer la direction de l'entreprise familiale. Pourtant, son père le trouve bien jeune : « Que dirais-tu de faire encore une année d'école, mais en Allemagne ? Tu sais ce que je pense de ces gens-là, mais il faut reconnaître qu'ils ont des qualités qui nous manquent cruellement, à nous : l'ordre et la discipline. »

Ce sont les parents de Jean-Pierre Taillens, un cousin de François légèrement plus âgé que lui, qui sont à l'origine de cette initiative. Ce cousin avait passé des vacances studieuses à l'internat *(Melanchthonstift)* de Fribourg-en-Brisgau et en avait tiré, disait-on, un grand profit. François n'en fut pas moins surpris qu'une telle idée fût venue à son père, si francophile.

Le *Melanchthonstift* héberge une soixantaine d'internes de dix à dix-neuf ans dont les familles habitent des villages avoisinants non dotés d'école secondaire. François Genoud est le premier interne étranger à y être admis durant l'année scolaire. La maison Genoud, qui subit de plein fouet la crise économique, peut néanmoins supporter le coût modique de la pen-

---

1. Oltramare s'installera en France pendant la dernière guerre et y deviendra un collaborationniste très engagé. Condamné à la Libération, il s'enfuira au Caire où il travaillera quelque temps pour l'ancien bras droit du Dr Goebbels, J. von Leers.

sion. Accompagné par sa mère, François Genoud découvre ainsi l'Allemagne au début d'avril 1931.

Sa mère repartie vers Lausanne, il se retrouve dramatiquement seul. C'est la première fois qu'il en est séparé. Il apprécie d'autant plus l'accueil chaleureux des adolescents allemands, ses nouveaux camarades. Il n'est pas près de l'oublier : « Jamais la moindre fausse note, alors que mes idées — que je ne cachais pas — auraient pu les agacer, eux qui, depuis treize ans, subissaient à l'extrême le poids de la défaite après avoir subi plus lourdement que les autres le poids de la guerre... »

Cette communauté relaie ses parents et comble son vide affectif. Il épouse progressivement les idées qui ont cours parmi ces jeunes ruraux. François a toujours mêlé volontiers idées et amitiés : « J'ai été très vite séduit par la dignité, le courage de ce peuple, mais ce n'est que lentement que j'ai évolué dans ma vision des choses, car chacun reste très attaché aux idées que l'enfance et l'adolescence lui ont inculquées. Au bout d'une année d'internat, je n'avais pas totalement changé de point de vue, mais j'étais devenu plus objectif. Oui, cette Allemagne de 1931 m'a conquis par ses extraordinaires qualités morales, son courage dans la pire adversité, sa dignité dans la misère : cinq à six millions de chômeurs à temps plein, des millions de chômeurs partiels ; un pays toujours écrasé par les "réparations", alors qu'il avait eu le moins de responsabilités dans le déclenchement de la guerre... »

Ernst von Salomon vient de publier *Les Réprouvés*. Genoud ne l'a pas encore lu, mais va bientôt se découvrir en harmonie avec cette vision romantique de l'Allemagne. Jusqu'à son dernier souffle, il l'idéalisera tout en la replaçant dans une tradition multiséculaire illustrée par la légende des nains et de leur roi Nibelung. « Enveloppé de ténèbres compactes, il était là, debout, ce mot rongé par l'usure des siècles, enchanteur, plein de mystère, rayonnant de force magique ; on le sentait et pourtant on ne le reconnaissait pas, on l'aimait et pourtant on ne le prononçait pas. Ce mot, c'était : Allemagne... » François Genoud, lui, le Suisse de Lausanne qui n'a été lésé en rien par les stipulations de la paix de Versailles, aime les adolescents passionnés du *Melanchthonstift* qui ont adhéré à la *Hitlerjugend,* les Jeunesses hitlériennes.

La République de Weimar agonise. François Genoud fait sien le rêve de ces jeunes : l'achever. Comme devant la boutique du coiffeur de la rue Marteret, il rêve d'explosions, d'une révolution violente conduite par un héros, un vrai père sévère. Il est passionné par tout ce qu'il voit et entend. Les expressions de ses camarades sur la nation et leurs idées sociales l'enflamment. « Je me disais : je suis anti-allemand, mais, si j'étais allemand, je serais national-socialiste. » S'il ne peut fixer aujourd'hui avec précision la date de son adhésion à l'idéologie national-socialiste, il est certain qu'elle a été de nature affective et s'est fortifiée peu à peu au cours de ses deux premiers séjours en Allemagne.

Chaque fois qu'il avait un peu d'argent, il achetait *L'Action française.* Il adhérait à la foi de Charles Maurras et Léon Daudet dans « un ordre hiérarchique avec, au sommet, un souverain désigné par Dieu, par le Destin, échappant donc ainsi aux décisions sécrétées par la démocratie », mais ses discussions avec les jeunes de la *Hitlerjugend* lui font voir le côté irréaliste et nostalgique de la vision de l'AF. Auprès de ses camarades, il croit retrouver des vérités permanentes mais qui seront appliquées selon des méthodes nouvelles. « C'est en poussant la démocratie à l'extrême que l'on pourra en éliminer le poison diviseur... » François Genoud lit alors *Mein Kampf* et Goebbels.

Mais c'est surtout la jeunesse allemande qui l'impressionne et le conquiert en l'acceptant, lui, le petit Lausannois. « Je me suis souvent dit qu'un petit Allemand, chez nous, n'aurait pas été traité de cette façon. » En échange, il a épousé ses idées et rejeté une bonne fois tout ce qu'il détestait de manière encore informulée à Lausanne. « Là-bas, j'aimais la rigueur, l'austérité spartiate, le réveil en fanfare, la prière avant chaque repas, l'amitié chaleureuse de mes camarades, du pasteur Kaiser à la belle barbe grise. Je n'étais pas encore germanophile, mais j'estimais profondément l'Allemagne et les Allemands. »

Au printemps de 1932, il quitte Fribourg et le *Melanchthon-stift* avec lequel il a gardé des liens jusqu'à aujourd'hui. Quoi qu'il en dise, Genoud est déjà complètement séduit par les idées véhiculées par ses camarades de la *Hitlerjugend.*

Ses parents apprécient l'influence que l'Allemagne a exercée sur leur fils, lequel leur semble désormais plus discipliné et ordonné. Son père lui suggère alors d'y passer une année supplémentaire comme ouvrier volontaire chez un de ses fournisseurs, fabricant de papiers peints à Bonn, les Strauven.

François accepte avec enthousiasme de revenir en Allemagne. Il est bien accueilli par les frères Strauven, qui dirigent la fabrique. Le jeune apprenti suisse aime son travail tout comme il aime cette Rhénanie, plus ouverte et riante que le pays de Bade où il a séjourné quelques mois auparavant. Il découvre en compagnie de ses patrons les belles régions de l'Eifel, de Siebengebirge.

De toute façon, tout ce qui est allemand lui plaît. Il suit avec passion l'ascension de Hitler. La crise s'aggravant, les échéances électorales se multipliant, la montée du national-socialisme paraît irrésistible. Il s'exalte à observer « le combat pour l'unification d'une Grande Allemagne communautaire » réunissant tous les Allemands, car il a « horreur de la démocratie des partis qui engendre et cultive les divisions et antagonismes ».

Son travail terminé, François Genoud rend visite à un foyer dont il est devenu très proche, les Koopmann. Cette famille avait quitté l'Allemagne en 1918 et voyagé à travers les États-Unis et l'Europe, pour aboutir en Suisse. Là, leur fille, Ruth, avait suivi des cours chez Magnat, un graphologue bien connu, et était devenue, selon son maître, une élève brillante, voire géniale. Ruth et les siens étaient rentrés en Allemagne au début de l'année 1932. Apprenant que le jeune Genoud allait passer une année à Bonn, Magnat lui avait recommandé instamment de rencontrer Ruth Koopmann. Ce qu'il fit.

Installés dans une belle demeure au bord du Rhin, entre Bonn et Godesberg, les Koopmann deviennent un peu sa famille d'adoption et il y passe de nombreuses soirées. Le jeune François aurait pu tomber amoureux de Ruth, plus âgée que lui de deux ou trois ans, mais elle en aimait un autre. Une grande amitié voit néanmoins le jour entre les deux jeunes gens. Pourtant, Ruth est juive, et « je compris qu'à cause de la situation politique de plus en plus tendue, être allemand et israélite posait problème ». La jeune fille préfère demander à son ami de ne pas venir à la maison quand on y reçoit des amis juifs ; selon Genoud, elle prétend être alors différente et ne souhaite pas qu'il la voie ainsi. « Pour moi, le fait d'être irrésistiblement attiré par le national-socialisme, dont l'antisémitisme ne constituait qu'un des éléments, et de ressentir par ailleurs une profonde amitié pour une famille dont la judaïcité ne constituait elle aussi qu'un des éléments, ne me posait aucun problème. Je suis heureux d'avoir, en ce qui me concerne, instinctivement réagi de façon saine, dans ma petite sphère privée, situant sur des plans différents mes choix idéologiques et mon comportement individuel dans les rapports humains. »

La rencontre avec Hitler, à l'hôtel Dreesen, prend place aux deux tiers de son séjour à Bonn. François Genoud a rencontré Ruth aussi bien avant qu'après cette rencontre capitale pour la suite de son histoire.

C'est le 14 octobre 1995, à l'hôtel Markushof de Bad Belingen, à quelques kilomètres de Fribourg, que j'ai « bouclé » l'évocation de ces souvenirs de jeunesse. Les anciens du *Melanchthonstift* s'y réunissaient. François Genoud fut accueilli avec chaleur par le pasteur Otto Kraft, qui faisait fonction de maître de cérémonie, et par le bouquiniste Donald Cuntz. Quand le Dr Lauenstein arriva à son tour dans la salle de restaurant, il le salua d'un bruyant *der Francis* et lui donna l'accolade. Genoud porte pourtant encore la trace d'un combat de boxe auquel il se livra il y a bien longtemps avec le médecin : un pouce cassé mal réparé. Je suis assis à côté de Donald

Cuntz qui, pour éviter toute ambiguïté, se présente en me disant que sa mère était communiste, son père pacifiste, et que lui-même a fait partie de la gauche antinazie. Plus tard, il me racontera qu'il a été parachutiste dans la division Hermann Göring, et qu'il s'est battu de l'autre côté de la Méditerranée avec l'Afrikakorps. Il avait vingt ans à la fin de la guerre. « J'étais tout petit quand j'ai vu arriver le Français — car, pour nous, François Genoud était un Français. Suisse romand, on ne savait pas trop ce que c'était... Il était exotique, étranger à l'ordre qui régnait dans le *Stift.* Il était fasciné par l'organisation des Jeunesses hitlériennes. » Se le rappelle-t-il vraiment ou contracte-t-il ces souvenirs avec ceux de 1941 ? Il est probable que ces derniers sont restés plus précis, car il avait alors plus de seize ans. Quoi qu'il en soit, hier comme aujourd'hui, Donald Cuntz ne comprend pas que Genoud ait pu être et demeurer nazi.

La conversation s'anime autour de la table. Je demande au pasteur Otto Kraft s'il se remémore lui aussi le jeune François. « Il était très joyeux... Il nous faisait beaucoup rire en imitant le vieux pasteur Kaiser... » Je n'en tirerai pas davantage. Impossible de l'entraîner sur le terrain des idées politiques de Genoud à cette époque. Je comprendrai mieux son mutisme un peu plus tard, quand il se lancera dans une violente diatribe contre l'élite allemande, notamment ces généraux qui savaient et qui ne bougèrent pas devant cette « saloperie » perpétrée contre les Juifs. Otto Kraft et ses compagnons sont plus à l'aise quand ils évoquent la trompette du réveil au point du jour, la fanfare qui jouait dans la matinée et à la mi-journée, les séances de chant dans la soirée. La conversation reprend avec le bouquiniste, passionné d'histoire et qui, depuis la guerre, s'évertue à comprendre. Il en vient à évoquer le traité de Versailles, « la plus grande idiotie du siècle ». Le pasteur demande alors la parole. Il parle de tous les *Altstifter* décédés depuis leur dernière rencontre et termine par un petit mot sur François Genoud : « Il n'est resté qu'un an au *Stift,* mais on s'en souvient bien. Son attitude nous indique la direction à suivre... »

Puis chacun se remet à égrener réminiscences et anecdotes : le docteur qui jouait au football avec Genoud en tapant dans une balle de tennis dans une cour donnant sur la Hauptstrasse ; le chalet de vacances où les *Stifter* se retrouvaient avec joie le week-end, car on y mangeait mieux qu'à Fribourg ; le lac où ils se baignaient et où ils découvrirent non sans émotion une jeune fille en bikini...

J'insiste pour ramener la conversation sur le terrain politique. Petit à petit, les vieux compagnons se raniment. Genoud parle de ses engagements. Il évoque le nom de Hiltermann, qui était on ne peut plus nazi : « J'étais intéressé par lui, mais il n'était pas sympathique. » Surpris, les autres l'écoutent raconter des bribes de son passé nazi. Seul un autre Suisse, lui aussi ancien du *stift*, se révèle partager les mêmes idées, que tous les Allemands présents réprouvent. C'est à cet instant que le pasteur dénonce la « saloperie » antijuive, et qu'une vraie et grave discussion s'engage à nouveau sur les origines et les débuts du nazisme. Donald Cuntz est devenu le porte-parole du petit groupe qui opine quand il déclare approuver ce qu'a fait Hitler jusqu'à l'Anschluss, car cela contribuait à ressouder les Allemands humiliés par le traité de Versailles. C'est après, selon lui, que tout a déraillé : l'expansionnisme, la xénophobie, la « solution finale »... Seul le pasteur semble estimer que la « saloperie » en question a tout sali et qu'il n'y a rien à mettre au crédit du national-socialisme.

Donald a un bon mot de conclusion pour détendre l'atmosphère : « On devrait placer François dans une réserve... »

Nazi

François Genoud est bien un homme d'une autre époque, d'un monde qui s'est écroulé en mai 1945. Sa vie et ses activités éditoriales ont fait qu'il se sent l'un des ultimes dépositaires de l'idéologie national-socialiste ; il estime avoir une obligation « morale » à la défendre et à défendre les derniers individus qui s'en réclament. Parce que, pour lui, de surcroît, évoluer c'est trahir, il est devenu une sorte de fondamentaliste nazi qui ne transige sur aucun article de la foi.

La reconstitution d'un destin ne pose point trop de problèmes quand il s'agit d'enchaîner les événements internes et externes qui l'ont jalonné. L'exercice devient plus compliqué quand on cherche à reconstituer l'univers mental d'un homme comme celui-ci, chez qui le drapeau à croix gammée a longtemps et partiellement servi de bouclier ; qui s'abrite derrière la réprobation générale du nazisme pour ne pas avoir à répondre aux questions délicates qu'il s'est probablement posées malgré son engagement. À quoi bon, semble-t-il répéter, puisque, de toute façon, vous ne pouvez pas me comprendre ? Face à ce rejet quasi universel, François Genoud aurait le sentiment de trahir en concédant à l'ennemi qu'il regrette ou condamne au moins certains aspects de la politique nazie. Or, il est incontestable que, s'agissant d'un homme, Hitler, et de son idéologie, responsables de la tentative d'élimination de tout un peuple, toute « compréhension » est impossible.

Quand Genoud aborde ces questions qui hantent aujourd'hui encore beaucoup de monde, il est probable qu'il ne restitue pas avec exactitude les idées qui étaient les siennes en 1932, mais l'importance qu'il attache à sa rencontre avec Hitler, même s'il l'a gonflée après coup, m'oblige à reproduire ici — au terme, donc, de son second séjour en Allemagne — quelques-unes des discussions que j'ai eues avec lui sur le nazisme et l'antisémitisme.

— Pourquoi admirez-vous Hitler ? Quel portrait vous en faisiez-vous dans votre jeunesse, quelle était votre opinion à son sujet ?

— Il y avait sans aucun doute quelque chose de très puissant, de très fort chez cet homme-là. Tout le monde le reconnaît. Il exerçait un pouvoir extraordinaire par sa seule présence.

— Vous l'avez senti, quand il vous a parlé ?

— Oui, oui... Et puis, j'étais plein d'admiration, car il essayait de réveiller l'Allemagne. Il réussissait et progressait de façon extraordinaire. Je lui garde toute mon admiration.

— Pourquoi ?

— Nous sommes tous influencés par notre époque. Lui aussi était le fils de la sienne... Ce qui me plaisait, chez lui, c'était que, d'origine très humble, il avait réussi par son seul charisme, par la puissance de sa pensée et de sa volonté... Il avait une volonté extraordinaire. Il mettait en tout une passion qui lui permettait de convaincre les gens... Ceux qui, comme Goebbels, entraient très critiques chez Hitler — car il y avait chez lui beaucoup à redire —, en ressortaient complètement acquis, repris en main. La base de cela était sa conviction profonde. C'est rare, un type convaincu...

— Aviez-vous lu quelque chose de lui ?

— Oui, j'avais lu *Mein Kampf*. Cela m'avait impressionné, ce type sorti de rien, qui se passionne pour son peuple et réussit à en faire la conquête. Je ne vais pas changer maintenant en me disant : il n'aurait pas dû ceci, il n'aurait pas dû cela... Effectivement, il a été influencé par les idées de son temps. C'est à cette époque que naissent l'antisémitisme et le sionisme politique qui, comme deux frères jumeaux, se nourrissent l'un l'autre. Moi, je trouve l'histoire de Hitler fascinante. Il a lancé des idées qui sont aujourd'hui complètement laissées de côté. On parle à son propos de « peste brune ». Maintenant, il n'y a plus que la « pensée unique », le libéralisme, toutes ces conneries, mais la réalité, à mon avis, elle est chez Hitler ! C'est lui qui a tracé les voies de ce que pourrait être un monde où prévaut le respect de la Terre...

— Vous parlez souvent de tolérance. Ce n'était pas la qualité première de votre « héros »...

— Je crois qu'il était très tolérant. C'était un homme qui n'imposait rien.

— Il a conquis le pouvoir par la violence...

— Vous ne pouvez pas conquérir le pouvoir en lançant des fleurs !... C'est la raison pour laquelle son image tient toujours debout. Les autres, on les a déjà oubliés... Hitler, lui, est toujours là. Il sera toujours là.

— Vous pensez vraiment qu'il restera comme un des grands hommes de ce temps ?

— Oui, je suis persuadé qu'il avait un message indispensable à nous délivrer. Cela peut prendre beaucoup de temps, mais on y reviendra... Car tout est en train de tomber en ruine. Votre système mondialiste, ce machin-là...

— D'où vous vient cette violence contre le mondialisme ? Comment l'avez-vous contractée ?

— Tout cela se dessinait déjà à l'époque avec la Société des Nations, cette histoire de paix éternelle, tout ce qu'on nous proclamait quand j'étais enfant. On nous racontait qu'il n'y aurait jamais plus de guerre. Or, on sentait bien que tout cela était faux. Les tenants du mondialisme se rendent bien compte eux-mêmes que tout cela est foutu...

— Il y a une certaine nostalgie romantique dans votre combat pour une cause perdue et haïe de la plupart ; il y a également un côté provocateur... Quel est le moteur de votre action ? Vous êtes un des rares, dans le monde, à brandir bien haut votre drapeau nazi...

— C'est flatteur, ce que vous dites là...

— Mais c'est une idéologie qui a entraîné de très grands, de terribles malheurs...

— Hitler a été un facteur de mouvement dans un monde figé...

— Mais à quel prix !

— Lisez-le une fois, sans idées préconçues. Vous verrez que tout ce qu'il a fait était bien et a concouru à la paix. Hitler restera comme « le Pacifique ».

— Vous êtes un sacré provocateur !

— Oui, c'est provocant, mais telle est ma conviction. Cet homme souhaitait toujours régler les problèmes avec un minimum de dégâts...

— Il n'est pas parvenu à les régler et il a fait le maximum de dégâts !

— C'est vrai, mais Napoléon non plus n'a pas réussi : il court toujours derrière la paix, mais les Anglais sont toujours là à monter contre lui une nouvelle coalition... On dit qu'il a voulu conquérir le monde, aller jusqu'à Moscou... Vous croyez qu'il avait vraiment envie d'aller à Moscou ? Quelle blague ! Hitler, c'est pareil : il n'avait qu'un désir, c'était de régler les problèmes.

— Avec une idéologie si forte qu'il n'admettait pas qu'on lui résiste...

— Une idéologie si forte qu'elle faisait la conquête des peuples. Le peuple allemand a été totalement conquis par l'idéologie de Hitler ; les Allemands des Sudètes, ceux de Pologne et de partout ailleurs étaient acquis non seulement à l'idée de rejoindre le giron de l'Allemagne, mais aussi au national-socialisme. Hitler a mené la guerre la plus pacifique qui soit. Il ne voulait réaliser que ce qu'il avait toujours dit : rassembler le peuple allemand...

— Sur des idées de racisme...

— Non, sauf à l'égard des Juifs. Je le dis moi-même : c'était une erreur, mais une erreur compréhensible quand vous voyez, à l'époque, toute la propagande antisémite... C'est assez logique qu'il ait eu cette réaction.

— Réaction ? Le terme est inadapté. Il faut plutôt parler de volonté de destruction...

— Là, c'est l'effet d'entraînement, c'est la guerre... Regardez les bombardements anglais qui font d'un seul coup cent mille morts allemands : ce n'est pas *voulu.* Il faut resituer les choses dans leur contexte. La séparation des Juifs, c'était le sort de tout le monde[1]...

— Revenons à vos débuts... Il y a bien chez vous un côté nostalgique...

— Oui, beaucoup. Je suis un nostalgique. Je regrette tout un passé plus heureux. Je ne suis pas un partisan du progrès à tout prix, n'importe comment, comme on le fait aujourd'hui. Pour le progrès, de nos jours, on est prêt à tout foutre par terre...

— Vous avez des petits-enfants qui sont afghans, libanais, vietnamien... Or, l'un des traits dominants du national-socialisme est la xénophobie, le racisme...

— En gros, je dis qu'il faut essayer de faire en sorte que chacun reste chez soi — et cela, de manière conséquente, pas comme les Français qui envahissent le monde et se plaignent ensuite de se laisser envahir par le reste du monde. Je comprends fort bien qu'on lutte contre cela... Les cas individuels, c'est autre chose : là, c'est moi qui décide... Moi-même, je me suis fabriqué, je suis né francophile, puis je suis devenu tout différent. Je ne veux pas qu'on me classe, je suis moi-même, j'aime les êtres libres...

— En vous revendiquant toujours comme nazi, vous endossez tout, y compris le racisme, l'antisémitisme...

— Mais je fais tout de suite des distinctions là où il y a eu erreur... Si on n'est pas capable de faire son autocritique, c'est la fin de tout ! Je reconnais les erreurs, je les explique, je les excuse : je dis que c'était le temps, l'époque... Par exemple, il y

1. Genoud veut probablement dire que les Allemands, pendant la guerre, étaient séparés : les hommes au front, les femmes dans les usines et les enfants loin des zones de bombardement.

a eu des gens comme Wilhelm Marr[1] — un Juif — qui ont provoqué l'antisémitisme... C'est lui qui a créé le mot « antisémite », la Ligue des antisémites. Hitler a été influencé par cela...

— Vous êtes séduit par les conquérants.

— Oui, la conquête du pouvoir, le fait de subjuguer son peuple, de réparer les injustices... Tout cela peut se faire dans la paix, mais il y faut la volonté de changement...

— De Hitler, l'Histoire retient d'abord et avant tout ce qu'il a fait contre les Juifs...

— Oui, mais qui le dit ? On ne voit que ça, qui dissimule tout le reste...

— Vous ne pouvez tout de même pas minimiser cet aspect abominable !

— De fait, c'est important...

Chaque fois que j'ai relu la transcription de nos entretiens, j'ai eu le sentiment que mes questions et ses réponses n'étaient pas à la hauteur de la dimension maléfique, démoniaque du « héros » de François Genoud, à la hauteur de la tragédie du génocide. Son « antisioniste, oui ; antisémite, non » ne suffit pas à évacuer ce sujet. Je l'ai donc relancé. Avant de reprendre le récit de sa vie, je reproduis encore quelques-uns de nos échanges :

— Quand vous épousez les idées nazies, vous acceptez également l'antisémitisme qui en est une des composantes essentielles...

— J'ai toujours été assez réservé sur cet aspect. D'une façon générale, je suis persuadé que les Juifs ont exercé une influence négative. Je suis antichrétien, par exemple. Nous sommes tous des juifs, au fond, et, très tôt, je m'en rends compte : est-ce que

---

1. Le mot « antisémitisme » a été utilisé pour la première fois en 1879 dans un pamphlet intitulé *La Victoire du judaïsme sur le germanisme*, une violente attaque contre les Juifs écrite par Wilhelm Marr, un demi-Juif apostat.

je vais reprocher à quelqu'un d'être à 100 % ce que moi, je suis à 60 % ? C'est complètement ridicule ! Ils sont simplement plus proches de la racine dont nous sommes un petit peu plus éloignés, mais il n'y a pas grande différence. Je pense néanmoins que le judaïsme a fait un mal incroyable à l'humanité...

— Vous pensiez déjà cela à cette époque ?

— Je commence alors à le penser, mais je n'en veux absolument pas aux êtres humains.

— Vous avez alors réalisé que le fait d'être allemand et israélite faisait problème... Cela ne vous pose pas, à vous, un problème de conscience ?

— Cela ne pose pas à mes yeux un problème de renonciation, ni d'un côté ni de l'autre. Mes amis restent mes amis. Mais je ne vais pas changer d'idées parce que mes amis se retrouvent dans une certaine situation...

— On commence à pourchasser les Juifs...

— Cela a duré longtemps. Pendant toutes ces années 1930, ici [en Suisse], c'était plein de jeunes filles juives allemandes qui venaient étudier et rentraient ensuite chez elles. Il est faux d'imaginer que les Juifs se sont retrouvés de but en blanc dans une situation impossible. C'est même pour cela que certains sont restés jusqu'au bout...

— À aucun moment ce rejet brutal des Juifs ne vous scandalise ?

— Ça me pose problème à partir du moment où je me rends compte que, selon moi, c'est une erreur. Que prendre la question comme cela est tactiquement faux. Chaque fois que j'ai eu l'occasion de m'exprimer ainsi, je l'ai fait. Je suis en désaccord là-dessus, car les nazis ont fait de la sorte le jeu des sionistes. Moi, je suis violemment antisioniste, mais pas antisémite[1]... Très vite, on sait qu'il y a eu un afflux de Juifs en Palestine. Dans les années 1930, Hitler y a multiplié par cinq le nombre

1. Dans une note envoyée en décembre 1995 au juge Bruguière, dans laquelle il resitue le combat de Carlos dans celui des Palestiniens contre la communauté internationale, il parle de la « politique raciste aberrante [qui] précipite les Juifs dans les bras du sionisme ».

des immigrants juifs. C'est comme ces gens hostiles aux Juifs, qui sympathisent avec les Palestiniens puis font exactement ce qu'il y a de plus mauvais pour la cause de ces derniers...

— Comment réagissez-vous quand vous apprenez l'existence de la « solution finale » ?

— D'abord, je n'y crois pas. Je ne crois absolument pas qu'il y ait eu volonté d'une « solution finale ». À mon avis, c'est complètement faux. Ils [les Juifs] ont été mobilisés pour travailler, mais ils n'ont pas été systématiquement exterminés. Sinon, on les aurait tués sur place. Je ne crois pas à ça. Je pense que ça s'est aggravé, que ça a tourné de plus en plus mal à cause des circonstances. Il ne faut jamais oublier les circonstances...

— Il y a tout de même eu des millions de Juifs assassinés...

— Il y a sûrement eu beaucoup de Juifs qui sont morts, mais aussi des non-Juifs. C'était une époque de guerre. Il y a eu les bombardements, les épidémies...

— Vous ne pouvez ignorer qu'il y a eu des camps où l'on a exterminé des Juifs parce qu'ils étaient juifs...

— Moi, je n'ai pas cette impression. Quand les gens n'étaient plus productifs, on a peut-être hâté leur départ, c'est une chose possible. Mais je ne crois pas du tout à la façon dont on présente les choses aujourd'hui... Pour ma part, je condamne par exemple la conception qui consiste à dire : tu es né de telles entrailles, tu ne fais donc pas partie de la communauté nationale. Je sais qu'il y avait beaucoup de Juifs allemands qui étaient avant tout des patriotes allemands. Pareil en France. Je n'accepte pas que ce soit l'origine raciale qui détermine tout... On est ce qu'on se sent. Celui qui se sent patriote est quelqu'un qui est digne d'appartenir à la communauté nationale.

— Vous ne croyez donc pas à la décision de Hitler de supprimer les Juifs en 1942 ?

— Non, pas du tout.

— Il y a pourtant beaucoup de documents qui l'attestent...

— Je ne le crois pas. La responsabilité initiale, c'est la vision sioniste, la primauté du sang sur l'être... Au contraire, moi, malgré mes origines, j'ai pu me passionner pour le national-socialisme. Je n'admettrai jamais qu'on me dise : « Toi, tu n'as pas le droit, à cause de tes origines... » C'étaient mes idées.

Françoise, une des filles de Genoud, tient devant moi à relativiser les propos de son père : « J'ai parfois l'impression qu'il a fait serment à ces morts vaincus de ne jamais les trahir, et que de ce serment il ne pourra jamais être relevé. Mais je crois aussi, et cela apparaît dans les discussions familiales, qu'il a pris une distance énorme par rapport à tout cela. Toutefois, fidèlement, et surtout devant vous, il persiste. »

Si Genoud est révisionniste, il refuse d'aller plus avant dans la discussion, se bornant à ne rien concéder et s'en tenant à la ligne de défense des dignitaires nazis au procès de Nuremberg. Le plus surprenant, dans son discours, c'est qu'il est tenu en 1995. Replacé dans le contexte des années 1930, il devient presque « banal ». Il y eut alors beaucoup de Genoud en Suisse, en France et dans le reste de l'Europe. À l'époque, ceux qui tiraient à boulets rouges contre la « Gueuse », la « démocrassouille », étaient loin d'être isolés.

François Genoud n'est pas ni n'a jamais été un intellectuel : il n'a pas dépassé le niveau du brevet. Ce ne sont pas ses lectures qui l'ont conduit au nazisme, même si ses idées courent les livres et articles des Brasillach, Drieu et autres Maulnier dans les années 1930, mais des éléments profondément enfouis en lui, y compris ses rapports avec sa famille et les tiers. En dépit de l'air poli et pondéré qu'il affichait dès l'enfance, il a toujours été en révolte contre les valeurs dominantes qui avaient cours aussi bien à Lausanne qu'à Paris.

Comme les intellectuels séduits par le fascisme, Genoud se révolte contre le matérialisme de droite et de gauche, contre le capitalisme et le marxisme, contre la démocratie, contre le machinisme et le progrès, contre l'argent et les valeurs bourgeoises. Comme Thierry Maulnier, il hait la civilisation américaine qui asservit l'homme à l'économique. François Genoud n'aurait rien à redire à l'introduction rédigée par Maulnier à l'un des livres-culte des intellectuels fascistes, *Le Troisième Reich* du jeune Moeller Van den Bruck. Au lendemain de la guerre, écrit-il, il y eut en Allemagne « des générations assez viriles pour estimer que le service de certaines causes [valait] que l'on ne recule pas devant le meurtre ou la mort ». Maulnier classe cet auteur allemand parmi les « compagnons d'armes d'Ernst von Salomon qui se mettaient nus pour combattre dans la lumière de l'aube [...]. On s'attache davantage à l'appel qui vient de ce livre, appel de détresse et d'orgueil, appel de générations profondément blessées et pourtant viriles, prêtes à se raidir contre la déchéance non seulement par une volonté farouche de violence et de courage, mais par le choix d'une œuvre difficile, exigeante, parfaitement désintéressée... » Maulnier est décidément aussi fasciné par cet ouvrage d'où émanent « une virilité profonde et tragique, un penchant naturel à l'héroïsme, un mépris du bonheur, une recherche du sacrifice par l'élan naturel... », que le fut Genoud par le comportement des Jeunesses hitlériennes côtoyées à l'époque de son internat allemand.

Il n'aurait encore rien eu à redire au même Maulnier qui voyait dans l'idéologie nazie une source de régénération possible pour les nations fatiguées, lui qui voulait « en finir avec la politique des petits bourgeois qui prétend nous assurer la possession sans risques de ce que le destin des peuples est d'acquérir et de maintenir avec des risques constants ». Comme Marcel Déat[1], Genoud aspirait à « vivre dangereusement » ; comme le fasciste belge Léon Degrelle, il estimait indispensable de faire « la révolution des âmes ». Il est enfin manifeste que Genoud est attiré, comme Brasillach, par « la grâce brusque de l'hitlérisme », et, comme Maulnier, par « le côté faustien et démoniaque [...] des doctrines nationales-socialistes [...] nées de l'apothéose du sang et de l'instinct vital ».

1. Socialiste et pacifiste qui bascula vers la collaboration en créant avec le fondateur de la Cagoule le Rassemblement national populaire.

Comme Drieu la Rochelle, il considérait le nazisme comme le mouvement politique qui allait le « plus franchement, le plus radicalement dans le sens de la grande révolution des mœurs, dans le sens de la restauration du corps », ou, à l'instar de Brasillach, comme « une révolution universelle » dont les adeptes « voulaient une nation pure, une race pure. Ils aimaient souvent à vivre ensemble dans ces immenses réunions d'hommes [...]. Ils ne croyaient pas aux promesses du libéralisme, à l'égalité des hommes, à la volonté du peuple [...]. Ils ne croyaient pas à la justice qui s'épanche dans les paroles, mais appelaient la justice qui règne par la force. Et ils savaient que de cette force pourra naître la joie ». Encore à l'exemple de Brasillach, Genoud a été fasciné par l'aspect mythico-poétique du fascisme. Comme bon nombre d'intellectuels français, Genoud parlait d'« abjection » et de « dégoût » en décrivant le monde dans lequel il vivait. Ainsi qu'on l'a vu, il aurait pu dire ou écrire dans le style de Drieu : « On n'a qu'à les regarder pour s'en rendre compte. Assistez à un congrès socialiste, et voyez toutes ces barbes, tous ces ventres, cette tabagie, cette attente anxieuse de l'heure de l'apéro. » Genoud, lui, ne boit pas.

Comme l'écrit Zeev Sternhell[1] : « Partout en Europe, on constate une même réalité : le fascisme est beaucoup moins le fruit de l'esprit ancien-combattant que de celui d'une jeune génération qui se lève contre l'ordre établi : contre la société, mais aussi contre la famille, contre l'école, contre les tabous sexuels, contre un mode de vie dont cette génération rejette les contraintes. »

Le jeune nazi suisse quitte l'Allemagne à la fin de l'année 1932.

1. In *Ni droite ni gauche, l'idéologie fasciste en France*, Éd. Complexe, 1987. Nous avons beaucoup emprunté à ce livre pour rédiger la fin de ce chapitre.

Front national

François Genoud est en vacances dans son pays, en Suisse, quand Hitler prend le pouvoir, le 30 janvier 1933. Il est heureux, mais n'a personne avec qui partager sa joie. « L'Allemagne se réveillait, reprenait confiance en soi, sortait de l'état de léthargie où la défaite et le diktat de Versailles l'avaient plongée. Le monde entier était secoué, sortait de sa torpeur », raconte-t-il soixante-deux ans plus tard.

Son père a décidé de perfectionner l'héritier de la maison Genoud en l'envoyant faire un stage à Londres dans un commerce de papiers peints et tapisseries, Sanderson's and Sons Ltd, dont les dimensions sont sans commune mesure avec celles du magasin de Lausanne.

Avant même de débarquer en Angleterre, il est à l'évidence prévenu contre un des piliers de l'« Entente » abhorrée. Il y voit — et verra — tout avec les yeux d'un militant de la *Hitlerjugend.* Il critique la société hyper-hiérarchisée du pays, sa politique faite de « trahisons ». Il découvre « l'Empire maître du monde, avec toutes ses contradictions : le faste merveilleux de ses institutions et l'extrême pauvreté de la population de sa gigantesque métropole ». Il vit très pauvrement sur Charlwood Street, au sud de Victoria Station, dans une bicoque poussiéreuse appartenant à un couple âgé. Les propriétaires ont passé toute leur vie active comme domestiques dans une famille de la *gentry*. Ils ne cessent de parler avec une nostalgie émue de leurs maîtres bien-aimés. Le jeune François a honte pour eux. Ces « braves gens » vivent de la location de leurs quatre chambres.

François occupe celle du rez-de-chaussée ; pour faire sa toilette, il doit monter jusqu'à un petit palier équipé d'un minuscule lavabo et d'un robinet qui ne se ferme pas complètement. Pour pouvoir se laver de la tête aux pieds, il prend l'habitude de se lever très tôt et de faire sa toilette dans une maison totalement assoupie. Depuis lors, il a gardé cette habitude et l'a transmise à toute sa famille. « C'est peut-être une des raisons qui m'ont fait aimer l'islam, religion de la propreté, de strictes règles de vie », déclare-t-il.

Il est en revanche enthousiasmé par la campagne anglaise et ses petites bourgades moyenâgeuses. Il faut dire qu'il a de la chance : l'été 1933 est tout à fait exceptionnel. Il fait partie de deux troupes de scouts — toujours ce goût des groupes fraternels et chaleureux —, l'une terrestre, l'autre marine. Il fait beaucoup de voile, notamment dans le Suffolk, l'estuaire de Woodbridge. Il se débrouille assez bien pour communiquer en anglais. Il n'est pas malheureux, mais ses pensées restent tournées vers l'outre-Rhin, là-bas où ses jeunes camarades de Fribourg ont la chance de s'enflammer pour le Führer. L'Angleterre symbolise à ses yeux un monde finissant. L'Allemagne, celui de demain.

Il revient en Suisse vers la fin de l'année et, après quelques jours de vacances, débute dans le commerce de papiers peints, à Lausanne, comme employé à la vente et à la comptabilité. Il a dix-huit ans. Il effectue honnêtement son travail, mais la vraie vie commence quand il quitte la maison Genoud. Toujours aussi passionné par ce qui se passe en Allemagne, il veut « en être », à son modeste échelon, et contribuer à propager les idées de son héros. En mars 1934, il adhère donc au Front national[1], mouvement qui se développe dans l'ensemble du pays, alors que l'Union nationale de Georges Oltramare[2], née dans les

1. D. Bourgeois, *Le Troisième Reich et la Suisse,* thèse, Genève, 1974.

2. 1896-1960. Rédacteur du journal satirique *Le Pilori*, ami personnel de Mussolini, hôte bienvenu de la Maison Brune de Munich, il proclamait qu'il abolirait la démocratie et que la contre-révolution fasciste partirait de Genève. Le 22 avril 1933, Oltramare organise une manifestation à Zurich contre le Parlement et les Juifs sous

années 1920, est implantée essentiellement à Genève. Quant au Parti fasciste suisse du colonel Fonjallaz, tourné vers Rome, il progresse surtout en Suisse romande et italienne. Ces mouvements ont l'essentiel en commun et ne se combattent pas. François Genoud connaît d'ailleurs aussi bien Oltramare que le Dr Michel, de l'Union nationale, et la famille Fonjallaz.

Au Front national, il fait la connaissance de l'étudiant en droit Jean Bauverd, qui jouera un rôle important dans sa vie. Celui-ci va diriger la section vaudoise du mouvement comme chef cantonal en 1935, tout en étant le rédacteur en chef du journal *Front national.*

J'ai rencontré Jean Bauverd[1]. L'homme a quatre-vingt-un ans, mais n'a pas évolué d'un iota depuis l'époque où il appartenait, à Lausanne, à la section universitaire du Front national. « Nous étions très nationalistes, anticommunistes et antisionistes. » D'entrée de jeu, dans sa petite villa du sud de l'Espagne complètement protégée du soleil au point que, vers 16 heures, il devient nécessaire d'allumer les lampes, il m'explique que le marxisme est juif — à preuve, sa lutte contre le tsarisme — et que l'impérialisme est totalement « enjuivé ». Il se lève difficilement, va chercher dans sa chambre à coucher le livre qui, dit-il, me permettra de tout comprendre : *La Guerre occulte*[2], d'Emmanuel Malysinski et Léon de Poncins — deux antisémites d'extrême droite —, où il n'est bien sûr question que de francs-maçons et de Juifs menant en sous-main le monde...

Bauverd se souvient fort bien de sa rencontre avec Genoud, en 1934, au Front national : « Nous étions de famille bourgeoise. Mon père était pasteur, le sien commerçant. Nous avons

---

des drapeaux suisses aux bras de croix « pattus ». Oltramare collabora à Radio-Paris et à divers journaux nazis, ayant pour mission de justifier les exécutions d'otages. À la Libération, le tribunal de la Seine le condamna à mort par contumace. En Suisse, le Tribunal pénal fédéral ne le condamna qu'à une peine légère.

1. Le 5 novembre 1995 dans le sud de l'Espagne.

2. Sous-titré : *Juifs et francs-maçons à la conquête du monde,* Paris, Éditions Beauchesne, 1936. Léon de Poncins était un ami du docteur Martin (lire à ce sujet : Pierre Péan, *Le Mystérieux Docteur Martin,* Paris, Fayard, 1993).

tout de suite applaudi à l'arrivée de Hitler à la tête du Reich. Hitler était un génie. Il a été le seul à avoir fait la synthèse entre le capital et le travail. Je n'ai pas lu *Mein Kampf* — ni *Le Capital*, d'ailleurs. Mais Hitler et le national-socialisme constituaient le rempart contre la Russie bolcheviste ; ce qui me plaisait surtout, c'est qu'il était pro-arabe ; or l'appui de l'Allemagne était nécessaire à la cause arabe... »

Je déduis de mon long entretien avec Bauverd que les principaux ressorts de sa vie ont été la cause arabe et l'anticolonialisme, et que son adhésion au nazisme leur est intimement liée[1]. Anticolonialisme et arabophilie résultent chez lui du voisinage d'étudiants arabes à l'université de Lausanne, notamment le Libanais Muhidin Daouk et Khaled, son frère, ainsi que le Saoudien Abdallah Nasser. Ces trois étudiants arabes, qui épousent pour leur part la cause « nationale » et l'admiration de nos Lausannois pour le national-socialisme, deviennent aussi des amis de François Genoud. Ce dernier dit qu'Abdallah « est pour beaucoup dans [son] enthousiasme pour la cause arabe, pour l'islam ». L'amitié à l'origine de cet engagement est nourrie d'images puisées chez l'orientaliste Louis Massignon qui parle de l'hospitalité illuminant tout l'Islam. Rien ne plaît davantage au jeune Genoud que l'évocation de rencontres, sous la tente, entre Bédouins ennemis qui se sentent en sécurité... Il idéalise et idéalisera toute sa vie le monde arabo-musulman. Le lien très étroit que Genoud établira toute sa vie entre « le Croissant et la Croix gammée[2] » prend sa source, dès cette époque, dans ces rencontres avec ses trois premiers amis arabes. De toutes mes discussions avec lui, il ressort en effet que, pour lui, défense de la cause arabe et fidélité au nazisme ne font qu'un.

Bauverd avait parfait sa « formation » pro-arabe par un voyage effectué en Tunisie avec ses parents en 1934. Il s'était

1. En soulignant au passage que beaucoup d'anciens résistants français ont eu un parcours inverse, c'est-à-dire pro-israélien et néo-colonialiste, comme Lacoste, Mollet, Lejeune, Soustelle et Bourgès-Maunoury.

2. Pour reprendre le titre du bon livre de Roger Faligot et Rémi Kauffer, publié chez Albin Michel en 1990.

alors rendu compte qu'« il y avait dans ce pays une élite capable de le diriger, mais qui était dominée et humiliée par les Français ». Pour bien me montrer à quel point l'anticolonialisme était chez lui primordial, Bauverd m'a raconté que son seul point de désaccord idéologique avec Genoud porta, à l'époque, sur l'invasion de l'Érythrée par Mussolini : « L'admiration de Genoud pour le Duce lui faisait accepter cette conquête, alors que mon anticolonialisme était plus fort que mes sentiments fascistes. »

Ces propos de Bauverd sont intéressants, car il était l'intellectuel du Front national en Suisse romande. C'est lui qui signait la plupart des éditoriaux du journal *La Voix nationale*, qui devint *Front national* en mars 1935. Sa mémoire reste assez fidèle pour évoquer les principaux thèmes de ce mouvement national d'extrême droite créé en Suisse alémanique au printemps 1933 et qui se développa en Suisse romande à compter du début de 1934.

Le Front national est essentiellement un mouvement suisse, fort peu tourné vers l'extérieur. Dans son organe, on trouve peu d'articles consacrés à la politique extérieure et à l'Allemagne nazie. Le Front est d'inspiration corporatiste (qui « seule empêchera la lutte des classes ») et s'appuie sur les classes moyennes. Mais il se distingue surtout par une violence obsessionnelle autour de trois thèmes qui, pour lui comme pour les autres mouvements analogues, sont intimement liés : le marxisme, la franc-maçonnerie, les Juifs.

« Le Front national est le contre-poison du marxisme pourri, fils de ce branlant et cahoteux régime radicalo-libéral qui s'est désintéressé des prolétaires pour les abandonner aux canailles internationalistes... Le Front national défend les petits commerçants parce qu'ils forment une classe moyenne indispensable à l'économie et à la santé du pays. Pour les sauver de la ruine, le Front national lutte contre les grands magasins juifs qui trompent les acheteurs ébahis par le bluff, le chic à l'étalage et l'apologie de la camelote[1] », écrit Jean Bauverd. L'ami de Genoud donne libre cours à sa verve à la une de *La Voix nationale* (numéro 11 d'août 1934) dans un article intitulé « Les Soviets à Genève », à propos de l'admission de l'URSS à la Société des Nations. Il redonne un article sur le même thème en mars 1935, dans *Front national*, après l'arrivée des Soviétiques à Genève : « La Suisse est en danger ! Le communisme est à nos portes, avec toutes ses promesses de misère et de cruauté... Il n'est de jour où nous ne devions supporter les pires provocations et les outrages de la canaille rouge déchaînée... Notre Patrie, déchirée par ses luttes intestines, glisse infailliblement vers le gouffre de la guerre civile... Qu'attendez-vous pour venir grossir les rangs de la jeunesse nationaliste ?... »

Front national lutte « contre l'athéisme et les forces occultes : la franc-maçonnerie et le judaïsme internationaliste ». Dans chacune de ses livraisons, il donne des noms de francs-maçons vaudois, leurs adresses, et recommande de ne pas acheter dans les magasins juifs :

« Patriote, chaque sou que tu donnes aux grands bazars juifs et aux Uniprix soutient le capitalisme et le marxisme, et permet aux grands exploiteurs de maintenir leur domination sur la classe ouvrière ! C'est un coup de poignard dans le dos du petit commerçant de ton pays et de tes camarades ouvriers et artisans. Patriote, chaque centime que tu paies dans une coopérative contribue à l'écrasement du petit commerce et au chômage, servant ainsi la révolution marxiste ! Sers-toi au magasin de ton quartier et fais travailler le petit artisan suisse ! Achète des machines suisses et fais-toi soigner par des médecins suisses ! »

Comme l'extrême droite en France, le Front national se réfère au fameux *Protocole des Sages de Sion* pour persuader ses lecteurs : « Ceux qui, à l'heure actuelle, n'ont aucune idée du gigantesque complot ourdi par la juiverie en vue de la bolchevisation du monde, pourront ainsi se convaincre eux-

1. *La Voix nationale*, avril 1934.

mêmes de la réalité du péril qui les menace. » Ce livre est un faux[1] fabriqué à la fin du siècle dernier par l'Okhrana, la police secrète des tsars, pour servir de machine de guerre contre les Juifs ; à l'aide de faux documents, il visait à démontrer l'existence d'une vaste conspiration mondiale juive associant le socialisme (plus tard le bolchevisme), la franc-maçonnerie et la grande finance internationale anglo-saxonne. Avec des variantes, cette idée de complot mondial est reprise par l'extrême droite européenne durant l'entre-deux-guerres. Le *Protocole* a également servi en partie à justifier la mise en place de la « solution finale » par Hitler. Le grand article paru à ce sujet dans l'organe du Front national conclut ainsi : « Nations de la terre, nous vous convoquons à vous constituer en Tribunal et nous plaçons Judas sur le banc des accusés ! Quel est le châtiment mérité par ceux qui délibérément ont cherché à tuer les âmes ? »

Quand j'ai rappelé à François Genoud que le mouvement auquel il adhérait croyait à l'authenticité du *Protocole des Sages de Sion,* j'ai compris d'emblée qu'il n'avait pris aucun recul et n'avait pas cessé d'y ajouter foi.

Au Front national, il propose la création d'un mouvement de jeunesse, la « Jeunesse nationale ». Proposition acceptée. Il en est le premier chef. Il est désormais fiché par les autorités helvétiques. La première de ses fiches au Ministère public[2] est datée du 3 août 1934 : « Chef des Jeunesses nationales, demande à pouvoir porter l'uniforme. » Genoud n'était pas spécialement obsédé par le port de l'uniforme, mais il souhaitait que « sa » formation eût elle aussi une tenue vestimentaire attractive, comme la *Hitlerjugend* : chemise grise et foulard noir. Au bout de quelques semaines d'existence, l'uniforme de la Jeunesse nationale est interdit. Genoud enrage, car les « Fau-

---

1. Cf. *Histoire d'un mythe*, de Norman Cohn, Gallimard, 1967, et Folio Histoire.
2. Bureau placé sous la direction du procureur général de la Confédération helvétique, qui veille à la sécurité intérieure et extérieure de la Suisse, et qui a la police fédérale comme instrument. Le procureur doit coopérer avec les procureurs des vingt-six cantons et les polices cantonales.

cons rouges » du Parti socialiste conservent, eux, ce privilège. Il décide alors de faire appel à la Justice pour contraindre les autorités à revenir sur leur interdiction au tribunal de Lausanne. Convaincu que sa plainte n'aboutira à rien, il la retire. Il est vrai que le Parti socialiste exerçait alors le pouvoir aussi bien dans le canton de Vaud qu'à Genève. « Je compris que la démocratie était une farce », commente Genoud.

Gilbert Picard, dont le père était un ami de celui de François Genoud, se souvient de cette époque. Né à Lausanne, il est resté français, comme d'ailleurs ses enfants. Israélite, franc-maçon, grand résistant (délégué en Suisse de « Franc-Tireur »), se déclarant « de gauche », il a été éclaireur en compagnie de François, puis, intéressé par la politique, il a fréquenté tous les meetings en 1934-1935, et s'est ainsi retrouvé dans une réunion organisée par la Jeunesse nationale à la Maison du Peuple de Lausanne[1]. « Genoud a présenté le conférencier, Parel, qui avait été un de mes professeurs. Les thèmes abordés, les professions de foi nazies m'ont tellement dégoûté qu'à mi-séance, j'ai voulu montrer ma désapprobation en me levant et en quittant ostensiblement la salle. » Les deux hommes se sont croisés depuis lors à quelques reprises, par hasard, mais ne se sont vraiment revus qu'au début de l'année 1995. « J'avais un peu peur. Je me suis demandé s'il ne voulait pas se payer son dernier Juif... Non, cela s'est très bien passé. Nous avons beaucoup discuté, il n'a rien regretté de ses engagements, mais il m'a dit : "C'est vous qui avez eu raison de rester français..." Genoud est un personnage troublant, car je n'ignore pas qu'il s'est beaucoup engagé dans la lutte anticolonialiste, et le socialiste Gilbert Baechtold[2] m'a dit à diverses reprises beaucoup de bien de lui... »

Genoud n'a pas laissé beaucoup de traces de son engagement de cette époque, si ce n'est quelques fiches de la Sûreté vau-

1. Entretien avec l'auteur à Lausanne, le 13 octobre 1995.
2. Avocat, membre du Parti socialiste du canton de Vaud. Membre du Conseil national au Parlement fédéral de 1965 à 1977. Très engagé dans les causes arabe et palestinienne. François Genoud a voté pour lui en 1965.

doise signalant son adhésion au Front national et sa demande de port de l'uniforme, mais il n'y a guère de raisons de penser qu'il se montra moins convaincu et actif que les autres. Au contraire. Il était donc ouvertement fasciste, antisémite, anticommuniste et antimaçon. En mai 1935, la Sûreté l'a soupçonné d'être l'auteur d'une carte postale injurieuse adressée à M. Constant Salomon, directeur des Arts graphiques à Lausanne. Son nom, pourtant, apparaît peu dans la presse. À signaler toutefois un article signé Pierre Favre, dans *Front national* du 8 février 1936 :

« J'écoutais l'autre jour le jeune Genoud qui, de la voix mâle et fière des travailleurs de chez nous, exprimait sa confiance dans un avenir meilleur et la volonté des ouvriers patriotes de voir le triomphe de cette "Suisse chrétienne, fédéraliste et corporative" qui s'élèvera sur les ruines d'un régime déchu que chaque jour montre plus décrépit... Les jours qui viennent seront douloureux et prouveront beaucoup de choses à ceux que leur situation avantageuse rend sourds aux appels qui montent et aveugles en face de la puissance virile qui s'affirme... Nous constatons que la jeunesse se réveille... Nous pouvons retrouver confiance, car ce réveil d'une partie du peuple qui est sans contredit la force de la nation donne la certitude que cette révolution nationale qui effraie tant les politiciens, de la droite à la gauche, se fera. C'est le moment d'affirmer que si la réforme est politique, elle sera d'abord sociale... »

Le jeune Genoud — il a alors vingt ans — appelle ainsi à la « révolution nationale » qui ne peut jaillir que d'un monde en ruine. Il rêvera toujours à ce chaos préalable et nécessaire, selon lui, à la résurrection politique qu'il appelle de ses vœux.

Au début de l'année 1935, il a le loisir de porter un autre uniforme : celui de l'armée. Il fait en effet ses classes de jeune recrue dans l'infanterie, à Lausanne.

Le 1er juin, il est arrêté et emprisonné pour la première fois à Genève. Il a participé à une bagarre à l'issue d'une manifestation interdite de l'Union nationale de Georges Oltramare que la section vaudoise du Front national était venue renforcer. Il a été poursuivi pour outrage et rébellion à gendarmes. Il est désormais dans le collimateur des autorités.

En marge de son travail à la Maison Genoud et de ses activités hitlérophiles, une jeune fille plus âgée que lui l'initie au cours de ce printemps aux « mystères de l'amour physique ». Brève liaison qui n'a pas laissé de traces indélébiles dans le souvenir des deux partenaires. Le jeune homme restait classiquement persuadé que « l'amour physique devait être quelque chose de merveilleux si c'était le complément d'une passion sentimentale ».

Durant ce beau mois de juin ensoleillé, après son bref séjour à la prison, il prend l'habitude de fréquenter le site huppé de « Lausanne-Plage », juste après Bellerive. Il fait des complexes de pauvre, alors qu'il ne l'est pas, devant les baigneurs qui, eux, sont des gens très fortunés. Il s'abstient de se déshabiller sur la plage même. Il prend d'abord une barque pour aller jusqu'à la digue, s'y dévêt, y laisse ses vêtements, puis revient à la nage jusqu'à Lausanne-Plage. Il se retrouve alors au milieu d'une brochette de jeunes et jolies filles. L'une d'elles, très brune, est particulièrement resplendissante, « plus belle qu'une statue grecque ». Instantanément, le très pudique et bien élevé François Genoud tombe amoureux. Ce n'est qu'au troisième jour de plage qu'il réussit à s'en approcher et à échanger quelques mots avec elle, puis avec la responsable du petit groupe. Il est désormais admis par le gynécée, qu'il fréquente quotidiennement. Il l'accompagne même en excursions à Villars, Bretaye, au lac des Chavonnes. Jusqu'à la fin de l'été, le jeune homme vit ainsi dans les nuages à contempler chaque jour Klari Kempfner, objet de son amour tout platonique.

Bien vite, Genoud apprend que Klari est une Juive hongroise. Il affirme que cette découverte ne le gêna pas davantage que dans le cas de Ruth Koopmann :

— Il s'agissait de deux plans totalement différents : le destin du monde, d'un côté ; ce qu'il y a de plus personnel, de plus intime, de l'autre.

— C'est votre second amour juif... Troublant, tout de même, compte tenu de vos idées !

— Cela n'a rien à voir. Je suis très spontané. Si je m'amourache, c'est comme ça. Ensuite, quand j'apprends qu'elle est juive, ça n'a évidemment rien changé. J'ai vécu un très grand amour.

— Vous étiez alors pro-nazi. Connaissait-elle vos idées ?

— Oui... Mais ma vision du monde est une chose, mes sentiments en sont une autre. La première ne peut exercer d'influence sur les seconds.

— Était-elle également au courant de vos appréciations sur le « sionisme » ?

— Certainement. Elle n'était peut-être pas sioniste... Au demeurant, la plupart des Juifs ne l'étaient pas.

— Vous ne parliez pas seulement d'amour ?

— Si j'avais pu, je l'aurais épousée sans le moindre complexe.

— Vous avez entamé une correspondance...

— Après son départ, nous nous sommes écrit pratiquement tous les jours. Je me souviens d'être allé à la poste le dimanche pour réclamer une lettre qui devait normalement n'être distribuée que le lendemain. J'ai été follement amoureux pendant deux ans... Je n'ai cessé de penser à elle... Puis la guerre a tout arrêté : les lettres mettaient trois mois, il y avait la censure...

La « beauté grecque » est en effet repartie pour Budapest à la fin du mois d'août 1935. Est-ce son amour qui fait prendre à Genoud quelque recul par rapport à l'action politique ? Ou les difficultés qu'il crée à son père ? Probablement les deux. L'individualiste qu'il est se dit déçu par l'évolution constatée à l'intérieur du Front national : « Nous étions rassemblés par le rêve de faire de la Suisse un pays uni par tout ce que nous avions en commun, dans un beaucoup plus grand respect de nos particularités. C'est dans cet esprit que nous lançâmes une initiative en vue de la révision de la Constitution de 1848. Mais nous n'étions qu'une poignée, tandis qu'au sein du mouvement les ambitions se donnaient libre cours et qu'on assistait à un déchaînement de la lutte des clans pour le pouvoir. C'était parfaitement grotesque ! »

La lecture de la littérature du Front national suggère soit que François Genoud faisait partie en son sein d'une minorité plus engagée en faveur du nazisme, soit que son souvenir et sa volonté de passer à tout prix pour un nazi « pur sucre » l'ont amené à exagérer son engagement d'alors en faveur du Führer. Les deux hypothèses sont probablement vraies. Un article de *Front national* du 15 novembre 1935 montre en tout cas qu'il y a bien eu un problème des rapports du Front avec le national-socialisme :

« L'État totalitaire conçu et réalisé par le national-socialisme a toujours été combattu par le Front national, d'essence exclusivement suisse et partisan du fédéralisme cantonal le plus étendu compatible avec la sécurité militaire et économique de la Confédération. Si, au début, il y a eu au Front national des individus entichés des conceptions et méthodes allemandes, tels le Dr Hans von Wil et quelques autres, ils ont été ou se sont expulsés du mouvement, qui s'est trouvé ainsi débarrassé de scories nuisibles et encombrantes. »

Genoud ne se souvient pas de cette affaire, mais est tout prêt à se ranger parmi les « scories encombrantes ». Quant à la fin de cet article, que je lui ai lue — « Nous sommes partisans du sionisme ou de toute autre solution permettant aux Juifs de mettre en pratique ailleurs que chez nous leur culte racique et leurs lois talmudiques opposées aux nôtres » —, elle l'a fait hurler !

L'agitation de François Genoud n'était guère conciliable avec le projet de son père d'en faire son digne successeur. Des clients de la Maison Genoud montraient leur désapprobation, laissant entendre qu'il lui faudrait choisir entre ses idées et le commerce. On peut d'ailleurs comprendre que d'aucuns aient été choqués par son appartenance à un Front national qui dénonçait les francs-maçons de Lausanne — dont Genoud père fut longtemps un membre éminent — et les commerçants juifs[1]. Pour épargner des problèmes à son père, François décida alors de quitter Lausanne et la Suisse pour quelques mois...

Il s'éloigne ainsi du « panier de crabes » du Front national et se prend à rêver d'aventures loin du Lac. Avec son ami Bauverd, il commence à songer à une équipée en voiture jusqu'en Chine. La « Croisière jaune » de Citroën, les voyages d'Alain Gerbault les ont tous deux passionnés. Ils sont tout excités à l'idée de partir à la découverte de l'Europe centrale, des Balkans, de la Turquie, du monde arabe qui les fascine, de l'Iran, de l'Afghanistan, des Indes... Ils s'emploient à étudier les cartes du Moyen-Orient et de l'Asie, et, plus prosaïquement, se mettent en quête de financiers capables de les aider à monter cette grande opération. Bauverd, qui a versé dans le journalisme, se charge de conclure des contrats de reportage avec plusieurs journaux comme *L'Illustré, La Tribune de Genève, La Tribune de Lausanne, La Revue automobile* et divers périodiques suisses-allemands et tchèques. Le Département politique[2] est contacté et accepte de les recommander officiellement aux légations de tous les pays qu'ils traverseront. L'appui principal vient du Dr Vedova, directeur de la fabrique suisse de motocyclettes « Universal », qui étudie alors la possibilité de construire sous licence à Oberrieden (canton de Zurich) la voiture de tourisme tchèque « Aero ». Un vaste périple à bord d'une Aero serait une bonne propagande pour la future version suisse du véhicule.

En octobre, Genoud part pour Prague avec le Dr Vedova et deux autres dirigeants d'Universal pour discuter des conditions de la mise à disposition de la voiture aux deux jeunes apprentis aventuriers. L'idée est d'accomplir le périple avant le Salon de Genève de 1936, afin qu'il serve de réclame à la voiture. Genoud obtient le véhicule pour seulement 1 800 francs

1. En avril 1936, plusieurs magasins de confection furent l'objet d'une campagne d'affichage sauvage de papillons imprimés représentant une tête de Juif entourée de l'inscription suivante : « En achetant ici, vous aidez le communisme. »

2. L'équivalent du ministre des Affaires étrangères en France.

suisses. La maison Aero s'engage en outre à leur débloquer un peu d'argent à chaque étape.

Une fois terminées les discussions avec les responsables de cette firme, François Genoud prend le train pour Budapest. Il découvre ainsi la capitale hongroise et passe deux jours paradisiaques en compagnie de Klari, qui le présente à ses parents. Il est reçu chaleureusement, comme un fils.

Il reverra Klari en mai 1936, à Budapest, sur la route des Indes, puis très brièvement après son retour du périple asiatique, en janvier 1937, et une dernière fois au printemps de 1937, en route cette fois pour la Grèce. Ensuite, la vie les séparera. En 1941, François ne revoit que ses parents qui, pour éloigner leur fille de la barbarie nazie, l'ont envoyée aux États-Unis, chez un oncle médecin-dentiste.

Près de soixante ans plus tard, François Genoud évoque ce souvenir avec émotion. Il aimerait bien savoir ce que Klari est devenue : « Pour l'un comme pour l'autre, ce fut une passion très pure, très chaste. Je n'ai même jamais effleuré ses lèvres... »

Première bombe à Bagdad et rencontre avec le Grand Mufti de Jérusalem

Le 13 mai 1936, nos deux aventuriers prennent la route qui doit les conduire en Chine. Les deux compères, on l'a vu, ne trouvent plus aucun charme à la routine lausannoise. Ils ont beau admirer l'Allemagne de Hitler, ils ne sont pas non plus insensibles à la crise que traverse l'Europe, y compris la Suisse. « On a pris une carte de géographie et on a pointé le doigt sur Shanghai. » Leurs pères ont mis la main au porte-monnaie : celui de Bauverd, pour 1 000 francs, celui de Genoud, pour 800, les futurs héros promettant de les rembourser à l'issue du périple. Tous deux s'éloignent d'un pays où ils se sentent à l'étroit et ils ont assez de courage et d'inconscience pour partir à l'assaut de leurs rêves à bord de la « Flèche rouge », l'Aero-Universal de 5 CV, avec un équipement de camping. La voiture est réputée solide et ne devrait pas les trahir. Persuadée de l'intérêt que représente pour son modèle la réussite de l'expédition, la fabrique Aero-Universal a tout fait pour en peaufiner les ultimes mises au point. La maison Firestone a fourni les pneus et la possibilité de se réapprovisionner chez ses concessionnaires à l'étranger.

Départ discret, même si *La Tribune de Genève* s'assure la relation complète du périple et baptise nos deux aventuriers « journalistes sportifs ». Ce n'est que le 17 mai que ceux-ci quittent la Suisse à Bâle. L'un et l'autre sont heureux de se retrouver dans un pays et un régime qu'ils apprécient : « Les formalités de douane sont terminées. Nous roulons sur le sol germanique. Partout des croix gammées sur les drapeaux rouge sang ! Des bras qui se lèvent à gauche, à droite, en des saluts joyeux et convaincus ! Des *Heil !* interminables et des fanfares ! Toutes ces démonstrations d'enthousiasme juvénile dans un cadre printanier admirable ! » écrit Jean Bauverd dans le livre qu'il publiera après l'expédition[1].

Les deux « frontistes » pro-nazis traversent l'Allemagne du Sud, apprécient au passage les « démonstrations spontanées d'enthousiasme de la jeunesse allemande » pour leur expédition, contrastant avec la quasi-indifférence de leurs compatriotes, et pénètrent en Tchécoslovaquie pour atteindre Prague le 21 mai. Ils ont beaucoup à faire au siège de la firme Aero. Ils y reçoivent une formation accélérée au montage et démontage de leur véhicule, connaissance détaillée qui leur sera d'un grand secours en maintes occasions. Au hasard de réceptions chez le représentant de la Confédération à Prague, ils rencontrent hommes politiques et industriels, et entendent beaucoup parler des préoccupations des Tchèques en matière d'armement et de défense... Désormais brevetés mécaniciens, ils repartent le 28 mai, jour de l'anniversaire du président Benes, et quittent une ville en fête.

Passage éclair dans la capitale autrichienne. Vienne leur paraît trop terne, trop calme. Ils arrivent à Budapest le 30 mai. Jusqu'à présent, l'aventure attendue ressemble à s'y méprendre à un banal circuit touristique, tant l'état des routes et l'accueil des populations sont partout excellents.

« Alors que nous roulions dans Budapest à bord de notre Aero, raconte Jean Bauverd[2], François hurle tout à coup : "Klari !" Par hasard, nous venions de passer à côté du grand amour de Genoud. Il était fou de joie. Il m'a laissé pour aller dans la famille de Klari... »

---

1. *Expédition Suisse-Asie,* Éditions Victor Attinger, Neuchâtel et Paris, mai 1937. Dans notre évocation de l'expédition des deux jeunes Suisses, nous emprunterons à ce livre ainsi qu'aux articles qu'ils envoyèrent régulièrement à la presse de leur pays.

2. Entretien avec l'auteur.

François quitte son grand amour le soir même, car il doit reprendre la route dès le lendemain. Les deux compères traversent la Puszta, plaine immense peuplée de troupeaux de moutons et de buffles, mais surtout de brigands et où chaque ferme se barricade soigneusement pour se prémunir de leurs attaques. Les deux Lausannois jouent à se faire peur. Le jour de la Pentecôte, ils participent aux fêtes villageoises, dansent des *czardas*[1] : « des joies simples avec des gens simples »...

Sitôt la frontière roumaine passée à Boys, les routes deviennent plus difficiles. La traversée de Sibiu, avec ses fortifications moyenageuses, celle de Sinaia, « la perle des Carpates », récompensent les deux randonneurs de leurs efforts. Après avoir franchi la vallée de la Prahova, passé Ploïesci, ils découvrent Bucarest. Leur arrivée y suscite une vive curiosité parmi une population peu habituée à côtoyer des étrangers pilotant de surcroît un véhicule peu courant. Première surprise : beaucoup de Roumains s'expriment en français et les accueillent comme des héros venus d'un autre monde. En bons Suisses précautionneux, nos aventuriers avaient pris soin, avant de partir, de répertorier les compatriotes susceptibles de les héberger dans les différents pays traversés. Un Vaudois, horticulteur renommé, les reçoit, ravi de pouvoir respirer dans leur compagnie un peu de l'air du pays. Genoud et Bauverd profitent de cet accueil pour prendre quelques jours de détente dans un confort qu'ils ont déjà commencé à oublier. La suite du voyage présentant de véritables dangers, et les armes qu'on leur a confisquées lors de leur passage en Allemagne risquant de leur faire défaut, leur hôte les prévient qu'il leur sera impossible de s'en procurer en Roumanie, mais, par relations, ils parviennent à acheter des... haches ! Ainsi, après une sérieuse révision de leur Aero, ils reprennent la route, équipés de pelles, de pioches et de haches, pour affronter une étape qui promet d'être beaucoup plus ardue.

---

1. Danses populaires hongroises.

Ils quittent Bucarest le 7 juin. Après Giorgiu, dernière ville roumaine, l'euphorie fait place à l'anxiété de devoir franchir le Danube pour rejoindre Routschok, première ville bulgare. Utilisant les services du bac local, ils y arriment la « Flèche rouge » et passent le fleuve majestueux sans encombre. Les voici en Bulgarie ; c'est leur cinquième frontière depuis qu'ils ont quitté Lausanne. Après avoir longé quelque temps le Danube, ils abandonnent ce calme relatif pour obliquer vers le sud. Très vite, la route disparaît pour céder la place à une piste accidentée ; ils doivent de surcroît affronter un vent violent qui soulève des nuées de poussière, laquelle s'insinue partout, entravant leur progression. Un arrêt anticipé leur procure une nuit réparatrice.

Le 8 juin, ils poursuivent leur chemin à travers la Bulgarie, traversent Tirnovo, franchissent la chaîne des Balkans par le col de Chipka, et font connaissance avec la population locale au cours de leur brève halte à Zmesovo, proche de Stara-Zagora. Ces contacts avec les autochtones se nouent dans une bonne humeur qu'avive la curiosité de leurs hôtes. Le 9 juin, cependant, leur excitation se mue en exaspération grandissante face aux contrôles tatillons de la police turque jusqu'à leur arrivée à Andrinople (ancien nom d'Edirne), première ville d'importance en Turquie. Intrigués par les deux voyageurs, les fonctionnaires municipaux, en tunique blanche à galons rouges, les retiennent longuement à la porte de la ville, puis se décident à aller chercher l'interprète local pour faciliter la communication. Genoud et Bauverd sont ébahis de voir rappliquer un jeune Allemand rubicond retenu lui-même depuis un mois par la police et baptisé interprète. Celui-ci les rassure et leur précise que son « incarcération » lui permet néanmoins d'aller et venir, et de lire... *Mein Kampf* ! Bref, ses précieux services aident à débloquer la situation et, ce 9 juin, Andrinople leur est ouverte. Porte de l'Orient, cette ville « sale et grouillante » met leurs rêves d'aventuriers à rude épreuve face à tant de pauvreté. Au matin du 10, ils affrontent à nouveau des pistes boueuses, s'enlisent dans les sables à proximité de la mer, et arrivent enfin, fourbus, à Istanbul. Première victoire, première récompense de leurs efforts : ils ont déjà couvert 4 627 kilomètres.

Hébergés par des compatriotes, ils profitent de quelques jours de halte pour explorer la ville, répondre aux nombreuses invitations ainsi qu'aux interviews des journaux locaux. Bauverd et Genoud sont pleins d'admiration pour le bâtisseur de la Turquie nouvelle, Kemal Atatürk, cet ardent nationaliste, incarnation de la résistance active face à l'envahisseur (grec pour la partie orientale, anglais pour la partie occidentale). Les deux « frontistes » pro-hitlériens projettent sur le Président turc tous leurs fantasmes parce que ce grand nationaliste a su tenir la dragée haute aux puissances de l'« Entente », chez eux, au château d'Ouchy[1], lors de la conférence de Lausanne.

C'est leur dernière halte avant l'Asie, terre mystérieuse qui a tant nourri leur imagination et stimulé leur désir d'évasion. Fiévreux de laisser derrière eux l'Occident, ils sont encore plus excités à l'idée de passer enfin la vraie frontière de l'aventure. Le 18 juin, ils posent le pied sur l'autre continent après avoir franchi en barque la mer de Marmara, ils traversent Yalova et font connaissance, sous un soleil brûlant, avec des pistes d'un autre âge, qui n'ont de routes que le nom. Leur véhicule résiste aux ornières, louvoie dans les sables, et les amène finalement sains et saufs à Ankara, le 19 au soir. La capitale turque leur apparaît comme une oasis de verdure et de confort. Nos deux Lausannois sont surpris par la touche inattendue de modernisme qu'apportent quelques superbes demeures entourées de jardins verdoyants. La légation suisse héberge les deux aventuriers pendant leur séjour prolongé. La préparation de l'étape suivante requiert en effet un soin tout particulier. Elle va nécessiter un important ravitaillement en eau, en huile et en essence, et les voyageurs sont obligés de se délester d'une vingtaine de kilos d'affaires diverses pour charger tous leurs bidons.

1. Le château d'Ouchy est un hôtel situé au bord du Lac. C'est là que s'est tenue, en 1923, la conférence qui a abouti au traité de Lausanne rendant caduc le traité de Sèvres et réglementant notamment le passage des navires dans les Détroits.

Dans la matinée du 25, ils quittent Ankara pour Adana, puis Alexandrette. Commencent les premières vraies difficultés. Leur courage et leur ténacité vont être mis à rude épreuve. Une piste au milieu du désert, parfois invisible. Le moindre orage transforme le sol en bourbier. Seules rencontres : les interminables caravanes de chameaux qui transportent le sel. Au bout de trois jours, ils découvrent les premiers escarpements du Taurus, franchissent la montagne, puis retrouvent la plaine autour d'Adana. Un dernier effort et, le 30 juin, ils atteignent Alexandrette. À leur droite, la Méditerranée ; à gauche, la Syrie... Le 2 juillet, ils décident de rouler vers Téhéran plutôt que de continuer, comme prévu, vers Damas. Le cauchemar des pistes turques est terminé, la route qui rejoint Alep est parfaitement entretenue. La citadelle antique grouille d'une population affairée. Les deux Suisses laissent de côté la cité ocre pour retrouver tout de suite le désert. Dans la soirée, ils atteignent Deir ez-Zor, franchissent l'Euphrate et rejoignent Souar, dernière étape syrienne. Objectif suivant : Mossoul.

Ils roulent à travers un désert accidenté, sous un soleil de plomb, sans véritables indications. Ils hésitent sur le chemin à suivre. Ils rencontrent des bédouins providentiels qui leur proposent avec insistance de leur servir de guides. À la suite de leur refus, ceux-ci leur indiquent une fausse piste. L'aventure manque de se terminer dans le désert mésopotamien. Perdus au milieu d'une tempête de sable, ils errent en plein désert, quittent leur voiture, ne la retrouvent que par hasard, quasi ensevelie sous les sables. La chance les fait croiser leurs propres traces qui les ramènent à leur point de départ : Souar, vingt-quatre heures plus tard. Conscients des difficultés, ils acceptent enfin un guide, mais ce dernier les abandonne en cours de route après avoir appris, au passage d'un poste de police, que leur arrivée à Mossoul n'est pas franchement souhaitée par les autorités. Ils n'en continuent pas moins leur route et débarquent à Mossoul sans encombre. Ils ne s'y attardent pas, retrouvent le désert avec ses 50 degrés, traversent le Tigre et atteignent Kirkousk le 6 juillet au soir.

L'odeur de pétrole envahit tout. Impossible d'oublier qu'on est dans la citadelle de l'Irak Petroleum Company, la société créée après la guerre par les pays de l'« Entente » avec les dépouilles de la Turkish Petroleum Company. Bâtie en plein désert, la ville est d'une modernité incongrue avec ses constructions d'avant-garde, ses chantiers, ses ébauches de nouvelles avenues, ses éclairages éclatants, quelques beaux édifices publics, des banques, de riches magasins. Bauverd traduit bien le plaisir qu'ils éprouvent à se retrouver en Orient : « L'Oriental, du plus humble manœuvre au plus noble seigneur, conserve en toutes circonstances une courtoisie joyeuse et raffinée. Il a *de la race*[1]. On sent qu'il est l'héritier d'une civilisation très ancienne et brillante [...]. Et je pense avec dépit à tous les mufles qu'il faut côtoyer chaque jour en Europe ; à ces nouveaux riches qui étalent partout leur argent et leur grossièreté ; à ces grincheux qui, du matin au soir, exhalent, devant des innocents, leur mauvaise humeur et leurs rancunes[2]... »

Les deux Lausannois prennent parti pour les Arabes contre les « requins » qui ont arraché la concession si avantageuse de l'IPC grâce à la menace militaire. Ils expriment déjà les idées qu'ils développeront à ce sujet toute leur vie durant : « N'en déplaise aux utopistes, les méthodes commerciales du monde “civilisé” ne sont pas près de se transformer », écrit Bauverd dans sa relation de voyage.

La chance est de leur côté : le directeur de l'IPC est un ingénieur suisse, tout heureux d'accueillir des compatriotes. Il leur fait visiter l'ensemble des installations. Les dirigeants du complexe semblent obsédés par les problèmes de sécurité qui nécessitent une infrastructure défensive impressionnante, notamment une forteresse capable d'abriter tout le personnel et de soutenir un siège de plusieurs semaines.

Le 9 juillet, les deux Lausannois reprennent la route à destination de Téhéran. Ils franchissent la frontière iranienne à

1. Souligné par l'auteur.
2. Cf. *Expédition Suisse-Asie, op. cit.*

Kanigin et retrouvent un semblant de végétation après un mois de désert. Deux cols difficiles à passer, puis ils entrent dans Téhéran le 12 au soir. L'ingénieur suisse (encore !) qui dirige l'ensemble des constructions ferroviaires iraniennes les reçoit comme des héros et les héberge dans sa luxueuse propriété des environs de la capitale. La ville, bâtie à 1 200 mètres d'altitude, semble résolument en marche vers le modernisme sous l'impulsion du Shah qui gère le pays d'une main « autoritaire et ferme », pour reprendre le vocabulaire des deux « frontistes »... Les larges avenues sont macadamisées, des réserves d'eau situées dans la montagne alimentent la ville deux fois par semaine : l'eau coulant à ciel ouvert dans des rigoles aménagées le long des trottoirs, chaque maison prévoit une dérivation qui permet son approvisionnement. Mais, pour moderne qu'elle soit, Téhéran héberge une population musulmane très attachée aux traditions. « Évidemment, l'Iran est une nation musulmane, et l'Islam, au contraire de la Chrétienté, a toujours été imperméable aux influences dissolvantes et matérialistes !... Heureux pays où l'art et la nature sont des valeurs sacrées contre lesquelles l'argent, l'extravagance ou l'imbécillité ne peuvent rien... La population, *de race aryenne, n'a pas un type très prononcé*[1]... »

Beaucoup de difficultés pour obtenir le visa d'entrée en Inde : les Anglais répugnent à admettre des étrangers sur ce territoire et subordonnent leur décision à une autorisation spéciale de leur gouvernement. Au bout de quinze jours de démarches diplomatiques diverses, les visas sont enfin accordés. Après avoir fêté le 1er août avec le personnel de la légation suisse, nos voyageurs quittent Téhéran le 11 août. Parcours sans histoires jusqu'à Meshed, deux jours de repos auprès d'hôtes attentionnés (l'hospitalité orientale !), et ils repartent bien préparés à la nouvelle épreuve que représente le passage des hauts plateaux afghans pour rejoindre Kaboul.

---

1. *Expédition Suisse-Asie, op. cit.*, souligné par l'auteur.

Arrêt dans une petite ville de garnison de Perse : ils constatent alors la disparition du portefeuille de François, de tout leur argent iranien ainsi que d'une trentaine de francs suisses. Ils n'ont plus rien pour entrer en Afghanistan. Au terme de nombreuses palabres avec le commandant de la place, Bauverd est finalement gardé en otage dans la prison cependant que Genoud, accompagné de soldats de la garnison, passe la nuit à poursuivre les voleurs éventuels. Au petit matin, pas de voleurs, toujours pas d'argent, et Bauverd reste incarcéré. En fin de compte, grand seigneur, le commandant de la place leur donne 150 rials prélevés sur ses propres deniers. « Ceci ne fait qu'augmenter la dette de reconnaissance contractée envers l'Iran, l'Iran éternel[1]... »

Passage de la douane à la mi-journée, examen scrupuleux des passeports et autres autorisations, enfin le poste-frontière où les Afghans refusent leur argent et entendent garder de force les deux Suisses. « Départ en vitesse, poursuivis par les gendarmes... » Quelques kilomètres plus loin, dans la nuit, « quatre ombres se placent tout à coup sur notre route, le fusil entre les mains ! C'est la région des embuscades de bandits. Seul moyen de s'en sortir : la fuite ! Accélérer à fond !... Nous passons à 80 à l'heure. Les brigands n'ont que le temps de se garer... Quelques balles sifflent à nos oreilles, qui n'atteignent heureusement que la carrosserie[2] ». Malgré un radiateur percé, ils arrivent à Hérat sous la protection de policiers débonnaires qui leur ouvrent le chemin jusqu'au palace local. Après une réparation de fortune et deux nuits de vrai repos, le 16 au matin, ils reprennent la route vers Kaboul.

Une très longue piste de montagne, un vent torride qui échauffe le moteur obligent les deux jeunes aventuriers à pousser la « Flèche rouge ». Rencontre avec des caravanes de chameaux sous les étoiles... Plus loin, ils repèrent d'étranges lueurs mobiles ; des aboiements rauques trouent la nuit. Ils sont

1. F. Genoud et J. Bauverd, *La Tribune de Genève,* 22 novembre 1936.
2. *Ibid.*

entourés de loups ! « Ils bondissent, haletants, contre les flancs de la voiture basse et découverte... François saisit sa hache (notre seule arme), se dresse dans la voiture et tape à tour de bras sur l'assaillant. Le sang gicle ! L'ennemi est déchaîné. La route, toujours plus mauvaise, m'oblige à ralentir encore pour éviter la casse. Situation critique ! Une panne nous serait fatale. "François, tiens bon ! Frappe un peu de mon côté, l'adversaire se sent trop libre !" Pan à gauche, pan à droite ! Cette lutte dans la nuit a quelque chose d'épique[1]... »

Ils connaissent encore quelques incidents désagréables avec une population locale peu sensible à l'humour de nos héros, et sont sauvés une fois encore par la « Flèche rouge » qui les éloigne rapidement du théâtre de leurs bravades. La chaleur augmente, ils sont contraints de se relayer plus souvent au volant. Constamment ensablés, ils doivent dégonfler les pneus, puis, en terrain normal, les regonfler. Au terme de cette étape harassante, l'arrivée à Kandahar s'apparente à une délivrance.

La rencontre fortuite du probablement seul Afghan parlant allemand leur permet de trouver rapidement le domicile des ingénieurs qui doivent les accueillir. Enfin une vraie douche et un vrai repas ! La « Flèche rouge » révisée de fond en comble, l'approvisionnement en essence prévu au plus large, ils s'engagent sur la route de Kaboul pour une seule grande étape. Arrivés à l'époque des fêtes de l'Indépendance, ils ont quelques difficultés à trouver un toit. À nouveau, ils ont la chance de rencontrer un vieux savant allemand qui les héberge. Sorte d'oasis de verdure, la capitale afghane, construite au centre d'un cirque montagneux, reste d'une extrême pauvreté : les maisons, de simples cubes de terre séchée, sont plantées le long de ruelles sales et mal entretenues. Genoud et Bauverd y demeurent trois jours et quatre nuits. Fatigué, fiévreux, François essaie de récupérer quelque peu avant la grande aventure hindoue. L'objectif n'est pas franchement atteint car, en accomplissant diverses démarches administratives, il commet

1. *Expédition Suisse-Asie, op. cit.*

quelques gaffes qui heurtent la sensibilité des Afghans : « Cela m'entraîne dans une invraisemblable aventure avec des mendiants, le chef de la police, la prison... Une porte forcée, une course d'auto dans la nuit, des virages manqués... », raconte Genoud[1].

Les deux aventuriers quittent Kaboul dans la matinée du 24 août. La route, magnifique, se transforme brusquement en mauvaise piste. La voiture donne des signes de fatigue avant de hoqueter. Les deux Lausannois doivent la réparer avec les moyens du bord, vider le réservoir, décalaminer les pistons. La capricieuse Aero consent enfin à repartir... Arrêt à Jallahabad, dernière halte avant la frontière, où nos deux héros font la connaissance d'un groupe de touristes dont un Américain, directeur de « Believe it or not », une agence d'informations. Celui-ci se prend d'amitié pour eux et les invite dans un hôtel du gouvernement, situé dans un parc merveilleux. Ils promettent de se revoir dans le meilleur hôtel de Peshavar. Pour l'heure, ils sont heureux, écrivent-ils, de quitter l'Afghanistan qui leur laisse « une impression très complexe »...

De ses impressions d'alors, Genoud retient surtout aujourd'hui celle d'« un monde totalement étranger » qui fit sa conquête. « J'aurais rêvé de devenir chef de bande dans les montagnes. Un homme ne sortait de sa maison qu'armé de son fusil. À la nuit tombante, on tirait des chaînes à chaque porte donnant accès à la ville enserrée dans ses murailles. La nuit, on ne pouvait circuler que porteur d'un falot-tempête, faute de quoi on était un voleur, donc arrêté. C'était dû au souvenir d'Habib Allah Khan, le chef de bande qui avait renversé Aman Allah en 1929. Celui-ci avait tenté pendant dix ans de moderniser son pays. Habib Allah Khan, lui, n'exerça son pouvoir féroce que six mois, mais cela lui suffit pour tenter de détruire toute trace du modernisme d'Aman Allah. Le personnage d'Habib Allah Khan me fascinait, je dois l'avouer... » On ne trouve pas trace de cet Attila afghan dans ses reportages

1. Dans l'organe officiel de l'Automobile-Club de Suisse, 1937, n° 1.

envoyés à l'époque en Suisse. Probablement parce qu'il n'était pas « politiquement correct » d'écrire des choses pareilles qui auraient révélé par trop son tempérament destructeur, nietzschéen. Quand Genoud parle de nos jours d'Habib Allah Khan, ses yeux pétillent encore, sa voix se raffermit, et il refait le geste du chef de bande rasant un palais : le fameux geste du petit lanceur de « bombe » devant la boutique du coiffeur de la rue Marteret, à Lausanne...

Bauverd et Genoud passent à 3 000 mètres d'altitude par le fameux « Kaiberpass[1] », « si différent, remarque le second, de l'aspect qu'on lui voit dans le film *Les Trois Lanciers du Bengale*, même si le thème en est juste ». Les tribus musulmanes sont toujours insoumises. Pendant qu'ils franchissent le col, des avions survolent la région, jetant de temps à autre des bombes.

Peshavar invite à la découverte d'une ville noyée sous la verdure, les fleurs tropicales, une végétation à laquelle nos héros ne sont plus habitués. Après les émotions provoquées par divers incidents mécaniques, il y a urgence à réviser la vaillante « Flèche rouge » et ils y consacrent le plus clair de leur séjour, même s'ils apprécient le luxe de l'hôtel où ils sont conviés par de nouveaux amis. Ils renoncent pour cause de grosse fatigue à une invitation à dîner et, au petit matin, quittent Peshavar au milieu des vaches sacrées. Ils progressent à travers la plaine, traversent l'Indus et, en fin de matinée, arrivent à Rwaldindi. La confiserie Kuhn les y accueille triomphalement : la tradition hospitalière suisse leur permet de bénéficier d'un excellent dîner avant l'étape de Lahore. Quelques craintes, durant la nuit, sur les routes inondées, puis arrivée dans cette dernière ville où leur équipée intéresse le journal local ; c'est avec bonne humeur qu'ils se laissent aller au plaisir de se raconter.

Ils quittent Lahore deux jours plus tard, le 30 août, sous la pluie. La route est rendue très difficile par les intempéries. Les vaches ne facilitent pas non plus le trafic. Parvenus à Delhi à

1. Passe de Khaybar, au Pakistan, qui relie Kaboul et Peshavar.

l'aube du 31 août, Genoud est dans un état d'extrême fatigue et Bauverd s'occupe seul des problèmes pratiques. Nos deux Lausannois sont au bord du découragement. Ils quittent Delhi le 2 septembre, sous une pluie battante, et décident d'un commun accord de rejoindre Calcutta, située à 1 700 kilomètres, d'une seule traite. Le Gange et ses affluents débordent, la route n'est souvent qu'un marécage. Genoud, de plus en plus épuisé, ne peut plus conduire. Après Kampur, la chaleur devient insupportable. Bauverd pilote au milieu d'une foule grouillante de passants hâves et déguenillés, d'une indigence extrême. Au fil des kilomètres, l'état de santé de François Genoud empire ; victime d'une forte fièvre, il sombre dans une profonde somnolence. Il n'émerge de sa léthargie que pour s'enquérir du chemin à parcourir avant d'atteindre Calcutta où il pourra enfin se faire soigner.

Dès leur arrivée, Bauverd se rend au consulat de Suisse pour obtenir l'adresse d'un hôpital. Le consul résume brièvement la situation : « Un hôpital indigène ? Il est sûr de mourir de la typhoïde. Un hôpital anglais ? S'il ne meurt pas de la maladie, il mourra des médicaments. Il existe une petite clinique suisse où il a une chance de s'en sortir[1]... » Le diagnostic est sévère : fièvre typhoïde aggravée d'une appendicite aiguë. Pendant quinze jours, Genoud reste entre la vie et la mort, mais la détermination et le dévouement d'une doctoresse suisse sauvent le patient qui doit néanmoins demeurer plusieurs semaines à l'hôpital. Plus question d'aller à Shanghai, puisque les deux Lausannois se sont engagés à être de retour en Suisse avant le Salon de Genève.

Fin septembre, François Genoud va mieux, mais les médecins lui interdisent de reprendre trop tôt la route. La saison des moussons va rendre les pistes impraticables, les montagnes de Perse infranchissables... D'un commun accord, les deux amis décident de se séparer : Bauverd prend le chemin du retour, Genoud le rejoindra plus tard...

---

1. Témoignage de François Genoud.

Jean Bauverd repart donc seul, le 30 septembre, pour Téhéran où il arrivera, le 25 octobre, terrassé par la malaria. Pendant ce temps, grâce aux soins du Dr Voegeli, François Genoud va de mieux en mieux. Il quitte Calcutta plus tôt que prévu. « Sitôt que je fus autorisé à me lever, se souvient-il, je pris le train à destination de Karachi : plus de trois jours en quatrième classe, à dix ou douze dans un compartiment minuscule avec brebis et poules ; combat désespéré à chaque changement de train pour conquérir une place après des attentes indéterminées... J'en arrivais à regretter que mon ami n'eût pas choisi l'hôpital indigène ! Mais tout a une fin : à Karachi, je trouvai un cargo anglais qui, en huit ou neuf jours, me transporta jusqu'à Bassorah. Huit jours par un temps imperturbablement beau et doux, sur une mer d'huile, pratiquement seul sur le pont, tous les autres misérables comme moi préférant voyager à l'intérieur... Convalescence extraordinaire... »

Débarqué à Bassorah, il prend aussitôt un train de nuit pour Bagdad et, après treize heures de traversée du désert, arrive à l'aube du 29 octobre 1936 dans la capitale irakienne... en pleine révolution ! Il a exprimé toute son excitation dans un article envoyé à la *Tribune de Genève*, texte qui mérite d'être reproduit intégralement tant on y retrouve le tempérament et les idées du jeune Lausannois qui a toujours rêvé de plaies et de bosses, d'explosions sociales, de révolutions, de chaos, tout en étant en même temps fasciné par l'ordre et la discipline germaniques :

> « Une escadrille d'avions envoyée par Al-Farik Bekir-Sidki, remplaçant du commandant en chef de l'armée irakienne, actuellement en congé à l'étranger, vient de survoler la ville et de jeter des milliers de tracts demandant la démission du gouvernement. Je me félicite d'arriver à Bagdad au bon moment.
>
> En descendant à l'aube du train de Bassorah — treize heures de traversée dans le désert, seul Européen en troisième classe au milieu des Hindous les plus répugnants qui ne cessent de mastiquer le bétel ou de cracher de longs jets de salive rougeâtre —, je rêvais d'un lit aux draps blancs... Mais il n'est plus question de dormir vingt-quatre heures, car

ici, à des milliers de kilomètres de ma patrie, elles sont historiques, ces vingt-quatre heures, et je veux les vivre ! Je vais rôder du côté du sérail, le palais du Premier ministre.

Mais, d'abord, un bref historique :

Pendant près de deux siècles, la Mésopotamie, l'Irak actuel, appartint à la Turquie. En 1914, profitant d'une situation unique, tous les pays arabes se soulevèrent contre leurs tyrans turcs, sous la direction des Anglais toujours opportunistes. Les Irakiens ne firent naturellement pas exception. En 1919, ils se rendirent compte que leur lutte n'avait eu pour résultat qu'un changement de maîtres.

En 1922, l'Irak devint un royaume ; on appela le fils du roi Hussein, du Hedjaz, qui fut couronné sous le nom de Fayçal Ier, roi de l'Irak. Ce n'est que par le traité de 1923 que le pays devint officiellement indépendant. J'insiste sur le *officiellement*, car les conditions imposées par l'Angleterre sont telles que rien n'est changé : aux Anglais l'exploitation des puits de pétrole, principale richesse de l'Irak, les traités de commerce les plus avantageux, l'autorisation d'avoir une armée de 5 000 hommes répartie entre Mossoul, Bagdad et Bassorah. Aux Anglais encore les aérodromes militaires de ces trois villes, aérodromes occupés par un nombre imposant d'escadrilles. Ce traité expire en 1937, à l'exception bien entendu de l'exploitation des puits de pétrole, accordée à la compagnie pour près d'un siècle (quatre-vingt-dix-neuf ans).

Le nouveau traité ne différera pas beaucoup de celui qui est encore en vigueur pour quelques mois. Le gros des forces anglaises, le contingent actuellement à Bagdad, quittera la capitale ? Ce ne sera pour lui qu'une promenade de quelques kilomètres jusqu'à Sin al-Dibban où l'on construit un magnifique aérodrome souterrain.

Les Irakiens ne supportent guère mieux cette dictature déguisée que la tyrannie turque, car c'est un peuple fier et sensible. Il n'est ni révolutionnaire, ni antimilitariste, et encore moins athée. Bien au contraire, il adore son roi, son armée, et, au-dessus de tout, son Dieu. Les deux premiers sont ses défenseurs temporels contre les politiciens véreux, et il le sait.

Aujourd'hui, j'ai essayé de me rendre compte de l'opinion publique. Aussi ai-je questionné le plus habilement possible des individus des différentes classes, religions et conditions : directeurs d'affaires, d'hôtels, employés, coolies, un agent de police, un étranger depuis vingt ans à Bagdad, des chrétiens, des musulmans, des juifs. La situation est toujours assez tendue entre ces derniers. Il y a une semaine, sept Juifs ont été tués. Leurs pauvres coreligionnaires ne peuvent pas quitter ce pays pour la Terre promise, la Palestine. Il n'y avait pas de visas au temps de

Moïse, seulement la mer Rouge. Les temps ont changé. Quelques Juifs irakiens me parlent avec ferveur du roi et de l'armée. Ils ont l'air d'être de bons patriotes.

Les raisons qui ont poussé Al-Farik Bekir-Sidki à accomplir ce coup d'État sont les suivantes :

L'ancien Premier ministre, Yassim el-Hashima, parut tout d'abord vouloir travailler dans l'intérêt du pays, mais ne suivit pas cette première impulsion. Chacun estime qu'il ne pensait qu'à son intérêt personnel. Sa carrière de Premier ministre lui permit non seulement de rembourser de grosses dettes personnelles, mais d'amasser une des plus importantes fortunes du pays. D'autre part, il était considéré comme un instrument trop docile des Anglais.

J'en arrive au fait : le coup d'État. Tôt dans la matinée du jeudi 29 octobre, on arrose la ville de tracts pour préparer l'opinion publique. En voici à peu près la teneur :

> "À la noble nation irakienne !
>
> L'armée, composée de vos fils, a perdu patience avec le gouvernement actuel qui ne s'est occupé que de ses intérêts particuliers, oubliant l'intérêt public. C'est pourquoi l'armée a fait appel au roi pour destituer ce gouvernement et le remplacer par un autre composé de citoyens sincères, sous la conduite de Syid Hikmet Sulaiman, qui est estimé par tout le peuple.
>
> Par cet appel, nous n'avons aucun autre but que l'amélioration de votre condition et l'intérêt de la patrie. Nous ne doutons donc pas que vous coopérerez avec vos frères, les soldats de l'armée et les officiers, de tout votre pouvoir, car le pouvoir du peuple est toujours suprême. À nos frères de l'administration, nous disons : Nous ne sommes que vos frères et vos collègues au service de l'État, que nous désirons tous voir travailler dans le seul intérêt public. Nous attendons de vous que vous fassiez votre devoir en ne coopérant pas avec le gouvernement oppresseur et en quittant vos bureaux jusqu'à ce qu'un nouveau gouvernement dont vous puissiez être fiers soit formé. Il est possible que l'armée doive prendre des mesures contre ceux qui ne se conformeraient pas à cet appel sincère.
>
> *signé :* Al-Farik Bekir-Sidki, commandant des Forces nationales."

À 11 heures, le gouvernement n'ayant pas démissionné, quelques avions survolent à nouveau la ville et lâchent quatre bombes sur le Parlement et le Palais où se tient le Conseil des ministres. Il n'y a pas grand mal : un seul homme est blessé, naturellement un brave type de piéton nullement mêlé aux événements...

Dans la matinée encore, le Premier ministre Yassim el-Hashima déclarait insolemment au jeune souverain : "Vous pouvez démissionner comme roi, je ne me retirerai pas comme Premier ministre."

Après l'incident des quatre bombes, l'effet recherché est obtenu. Yassim ne tarde pas à remettre la démission collective du cabinet. Les ministères sont occupés militairement. Dans l'après-midi, une partie de l'armée — 15 000 hommes — défile à travers la ville avec des tanks, des camions sur lesquels sont montées des mitrailleuses chargées. L'armée est acclamée par le peuple, tout à fait d'accord, de même que le roi, avec le changement que les militaires viennent d'imposer.

Un nouveau cabinet est formé dans la soirée par Syid Hikmet Sulaiman.

Aujourd'hui, 30 octobre, l'optimisme règne ; on s'attend à de grands et bons changements. Bekir-Sidki est le chef suprême de l'armée.

Je vais d'un ministère à l'autre, obtenant des secrétaires de ministres des renseignements intéressants. Demain, je dois voir Bekir-Sidki et le nouveau ministre de la Guerre. Je vous en reparlerai. »

Les lecteurs de la *Tribune de Genève* ne liront jamais la suite promise par Genoud, car, à partir de sa rencontre avec l'auteur du coup d'État nationaliste, le Lausannois va changer de registre. De journaliste, il se transforme en fervent militant de la cause arabo-palestinienne.

Le 31 octobre, il rencontre donc Bekir-Sidki et son ministre de la Guerre, Rachid Ali Khailani, tout heureux de voir un jeune Occidental enthousiasmé par la cause arabe. Désormais, Genoud va évoluer comme un poisson dans l'eau dans les milieux nationalistes. Une seule fois, sa façon de s'intéresser avec passion à cette cause manque de lui jouer un mauvais tour. Le « Tintin » lausannois s'est installé à l'hôtel Tigris où logent de nombreux Palestiniens réfugiés à Bagdad, qui étaient pourchassés par les Anglais et qui préparent leur prochain soulèvement. François Genoud attend dans le patio de l'hôtel que l'homme qui mobilise le téléphone termine sa conversation afin de prendre sa place et de dicter probablement son papier à Genève. L'homme qui parle au téléphone et ses amis installés dans le patio trouvent le jeune Européen bien curieux et le prennent pour un des agents de l'Intelligence Service qui pullulent dans la capitale irakienne. Pendant quelques minutes, sa vie ne tient qu'à un fil, mais il sait rapidement retourner la situation et ne tarde pas à se lier avec les Palestiniens de l'hôtel Tigris.

Il se familiarise avec l'histoire du Moyen-Orient et avec le combat des Palestiniens contre les Anglais, le sionisme et l'immigration juive. Il devient un militant clandestin de la cause arabo-palestinienne. Ses nouveaux amis lui font totalement confiance et vont jusqu'à l'emmener perpétrer une action « terroriste » contre les Anglais, à quelques kilomètres de Bagdad. Le petit groupe pose de nuit une bombe à Sin al-Dibban, où les Britanniques aménagent un aéroport souterrain qui doit être achevé d'ici quelques mois. Il se mêle également à diverses opérations des révolutionnaires irakiens contre leurs adversaires réactionnaires. L'activiste en fait beaucoup. À partir de quelques confidences, le journaliste de la *Revue vaudoise de l'Auto* pourra écrire à son propos : « Il vit des heures passionnantes. Poussé par sa curiosité de jeune journaliste, il se trouve mêlé à diverses aventures, bagarres, expéditions nocturnes près de dépôts d'armes strictement gardés. Arrêté[1], puis relâché... »

Genoud vient de passer un mois lumineux à Bagdad quand un télégramme lui annonce que son ami Bauverd, arrivé le 26 octobre à Téhéran, est tombé malade. Il décide de partir sur-le-champ en taxi pour la capitale iranienne, s'épargnant ainsi de nouvelles difficultés en Irak. Bauverd n'est pas encore rétabli quand Genoud le rejoint. À son habitude, ce dernier noue sur place de nombreuses relations dont le Destin est souvent l'ordonnateur. C'est ainsi que, pendant son séjour, il décide de s'approvisionner en essence ; dans la même station arrive une très luxueuse voiture dont le chauffeur lui prend le tuyau des mains. Ivre de colère, Genoud l'insulte violemment. Le personnage arrogant assis au fond de la limousine lui annonce qu'il va intenter une action judiciaire contre lui. Peu après, accompagné

1. François Genoud nie cette arrestation. Il dit avoir seulement failli être arrêté.

de l'ami Bauverd, Genoud fait la connaissance, dans un restaurant, de Daoud Pirnia, haut responsable de la Justice. Il lui raconte l'histoire qui lui est arrivée à la station d'essence. Pirnia lui confirme que le dignitaire a bien porté plainte contre lui, mais, grand seigneur, il ajoute : « Il est 23 heures et votre problème est réglé... » Pirnia deviendra un personnage très important sous le régime du Shah...

Nos deux aventuriers ne reprennent la route que le 26 novembre. Ils franchissent les fameuses montagnes de Perse sous des rafales de neige. Pénible épreuve pour les deux convalescents ! Puis ils doivent traverser des plaines inondées, mais finissent néanmoins par regagner Bagdad. La ville connaît un calme relatif. Genoud y retrouve ses amis palestiniens. Les deux Lausannois rencontrent Fauzi el-Kaukji, le chef de l'armée révolutionnaire, qui les reçoit chez lui et leur annonce pour fin 1937 le soulèvement général des Arabes de Palestine. Les combattants palestiniens liés à Genoud lui confient des missives ultra-secrètes à remettre en mains propres à leur chef vénéré, le Grand Mufti de Jérusalem.

Bauverd et Genoud doivent se lancer dans la traversée des mille kilomètres du désert de Syrie par un temps épouvantable : pluie, grêle, bourrasques... Il n'y a qu'une seule oasis, qu'un seul point de ravitaillement en eau et en essence sur le trajet qui mène à Damas. Tout est à craindre : se perdre, mourir de faim ou de soif, se faire assassiner par des pillards à l'affût... Les autorités irakiennes interdisent donc toute traversée en solitaire et rendent obligatoire la protection d'une caravane. Mais cette protection a un prix et nos aventuriers n'en ont pas les moyens. Une entreprise de séduction, doublée d'une fausse interview, permet d'obtenir enfin l'accord d'une autorité incontestée : le chef des pompiers de la ville de Bagdad, qui finit par leur délivrer un laissez-passer. Les deux aventuriers quittent la capitale irakienne le 3 décembre. Faux départ : terrain détrempé, nombreux véhicules embourbés, panne électrique dans le moteur de l'Aero. Ils rebroussent chemin, réparent leur voiture, repartent quelques heures plus tard. Le temps s'est amélioré, la piste est à nouveau praticable. Après vingt-deux heures de conduite ininterrompue, ils arrivent à Damas d'où, après un bref repos, ils repartent sans attendre pour Beyrouth. Ils parviennent dans la capitale libanaise le 5 décembre. Ils ne s'y éternisent pas et se dirigent aussitôt vers la frontière palestinienne. C'est sous une pluie battante, par un temps exécrable, qu'ils s'en approchent.

« Le drapeau de l'Union Jack, qui flotte insolemment au faîte d'un mât immense, rappelle que la Palestine n'appartient ni aux Arabes, ni aux Juifs, mais à l'Angleterre. Cependant, cet emblème a pour nous une signification plus désagréable encore. Il nous promet des ennuis immédiats, car l'Anglais est notre ennemi numéro un. Chaque fois que nous avons affaire à lui, il s'est montré grossier, désobligeant ou vil[1]. »

Les deux amis, allergiques aux Anglais, s'attendent donc à quelques difficultés. Ils ne seront pas déçus. Ceux-ci, soupçonneux, se montrent à la hauteur de leur réputation et leur font vider entièrement leur voiture. Nos héros considèrent cette fouille comme un affront. François Genoud, furieux, lance à l'un des inquisiteurs : « Le dernier des bandits afghans est plus civilisé que vous ! »

Ces tracasseries terminées, ils pénètrent enfin en Palestine. « Le pays est en pleine effervescence. Il n'est pas de jour où le monde n'apprenne que des terroristes ont fait dérailler un train bondé de soldats anglais ; qu'ils ont dynamité des ponts ; ou simplement que des inconnus ont attaqué des automobilistes pour les dévaliser ; à moins qu'ils n'aient assassiné quelques personnes dans un village ou dans un autre ! Les communiqués officieux de l'Agence Reuter signalent glorieusement le débarquement à Jaffa d'un corps expéditionnaire anglais de vingt mille hommes et de centaines de chars d'assaut, puis l'arrivée d'une flotte aérienne considérable. Le gouvernement a décrété l'état de siège[2]. »

---

1. *Expédition Suisse-Asie, op. cit.*
2. *Expédition Suisse-Asie, op. cit.*

La route jusqu'à Naplouse leur rappelle quelques images bibliques qui leur font oublier la mauvaise impression ambiante. En revanche, la traversée de la ville s'effectue sous les coups de feu. L'endroit semble en état de siège. Les deux Lausannois poursuivent rapidement leur trajet et arrivent une heure plus tard à Jérusalem.

Laissons Jean Bauverd nous livrer « sa » description de la Ville sainte :

« Jérusalem nous déçoit profondément, et même nous écœure. Le pittoresque de la Vieille Ville, la sainteté des lieux sont exploités honteusement par quelques maquignons sans âme. Il s'agit de soutirer au visiteur le plus d'argent possible ! Un exemple entre mille : à la basilique du Saint-Sépulcre, on descend avec émotion dans le tombeau du Christ ; on s'y recueille un instant... et déjà un gardien quelconque, civil ou prêtre, tend une sébile ! Tout se monnaie ! On comprend aisément que l'Angleterre, dans son plan de partage de la Palestine, s'octroie à tout jamais la garde des Lieux saints. Quel capital ! [...] Il ne vaut pas la peine de s'arrêter aux quartiers modernes, triomphe du Veau d'or et de l'horrible. *Les nouveaux immigrés y promènent partout leur morgue, leurs gros havanes et leurs diamants*[1]... »

Porteurs du message des combattants palestiniens rencontrés à Bagdad, les deux amis sollicitent un entretien avec le Grand Mufti de Jérusalem, Hadj Amin el-Husseini, chef de la communauté musulmane de Palestine et président du Haut Comité arabe[2]. Chef spirituel et temporel, c'est lui qui mène ici la lutte contre l'Angleterre.

« Nous entrons dans un grand vestibule, puis gravissons deux rampes d'escalier. Des hommes armés montent la garde à chaque étage. On nous introduit tout de suite. Le Grand Mufti est un homme d'une cinquantaine d'années. Vêtu du costume

1. *Ibid.* Souligné par l'auteur.
2. Organisation montée et contrôlée par le Grand Mufti, qui a lancé le mot d'ordre de grève générale en avril 1936, pour lutter contre les Anglais.

des prêtres (grande robe noire à ceinture blanche et turban blanc), il nous en impose dès le premier instant par la noblesse fière de son maintien et de ses gestes. Il a un type assez commun chez les Arabes du Levant : cheveux blond-châtain, yeux bleus. Un regard brillant de ruse et d'intelligence anime son fin visage[1]. »

Le Grand Mufti parle couramment le français, mais, dès que les jeunes gens tentent d'orienter la conversation sur la situation politique, il les prie de voir ces aspects avec son secrétariat... Conscient néanmoins de leur attente et de leur ardeur militante, il leur laisse un message dont Genoud se souvient encore avec émotion : « Il nous dit dans un français parfait : "Vous, jeunes francophones, amis du nationalisme arabe et de l'islam, vous devez penser à la libération du Maghreb dominé par la France et par l'Italie. C'est là que votre aide peut être la plus efficace, la plus nécessaire." Ainsi, Hadj Amin, responsable du principal combat mené par le nationalisme arabe au Proche-Orient, pensait à la libération de ses frères du Maghreb. Ces quelques mots restèrent gravés dans nos cœurs ; ils ont profondément influencé nos vies. »

Encore tout émus, ils entament une conversation qui va se prolonger deux heures durant avec les membres du secrétariat du Grand Mufti. Ils en ressortent plus acquis que jamais à la cause palestinienne. Bauverd résume ainsi cet entretien :

« De tout ce que nous venons d'entendre, l'une des choses les plus importantes, c'est qu'en Palestine les Arabes chrétiens combattent en parfait accord avec leurs frères musulmans pour faire triompher la juste cause de leur race contre la politique néfaste et indéfendable du "foyer juif". L'Angleterre, une fois de plus, trahit la chrétienté pour Israël[2]. »

La rencontre de François Genoud avec les Palestiniens de Bagdad et le Grand Mufti revêt une telle importance dans sa vie

1. *Expédition Suisse-Asie, op. cit.*
2. *Ibid.*

qu'il semble nécessaire d'évoquer ici plus longuement la personnalité de ce dernier.

Le Grand Mufti de Jérusalem est né dans cette ville en 1894. Son père, Tahir el-Husseini, était le chef religieux de Jérusalem, très aimé des musulmans comme des chrétiens. À sa mort, son fils aîné Kamil Effendi lui succéda. À la mort de celui-ci, en 1921, son demi-frère, Hadj Amin, accéda à son tour à ce titre créé par les Anglais. Bien que le poste soit longtemps resté dans la famille Hadj Amin, il n'est pas héréditaire, mais son attribution résulte d'un vote du collège électoral des Oulémas.

Hadj Amin a été éduqué à l'école du gouvernement turc de Palestine, puis à l'université musulmane El-Azhar du Caire. Il ne maîtrise pas parfaitement le français et l'anglais, mais peut néanmoins soutenir une conversation dans ces deux langues. Son arabe et son turc sont irréprochables.

Après son retour du Caire en 1914, il est enrôlé dans l'armée turque et devient officier d'infanterie. Il déserte et se cache en Palestine jusqu'à la fin de la guerre. Hadj s'intéresse à la politique. En 1917, il épouse la cause du chérif Fayçal et, en quelques mois, lève 1 500 Palestiniens pour se joindre à l'armée de Lawrence d'Arabie. L'émir Fayçal devient roi de Syrie en 1920. Hadj Amin milite activement pour la cause arabe et est très vite considéré comme le porte-parole de la Palestine pour l'Union arabe.

L'objectif de ce mouvement était de faire appliquer les promesses émises en 1915 par Sir Henry McMahon à Chérif Hussein au nom du gouvernement britannique. Mais les Anglais ont formulé beaucoup de promesses depuis 1915 ! Ils ont négocié avec les Français le partage des dépouilles de la Sublime Porte (accords Sykes-Picot de mai 1916) et, surtout, le 2 novembre 1917, par la déclaration Balfour adressée à Lord Walter Rothschild, Londres « envisage favorablement l'établissement en Palestine d'un Foyer national pour le peuple juif et emploiera tous ses efforts pour faciliter la réalisation de cet objectif... ».

En 1920, les premières émeutes antisionistes ont lieu à Jérusalem. Hadj Amin y prend une part active. Avec Aref el-Aref, il fuit la Palestine pour la Transjordanie et est condamné par la justice britannique à quinze ans d'emprisonnement. Cette sentence le rend très populaire ; elle marque le point de départ de sa carrière d'ennemi irréductible du sionisme. Quelque temps plus tard, les Britanniques, dans un souci d'apaisement, l'amnistient. Ils le soutiennent même, sur place, aux élections au poste de Grand Mufti, qu'il aurait perdues sans cet important coup de pouce... Le voici donc Grand Mufti et chef du Conseil suprême musulman (institution créée également par les Anglais) grâce aux Britanniques qui, hier encore, étaient ses ennemis irréductibles.

En juillet 1922, la Société des Nations approuve définitivement le mandat anglais sur la Palestine, alors que celui-ci bafoue complètement le droit des Arabes qui s'étaient retournés contre les Turcs en échange de la promesse d'être indépendants. La communauté internationale les considère comme des assistés, « pas encore capables de se diriger eux-mêmes », et leur impose de surcroît l'afflux de nouveaux habitants qui bénéficieront automatiquement de la nationalité palestinienne. Suite ininterrompue de trahisons vis-à-vis des Arabes, l'histoire du mandat britannique est jalonnée de grèves, de batailles rangées, d'attentats, de brutales répressions. Cependant, les immigrés débarquent en masse et achètent les terres arabes.

En 1930, avec la publication du rapport Shaw, rédigé après les émeutes d'août 1929, les Arabes croient une nouvelle fois que la politique de Londres va changer. La commission, qui a analysé sereinement les causes du mécontentement arabe, suggère de limiter l'immigration juive et de protéger les cultivateurs arabes. Une délégation arabe se rend dans la capitale anglaise pour discuter la mise en œuvre des changements intervenus dans la politique britannique. C'est la première apparition du Grand Mufti en tant que leader politique, même s'il ne dirige pas officiellement cette délégation.

Si le gouvernement de Londres avait appliqué le rapport Shaw et le *white paper* qui y était annexé (réduction des ventes de terrains et de l'immigration juive), la paix serait probablement revenue, car on ne comptait alors que 150 000 Juifs en Palestine. Mais, au bout de quelques semaines de tempête médiatique et de pressions sionistes, les décisions britanniques sont rapportées et un comité composé de représentants juifs et britanniques est installé à Londres. En février 1931, une lettre du Premier ministre au chef de la communauté juive de Grande-Bretagne — appelée par les Palestiniens « Lettre noire » — concrétise ce nouveau revirement.

Des troubles graves secouent la Palestine. Hadj Amin séjourne alors en Irak. Le Haut-Commissaire britannique se trouve lui aussi hors de Palestine. Les deux hommes s'estiment. Le Grand Mufti a bien du mal à calmer les sentiments anti-anglais qui agitent les Palestiniens. De son côté, le Haut-Commissaire a perdu d'un coup la confiance des Arabes. Il entame rapidement des pourparlers avec leurs leaders dans l'idée de créer une assemblée législative composée d'Arabes et de Juifs au prorata de leur population, qui trouverait les voies et moyens d'endiguer les ventes de terrains et l'immigration juive. Une telle proposition est soumise à Londres en 1935 ; s'y opposent violemment les Juifs de Palestine et de Grande-Bretagne, bien relayés au Parlement. Elle est purement et simplement enterrée, et remplacée par une invitation des leaders arabes à se rendre à Londres. Inutile de décrire l'amertume et la rage qui s'emparent de la population arabe de Palestine après cette ultime « trahison » du gouvernement « sioniste » de Grande-Bretagne. Tel est aussi alors le sentiment du Grand Mufti.

Le cycle des manifestations et des émeutes reprend avec la violence du désespoir à partir du 15 avril 1936, pour aboutir à une décision de grève générale jusqu'à ce que le gouvernement britannique ait modifié sa politique d'immigration juive. La grève reste « pacifique » jusqu'en juin, date à laquelle elle dégénère en rébellion contre les Britanniques quand ces derniers obligent par la force les commerçants à lever leurs rideaux. En août, on peut parler d'état de guerre en Palestine : des officiers irakiens, avec à leur tête Fauzi el-Kaukji[1], sont venus encadrer les Palestiniens révoltés. La grève générale se termine le 12 octobre grâce à la médiation des souverains d'Irak, d'Arabie Saoudite, de Transjordanie et du Yémen.

C'est dans cette ambiance survoltée qu'arrivent nos deux jeunes aventuriers...

Après les graves émeutes du printemps et de l'été 1936, une énième mission d'enquête britannique, envoyée sur place, indique que si la Palestine devient un État juif contre la volonté des Arabes, « cela constituera une violation évidente de l'esprit et de la lettre du mandat ». Le rapport Peel suggère alors un partage de la Palestine. Le XXe Congrès sioniste, qui se tient à Zurich en août 1937, rejette les frontières proposées ; quant aux Arabes, ils refusent tout partage.

La rébellion arabe reprend alors et la répression s'abat férocement. Un mandat d'arrêt est lancé contre tous les leaders arabes de Palestine, notamment contre le Grand Mufti qui parvient à s'échapper au Liban, puis en Irak...

Nos deux défenseurs de la cause palestinienne, regonflés à bloc, quittent Jérusalem pour Le Caire. Ils y restent deux jours, les 10 et 11 décembre, puis rejoignent Alexandrie qu'ils quittent le 12 décembre pour Tripoli. Ils retrouvent les difficultés inhérentes aux longues traversées du désert, mais savent déjà que leur pari est gagné. À Tripoli, ils embarquent pour Syracuse, gagnent Taormina, passent le détroit de Messine et continuent par Rome, Florence et Milan. Ils se retrouvent dans les neiges et le brouillard au col du Julier, entre l'Italie et la frontière suisse. Si près du but, ils évitent de peu un accident qui aurait pu leur être fatal. Furieux, ils passent la nuit de Noël hors de chez eux et n'arrivent à Lausanne que le 25 décembre à

1. Que les deux Lausannois ont rencontré.

11 heures et 12 minutes, après 35 000 kilomètres de route, au siège de la section vaudoise de l'Automobile-Club suisse.

« Nos deux jeunes pilotes, les héros du jour, descendirent de leur machine à Saint-François où ils signèrent, comme au départ, les registres de l'ACS. Une couronne de lauriers leur fut remise au nom de l'ACS, section vaudoise, portant l'inscription suivante : *Aux vainqueurs de l'expédition Suisse-Asie 1936.* De son côté, le personnel de la Maison Genoud leur remit un bouquet. Puis une réception organisée par l'ACS eut lieu dans une salle du restaurant du Grand-Chêne... », écrivit quelques jours plus tard *La Revue.*

Ces flonflons retombés, François Genoud est obligé de faire les comptes du périple, qui se révèlent plutôt catastrophiques. Il s'est lourdement endetté, notamment à cause de sa longue hospitalisation aux Indes. Il mettra trois ans à régler ce qu'il doit.

Quand, soixante ans après leur raid, je demande à Bauverd ce qu'il retient de cette aventure avec Genoud, ce n'est pas une réponse d'ordre politique qui lui vient spontanément aux lèvres : « Ce périple nous a forgé le caractère. C'était dur. Nous avons risqué notre peau. Il se trouvait qu'on avait les mêmes idées, mais ce n'était pas le plus important. » Genoud, lui, pour qui toute discussion se ramène au contraire à la politique, n'en retient que son engagement actif en faveur de la cause arabo-palestinienne, le fait d'avoir assisté à Bagdad au premier coup d'État perpétré contre les Anglais, et sa rencontre avec le Grand Mufti...

Après les réceptions données en leur honneur, les deux jeunes gens doivent se remettre au travail. Bauverd cherche sa voie dans le journalisme... « engagé ». Quant à Genoud, il n'est évidemment plus question pour lui de retourner s'employer dans la maison paternelle. Non seulement il est trop sulfureux pour la bourgeoisie lausannoise, mais, surtout, cette existence l'ennuierait par trop. « J'étais devenu un aventurier », dit-il.

Il prend d'abord contact avec la firme Aero et passe quelques semaines à Prague, mais n'obtient pas ce qu'il escomptait et revient donc à Lausanne. Malgré sa jeunesse — il n'a que vingt et un ans —, son carnet d'adresses est déjà important. Un groupe de cinéma suisse, « Terre et Mer », comprenant notamment le banquier Pierre Cailler (ami de la famille Genoud)[1], lui propose d'organiser un voyage de prises de vues documentaires en Grèce. Convaincu qu'il ne va pas s'ennuyer, il accepte et part en avril 1937 pour Athènes avec un metteur en scène et un opérateur chevronné. Jusqu'à l'été 1939, il passe l'essentiel de son temps à sillonner la Grèce du mont Athos à la Crète, de l'Attique au Péloponnèse et aux Cyclades, tout en revenant régulièrement à Lausanne. Toute sa vie il bougera ainsi beaucoup, mais ne restera jamais longtemps sans revenir humer l'air du Lac... François Genoud et ses deux compagnons réalisent six documentaires regroupés sous le titre *Grèce et mer Égée* ; l'un d'eux sera primé à la Biennale de Venise (Genoud n'y figure que comme assistant de la femme de Pierre Cailler). Il est tombé amoureux des Balkans : « Je connais beaucoup mieux la Grèce que la Suisse... » L'activité de l'équipe ne se limite d'ailleurs pas au cinéma. Genoud s'occupe également d'éditions d'art pour Cailler ; il supervise la construction, à six kilomètres d'Athènes, d'un pavillon destiné à recevoir des artistes suisses ou liés à la Suisse, l'Institut suisse, dont il est le secrétaire général. Genoud, de surcroît, apprécie le régime autoritaire du général germanophile Ioannis Metaxas[2]. Il a d'ailleurs eu l'occasion de lui être présenté lors d'un dîner de présentation des films sur la Grèce, organisé par le secrétaire d'État au Tourisme en 1938. Metaxas, imprégné des idées maurrassiennes, a mis fin au régime des partis qui, selon le jeune « frontiste » lausannois, « ruinaient le pays ». Il est conseillé

1. Les trois producteurs de « Terre et Mer » sont François Martalère, Pierre Cailler et Jean-Marie Bertschy. Le directeur artistique est Fred Surville.

2. Genoud parle souvent de Metaxas comme d'un acteur oublié de l'Histoire. Il évoque l'action « stupide » de Mussolini contre l'Albanie en avril 1939, qui a obligé le dictateur grec à se rapprocher de la Grande-Bretagne. Les troupes italiennes envahissent la Grèce le 28 octobre 1940. En les repoussant brutalement, Metaxas inflige à l'Axe sa première défaite...

dans le domaine économique par le Dr Schacht qui, en 1937, a laissé son poste de ministre de l'Économie du Reich à Walther Funk.

François Genoud revient chez ses parents au début de juin 1939. Il revoit son ami Bauverd qui, après un long voyage en Égypte et en Palestine, vient de publier quelques articles pour défendre les Palestiniens contre les Anglais et les sionistes, notamment dans *Je suis partout*, le journal de Brasillach, hystériquement antisémite. Cet article, publié le 26 mai 1939, s'intitule « Palestine sanglante ». À la frontière égypto-palestinienne, il remarque que les fonctionnaires et gendarmes sont des Juifs allemands. « Sans vouloir les blesser le moins du monde, disons que leur physique ne convient guère à ce métier. Le Juif ne fut-il pas créé pour le petit commerce, sa camelote, ses boutiques et pour les spéculations intellectuelles [...] et bancaires ? » Bauverd se dit encore fier, aujourd'hui, d'avoir travaillé pour « ce grand honnête homme de Brasillach »...

Nos aventuriers font à nouveau des projets. Le 10 juin, ils partent tous deux pour l'Allemagne et la Bohême. Ils reviennent en Suisse le 30. À leur retour, Bauverd publie quelques reportages sur ce voyage. Désireux d'acquérir leur indépendance financière, Bauverd et Genoud décident finalement de monter un milk-bar à l'enseigne de « L'Oasis », avenue du Tribunal-Fédéral à Lausanne. Disposant d'environ mille francs chacun, ils réussissent à faire supporter les coûts d'aménagement du bar par la société immobilière qui leur loue les locaux. Ils ouvrent le 5 août 1939. Attirés par les héros vaudois, les jeunes de Lausanne plébiscitent le nouveau bar. Mais la police a tôt fait de repérer que « L'Oasis » est un « repaire des membres du Mouvement national suisse ». De son côté, l'attaché militaire de l'ambassade de France à Berne signale le bar comme étant le lieu d'une intense propagande antifrançaise.

Avec le déclenchement de la guerre, les jeunes clients sont mobilisés. Les affaires périclitent. Genoud se retire de « L'Oasis » en novembre 1939.

Agent de l'Abwehr[1]

Genoud est convoqué pour le 1er septembre : il doit se présenter à Yverdon, puis au pied du Jura après avoir récupéré son uniforme et son arme à l'arsenal de Morges. Il est simple soldat dans une compagnie d'infanterie de quelque deux cents hommes. Il repère rapidement un élément germanophile et pronazi comme lui. « Deux sur deux cents, cela doit correspondre à la moyenne nationale et peut-être même lui être supérieur, se souvient-il. C'est le déchaînement contre les boches, les nazis. Quelques excités veulent nous casser la gueule... C'est alors que la Pologne est annexée. Il ne devrait plus y avoir de problème. On entre dans la drôle de guerre... Nous autres, Suisses, seulement mobilisés, nous sommes pratiquement comme nos voisins allemands et français : privés d'autonomie, mais sans avoir l'espoir, la chance ou la malchance de devenir des héros, morts ou vivants. Je souffre particulièrement de cet état d'esclave et tente d'y échapper, ne serait-ce que quelques jours, en sollicitant un congé d'un mois comme Suisse de l'étranger afin de régler la situation que j'ai laissée derrière moi en Grèce... »

À sa grande surprise, en novembre 1939, il reçoit un permis d'un an renouvelable. Les autorités fédérales ont été débordées par l'afflux de Suisses résidant à l'étranger et ont facilité ensuite leur départ. Genoud est heureux d'échapper au train-train de la vie militaire. Il va pouvoir voyager. C'est pour lui

1. Ce chapitre a été écrit pour l'essentiel à partir du témoignage de François Genoud et des Archives fédérales de Berne (notamment E 4264 1985/196, E 5330 1982/1/170).

essentiel : « Je n'ai jamais pu m'en passer », confessera-t-il lors d'une de ses nombreuses interpellations.

Mis sur un « coup » par un ami, Francesco Mander, il se rend en Italie pour tenter de réaliser une affaire avec une société italienne qui s'intéresse à l'achat d'un vieux cargo américain afin d'en récupérer la ferraille, mais le déclenchement de la guerre a réduit à néant cette opération. D'Italie, il revient faire un tour à Lausanne pour y revoir notamment son ami Bauverd. À la frontière, il remplit un formulaire ; le lendemain matin, à 8 heures, un officier suisse du service de renseignement se présente à sa porte. Genoud découvre alors une bizarre procédure instaurée depuis le début des hostilités et qui fait de chaque Suisse en voyage un agent de renseignement. L'officier du SR suisse lui pose aimablement des questions, désirant savoir en particulier s'il a remarqué des convois militaires. François Genoud objecte qu'il n'a pas le sens de l'observation et que, voyageant en train, il a dormi ou lu un roman policier. Il ajoute que, ne se déplaçant qu'en Europe, il ne désire pas se transformer en espion amateur à l'encontre de pays avec lesquels il sympathise. L'officier déclare le comprendre, ce qui n'empêchera pas Genoud d'être interrogé pendant toute la durée de la guerre à chacun de ses nombreux retours en Suisse. Après qu'il se sera installé en Belgique, à l'automne 1941, il changera d'« officier traitant » : ce sera le capitaine Olivet, Suisse de Belgique, qui, mobilisé, a dû rentrer au pays le 1er septembre 1939...

Revenons en novembre 1939. Genoud rentre d'Italie, puis part pour la Hongrie où il reste environ un mois chez ses amis Kempfner. Il essaie de monter des affaires. Il tente notamment d'acheter des chevaux, pour les revendre en France. Jusqu'en mars 1940, il effectue plusieurs aller et retour entre Milan et Budapest. Il part ensuite en Espagne pour répondre à l'appel de son ami Pierre Cailler qui y a mis sur pied une filière d'importation de camions américains en provenance du Portugal. Genoud apprend l'espagnol. Il est évidemment franquiste, mais, se sachant de passage, il se mêle peu de politique. Il n'empêche qu'il se prend de passion pour ce pays qu'il trouve « austère, digne et d'une extraordinaire authenticité ». Malgré cet attachement, il refait un saut dès que possible à Lausanne : il est incapable de rester longtemps sans respirer l'air du Lac, là où est sa « base arrière ». Finalement, les affaires de son ami Cailler ne requérant plus sa présence à Madrid, il cherche à partir, mais se trouve bloqué par l'entrée en guerre de l'Italie et l'annulation de tous les visas qui en résulte. Ce n'est qu'en novembre 1940 qu'il obtient un nouveau visa de transit. Il revient en Suisse, mais omet de déclarer son retour dans les huit jours, comme la loi l'y oblige : il écope de dix jours d'arrêts de rigueur à la prison du Bois-Mermet.

Libéré, Genoud reste quelques mois à Lausanne. Au cours de l'année 1940, à une date que je n'ai pas retrouvée, et comme la majorité des anciens du Front national, notamment comme son ami Bauverd, il a adhéré au Mouvement national suisse[1]. Ce mouvement déclare qu'il y a urgence à nouer de « loyales relations d'amitié avec l'Allemagne et l'Italie, puissances actuellement maîtresses de l'Europe, autant qu'avec la France nouvelle qui est en train de naître ». Genoud se montre toutefois moins actif que Bauverd, condamné en janvier 1941 à 400 francs d'amende pour injures par voie de presse envers des communautés juives.

Dès son retour d'Espagne, Genoud a déposé une demande de visa pour se rendre dans le pays de ses rêves. Il n'est pas exagéré de dire que le consulat allemand de Genève prend son temps pour mener une enquête à son sujet. Pendant que les services de l'Abwehr, entre autres officines allemandes, fouillent le passé du jeune Genoud, celui-ci cherche des affaires qui lui permettront de survivre au cours des prochains mois. Il trouve notamment une petite usine de décolletage de Moûtiers, disposée à exécuter des commandes pour l'industrie allemande. Il a également l'intention de s'occuper de commerce de livres d'art. Début mars, un marchand suisse, sachant qu'il s'apprête

1. Fiche de la Sûreté de Lausanne du 4 février 1941, C.2.524.

à partir pour l'Allemagne, lui demande de convoyer une tapisserie ancienne que des acquéreurs de ce pays désirent présenter, à titre de spécimen, au maréchal Göring ; elle fait en effet partie d'un lot de grande valeur que le vendeur ne souhaite évidemment pas confier en totalité aux Allemands. Genoud aurait pour mission d'escorter cette œuvre d'art sous sa propre responsabilité...

Il est finalement convoqué au consulat allemand pour recevoir son visa. Déception : il ne pourra se rendre ailleurs qu'à Fribourg et devra emprunter le plus court chemin pour y aller.

Le 13 mars 1941, habillé d'un costume clair et d'un sweater gris, ne portant ni chapeau ni manteau, il passe la frontière à Bâle. Il est interpellé au poste douanier et interrogé par l'inspecteur Schlecher. Genoud lui raconte sa vie, son engagement en faveur du régime hitlérien. Il se dit représentant d'une entreprise de décolletage de Moûtiers. Il se recommande de deux Allemands, Weiss et Herz, fonctionnaires au consulat de Genève. Il affirme leur avoir fourni, juste avant la guerre, des documents démontant un trafic de devises à Prague, et cite de mémoire les noms figurant dans ce dossier. Genoud propose à son interlocuteur de démanteler un autre trafic de devises entre l'Allemagne et la Suisse, protégé par un membre de la Gestapo. Schlecher est à la fois satisfait et méfiant. Dès qu'il aura réuni toutes les preuves, répond-il, Genoud devra les remettre au consulat de Genève. En échange, le Lausannois demande son aide à l'inspecteur pour accélérer l'obtention d'un visa plus étendu. Schlecher ne lui fait aucune promesse. Mais, avant même qu'il n'ait rédigé son rapport, l'Allemand reçoit un appel de Genève : Herz lui annonce la visite de Genoud et lui confirme que celui-ci a bien collaboré avec Weiss pour dénouer l'affaire du trafic de devises à Prague...

Peu après cette entrée « en fanfare » dans l'Allemagne hitlérienne, il arrive à Fribourg-en-Brisgau. Il a l'impression d'accomplir un pèlerinage. Il y a en effet exactement dix ans qu'il a foulé pour la première fois le sol de la patrie de son cœur. Il se rend à son vieil et cher internat, le *Melanchthonstift*.

L'« ancien » *(Altstifter)* est accueilli avec enthousiasme, mais il faut dire que Genoud, dès qu'il s'agit de l'Allemagne, a des paillettes plein les yeux. Son récit est exempt de tout regard critique, tout le monde y est beau et gentil : « Les adolescents de seize, dix-sept ans qui y passent leurs derniers mois, avant un *Abitur* [bac] avancé, n'ont qu'une terreur, c'est que la guerre finisse sans qu'ils aient eu l'occasion de se battre pour leur patrie avec l'espoir secret de devenir des héros... » De fait, après les opérations menées en Norvège, puis l'offensive éclair déclenchée contre la France, bousculant au passage la Hollande et la Belgique, la guerre semble quasiment finie sur le continent. C'est l'affaire de trois mois encore.

Les souvenirs de François Genoud ne sont guère éloignés de ceux d'un autre *Altstifter*, Donald Cuntz[1], qui se rappelle fort bien le passage de Genoud au *Stift*, au printemps de 1941. Cuntz le trouve toujours aussi « exotique » et s'étonne qu'un étranger puisse s'intéresser au sort des Allemands à cette époque-là. Il se souvient de l'insistance avec laquelle Genoud interrogeait les jeunes du *Stift* sur leurs idées – « Il a demandé aux jeunes s'ils appartenaient à la *Hitlerjugend* » – et de son exaltation quand ils lui répondaient qu'ils avaient peur que la guerre ne finisse avant qu'eux-mêmes aient pu y participer.

Genoud est enchanté par ce retour dans le passé. Dans la journée, il fait des balades à vélo en Forêt-Noire en compagnie de l'épouse du jeune pasteur qui dirige le *Melanchthonstift*. Tous deux vont rendre visite au vieux pasteur Kaiser qui dirigeait « de son temps » l'internat. Il passe ses soirées au milieu des pensionnaires. Le soir, il rentre dormir au petit hôtel Rheingold, près de la gare.

Un samedi matin, à l'hôtel, il reçoit un mystérieux appel d'un certain Monsieur Dickmann, de Stuttgart, qui aimerait le voir. Ce dernier l'invite le soir même à dîner à son hôtel, le Römischer Kaiser. Dickmann dit appartenir à l'Abwehr[2] et

---

1. Rencontré le 14 octobre 1995.
2. Le contre-espionnage militaire allemand, dirigé par l'amiral Canaris.

avoir entendu parler de lui comme d'un citoyen suisse favorable à l'Allemagne. L'*Abwehrstelle* de Stuttgart a reçu un message de Suisse signalant l'arrivée à Fribourg d'un sympathisant nazi, ex-frontiste et ancien du MNS. Assez rapidement, Dickmann demande à Genoud s'il accepterait de collaborer à l'Abwehr. Genoud acquiesce sans réfléchir, puisque toute sa sympathie va à la cause nazie et au combat du IIIe Reich contre l'Angleterre. Son interlocuteur lui demande notamment s'il pourrait lui communiquer ses observations sur les activités des services de renseignement anglais, américains et français opérant en Suisse. Genoud fixe les limites de son engagement :

— Je suis totalement avec vous dans votre combat. Je souhaite que la Suisse, mon pays, s'intègre, avec sa personnalité propre, dans cette Europe qui se construit autour du Reich ; je crois que c'est là notre avenir et que cela correspond à ce qu'il y a de meilleur dans nos vraies traditions. Mais, actuellement, et tant que la Suisse sera ce qu'elle est aujourd'hui, je ne commettrai pas d'acte de trahison. C'est une question de dignité, de respect vis-à-vis de moi-même. Je suis donc prêt à faire tout mon possible contre vos adversaires, mais pas contre mon pays.

— Je vous comprends et je constate que, dans la situation actuelle, vous ne pouvez pas faire beaucoup pour nous. Mais nous, pouvons-nous faire quelque chose pour vous ?

— Comment donc ! J'ai dû attendre plusieurs mois avant d'obtenir un visa pour un seul séjour, et j'ai craint qu'on ne me l'accorde pas. Si vous pouviez me faciliter les choses sur ce plan, ce serait merveilleux. Bloqué dans mon petit pays, je souffre de claustrophobie !

— Ce n'est pas un problème. Au consulat général du Reich à Genève, vous obtiendrez un visa pour plusieurs séjours.

Genoud est content de se retrouver face à un homme qui le met en contact avec le IIIe Reich et qui constitue un lien, même ténu, avec « son » Führer. Il est néanmoins quelque peu désarçonné par la tournure de la conversation. Alors qu'il manifeste son enthousiasme pour le nazisme, l'officier de l'Abwehr, lui, semble beaucoup plus réservé. Ainsi, quand Genoud évoque la tapisserie qu'il devait faire parvenir à Göring et, plein d'admiration, raconte que pour de tels achats d'œuvres d'art le Maréchal faisait parfois virer en l'espace de quelques heures des centaines de milliers de francs suisses, ainsi qu'on le lui a rapporté, Dickmann réplique que c'est honteux ; il indique qu'à côté de cela, lorsqu'un industriel qui par son travail fait gagner des millions en devises à l'État a besoin de quelques centaines de francs pour effectuer un voyage d'affaires, il lui faut des semaines de démarches sans être sûr d'aboutir à un résultat positif. « Je dus convenir que cela ne correspondait pas aux principes affichés par les nationaux-socialistes[1]... »

Avant de quitter Genoud, Dickmann lui donne son numéro de téléphone permanent à Stuttgart, à l'*Abwehrstelle* V, spécialement chargée du contre-espionnage vis-à-vis des pays limitrophes. L'officier tiendra ses promesses : de retour en Suisse, Genoud sera très cordialement reçu rue Charles-Bonnet, à Genève, au consulat allemand et, pendant un temps, ne connaîtra plus de problèmes de visa. Dickmann, de son côté, fait à son service un compte rendu de son entretien avec Genoud, dans lequel il émet certaines appréciations sur le personnage.

Quand j'interroge aujourd'hui Genoud sur la nature de ses relations avec l'Abwehr, il répond :

— J'étais prêt à fournir des renseignements sur l'Angleterre. Vu de leur côté, je suis un type disponible. Ils m'ont certainement considéré comme un *V. Mann*, un homme de confiance. J'ai même connu les supérieurs de ce Dickmann[2], le type qui était à la tête du bureau de Stuttgart. Je n'ai jamais été payé. Ils m'ont facilité certaines choses, comme l'obtention de visas permanents... Dickmann se contrefoutait des services que je lui rendais, mais me considérait probablement comme un type intéressant pour l'avenir. Il était tombé sur un Suisse par-

1. Rapport écrit au major Weyermann, Berne, le 31 octobre 1944.
2. De son vrai nom Dickopf, comme on le verra.

tisan enthousiaste de la cause, bien vu et puis loyal. Loyal à la suisse...

— Que faites-vous concrètement ?

— On ne fait que se voir, se déplacer... J'ai fourni quelques informations sur des gens qui faisaient de l'espionnage ici, en Suisse. Je ne l'ai jamais dit, parce que c'était théoriquement interdit. Quand j'ai été en prison, à la fin 1944, c'est ce qui posait problème... J'étais indiscutablement disposé à aider les Allemands...

— Si j'arrivais à retrouver votre dossier de l'Abwehr, qu'y trouverais-je ?

— Pas grand-chose... Je gérais au mieux cette amitié, ça me rendait d'immenses services, m'ouvrait des portes, me valait des facilités pour voyager...

— En Belgique, en France ?

— Je n'ai rien fait dans ces deux pays... Dickmann ne s'y intéressait absolument pas et je n'avais de contacts qu'avec lui...

Dans un rapport rédigé par Dickmann/Dickopf le 10 juillet 1944, celui-ci précise que Genoud a fait diverses communications orales sur des Anglais et des Américains qui fréquentaient les boîtes de nuit de Lausanne, sur le lieutenant français Georges, fils du général Georges, de l'État-Major, et sur l'ancien ministre français des Colonies, Marius Moutet. « Il n'y avait là aucun fait nouveau, mais des confirmations », conclut-il. Genoud reconnaît bien volontiers qu'en 1941 il s'est beaucoup démené pour chercher des renseignements susceptibles de servir à Dickmann. Par exemple, il a réussi à nouer des relations avec un certain Rognon, membre des services français, qui lui a fait rencontrer Marius Moutet, un des « 80 » à avoir voté contre les pleins pouvoirs au maréchal Pétain, le 10 juillet 1940. Les Français essaient alors de faire parler Genoud sur l'Allemagne, tandis que lui, de son côté, s'évertue à leur tirer des renseignements sur la France. C'est également à cette fin qu'il a rencontré le fils du général Georges par l'entremise d'un certain professeur Fleury...

Après ce premier contact avec l'Abwehr, Genoud, revenu en Suisse, a hâte de revoir Dickmann dont il tient à se faire un ami. Au voyage suivant, il lui apporte de Suisse une valise-avion, deux ceintures, un portefeuille et quelques autres cadeaux, tous objets quasi introuvables et en tout cas hors de prix en Allemagne. « Ceci mit d'emblée notre relation sur un pied amical, car de tels services étaient très appréciés en Allemagne où l'on manquait de tout. Chaque fois que j'allais en Suisse, je rapportais à Dickmann l'une ou l'autre chose : des bas pour sa femme, un peu de chocolat, du thé ou du Nescafé[1]... » Très vite se nouent entre les deux hommes des relations étroites, inspirées par des « intérêts communs » ; tous deux vont se trouver liés par des « affaires financières dont la divulgation aurait eu les conséquences les plus graves, surtout pour lui [Dickmann], sujet et fonctionnaire allemand[2] ». Lors de cette deuxième rencontre, Genoud se borne à fournir quelques renseignements concernant exclusivement Lausanne ; l'Abwehr classera les éléments de ce premier rapport comme « imprécis et déjà connus ».

La direction de l'Abwehr de Stuttgart reçoit bientôt une information[3] selon laquelle le *V. Mann* suisse de Dickmann est soupçonné de travailler pour les SR militaires helvétiques. Dickmann questionne Genoud. Sur la réponse de ce dernier, l'homme de l'Abwehr présentera deux versions quelque peu différentes — la première dans un interrogatoire conduit par les Suisses en novembre 1948 : « Genoud m'a avoué qu'il travaillait pour les SR militaires » ; la seconde donnée à l'OSS et plus nuancée : « Genoud m'a dit avoir été questionné par Olivet[4] sur ses impressions d'Allemagne, et que les Suisses l'avaient chargé d'espionner l'Allemagne pour leur compte. Il n'aurait fourni aux Suisses que des indications limitées et vagues sur le moral, l'ambiance qui régnait en Allemagne, les dommages

1. Rapport au major Weyermann *op. cit.*
2. *Ibid.*
3. Dossier figurant dans les Archives fédérales de Berne.
4. Son « officier traitant » suisse. Cf. *supra*, p. 98.

causés par les bombardements... Pour le reste, Genoud aurait réfuté les soupçons de l'Abwehr, mais mes derniers renseignements m'inspirent là-dessus quelques doutes. »

Quoi qu'il en soit, Dickmann couvre Genoud vis-à-vis de son service, le lave de tout soupçon et soutient qu'il convient de faire le plus grand cas de ses informations. L'Abwehr est convaincu par ce rapport et ne fait plus obstacle aux voyages du Lausannois en Europe. Pour enfoncer le clou, Dickmann présente Genoud au directeur du groupe V de l'Abwehr et à Wasser (*alias* Dr Wagner), l'un de ses bons camarades. Il ne souhaite pas laisser Genoud sans points de chute au cas où sa fuite deviendrait rapidement nécessaire. Il le présente également à une « grosse huile » de la police criminelle de Mannheim, le commissaire Griese.

Dickmann a fait procéder à une enquête plus serrée sur Genoud. Selon le rapport qu'il a reçu de Suisse, c'est un homme « honnête », « en même temps surveillé de façon permanente par la Sûreté de Lausanne » ; « sa famille, très francophone, est honorablement connue ». Dickmann doit aussi se dire qu'un tel ami pourra éventuellement lui venir en aide, le jour venu, en cas de nécessité...

Genoud voudrait se rendre à Paris où se trouvent ses amis Georges Oltramare et René Fonjallaz, engagés jusqu'au cou dans la Collaboration. Dickmann lui procure un laissez-passer pour la France occupée et la Belgique, et lui propose de l'accompagner jusqu'à Bruxelles. C'est ainsi que le Lausannois découvre la Belgique dont la capitale l'enchante, avec sa vie animée, chaleureuse, hospitalière. Le lendemain, il part pour Paris où il compte rester deux jours. Il est heureux de voir le drapeau à croix gammée claquer dans le ciel parisien. « On s'y plaint davantage qu'à Bruxelles des restrictions alimentaires, mais, là aussi, on pense que la guerre ne durera pas. Partout des photos de Pétain, le sauveur du peuple français. Je vois mes amis, mais nous n'avons pas grand-chose à nous dire. Je me suis installé dans un très bon hôtel sur les Champs-Élysées, l'Hôtel Lancaster, très luxueux, très calme. Il n'y a évidemment pas de touristes à Paris et c'est un des rares bons hôtels non réquisitionnés. Pour moi, en francs suisses, il est incroyablement bon marché. Malgré cela, au bout de vingt-quatre heures, je décide d'écourter mon séjour. J'ai envie de retrouver Bruxelles et Dickmann, qui est en train de devenir mon ami. »

Le 22 juillet 1941, il est déjà 5 heures ; le dernier train pour Bruxelles part à 6 heures. Genoud se précipite pour l'attraper. Il n'y a évidemment pas de taxis : métro ou vélo-taxi. Le métro est bondé. Arrivée en gare du Nord : le train part dans deux minutes. Il court et parvient sur le quai à l'instant où le convoi s'ébranle. Il bondit sur le marchepied. Essoufflé, il entre dans un compartiment de première classe où sont installées une dame fort distinguée et une toute jeune fille. Il s'assied, reprend sa respiration, salue ses voisines. Le train, essentiellement composé de wagons militaires, ne comporte que quelques voitures civiles. Le voyage est interminable. On s'arrête à chaque ville d'une certaine importance. Longue halte à la ligne de démarcation entre la France et la zone militaire Belgique/nord de la France. Nouvel arrêt prolongé à la frontière franco-belge. Ils ne sont plus que trois voyageurs dans le compartiment, qui, le temps aidant, ont lié connaissance. Mme Mouru de Lacotte et sa fille rentrent d'un séjour à Paris. M. Mouru de Lacotte est un grand imprésario qui a fait une longue carrière dans le monde du spectacle et s'occupe notamment des tournées théâtrales Baret. Veuf, il a fait la conquête d'une belle ballerine dont il a eu cette très jolie fille, à peine âgée de dix-sept ans, assise sagement à côté de sa mère. Le cœur de François Genoud est disponible. Sa gentillesse et sa serviabilité conquièrent peu à peu les deux voyageuses. À l'arrivée en gare du Nord, à Bruxelles, il est presque l'heure du couvre-feu ; tous trois reçoivent de la Kommandantur un permis de circuler d'une heure. Les compagnes de Genoud habitent tout près, rue Royale ; leur chevalier servant s'offre à porter leurs bagages. Au 161, Mme Mouru de Lacotte sonne désespérément : son mari est bien vieux et dur d'oreille... Les permis de circuler vont bientôt être caducs. À cinquante mètres, il y a un petit hôtel. Les trois compagnons de voyage réveillent le gardien de nuit, qui comprend la situation et leur permet de s'asseoir dans le hall pour y passer la nuit. De temps à autre, après le passage d'une patrouille, Genoud se rend jusqu'au 161 et sonne. Peine perdue. Le noble vieillard dort du sommeil du juste. À 6 heures, après la levée du couvre-feu, il s'éveille, stupéfait de trouver sa femme et sa fille sur le trottoir, devant sa maison. Du coup, François Genoud est invité à déjeuner. Il apportera des fleurs...

Grâce à Dickmann, la vie de Genoud est devenue plus facile. Il peut voyager comme il le souhaite à travers l'Europe occupée avec son passeport suisse et ses laissez-passer. Il a élu domicile en Allemagne, à Mannheim. Il se rend de plus en plus souvent en Belgique pour faire sa cour à la jeune Liliane, qu'il a décidé d'épouser. L'officier du SR suisse Olivet, qui « traite » désormais Genoud à chacun de ses retours au pays, est très intéressé par ce contact avec un homme qui va fréquemment en Belgique, car ses propres parents vivent toujours avec sa sœur dans ce pays où cette dernière s'est mariée. Son père est pasteur protestant : dans la Belgique ultra-catholique, il n'y a qu'une infime minorité de « réformés » et une communauté si exiguë ne peut produire de pasteurs, ce qui fait qu'on les importe de Suisse romande...

Depuis le 22 juin 1941, les armées de Hitler se sont lancées à l'assaut de l'Union soviétique. Aux yeux de Genoud, l'Allemagne semble invincible et « Hitler capable de régler tous les problèmes, d'abattre le monde soviétique avant de régler son compte au capitalisme cosmopolite ». Partout en Europe se lèvent des légions de volontaires pour combattre le bolchevisme : pourquoi Genoud ne s'engage-t-il pas, lui, le nazi enthousiaste ?

Il hésite. Ce n'est pas l'interdiction faite aux Suisses de servir à l'étranger qui pourrait le retenir. Alors, quoi ? Sa réponse n'est pas totalement convaincante :

« Je suis lucide et je sais que je ne suis pas doué pour le métier des armes. Ma brève carrière militaire a montré que je suis plus tire-au-flanc que tireur d'élite ! Cela pourrait être différent dans la guerre, c'est certain. Le fait que je suis alors très occupé sentimentalement a sans doute joué un rôle. Je lutterai à ma façon pour la cause de l'Europe ; c'est ce que j'ai fait toute ma vie. Je lutte contre le mondialisme niveleur... La cause de cette Europe dont nous rêvons est aussi celle de tous les peuples du monde : la cause de leur indépendance... Plus concrètement, depuis ma rencontre avec Dickmann, j'avais un lien, même ténu, avec le cerveau génial [Hitler] dont dépendait notre cause. J'espérais que surviendrait l'opportunité de faire quelque chose d'utile... »

Genoud se souvient aussi d'avoir tenté d'entraîner Dickmann sur un de ses thèmes de prédilection : l'antisionisme. « Du printemps 1941 à septembre 1942, alors que j'ignorais les véritables sentiments politiques de Dickmann, voyant en lui l'antenne qui me permettrait peut-être de communiquer avec le sommet, je lui remis divers exposés sur ma vision du problème juif et du rôle du sionisme. J'avais déjà le privilège d'être en contact avec le nationalisme arabe depuis 1936 ; j'étais conscient du fait que l'approche raciste du problème juif, en créant un amalgame entre tous les Juifs du monde, pourtant si individualistes, si différents les uns des autres (comme tous les humains), ne pouvait qu'aboutir à les précipiter dans les bras des sionistes et assurer ainsi à ceux-ci une puissance mondiale. Dickmann me dit avoir transmis ces idées en les développant. Ce qui est certain, c'est qu'il commença alors à s'intéresser aux Arabes, qu'il en devint un ami fidèle, en particulier en Algérie que je lui fis connaître. »

François Genoud se fiance avec Liliane Mouru de Lacotte le jour de Noël 1941 et l'épouse le 1er avril 1942 grâce à une autorisation spéciale, puisque la jeune fille n'a pas encore dix-huit ans. Le mariage a lieu dans la sacristie et dans la plus stricte intimité, l'époux n'étant pas catholique. La toute fraîche Mme Genoud bénéficie d'un passeport suisse et va suivre son mari dans ses diverses pérégrinations à travers l'Europe, revenant régulièrement à leur domicile situé en plein centre de

Bruxelles, 12, avenue des Arts. En Belgique, les Genoud sortent peu, mais lisent beaucoup.

« Quand j'ai connu François, j'étais une bécasse », se souvient Liliane[1]. Elle rappelle l'histoire de leur rencontre dans le train Paris-Bruxelles. Elle prétend qu'il est descendu exprès à Bruxelles alors qu'il devait poursuivre son voyage... « Ma mère était très belle, très hospitalière... François était beau, svelte, enjoué, il riait de tout, y compris de lui-même. Épouser un Suisse représentait une sécurité. Mes parents l'aimaient beaucoup, car il était bien élevé, plein d'égards à leur endroit. Il était très généreux ; alors qu'on était privés de tout, il arrivait les bras chargés de cadeaux. Je me souviens du jour où il m'offrit des chaussures de sport Bailly... »

C'est donc un véritable Père Noël qui épouse la petite Liliane, encore toute jeune fille : « Un mélange de père et de mari... »

Ses idées ? Manifestement, Liliane n'a pas tout de suite décelé les sympathies pro-nazies de François Genoud, et, à dire vrai, elle ne croit guère à ses affirmations d'aujourd'hui, dans lesquelles elle voit une bonne part de provocation : « Moi, je suis d'origine française[2] et j'ai toujours haï les Allemands. Avant de le connaître, je m'amusais à cracher sur les soldats allemands quand ils passaient sous mes fenêtres, avenue Royale. Jusqu'au jour où un officier est monté au domicile de mes parents et a voulu m'embarquer. Ma mère a finalement réussi à convaincre l'Allemand de n'en rien faire en répétant : "Mais vous voyez bien que c'est une enfant !..." Je me promenais dans Bruxelles avec un foulard aux armes anglaises. Pour moi, Hitler était le monstre absolu... Je savais que François était pro-allemand, mais pas nazi... Mes parents protégeaient des Juifs. Un jour, des Chemises noires rexistes sont venues au cinéma de mon père ; sur leur passage, il a marmonné des

1. Entretien avec l'auteur, le 5 septembre 1995.

2. Son père, homme de théâtre, assurait la représentation de la Comédie-Française en Belgique. Sorte d'imprésario, il faisait venir des troupes de Paris et gérait une salle de cinéma d'actualités.

choses désagréables à propos des collabos. Ils se sont rués sur lui, lui ont arraché ses lunettes... » Liliane se dit à nouveau convaincue qu'il entre une grande part de provocation dans la façon dont François se déclare nazi.

Avec quel argent Genoud peut-il entretenir une jeune femme et voyager autant ? Liliane ex-Genoud ne sait pas grand-chose sur la façon dont son mari gagnait de l'argent, si ce n'est qu'il « représentait des firmes suisses, faisait de l'import-export et avait des contacts avec des Israélites à Anvers... Dès qu'il avait un peu d'argent, il le distribuait... Beaucoup d'argent est passé entre ses mains, il en a beaucoup donné, mais n'en a jamais obtenu de reconnaissance... ».

Genoud se montre plus précis sur les affaires qu'il traitait à cette époque : « Très vite, il y a des occasions de faire des affaires. En Belgique, j'achète des diamants industriels pour la Suisse. Je fais également du trafic d'or. Sur les diamants et l'or, je faisais la culbute... Avec des trucs comme cela, pour vivre indépendant, il faut savoir se débrouiller plutôt que d'être à la solde de quelqu'un qui vous domine... Très vite, j'ai aussi des liens avec des éditeurs suisses qui visent les marchés belge et français. On pense déjà à l'après-guerre... Ils m'ont soutenu à ce moment-là. La vie n'était pas très chère ; avec les francs suisses, on était les rois... » C'est son ami Muhidin Daouk, un des trois Arabes qu'il a connus dans les années 1930 à Lausanne, qui l'a aidé dans ses affaires à « amorcer la pompe », car il avait beaucoup d'argent venant de sa famille. « Nous étions associés... »

Pour Genoud, faire du trafic et en parler ne pose aucun problème. Il s'est livré au marché noir et à des négoces en tous genres. Les fiches du Ministère public signalent qu'il a été associé à un personnage douteux, Marcel Heimoz, avec qui il traite à Amsterdam avec la maison Inovex. Toujours d'après la police fédérale, il traite également avec un certain Benzoni, de Milan, avec qui il trafique marchandises et devises.

Comme on l'a vu, c'est presque dès le début que Genoud a introduit des rapports d'argent dans sa relation avec Dickmann.

D'une certaine façon, il « tient » ainsi l'officier de l'Abwehr. « J'ai entretenu Paul Dickmann de 1943 à 1948 ; de son côté, il m'a aidé alors qu'il était en poste à l'Abwehr. » Mais Dickmann, symétriquement, a sans doute eu la conviction de « tenir » et d'utiliser Genoud pour faire fructifier le magot qu'il a commencé à faire sortir d'Allemagne dès l'automne 1940 et qu'il a déposé au fur et à mesure chez Mme Catherine Van Cluysen, une Belge que Genoud rencontrera lors de son premier voyage à Bruxelles avec Dickmann. Ce magot se monte au moins à 200 000 marks. Avec cet argent, et grâce à un ami qu'il s'est fait à la Bourse de Bruxelles, Genoud achète des francs suisses qu'il rapatrie clandestinement en Suisse où il les change en or ou en argent avant de repasser la frontière avec l'Allemagne, puis la Belgique. Genoud est couvert par son ami de l'Abwehr. « Je me souviens que Dickmann, qui m'avait déjà "blanchi" une fois auprès des douaniers de Tabagnoz, m'a accompagné en France, en novembre 1943, avec la complicité d'Olivet ; nous transportions de l'or... » Dans les archives de Berne, cette mission regroupant un officier de l'Abwehr, un officier du SR suisse et un supposé agent de l'Abwehr et du SR suisse est présentée comme un haut fait d'armes patriotique !... C'est très probablement encore grâce à Dickmann que Genoud conclut deux grosses opérations avec la Wehrmacht et l'organisation Todt, auxquelles il vend 20 000 survêtements et 12 000 vestes fourrées. Pendant toute la durée de la guerre, le trafiquant Genoud aura entre 50 et 100 000 francs belges par mois à sa disposition. De 1941 à 1943, lui comme Dickmann mènent la vie de château.

Les douaniers français et suisses ont gardé quelques menues traces de ces incessants trafics. Genoud est arrêté à Feignies par les douaniers français, sur la ligne Paris-Bruxelles, à l'automne 1941, parce qu'il est porteur d'une trop forte somme d'argent : il lui en coûte une amende de 3 000 francs. Arrêté également à La Louvière, en Belgique, pour avoir déclaré que la valise de sa belle-mère, contenant une grosse motte de beurre, était la sienne : amende de 1 500 francs. Le 26 mars 1942, interpellé à

Bâle avec, dans sa ceinture, l'équivalent de 20 000 francs suisses en pièces d'or. Une seconde fois, le 29 avril, avec l'équivalent de 25 000 francs suisses, toujours en pièces d'or. Au douanier qui l'interroge, il affirme que, les deux fois, il a importé clandestinement la contre-valeur en billets suisses. Il déclare que c'est son beau-père qui lui a remis cet argent. On a vu que c'est en réalité Dickmann qui monte ces dangereux trafics. « J'entreprends ces choses pour assurer mon avenir et celui des miens en Belgique alors que le franc belge ne cesse de se dégrader », explique Genoud.

Le système Dickmann-Genoud fonctionne à merveille grâce à la bienveillance intéressée du capitaine Olivet. On comprend mieux, du coup, les déclarations ultérieures de l'officier du SR suisse qui couvrira Genoud comme étant son « agent ». Olivet voyait certes Genoud chaque fois que celui-ci revenait au pays, et, après chaque rencontre, rédigeait un rapport à son service. Mais de là à considérer le Lausannois comme un agent du SR... Genoud était d'abord et avant tout l'homme qui aidait le capitaine à boucler ses fins de mois, qui secourait sa famille, restée en Belgique, et qui assurait les liaisons entre celle-ci et Olivet à une époque où les communications étaient très difficiles. En contrepartie, Olivet prêtait main-forte à Genoud dans ses multiples trafics. Mais, pour justifier ses rapports avec lui, qui dépassaient très largement le cadre de ses obligations d'officier de renseignement, il avait besoin de maintenir la fiction d'un lien d'officier traitant à agent.

« De toute évidence, raconte Genoud, j'intéressais Olivet puisque, m'établissant en Belgique, je pouvais entretenir un contact avec sa famille. C'étaient de très braves gens. Les parents n'avaient plus que la peau sur les os et vivaient sur leurs timbres de rationnement. Je fis leur connaissance, m'intéressai à eux, et, plus jeune et débrouillard qu'un vertueux pasteur, je veillai à leur bien-être. Cela créa évidemment une relation de grande sympathie entre le capitaine Olivet et moi. Je lui rapportais régulièrement des nouvelles, des lettres, alors que celles acheminées par la poste n'arrivaient qu'au bout de trois mois, barrées de bleu pour masquer d'éventuels messages à l'encre sympathique... »

Genoud continue à voir souvent Dickmann, lequel s'appelle en réalité Paul Dickopf mais utilise de nombreux *alias* selon la ville ou même le quartier où il séjourne : André Jung, Peter Dieckmann, André Donaldsen, Hans Hardegg, Peter Dorr...

Mais qui est donc cet homme aux multiples visages et qui accorde autant de facilités à son *V. Mann*, François Genoud ?

Né en 1910, Dickopf a longtemps hésité sur la route à suivre. Tantôt à Francfort, tantôt à Berlin ou à Vienne, il interrompt ses études, les reprend, souhaite devenir forestier, puis abandonne, estimant ce métier sans avenir, se lance alors dans le droit, puis se porte volontaire pour faire son service militaire en 1934-1935. Finalement, il postule un emploi dans la police criminelle et se retrouve aspirant-commissaire à Francfort, vers la mi-1937, et affecté sur-le-champ au SD, le service de sécurité de la SS. Quelques mois plus tard, il est envoyé à Berlin, à l'école qui lui permettra de devenir commissaire. Le 30 juin, il est nommé commissaire auxiliaire en même temps qu'il reçoit le grade d'*Untersturmführer* de la Gestapo. Il est affecté quelques semaines à Francfort, puis à Karlsruhe. La guerre survient et le bon flic allemand est aussitôt muté à l'Abwehr où, après une brève préparation, il se retrouve au département F (contre-espionnage), la détection des espions ennemis. Installé à Stuttgart, Dickopf est chargé plus particulièrement de surveiller les *V. Mann*, les agents étrangers utilisés par l'Abwehr. Il ne doit pas faire trop mal son travail, puisqu'il obtient la croix du Mérite avec épées, le 1er septembre 1941, peu après avoir rencontré François Genoud.

Durant l'été 1942, Dickopf reçoit l'ordre de se présenter au siège de l'Abwehr, à Berlin. On lui apprend qu'il doit prendre en charge les actions de contre-espionnage visant les services étrangers en Suisse. Ordre lui est donné de se rendre à Paris où il recevra les instructions sur sa mission. À Paris, il effectue un stage place de l'Opéra, au siège de la Reichsbahn (Chemins de fer allemands), où il doit mettre au point la « couverture » qui justifiera son transfert en Suisse. On lui a demandé également de parfaire son français. Genoud vient souvent le voir au cours de cette période. Les deux amis se retrouvent place de l'Opéra ou à l'hôtel du Pavillon, rue de l'Échiquier. Plus tard, dès le début de 1943, quand Dickopf sera en délicatesse avec son service, c'est le groom de cet hôtel qui le cachera en banlieue. Dickopf affirmera qu'il avait appris, quelque temps auparavant, que la Gestapo menait une enquête sur son compte. La mort de son protecteur, le lieutenant Zeits, l'aurait placé dans une position difficile. Il aurait alors décidé de préparer sa fuite en Suisse.

Un jour de l'automne 1942, Dickopf demande à son ami Genoud de tester avec lui la « frontière verte », la *grüne Grenze*, façon imagée de désigner un franchissement illégal de la frontière. Genoud est surpris, mais, en véritable aventurier qu'il est, l'idée le séduit. Il convient de souligner que les rapports étroits qu'il entretient avec le capitaine Olivet ne rendent point trop risquée une telle équipée. De Paris, à bord d'une voiture de l'Abwehr avec chauffeur, Genoud et Dickopf partent donc en direction du Jura. Par Dijon, Morez, ils roulent jusqu'à La Cure, empruntent sur une dizaine de kilomètres la route de la Faucille, un couloir de France occupée entre la Suisse, à gauche, et la France non occupée, à droite. À sept kilomètres de La Cure, au Tabagnoz, il y a un petit poste militaire allemand. Genoud décide de passer à un kilomètre au sud. Il suffit de franchir, à gauche, un fil de fer barbelé, et l'on se retrouve en Suisse. Il laisse Dickopf du côté français et lui fixe rendez-vous pour dans deux jours. Il croise à plusieurs reprises des douaniers helvétiques intrigués par sa tenue citadine, sans sac à dos. Il exhibe sa carte d'identité suisse et n'est pas inquiété. Il emprunte le petit train Crassier-Nyon et se retrouve immergé dans un univers aux antipodes de l'Europe en guerre.

Dès son arrivée à Lausanne, il voit son ami Olivet à qui il explique que, ne pouvant plus obtenir aussi facilement des visas de sortie, il viendra parfois par la montagne. Olivet le raccompagne jusqu'à la frontière. À l'heure convenue, Dickopf l'attend à un kilomètre au sud de Tabagnoz.

Dickopf l'emmène jusqu'au col de la Faucille. Là, les deux amis abandonnent voiture et chauffeur. Ils se promènent dans la nature, d'où l'on voit Genève. C'est le moment et le lieu choisis par Dickopf pour se confier à son ami. Il lui explique que, quoique bon patriote, il est hostile au national-socialisme, et ce, pour de nombreuses raisons...

Pour Genoud, le ciel s'effondre sur sa tête ! Depuis des années, il vibre avec cette Allemagne qu'il croit d'un seul bloc ; or c'est précisément le lien qu'il entretient avec ce pays qui lui révèle la fêlure... Il cherche à raisonner son ami Dickopf, à le convaincre que, quelles que soient les imperfections de l'idéologie nazie, elle est dans l'ensemble « mille fois supérieure à la chienlit démocratique, terrain de chasse idéal des ploutocrates, ou à l'univers des bolcheviques esclavagistes ». Dickopf lui répond que, s'il s'est confié à lui, c'est parce que, l'ayant observé depuis dix-huit mois, il a acquis la conviction qu'il ne le trahira pas. Genoud fonctionne aux sentiments : la confiance de Dickopf le touche. Le voilà déchiré entre la Cause et l'amitié.

Dickopf lui expose longuement sa situation, surtout le fait que l'Abwehr l'a choisi pour devenir chef de poste en Suisse, ce qui explique son stage de l'été précédent à Paris. Il lui dit ne pas vouloir remplir cette nouvelle mission. Connaissant les liens de Genoud avec Olivet, il l'adjure de faire son possible pour que lui soit refusé le visa suisse. Ils inventent alors ensemble l'histoire que Genoud racontera au capitaine du SR suisse : un ami travaillant à la Reichsbahn, à Paris, est tombé follement amoureux d'une belle Parisienne et souhaite à tout prix y prolonger son séjour. Ils vont jusqu'à brosser le portrait de la belle : une sculpturale artiste du Lido.

À son voyage suivant en Suisse, Genoud raconte à Olivet l'histoire concoctée avec Dickopf. Le capitaine lui fait observer que son ami est fou, que rien n'est plus idéal, pour un Allemand, que de résider en Suisse.

— La passion lui fait perdre la tête, mais j'aimerais aider mon ami, se borne à répondre Genoud.

Olivet est-il intervenu ? Mystère. Ce qui est certain, c'est que Dickopf a obtenu l'agrément suisse et va devoir partir...

De la lecture de certains rapports du SR suisse, il ressort que Dickopf aurait donné des gages aux Suisses pendant quelques mois en livrant des informations confidentielles — sur le stationnement des troupes allemandes, les états-majors, les desseins politiques des dirigeants allemands, etc. — à son ami Genoud (lequel nie cette version des faits). Pour lui épargner tout problème, il l'aurait accompagné à plusieurs reprises jusqu'à la frontière franco-suisse et aurait porté lui-même le matériel sensible.

Le 12 décembre 1942, Genoud reçoit à Bruxelles la visite du Dr Wagner, un collègue de Dickopf à l'Abwehr, qui déclare avoir perdu le contact avec lui.

— Moi non plus, je ne l'ai pas revu depuis plus d'un mois, mais je crois qu'il doit se rendre en Allemagne à la fin de l'année et passer auparavant par Bruxelles, car il a commandé diverses choses à une amie, Mme Van Cluysen, notamment une oie pour Noël, répond Genoud.

Le Dr Wagner lui laisse un message important à l'intention de Dickopf : il l'adjure de rentrer immédiatement ou, mieux encore, de se présenter au premier poste de la Feldgendarmerie, car il risque d'être accusé de désertion. Puis il se rend chez Mme Van Cluysen, qui lui fait la même réponse que Genoud, et pour cause : celui-ci lui a téléphoné aussitôt après le départ de l'Allemand.

Le Lausannois se sent pris dans la spirale des mensonges et du double jeu vis-à-vis d'une cause qu'il n'entend pas trahir. Il se précipite chez Dickopf qui vit dans une chambre de bonne dépendant de l'appartement des Van Cluysen, au 2, rempart des Moines. Dickopf le rassure et lui confirme qu'il partira le 20 décembre pour l'Allemagne.

Le 10 janvier 1943, Dickopf réapparaît. Il déclare à Genoud qu'il n'a fait que voir la famille de sa femme à Hambourg et ne s'est pas rendu à Stuttgart. Genoud est très inquiet, mais Dickopf lui fait comprendre que l'Abwehr, en tension permanente avec la Gestapo, a tout intérêt à ne pas ébruiter sa « disparition ».

Dickopf demande alors à Genoud de se rendre à Stuttgart comme s'il venait le voir. Le Lausannois accepte. N'ayant pas de laissez-passer, il déclare à la police des frontières de Herbesthal qu'il est convoqué de toute urgence à l'« Abwehrstelle Gen. Kdo V, Stuttgart ». Les policiers font mine de vouloir le retenir, le temps de vérifier ses dires, mais Genoud parvient à les convaincre de le laisser passer.

Parvenu à Stuttgart, il téléphone à l'Abwehr et demande Dickopf. C'est le Dr Wagner qui répond, surpris. Il imaginait que Genoud venait lui apporter des nouvelles de Dickopf, alors qu'il dit venir en chercher. Genoud voit également le Dr Baumeister. Les deux officiers de l'Abwehr ont l'air bien ennuyés et paraissent se méfier du Suisse. Ils lui demandent s'il connaît les milieux que fréquentait Dickopf afin de l'y faire rechercher.

Deux jours plus tard, Genoud rentre avec un laissez-passer valable pour Bruxelles seulement. Sitôt arrivé dans la capitale belge, il trie ses papiers, craignant le pire.

Début mars 1943, Genoud demande à Dickopf, qui a toujours ses papiers de l'Abwehr, de l'accompagner avec sa femme jusqu'à Nice, où celle-ci souhaite récupérer une sœur de son père, âgée de quatre-vingts ans. De son côté, Genoud rendra visite à Khaled Daouk, frère de son grand ami Muhidin, bloqué dans le sud de la France depuis novembre 1940. Si Genoud a besoin de Dickopf, c'est qu'il n'est pas sûr que les Allemands laisseront franchir la ligne de démarcation à des étrangers domiciliés en Belgique et qui, de surcroît, transportent une valise entière de produits alimentaires destinés à la vieille tante. Le voyage se passe néanmoins sans problèmes. Pendant cinq jours, le couple Genoud et Dickopf mènent la belle vie entre Cannes, Nice et Monaco.

Dickopf et Genoud rentrent tous deux par Vichy. Le Lausannois a décidé son ami à tenter quelque chose pour permettre à Daouk d'obtenir son visa de sortie, refusé jusqu'ici par les Allemands. Dickopf se rend à l'ambassade d'Allemagne et plaide la cause de Khaled Daouk, sans décliner son propre nom. Il n'obtient aucun résultat. Genoud, à son tour, tente l'impossible à Paris auprès de ses amis collaborationnistes.

Dans le courant d'avril, Genoud retourne à Stuttgart pour essayer de connaître les dispositions d'esprit des patrons de Dickopf. Même méfiance que trois mois plus tôt. Vers la fin du mois, Genoud effectue un voyage en Suisse avec de faux papiers fabriqués par Dickopf.

À la mi-juin 1943, coup de tonnerre : le Dr Wagner débarque à Bruxelles. Cette fois, il se montre brutal. Il dit que Dickopf est manquant depuis octobre 1942, que lui-même a tout fait pour arranger les choses jusqu'à Noël, espérant toujours le voir réapparaître, mais qu'il y a maintenant un mandat d'arrêt lancé contre lui depuis janvier 1943. Il cherche à tirer les vers du nez à Genoud, le menace d'un examen très sérieux de tout ce qui le concerne, puisqu'il est le dernier à avoir vu Dickopf, lui fait observer que c'est grâce à sa propre intervention et au fait qu'il est suisse qu'il a jusqu'ici évité les ennuis...

— ...Dickopf ne pourra échapper au peloton d'exécution, car s'il n'a pas trahi, il est de toute façon déserteur, conclut le Dr Wagner.

— Il est peut-être sur une affaire importante..., hasarde Genoud.

— Personne ne peut plus rien pour lui, car il a fait cavalier seul.

Le soir même, le Dr Wagner repart pour Stuttgart. Genoud informe aussitôt Dickopf — toujours caché à Bruxelles — de la situation.

Quelques jours plus tard, Fritz Martens, un Polonais d'origine allemande, qui a été chauffeur et homme à tout faire de Dickopf, rapplique à Bruxelles. Dickopf s'en était séparé à cause de son éthylisme. Les clignotants rouges s'allument :

Martens est une brute qui travaille maintenant pour la Gestapo. Genoud et sa femme le font boire, le fouillent ensuite. Il a sur lui un ordre de mission de la Gestapo. Devant les Genoud et les Van Cluysen, il déclare savoir que Dickopf est passé au service de l'ennemi. Il ajoute que lui-même aimerait bien en faire autant...

C'est à l'évidence une provocation. Genoud est convaincu que la Gestapo recherche Dickopf et que lui-même risque de gros ennuis. La main sur le cœur, il répond qu'il est inquiet au sujet de Dickopf, qu'il lui est sûrement arrivé quelque chose, que lui-même est persuadé que jamais Dickopf n'aurait déserté ni trahi.

Pendant son bref séjour à Bruxelles, Martens est constamment « encadré » : partout où il souhaite aller, les gens sont prévenus et affirment ne pas avoir vu Dickopf depuis l'automne. Les amis belges de Genoud ne le quittent pas d'une semelle. C'est du moins ce qu'ils prétendent. En réalité, Martens réussit à apprendre à l'hôtel « Blue Bell », près de la gare du Nord, que Dickopf y a été aperçu quelques jours plus tôt... Genoud a cru le jouer, mais c'est Martens qui l'a possédé : s'il est bien reparti pour Stuttgart, le jour même, la mécanique de la Gestapo se met en marche... (De manière générale, sous l'impulsion de Himmler qui voit dans l'Abwehr un service couvrant beaucoup de conjurés antinazis, la Gestapo mène alors contre ce service une lutte sans merci qui aboutira, le 14 février 1944, à sa dissolution et à la reprise en main, par le chef nazi Schellenberg, de toutes les activités d'espionnage et de contre-espionnage à l'étranger.)

Véritable conseil de guerre à Bruxelles : Genoud demande à Dickopf de renoncer totalement à ses habitudes et de se trouver une nouvelle planque qu'il entend ignorer. « Je n'ai jamais été torturé et j'ignore comment je réagirais à la torture, mais ce que je sais avec certitude, c'est que rien ne pourra me faire dire ce que j'ignore », déclare-t-il. Comme ils doivent impérativement garder le contact, ils décident de se rencontrer chaque soir à un endroit différent ; ils en conviendront chaque fois la veille. Ils commencent par les terminus de trams. À cette époque, Bruxelles possède un réseau impressionnant de lignes de tramways. Ils en changent plusieurs fois pour être sûrs de ne pas être suivis. Genoud peut quitter discrètement son appartement de l'avenue des Arts, car, en empruntant les caves, il a la faculté de déboucher sur une porte minuscule donnant sur une petite artère déserte, la rue de la Charité. De là, par un dédale de venelles, il arrive place Saint-Josse où il prend le tram.

— Cette guerre peut durer des années. À la longue, nous serons fatalement pris. On vous considère comme un traître, ce que vous n'êtes pas ; comme un déserteur, ce que vous êtes. Il faut que vous disparaissiez. La seule possibilité que j'entrevois, c'est la Suisse, déclare bientôt Genoud à son ami.

Dickopf lui demande alors de se rendre en Suisse et de sonder Olivet pour vérifier si, le cas échéant, il obtiendrait l'asile politique. Genoud lui répond que ce voyage est inutile : il sait d'avance qu'il ne l'obtiendrait pas. La seule chose à faire, selon lui, est de foncer en Suisse et de placer Olivet devant le fait accompli. Dickopf accepte.

Le voyage Bruxelles-Paris est le tronçon le plus dangereux, à cause des contrôles à la frontière et parce que Dickopf est bien connu dans les deux capitales. Genoud organise le voyage : il empruntera des lignes secondaires, puis passera clandestinement la frontière, le tout en compagnie de Désiré Gombert de Bellignies, un résistant auquel Genoud a expliqué qu'il va prêter main-forte à un officier suisse du nom d'Aebi, pourchassé par les nazis. Gombert n'aurait pas accepté de se charger d'un Allemand, car il craint trop les « agents provocateurs ». Gombert et « Aebi » partent donc le 14 juillet, vers 17 h 30, de la gare du Midi pour Mons ; puis c'est le trajet Mons-Dour, suivi du trajet Dour-Roisin ; après Roisin, franchissement à pied de la frontière, le long de voies de chemin de fer désaffectées, puis à travers bois jusque chez Gombert. Dickopf passe la nuit chez un voisin belge à qui il est présenté comme un ingénieur alsacien venu visiter la fabrique d'engrais chimiques Derome, à Bavay, où Gombert est employé aux achats de matières premières. Le 15 juillet, Dickopf et Gombert repartent pour débarquer à Paris vers 17 heures. Genoud y est arrivé dès le matin pour s'occuper des billets afin de continuer le voyage le soir même.

Dickopf, Gombert et Genoud se retrouvent au café Terminus-Nord. Vers 20 heures, ils quittent Paris pour Dijon où ils arrivent vers minuit et demi. Ils passent le reste de la nuit au buffet de la gare et, à 6 heures, repartent pour Dole. Puis c'est Dole-Andelot, Andelot-Morez (Jura). Arrivés à Morez vers 16 heures, Dickopf et Genoud se séparent de Gombert, qui s'installe à l'hôtel des Deux Gares où il séjournera jusqu'au 19 juillet.

Itinéraire habituel : à la sortie de Morez, les deux hommes prennent la route de Prémanon, en zone non occupée. Ils passent une heure à l'auberge de Prémanon pour se reposer, puis ce sont Les Jacobeys et, de là, à travers bois, ils franchissent la montagne pour redescendre dans la vallée parallèle, traversent la petite route Tabagnoz-Mijoux et remontent jusqu'à la route de la Faucille. La lune est pleine et les oblige parfois à s'arrêter. La route de la Faucille se trouve en France occupée. La voie est dégagée. Silence absolu. Ils traversent la route, passent un barbelé : les voilà en Suisse. Il est minuit. Dickopf remet immédiatement à Genoud une enveloppe contenant tous ses papiers. Ils ont décidé qu'en cas d'interpellation, Genoud le présentera comme Donaldsen, Danois, agent du SR, sans papiers d'identité. Quant à lui, il ne risque guère d'être fouillé, car il est bien connu des douaniers. Ils avancent ostensiblement, fumant et parlant à voix haute, pour bien montrer qu'ils ne cherchent pas à se cacher. Ils arrivent à La Givrine à 1 heure du matin, le 17 juillet 1943.

Le bistrot est ouvert, des soldats boivent gaiement. Genoud téléphone au domicile du capitaine Olivet. Une heure plus tard, celui-ci arrive avec son chauffeur. Genoud lui présente son compagnon : c'est un Danois, Donaldsen. Il en a d'ailleurs l'allure. L'officier du SR suisse les conduit chez Muhidin Daouk, étudiant libanais, un ami très proche. Genoud y installe

« Donaldsen », puis rejoint Olivet à son bureau de la place du Château.

Une fois dans ce bureau, Genoud raconte tout au capitaine Olivet et lui tend l'enveloppe contenant les papiers d'identité de Dickopf : une carte de commissaire de la police criminelle allemande, une autre carte lui conférant un certain rang dans les SS, sa carte de l'Abwehr, etc. C'est l'ami que Genoud lui demande de planquer. Les cheveux d'Olivet se dressent sur sa tête :

— Ainsi, votre ami, c'est aussi Peter Dorr ?

C'est sous ce nom que Dickopf devait prendre la tête de l'Abwehr en Suisse.

— Vous êtes fou ! reprend Olivet. Il vous faut immédiatement repartir !

— Impossible ! C'est par miracle que nous avons pu arriver jusqu'ici. Il est recherché par la Gestapo. Si nous repartons, cela finira mal.

Olivet dit qu'il doit signaler la présence de Dickopf en le désignant sous sa véritable identité.

— Impossible ! Cela ne restera pas secret et si les Allemands savent qu'il est en Suisse, tout se retournera contre moi. Vous connaissez les méthodes de la Gestapo...

Olivet imagine déjà sûrement ses pauvres vieux parents, amis de Genoud, aux mains de la Gestapo. Heureuse coïncidence, il doit partir le lendemain pour dix jours en vacances avec son épouse et leur petite fille. De son côté, Genoud doit regagner Bruxelles immédiatement, car il est censé être alité. « Donaldsen » restera planqué chez Daouk. Olivet réfléchira et verra à son retour ce qu'il peut faire.

François Genoud retrouve Gombert de l'autre côté de la frontière ; les deux compères font le voyage de conserve jusqu'à Bruxelles où Genoud est de retour le 20 juillet.

Le 6 septembre, le couple Genoud, accompagné de Khaled Daouk, revient en Suisse, curieux de savoir ce qui s'est passé. Tout va bien : de retour de vacances, Olivet a déclaré Dickopf comme Luxembourgeois, antinazi, sous le nom d'André Jung, qui a rendu des services à la Suisse et se trouve en danger. Il s'est dit qu'un Danois qui ne parlait pas le danois, à la longue, ça ne pourrait pas coller ! En revanche, Paul Dickopf étant originaire du Westerwald, tout proche du Luxembourg, et connaissant donc le dialecte local, ce nouveau scénario était jouable. Avec Dickopf et Daouk, le capitaine Olivet a imaginé toute une autre histoire autour de Jung. Il est censé l'avoir connu en Belgique avant la guerre ; Muhidin Daouk, lui, l'a rencontré à Berlin en 1936, aux Jeux Olympiques, pour des raisons financières : Genoud avait prié Daouk d'avancer de l'argent à Jung, lui-même pouvant disposer en Belgique de capitaux appartenant à ce dernier...

Quand, le 29 octobre 1943, des policiers de la Sûreté vaudoise s'aperçoivent que Jung est en situation irrégulière, ils l'arrêtent. Le capitaine Olivet, fort ennuyé, le réclame. Les services de renseignement militaires « couvrent » Olivet et Dickopf et obtiennent son élargissement contre l'avis des policiers. Alors qu'il est censé être interné par les militaires, Olivet l'autorise, le 11 novembre, à refranchir illégalement la frontière en compagnie de son ami Genoud. Dickopf a emporté avec lui ses papiers de l'Abwehr afin de venir en aide à Genoud au cas où celui-ci aurait des problèmes avec les Allemands de l'autre côté de la frontière. Tous deux ont rendez-vous avec Désiré Gombert, lequel a ramené de Belgique du courrier et divers objets destinés au capitaine Olivet. Celui-ci affirmera plus tard que Gombert, agent de Genoud, avait remis à Dickopf des renseignements concernant les derniers mouvements de troupes dans le nord-ouest de la France et la Belgique, informations qu'Olivet trouva « excellentes ». Les trois hommes se livraient en réalité au trafic d'or.

Après cette « mission » secrète, Dickopf est en tout cas blanchi par les militaires — qui couvrent Olivet — et peut séjourner librement en Suisse.

L'alerte a été chaude pour Dickopf. Elle va devenir brûlante à cause de son trop fort penchant pour les femmes. L'une d'elles, mariée à un employé de librairie et plaquée par l'Allemand, va se confier au printemps 1944 au sous-brigadier Reymond, de la police cantonale de Lausanne. La dame connaît l'Allemand sous son identité danoise, « Donaldsen ». Elle raconte qu'il est entretenu par Muhidin Daouk et fait en échange la cuisine et le ménage au domicile de Khaled Daouk, chez qui il vit. D'après la femme éconduite, Donaldsen prétend avoir donné des récitals de piano dans différentes villes d'Europe ; il prend soin de mettre ses affaires sous clef ; il dit avoir versé une importante somme d'argent pour être libéré d'un camp. « Il critique facilement les Suisses, les trouve mesquins, par trop terre à terre. Il critique tout ce qui touche à la France et paraît spécialement craindre que les autorités françaises ne viennent à apprendre qu'il réside à Lausanne... Il ne dort qu'une nuit sur deux, et, lorsqu'il ne dort pas, il travaille... Il a le type juif, porte une forte moustache et a une petite cicatrice à l'angle extérieur de l'œil droit... » Le sous-brigadier de Lausanne parvient à convaincre la dame de renouer avec le « Danois » pour mieux l'espionner.

Début août 1944, François Genoud et sa femme quittent Bruxelles pour mettre à l'abri Liliane qui a été convoquée par le STO. Genoud a beau avoir la passion de la cause, il ne souhaite pas pour autant que sa femme aille faire le ménage dans une usine d'outre-Rhin. Les conditions du voyage sont difficiles, les bombardements continuels. Les liaisons ferroviaires sont quasi interrompues ; ils font le trajet Bruxelles-Paris tantôt à vélo, tantôt sur un camion à gazogène. Dans les côtes, tout le monde est obligé de descendre et de pousser le véhicule. À Paris, seule la gare de Lyon est encore ouverte et un seul train par jour maintient la liaison avec le sud de la France. Les Genoud empruntent un interminable convoi militaire avec en tête, juste derrière la locomotive, un wagon destiné aux civils. Il leur faut trente-deux heures pour parvenir à Dijon. Le train s'arrête tout le temps : là, des wagons achèvent de se calciner, ici des cheminots s'affairent pour rétablir la voie.

À Dijon où, comme ailleurs, tout semble paralysé, le couple Genoud trouve miraculeusement un train qui l'amène à Besançon. Là, plus rien : ni train ni autobus à destination du Jura. Il y a par là des maquis et des commandos SS. On parle aussi beaucoup des Russes de Vlassov. Au bout de deux jours, Genoud finit par convaincre un taxi de tenter l'aventure. Dans un défilé, ils sont arrêtés par des Allemands qui leur exposent qu'une voiture portant les couleurs de la Croix-Rouge vient d'être mitraillée par des maquisards. Les Allemands, très nerveux, recherchent ces derniers. Après deux heures de discussions, le couple peut repartir. Il arrive à Morez, où Genoud a ses habitudes. Puis c'est l'itinéraire habituel : une vingtaine de kilomètres en pleine verdure, Prémanon, le plateau couvert d'une sombre forêt qui finit par surplomber la route de la Faucille. Tout est calme, comme toujours. Quelques jours plus tard, ce sera pourtant l'explosion : le plateau abritait un maquis.

Depuis quelque temps, la Sûreté vaudoise s'intéresse, on l'a vu, à « Donaldsen ». Les policiers se rendent à l'adresse qu'on leur a indiquée : ils n'y trouvent pas de Donaldsen, mais un certain Jung ; pas de Danois, mais un Luxembourgeois. Voilà qui est louche... Surveillance du téléphone, de la poste. Ce Luxembourgeois occupe avec Khaled Daouk l'appartement de François Genoud, vivant en Belgique, lui-même personnage abondamment surveillé depuis 1934 pour ses idées pronazies. Tout cela devient de plus en plus suspect pour la Sûreté vaudoise qui enquête. Elle finit par perquisitionner l'appartement de Genoud, où réside Jung, et celui de Muhidin Daouk. Les policiers sont surpris de tomber également sur Genoud et sa femme qui viennent d'arriver en Suisse.

La police met en prison Dickopf et Muhidin Daouk le 8 août 1944 ; deux jours plus tard — le temps que la Sûreté obtienne un mandat d'arrêt —, c'est le tour de François Genoud et de sa femme. Au Bois-Mermet où il a déjà purgé dix jours d'arrêts de rigueur, Genoud est interrogé par des policiers à qui il ressert chaque jour l'histoire qui a été convenue entre eux tous : à savoir qu'il a connu Jung le Luxembourgeois en Belgique ;

que, recherché par la Gestapo, il l'a conduit en Suisse ; qu'il l'a alors confié à son grand ami libanais Daouk, dont Jung avait fait la connaissance aux Jeux Olympiques de Berlin. Daouk raconte la même fiction aux policiers. Quelques jours plus tard, menottes aux poignets, Genoud est conduit à Berne et écroué à la Genfergasse.

Là, les interrogatoires reprennent. Genoud s'en tient à son récit. Un jour, un commissaire lui riposte : « Tout cela est fort bien, mais il pourrait y avoir une autre version des faits. » Et il lui lit en allemand quelques lignes qui ne peuvent qu'émaner de Dickopf/Jung, commençant par l'exposé précis de son identité. Puis il lui montre la dernière page de la déposition avec, au bas, la signature de Paul Dickopf. Le commissaire explique qu'au moment de son arrestation et de la perquisition de son appartement, on a trouvé, soigneusement rangés chez lui, tous les papiers qu'il avait montrés le 18 juillet 1943 à Gérard Olivet et que Jung était censé avoir planqués ailleurs.

Genoud se met alors en devoir de raconter l'histoire telle qu'il l'a vécue. Daouk fait de même et est immédiatement relâché. Seul le capitaine Olivet maintient sa version initiale.

Dickopf et Genoud restent incarcérés à la Genfergasse près de trois mois encore. L'instruction terminée, rien ne se passe. Liliane peut rendre visite chaque semaine à son mari. Celui-ci lui demande de voir l'accusateur, le major Weyermann, « auditeur » de l'armée, de qui dépend la suite des opérations. Le major accepte de rencontrer Mme Genoud et lui explique que le déroulement de l'affaire est retardé du fait qu'il subsiste de grandes divergences dans le dossier du juge d'instruction.

Les Archives de Berne gardent trace de ces impressionnantes divergences[1]. « On peut être certain qu'on se trouve en présence d'un des chefs les plus actifs de l'espionnage allemand. Genoud est son complice... », explique pour sa part la Sûreté

---

1. Ces divergences sont structurelles. Pendant la guerre, les hommes et les institutions suisses ont été divisés à l'égard de l'Allemagne. Le SR militaire était plus « compréhensif » que la Sûreté vaudoise et le « groupe du Lac » — le contre-espionnage — très antinazis.

vaudoise, alors que l'état-major, se fiant aux rapports des services de renseignement militaires, affirme que Dickopf comme Genoud ont rendu d'importants services à la Suisse et parle même de Genoud comme d'un « agent ». Entre les deux, la Justice et les autorités fédérales tentent désespérément de ne point commettre d'actes qui pourraient leur être reprochés par les Alliés. Dans un courrier du 28 novembre 1944, le procureur général de la Confédération se demande où est la vérité, mais ajoute perfidement qu'il est tout de même étrange qu'un policier, membre de la SS en 1939, qui reste ensuite trois ans à l'Abwehr, en vienne plus tard à soutenir qu'il n'a jamais été d'accord avec le régime hitlérien et qu'il n'y a participé que par la force des choses. Il conclut qu'il est « regrettable » que les SR militaires suisses aient pu collaborer avec lui.

Liliane demande au major Weyermann de voir son mari, affirmant qu'« il est loyal et a certainement dit la vérité ». « Je dois me faire une opinion d'après le dossier, ce n'est pas mon rôle de voir le prévenu », répond le major, mais, finalement, il se laisse convaincre et se rend à la prison de la Genfergasse, dans le bureau du directeur. Genoud lui raconte sa version des faits, assortie de nombreux détails, car il est doué d'une mémoire impressionnante. Il demande avec insistance au major Weyermann d'interroger Dickopf.

— Les Allemands sont tous des menteurs, répond sèchement l'« auditeur » de l'armée.

— Si, sur quatre-vingts millions d'Allemands, il n'en existe qu'un qui ne soit pas menteur, c'est mon ami Paul Dickopf, rétorque François Genoud.

Le major sourit et promet de réfléchir. Finalement, il voit Dickopf et décide d'organiser une confrontation entre les trois principaux protagonistes.

Si, pour Dickopf, pris la main dans le sac avec ses vrais papiers, il était inévitable mais relativement facile de changer de version, il est exclu, pour le capitaine Olivet, de reconnaître que la présentation des faits à laquelle il s'est livré devant son service à l'été 1943 était totalement fausse, et qu'il le savait.

Genoud, lui, se retrouve moralement dans une situation impossible. Il ne peut pas dire que Dickopf et lui ont trompé Olivet : ce serait faux et suicidaire. La confrontation a lieu et réunit cinq personnes : Weyermann, un de ses collègues, juge militaire, le capitaine Olivet et les deux prisonniers.

Genoud adjure Olivet de reconnaître les faits ; il déclare que chacun peut comprendre que, dans les conditions de l'époque, il était bien difficile d'agir autrement. Peine perdue. Chacun raconte sa version, puis Weyermann se lève et remercie Olivet, lequel se retire, aussi gêné que peut l'être Genoud, honteux d'avoir entraîné son ami dans une pareille histoire. Weyermann consulte son collègue du regard. Celui-ci murmure : « On voit parfaitement où est la vérité. » Une dizaine de jours plus tard, le « non-lieu » est prononcé, Genoud libéré, et Dickopf doit être expulsé dans les plus brefs délais : l'asile avait en effet été accordé au Luxembourgeois Jung, pas à Dickopf, l'Allemand de l'Abwehr.

Genoud réussit alors à obtenir un rendez-vous avec le Dr Balsiger, chef de la police fédérale, pour lui expliquer la situation de Dickopf : l'expulsion équivaudrait à sa condamnation à mort. Balsiger répond que Dickopf a la faculté de choisir la frontière.

— Si c'est l'Allemagne, plaide Genoud, ce sera la mort pour désertion et trahison. Si c'est la France, ce sera la mort en tant qu'Allemand par les maquisards. L'Italie ? Là, ce pourra être soit par les maquisards, soit par les SS. Ce n'est donc pas au choix, mais au hasard. De toute façon, c'est la mort...

A-t-il été entendu ? Difficile à dire, mais le dossier Dickopf, aux Archives de Berne, rend plausible cette version des faits.

Un échange de correspondance des autorités fédérales, entre le 15 novembre et le 28 décembre 1944, traduit bien les profondes divergences d'appréciations portées sur les personnalités de Dickopf et Genoud. On voit que ceux-ci ont finalement été sauvés par les rapports mensongers d'Olivet affirmant que les deux hommes étaient ses agents et entraînant par là même la bienveillance de l'armée à leur égard.

Une lettre du 15 novembre du chef de la police fédérale au major Weyermann énumère les différentes attitudes possibles envers Dickopf. Pour lui, il ne fait aucun doute que ce dernier était un responsable actif de l'Abwehr travaillant contre la Suisse. Or il est alors contraire à la pratique d'interner en Suisse des SS ou des hommes de la Gestapo. Il évoque également — mais pour mémoire — l'éventualité d'un renvoi sur la France : il y a en effet bien peu de chances qu'il reçoive le permis d'entrer dans ce pays. Pour l'auteur de la lettre, la seule solution paraît donc une sortie illégale de Suisse à destination de la Belgique, où Dickopf envisage d'ailleurs de travailler pour la police américaine. « Une largesse au-delà nous semble impossible », conclut le chef de la police.

Un courrier du 16 novembre, du même, aborde le problème posé par le cas du major Weyermann, « afin de vérifier ce qu'on doit faire avec lui ». Il évoque le rôle de l'auditeur de l'armée qui a stoppé net les procédures du fait que Dickopf aurait travaillé pour les services de renseignement militaires et serait retourné en France sur leur ordre en novembre 1943. Une lettre du lendemain met derechef en cause l'armée qui a libéré une première fois Dickopf à la fin de 1943. Cette missive se termine par ces mots : « Les positions et activités de Dickopf et son comportement ne permettent pas de faire durer plus longtemps l'asile que la Suisse lui a accordé. » Plusieurs autres lettres vont dans le même sens, mettant en cause Weyermann et l'armée. L'une d'elles réclame un rapport plus précis des services de renseignement militaires afin d'y voir plus clair.

Deux lettres montrent que lesdits services ont rédigé ce rapport et que, manifestement fondé sur les déclarations du capitaine Olivet, il est très favorable à Dickopf et à Genoud. Selon lui, Dickopf a probablement senti qu'il était devenu indésirable en Allemagne, à cause de ses convictions. Pour cette raison, il se serait mis en relation avec le collaborateur du service (le capitaine Olivet) avant même son arrivée et lui aurait transmis des renseignements importants : indications sur les troupes allemandes, sur diverses installations industrielles, sur les sites de quartiers généraux, rapports internes sur les dommages causés par les bombardements, sur le moral, sur l'alimentation, données sur les intentions politiques de l'Allemagne, etc. Dickopf aurait accompagné à plusieurs reprises l'agent Genoud en portant lui-même ces matériaux dangereux... Toujours dans le même dossier figure un interrogatoire de Dickopf qui va dans le même sens que le récit d'Olivet ; il y affirme qu'après son arrivée en Suisse, il a fourni à ce dernier des informations très détaillées sur l'organisation de la police criminelle et de la Gestapo, sur les postes de l'Abwehr, l'articulation du Groupe V de l'Abwehr, la Luftwaffe...

Comme nous l'avons vu, Genoud dément cette version pour lui-même comme pour Dickopf.

Les contradictions et heurts qui se manifestent à la lecture du dossier Dickopf s'expliquent en partie par les très forts clivages apparus pendant la guerre à propos de l'attitude des autorités suisses envers l'Allemagne nazie. Ces lignes de partage traversaient également les services de renseignement. Les services alliés se sont ainsi trouvés confrontés aux attitudes ambiguës et à la défiance de beaucoup de leurs homologues helvétiques. Le dépouillement des archives de l'OSS de Washington montre bien le genre de problèmes rencontrés par les espions américains regroupés autour d'Allen Dulles. Par exemple, l'agent 399 raconte à l'agent 922 que les policiers suisses sont de plus en plus sur ses talons : « L'autre matin, un ami a essayé de m'appeler d'une cabine publique ; il a été coupé et une voix lui a dit de passer par l'opératrice régulière. Il rappelle ; une opératrice lui dit que la ligne est occupée (mensonge) et qu'il devra rappeler. Il a attendu ; environ quatre minutes plus tard, deux personnes se sont mises à tourner ostensiblement autour de lui et de la cabine. Encore quelques minutes, et le téléphone a sonné ; l'opératrice lui a dit qu'elle allait essayer d'obtenir la connexion, mais elle a voulu connaître son nom, son adresse et les motifs de son appel. Il lui a raconté un tas de choses. L'opératrice l'a alors branché sur moi, mais il y avait tellement de friture sur la ligne qu'il a renoncé. Finalement, il est ressorti de la cabine et un des deux hommes a alors couru après lui, lui demandant de revenir. Il a refusé et n'a donc pas été identifié... »

Pour les Suisses, tout le monde est suspect. Les services sont constamment aux aguets. Aucune porte ne doit être fermée, les noms doivent être inscrits sur les portes, certaines routes sont interdites aux civils, etc. Les Américains sont conscients que leurs agents non américains sont quasiment obligés, pour avoir la paix, de travailler également pour les services suisses...

Les Archives de Berne, les témoignages de Dickopf après la guerre, ceux de Genoud ne permettent pas de dissiper toutes les zones d'ombre. Rien ne prouve qu'il y a eu vraiment désertion de Dickopf ni que ce sont des sentiments antinazis qui l'ont conduit à prendre sa décision. Il le reconnaît lui-même dans une lettre figurant dans le dossier de Berne et envoyée à un certain Erwin : « Je suis conscient que je n'ai jamais fourni la preuve que je n'ai jamais été nazi. » Les seules pièces qu'il sera en mesure de présenter pour être « dénazifié » seront celles de la police fédérale suisse attestant qu'il est arrivé en Suisse le 17 juillet 1943 et qu'il a collaboré avec le SR de l'armée et la police fédérale. Or il demeure on ne peut plus troublant que cet officier ait pu se promener à travers l'Europe durant la guerre, retourner en Allemagne en janvier 1943, se rendre tranquillement à Vichy en mars 1943, se planquer à Bruxelles entre novembre 1942 et juillet 1943, sans rencontrer de problèmes graves. Un Allemand qui fut proche du BND[1] m'a déclaré que Dickopf eut jusqu'à la fin de la guerre des liens avec l'organisation de Walther Schellenberg, un des adjoints de Himmler à la tête de la Gestapo et qui avait repris en main les services extérieurs de l'Abwehr. Il n'est donc pas exclu que Dickopf ait manipulé Genoud pour s'introduire en Suisse. A-t-il eu dans ce

1. Le Bundesnachrichtendienst, l'équivalent de la DGSE, a été créé en 1956, pour prendre la suite de l'« organisation Gehlen ».

pays des contacts avec l'Abwehr ? À partir de quand a-t-il vraiment collaboré avec les Suisses ?

En 1975, après la mort de Dickopf, quand des rumeurs ont circulé sur les activités pendant la guerre de l'ancien président d'Interpol[1] et sur ses liens avec Genoud, la police fédérale s'est livrée à un exercice de synthèse à partir de l'imposant dossier Dickopf qui dort aux Archives de Berne. On y sent l'embarras du rédacteur ; s'il affirme que Dickopf a fourni de précieux renseignements aux services suisses par l'intermédiaire de Genoud, il ne prend pas parti : « Le cas de Dickopf a été très différemment traité, d'une part par le procureur général de la Confédération et la Sécurité, d'autre part par le Groupe du Lac[2]. Le premier estime que Dickopf n'était pas nazi et aurait saisi la première occasion pour quitter ses fonctions et se réfugier en Suisse. De source sûre, la police fédérale pouvait assurer le sérieux de Dickopf et qu'il était antinazi... La Gestapo recherchait Dickopf, et, devant l'échec de ses recherches, tenta d'influencer sa femme en lui faisant croire qu'ils avaient la preuve de l'infidélité de son mari, ceci afin qu'elle révèle où il résidait. Mme Dickopf ne se laissa pas fléchir... Les services de renseignement de l'état-major ne croient pas non plus que Dickopf était nazi, car il leur a rendu de grands services... Le Groupe du Lac n'était pas de cet avis. Il a fait remarquer que Dickopf avait fréquenté en 1938 une école de la Gestapo où l'on exigeait un bon engagement allemand, et qu'il fut nommé *Untersturmführer*. Dickopf n'aurait pas seulement fait du contre-espionnage, mais aussi de l'espionnage actif contre la Belgique et le Luxembourg, et aurait même effectué des missions en Suisse. Il paraît donc improbable qu'un homme ayant travaillé si longtemps pour les services allemands puisse nier

1. Fonctions exercées par Dickopf de 1968 à 1972.

2. Nom de code du service de contre-espionnage suisse de l'armée, dirigé par le colonel Jacquillard, commandant de la police vaudoise. Le groupe du Lac était en rivalité avec le SR de l'armée. Le premier penchait pour les Alliés alors que le second avait des affinités avec les Allemands.

avoir été en intelligence avec les nazis et prétende n'avoir travaillé pour eux que contraint et forcé. »

Quoi qu'il en soit, Dickopf est libéré sous contrôle le 25 novembre 1944 et s'installe à l'hôtel Waadtländerhof à Berne. Il obtient le statut de réfugié en décembre et s'établit alors à l'hôtel Löwen, à Worb, tout en restant sous le contrôle des autorités militaires. Même si Genoud veut croire que son ami n'a jamais trahi le Reich, il est clair qu'après avoir été l'ami du capitaine Olivet, il a noué d'autres relations et collaboré de manière active avec les SR suisses auprès desquels il a commencé (ou continué) à fournir des renseignements sur l'Allemagne...

À la mi-novembre 1944, Genoud sort de prison et n'a plus qu'un souhait : revenir au plus vite à Bruxelles. Il rencontre Olivet, qui a été expulsé de l'armée. L'ex-capitaine ne lui tient pas rigueur des problèmes qu'il a connus à cause de lui. Ils s'expliquent sur les raisons qui les ont conduits à présenter des versions différentes des faits au moment de l'instruction. Olivet est toujours bien disposé à l'égard de Genoud. Il s'est bien récupéré, puisqu'il est devenu un personnage important de la Croix-Rouge suisse, en charge de l'organisation de missions dans les pays libérés pour y procéder à la distribution de vivres et de médicaments. Après une première mission auprès de la 1re armée du général de Lattre, il en effectue une seconde en Belgique ; elle est à l'origine d'une grande opération humanitaire financée par le « Don suisse[1] ». Spontanément, il propose à Genoud d'accompagner cette mission en Belgique pour faciliter son retour à Bruxelles. Genoud saute sur l'occasion. Muni d'un passeport flambant neuf, se présentant comme un Suisse qui a passé toute la guerre dans son pays, il part le 26 décembre de Neuchâtel, comme simple fourrier, avec une équipe compo-

1. Prenant conscience de l'immense détresse des villes sinistrées de Belgique, la Croix-Rouge, avec l'appui du gouvernement de la Confédération, décida de délivrer une nouvelle aide. En décembre 1944, les Chambres votèrent un don de 100 millions de francs suisses, à verser en espèces ou en nature.

sée de médecins et de plusieurs infirmières. Après une journée de repos à Paris, il arrive sans encombre à Bruxelles le 29 décembre en fin d'après-midi, en pleine offensive des Ardennes. Le 2 janvier 1945, Anglais et Américains, grâce à leur supériorité aérienne, reprennent le contrôle des opérations. Genoud aperçoit pour la première fois des avions à réaction : deux chasseurs allemands qui, dans un impressionnant carrousel, offrent un dernier spectacle aux Bruxellois. Il va rassurer les parents de Liliane, qui lui apprennent que des Anglais sont venus enquêter sur son compte. Il repart alors en Suisse chercher sa femme.

Quand il évoque 1945, Genoud parle d'« année tragique ». « Jusqu'au bout j'espère, mais c'est, le 1er mai, la nouvelle de la mort du Führer ; le 7 mai, la capitulation inconditionnelle. Le 8 mai, de nouveau une tragédie locale : le massacre [à Sétif[1]] des Algériens qui, naïvement, croient à la victoire de la Liberté partout dans le monde. C'est aussi un instantané révélateur : la France, humiliée en 1940, a besoin d'affirmer sa puissance, et ce n'est pas le rôle de quatrième Grand que, grâce à la personnalité de De Gaulle, les trois vrais vainqueurs acceptent de lui voir jouer, qui suffit à sa vanité. Alors elle "casse du bougnoule". Je comprends ce jour-là que ce sera la révolte des Arabes, entraînant les autres peuples dominés, qui permettra de reprendre le flambeau de la lutte contre le capitalisme cosmopolite... Sur le plan politique, les choses ont toujours été claires entre mon épouse Liliane et moi : elle est francophile, anti-allemande, et moi, je suis un germanophile national-socialiste. Pour moi, ce n'est pas un fait nouveau : la situation était exactement la même dans ma propre famille. Liliane a toujours été parfaitement loyale, et moi je suis tolérant. En fait, c'est moi qui ne pense pas comme les autres, je ne peux donc exiger que les autres pensent comme moi ! »

Pendant que Genoud travaille sous la houlette de l'ex-officier des services secrets Olivet, devenu l'un des pontes de la

1. Cf. *infra*, p. 217.

Croix-Rouge, son ami Dickopf effectue une complète reconversion dans le domaine du renseignement : il s'est mis à la disposition de la police suisse, plus précisément du Dr Balsiger, chef de la police fédérale. Dickopf devient son agent et c'est à son instigation qu'il prend contact par écrit avec la légation américaine afin d'offrir ses services. Le 31 janvier, il a un entretien au 23, Herrengasse, à Berne, au siège de l'OSS, avec le principal adjoint d'Allen Dulles, Gero von Schultze-Gaevernitz, qui lui demande un CV détaillé et un rapport sur l'évolution politique de l'Allemagne. Dickopf devient un précieux auxiliaire des Américains dans les préparatifs d'administration des territoires du sud de l'Allemagne. En relation avec des fonctionnaires allemands, il s'occupe de mettre à l'abri les registres d'état civil, les dossiers de la police criminelle, des banques de données statistiques, afin que les Américains soient à même de faire redémarrer rapidement la « machine » après avoir occupé le pays. Dickopf remet une copie de tous ses rapports à Balsiger, et le nouvel agent américain n'omet pas de lui fournir en prime quelques documents subtilisés à l'OSS. Il raconte à Balsiger à quel point les Américains ne comprennent rien à la situation en Allemagne, et reprend à son compte l'appréciation d'un écrivain allemand, Ernst Wiechert, qui, dans un rapport, écrit que « les Américains sont notre plus grande déception après Hitler ». Dickopf leur reproche de rechercher toujours « le dernier et le plus insignifiant des anciens membres des partis chassés du pouvoir » pour les aider à administrer les territoires occupés, permettant ainsi de favoriser ceux qui ont retourné plusieurs fois leur veste...

Paul Dickopf ne va pas tarder à être considéré comme un précieux agent d'Allen Dulles, futur patron de la CIA. J'ai retrouvé à Washington deux de ses mémorandums à Dulles, datés du 14 mai 1945, dans lesquels l'ancien officier de l'Abwehr fournit des renseignements sur les espions allemands installés en Suisse. Là-dessus, il n'a aucun mal à alimenter ses nouveaux employeurs, puisque les « services » allemands établis en Suisse dépendaient de l'*Abwehrstelle* de Stuttgart, qu'il connaît mieux que quiconque, et que lui-même, à l'époque où il était en poste, s'occupait plus spécifiquement de la Suisse. Il est clair que, cette fois, selon la terminologie de son ami Genoud, l'Allemand a beaucoup *trahi* en fournissant aux Américains d'importants renseignements utiles pour la fin de la guerre et l'occupation du Reich vaincu.

C'est avec Paul Blum, l'un des principaux collaborateurs de Dulles, que Dickopf va surtout être en contact de 1945 à 1947. Blum n'hésitera pas, le 19 septembre 1945, à lui délivrer une attestation[1] dans laquelle l'Américain déclare que l'ancien officier de l'Abwehr lui a rendu d'inestimables services concernant « les crimes et les criminels de guerre », qu'il a servi d'intermédiaire entre l'OSS et les autorités suisses, avec « tact et discrétion », et qu'il est d'une « intégrité personnelle exceptionnelle ».

Les archives de l'OSS ont été trop épurées (notamment les dossiers des personnages importants de l'après-guerre : ce qui sera le cas de Dickopf) pour qu'on y retrouve trace de tous les renseignements fournis par l'Allemand à Blum. Elles permettent néanmoins de savoir que les spécialités de ce dernier étaient la détection et la récupération des œuvres d'art volées par les nazis, ainsi que la participation au projet « Safehaven », lancé par le Département d'État en août 1944 et visant à localiser les avoirs dissimulés par les dignitaires nazis. Ainsi, dans une note du 15 octobre 1945, Blum signale que les éditions Skira auraient acheté 600 dessins volés de Matisse pour 500 000 francs à Lyon. Le 16 juillet 1945, il écrit à Daniel J. Reagan qu'il a retrouvé la trace de Schacht, l'ancien ministre de l'Économie de Hitler (1933-1937), qui vit en Italie depuis quelques mois — Schacht qui deviendra plus tard un familier de François Genoud...

J'ai retrouvé Bill Hood, qui était agent de l'OSS à Berne à la fin de la guerre et qui séjournait encore dans la capitale fédérale en 1948 pour le compte de la CIA. Hood est devenu un espion

1. Voir annexes.

célèbre pour avoir été plus tard l'officier traitant du premier grand « défecteur » soviétique, le major Popov, du GRU. Bill Hood mène aujourd'hui une vie paisible dans le Maine. Un matin de juillet 1995, je l'ai surpris dans ses activités de retraité en évoquant le nom de Paul Dickopf. Bien sûr qu'il se rappelle ce « farouche antinazi » ! Hood le décrit comme un ami des hommes de l'OSS, qui vivait à Worb avec le statut de réfugié. C'était un policier, se souvient-il, avec une bonne tête de détective et un abord amical. « Il était très bien disposé à l'égard des Alliés. » Mais la jovialité de Hood retombe brutalement quand je lui indique que Dickopf a appartenu à l'Abwehr : « Je ne vous crois pas ! » s'exclame-t-il. Hood persistera à le contester quand je lui aurai envoyé les preuves de ce que j'avance...

Dickopf reste en Suisse jusqu'au 13 novembre 1945, puis s'en retourne à Wiesbaden. Il travaille alors en contact étroit avec ses amis de l'OSS : Allen Dulles est d'ailleurs installé à Wiesbaden où siège le gouvernement militaire américain du « Gross Hessen ». L'ancien de l'Abwehr est néanmoins interrogé avec soin, le 25 novembre 1945, par deux équipes du contre-espionnage militaire (CIC), à la demande de l'OSS, pour savoir s'il peut être utilisé comme agent de pénétration. La réponse est négative. Le CIC estime toutefois que Dickopf peut continuer d'être utilisé « comme avant ».

À la même époque, le CIC a cherché à se renseigner sur ce que les Français savaient de Dickopf. Certains points de ce rapport ne manquent pas d'intérêt. Dickopf figurait bien sur la liste des gens recherchés par la police criminelle du IIIe Reich pour désertion. Quelques jours avant le lancement de cet avis de recherche, Dickopf était allé à la direction de la police criminelle pour y voir de vieux amis à qui il avait déclaré être impliqué dans une affaire traitée par la « justice » SS... Dickopf a affirmé avoir travaillé pour les services secrets français en Suisse, contre l'Allemagne de Hitler, et avoir été impliqué dans la tentative d'assassinat du Führer du 20 juillet 1944... On ne saurait exclure qu'il ait travaillé à Wiesbaden en tant qu'agent français.

Comme à Berne, Dickopf aide désormais les Américains dans leur entreprise de « dénazification » et les conseille sur les problèmes de police criminelle. Puis il revient en Suisse, le 26 avril 1946, et y séjourne jusqu'au 8 janvier 1947. Il y travaille à nouveau en étroite collaboration avec les services de renseignement suisses et américains. Dans le courant de l'automne 1946, Dickopf propose en effet à Blum de créer avec « 07 » (non identifié) un réseau de renseignement antisoviétique qui offrirait aux Américains d'énormes possibilités pour ouvrir une brèche dans le front germano-communiste. « 07 » utiliserait des anciens nobles, propriétaires terriens, commerçants, policiers vivant en zone soviétique, dont les informations seraient acheminées par de nombreux passeurs. Quant à lui, de l'intérieur de la police criminelle, il pourrait animer son réseau, composé d'anciens policiers amis exerçant à l'Est, et utiliser ainsi les fichiers, les locaux, etc. Il propose d'aller à Berlin afin d'avoir une vue d'ensemble sur l'organisation de la police soviétique. En échange, il demande aux Américains de l'aider à être réengagé dans la police criminelle, de le soutenir auprès de l'OMGUS (le gouvernement militaire américain), et de l'introduire auprès du général Edwin L. Sibert, patron du contre-espionnage (G2) de la 12ᵉ armée, l'homme qui a débriefé personnellement le général allemand Reinhardt Gehlen, ancien patron de l'Abwehr sur le front de l'Est.

Sibert avait été impressionné par les analyses et pronostics de Gehlen concernant la politique soviétique et la psychologie de Staline, sa détermination à garder la Pologne et les autres pays satellites sous sa coupe. Il avait installé sa « prise » à Wiesbaden et en avait informé Allen Dulles, devenu patron de l'OSS en Allemagne occupée. En échange de sa liberté, Gehlen proposa alors aux Américains son organisation, ses hommes et ses archives — les « secrets du Kremlin » — cachées dans les Alpes bavaroises. Les Américains acceptèrent.

Je ne sais quelle suite ceux-ci donnèrent au projet de Dickopf. Toujours est-il qu'il ressemblait étrangement à l'« organisation Gehlen », laquelle allait devenir une « filiale » de la CIA dans la lutte contre les Soviétiques.

Dickopf, lui, quitte définitivement la Suisse le 10 janvier 1947 dans la voiture de Paul Blum.

Une existence presque trop tranquille à Bruxelles

François Genoud ne m'a jamais raconté ce qu'il a fait, une fois réinstallé à Bruxelles à l'époque où les Allemands tentent encore de reprendre l'avantage sur les Américains. Il s'est contenté de me décrire la fantastique bataille qui s'est livrée alors dans le ciel de Bruxelles. Au cours de l'année 1945, il consacre pourtant beaucoup de son temps à soulager les victimes des bombardements, des privations et de la misère. Mais le dire écornerait probablement l'image diabolique qu'il tient absolument à donner de lui-même à ceux qui appartiennent au camp des vainqueurs. Lui ne se veut-il pas un réprouvé ?

« Il a vraiment fait beaucoup pour la Croix-Rouge, se souvient sa première femme (qui vit aujourd'hui dans le sud de la France avec... le premier mari de sa seconde femme !). Il distribuait les vivres et les colis envoyés par la Suisse, s'occupant de tout, rendant visite aux plus démunis. N'hésitant pas à prendre des risques, les bombardements à peine terminés, il courait dans les ruines aider les victimes. On tenait table ouverte pour les infirmières et les médecins qui allaient sur le terrain. Quand tous les gens de la Croix-Rouge ont plié bagage, on a donné une réception à la maison et le représentant de la Croix-Rouge à Bruxelles a terminé son discours en disant : "Quant à vous, M. Genoud, on ne pourra jamais assez vous remercier pour tout ce que vous avez fait..." »

Le mari renchérit : « Quand il a quitté Bruxelles, j'ai retrouvé les talons de son dernier chéquier. La plupart des chèques avaient été émis en faveur de bonnes œuvres[1]. »

Fort de ces témoignages, j'ai cherché dans les archives de la Croix-Rouge à Berne si les « bonnes œuvres » de Genoud avaient laissé des traces. La moisson a dépassé mes espérances. J'ai trouvé des dizaines de lettres de Genoud. Arrivé, on l'a dit, comme simple fourrier, il a été nommé gestionnaire central des missions suisses le 13 mars 1945, chargé de répartir les vivres, de contrôler les fonds et de distribuer les salaires. Plus de dix mille enfants, quelques centaines de femmes et de vieillards ont été ainsi aidés. Des centaines de wagons ont convoyé 213 000 boîtes de lait condensé, 110 000 boîtes de fromage, 210 000 boîtes d'Ovomaltine et 528 meules. En avril, Genoud visite les villes sinistrées des Ardennes et demande à son ami Olivet de faire quelque chose pour la ville martyre de Houffalize, réclame cinq centres de distribution de vivres supplémentaires. On le sent s'agiter beaucoup pour soulager la misère des sinistrés, et tout particulièrement des enfants. Du 19 au 23 juin, il effectue une mission en Hollande. « Le sauvetage tant moral que physique de l'enfance est le problème le plus immédiat », écrit-il le 25 juin. Il demande avec insistance l'envoi de trois ou quatre missions médico-sociales. Jusqu'à la fin de l'année 1945, il consacrera l'essentiel de son temps à mener à bien ces importantes missions.

Les bonnes œuvres ne vont pas suffire à épuiser l'énergie de Genoud, qui a retrouvé place sans problèmes dans la capitale belge en dépit de son récent passé germanophile. Pour gagner de quoi faire bouillir la marmite, il exerce d'abord des activités d'édition et saisit diverses occasions de trafics. « Il a créé beaucoup d'affaires à cette époque, mais, une fois lancées, il s'en désintéressait, car la gestion quotidienne l'ennuyait », témoignent en chœur la première femme et son mari.

---

1. Entretien du 5 novembre 1995.

Genoud avait connu l'éditeur Constant Bourquin en 1944, par l'intermédiaire de son ami Pierre Cailler. Les deux hommes étaient, avec Frédéric Ditis, les animateurs du Syndicat des éditeurs suisses. Ami de Paul Morand, Bourquin était, comme lui, un excellent vichyssois. En juin 1944, Morand avait organisé par lettre une rencontre, qui allait se révéler déterminante pour l'éditeur, entre ce dernier et Jean Jardin, lequel avait été envoyé en 1943 à Berne par Laval et Pétain comme premier conseiller de l'ambassade de France afin d'y nouer des relations avec... Allen Dulles, représentant de l'OSS ! Jardin présenta à Bourquin tout le gratin vichyssois. Puis il resta en Suisse après la chute de son protecteur Laval et fit office de directeur littéraire occulte des éditions « À l'enseigne du Cheval ailé[1] ».

Jean Jardin n'apparaît pas davantage dans la société financière qui a pour principal objet de soutenir « Le Cheval ailé » et dont le président n'est autre que Marcel Pilet-Golaz, ancien chef du Département politique, obligé de quitter son poste à cause d'une attitude jugée équivoque vis-à-vis des Allemands pendant la guerre. Jardin est l'homme le plus important de cette galaxie et, grâce à son entregent, il n'a eu aucune peine à trouver de l'argent...

La compagnie d'assurances « La Suisse » et diverses personnalités de l'establishment genevois figurent parmi les actionnaires. Genoud fait lui aussi partie du conseil d'administration : c'est un très gros client qui importe beaucoup de livres en Belgique et les redistribue ensuite à travers l'Europe. Genoud a d'ailleurs monté une société de distribution à Bruxelles, « La Diffusion du Livre[2] », dont la principale activité est la vente de livres pour enfants, mais qui a également l'exclusivité d'Arthaud et celle du « Cheval ailé ».

C'est avec Bourquin que, pendant toute cette période, Genoud s'emploie à faire de nombreux « coups » d'édition.

---

1. Lire à ce sujet *Une éminence grise, Jean Jardin (1904-1976),* de Pierre Assouline, Folio, 1988.
2. Il a laissé cette société à Liliane quand il l'a quittée.

Les deux hommes s'entendent bien et partagent grosso modo les mêmes idées, même si Bourquin, moins engagé, n'aime guère les Allemands. Genoud fréquente évidemment tout le milieu de la Collaboration, nostalgiques du nazisme, franquistes purs et durs. Il souhaite rencontrer Léon Degrelle, qu'il admire. On lui présente un certain Duwelz, ancien de la « Légion Wallonie », qui n'a pas été inquiété à la Libération et qui fait la navette entre la Belgique et l'Espagne. Avec des précautions dignes des meilleurs romans policiers, pendant l'hiver 1945-1946, Duwelz emmène Genoud jusqu'au village de pêcheurs espagnol de Torre-Molinos. Là, dans un bar, à la tombée de la nuit, il le présente à Léon Degrelle qui vit non loin de là dans une superbe propriété... « C'était une époque très excitante, quasi moyenâgeuse. Je suis alors très amoureux de ma femme, elle attend Françoise, il y a une autre petite fille, née en 1943, qui vit chez ses grands-parents. Nous sommes des êtres libres. Ce fut notre plus belle époque », se souvient Genoud quand il évoque le temps de sa première rencontre avec l'ancien leader rexiste.

Si Degrelle a été l'un des héros de François Genoud, c'est parce qu'il avait concrétisé ses propres rêves en s'approchant plus près que lui de la grande figure de l'Ordre nouveau et en devenant lui-même un personnage du IIIe Reich, alors qu'il était, comme Genoud, francophone dans un petit pays aux marches de l'Empire germanique. Le fondateur de l'extrême droite belge avait rencontré une première fois Hitler en 1936. Soupçonné d'appartenir à la « cinquième colonne », les autorités belges l'avaient emprisonné en 1940 en compagnie d'autres leaders du mouvement rexiste. Après l'invasion allemande de la Belgique, Léon Degrelle se rapproche de plus en plus de l'occupant. Il commence par lui manifester son soutien officiel en janvier 1941. Lorsque les troupes de Hitler attaquent l'Union soviétique, il souhaite aussitôt entraîner son mouvement dans la lutte contre les « barbares », crée la « Légion Wallonie » et en prend la tête. À la surprise générale — y compris celle des dignitaires nazis —, il n'a rien d'un soldat d'opérette et se bat vaillamment, au point d'être décoré de la Croix de fer et nommé lieutenant de l'armée allemande. Il est ainsi convaincu d'avoir gagné une place de choix, pour lui et la Wallonie, dans la Nouvelle Europe qui est en train de se construire. La plupart des historiens[1] soulignent que Degrelle a agi d'abord et avant tout par ambition personnelle, et qu'il souhaitait devenir un dignitaire du IIIe Reich. Il franchit un nouveau pas dans la collaboration en faisant rattacher la « Légion Wallonie » aux Waffen S.S.

Convaincu que Himmler fera de lui le chef de la Belgique, il discute avec lui de l'annexion de la Wallonie à l'Empire germanique. Le 17 janvier 1943, devant un parterre de rexistes réunis au Palais des Sports de Bruxelles, il définit son « nouvel ordre de marche », décrivant ainsi l'héritage germanique de la Wallonie : « Il faut que l'on sache que, fils de la race germanique [...], nous avons repris conscience de notre qualité de Germains, que, dans la communauté germanique, nous nous sentons chez nous... » L'historien anglais Martin Conway explique : « Charlemagne, les princes-évêques de Liège, les monarques bourguignons seront tous enrôlés par le leader rexiste pour étayer sa singulière interprétation de l'histoire dans laquelle il présente les Wallons comme un peuple germanique luttant à travers les siècles contre l'influence étrangère de la culture française... »

Début 1944, à la tête de sa Légion, il se lance à nouveau à l'attaque contre l'URSS. L'opération tourne mal, puisqu'il perd 1 100 hommes. Il revient néanmoins en héros de la propagande nazie. Le 20 février, à l'apogée de sa carrière de collaborateur, Degrelle est reçu pendant une heure par Hitler qui lui remet la *Ritterkreuz*. Il se présente désormais comme le héros de l'Ordre nouveau, qui se bat contre les barbares occidentaux et asiatiques. Il finira même par se déclarer l'héritier présomptif de Hitler, chef de... l'Empire bourguignon !

---

1. Cf. la thèse de Martin Conway, historien britannique : *Degrelle, les années de collaboration*, Quorum, Belgique, 1994.

Après la mort du Führer, les derniers nazis croient encore que le combat va continuer au sud, dans le réduit des Alpes. Ainsi, Mme Bormann se réfugie avec ses petits-enfants et les archives personnelles de son mari dans le Tyrol du Sud. Degrelle, lui, part en Norvège. Mais il apprend par Terboven, le gouverneur allemand, que les armées du Nord participent à la capitulation, ce qui interdit de mettre un avion militaire à sa disposition pour tenter de rejoindre l'Espagne. Il réussit à mobiliser l'avion civil du ministre Speer et s'envole avec cinq compagnons. L'autonomie de vol de l'appareil est relativement faible. Il parvient à survoler toute l'Europe de l'Ouest libérée et, à court de carburant, finit par s'écraser sur la plage de San Sebastian, du « bon » côté de la frontière...

Degrelle est blessé. Franco, déjà importuné par la présence de Laval, veut l'extrader, mais Britanniques et Américains refusent de le prendre en charge. Des pourparlers s'engagent entre l'Espagne et la Belgique, qui n'aboutissent pas. Franco décide en fin de compte officiellement de l'expulser. En réalité, les Espagnols procèdent à une mise en scène en expulsant un faux Degrelle à la frontière portugaise, cependant que le comte de Mayalde, ambassadeur d'Espagne, et sa femme, la duchesse de Pastrana, exfiltrent l'indésirable de l'hôpital et le conduisent dans une première planque après lui avoir remis une enveloppe de 25 000 pesetas de la part du Caudillo. Degrelle a des papiers en ordre au nom de Juan Sanchiz, de nationalité polonaise[1]. Sa femme, après avoir purgé quelques années de prison en Belgique, ne le rejoindra pas dans son exil. Degrelle se remariera avec la nièce de Joseph Darnand, le patron de la Milice française. Entouré de puissants amis — notamment le beau-frère de Franco —, il connaîtra un exil doré, dirigeant pendant plusieurs années une entreprise chargée de construire des terrains d'aviation pour l'armée américaine...

1. Léon Degrelle, *Entretiens avec Carlier,* Éditions Picollec, Paris.

Genoud est fasciné[1] par le grand séducteur et héros nazi qui enthousiasme ses auditoires du Palais des Sports à Bruxelles et du Palais de Chaillot à Paris. Il l'encourage à rédiger un livre sur la campagne de Russie, qu'il éditera avec Constant Bourquin[2], et continuera à le voir et à lui écrire régulièrement jusqu'à sa mort.

Sur le plan professionnel, Genoud réussit à convaincre le patron du journal *La Lanterne* de lancer une campagne de presse pour qu'on ne considère plus en Belgique les livres comme des produits analogues aux autres, dont l'importation est alors soumise à des règles très strictes. Cette campagne débouche sur une loi qui a pour effet d'accroître considérablement les gains de Genoud, Bourquin et quelques autres...

Même installé à Bruxelles, Genoud bouge beaucoup. Cela restera vrai toute sa vie. Il virevolte en permanence entre la Belgique, l'Allemagne, la Suisse, l'Espagne, Tanger, bientôt le Portugal. Son carnet d'adresses est déjà d'une richesse et d'un éclectisme surprenants. À la seule lettre « D » figurent par exemple Degrelle Léon, Dickopf Paul, reconverti agent américain, Diethelm André, ancien grand résistant qui a très tôt rallié Londres et le général de Gaulle...

D'abord commissaire à l'Intérieur, au Travail et à l'Information du Comité national (Londres), Diethelm a participé à l'établissement des premières liaisons de la France Libre avec la Résistance intérieure. À Alger, de Gaulle l'a choisi pour reconstruire l'armée qui mènera les combats de la Libération en 1944-1945. Genoud fait sa connaissance par l'intermédiaire de Francisca, une personnalité haute en couleur. Épouse en premières noces d'un Allemand qui est mort décapité, elle a

1. C'est ce qui ressort de ses propos actuels, mais il semble que les années aient quelque peu embelli la réalité. Au début de leurs rencontres avec Degrelle, Bourquin et lui se moquaient du goût immodéré du chef rexiste pour les décorations et les uniformes allemands. Van der Eesen (cf. *infra*, p. 149) se souvient que, revenant un jour d'Espagne, Bourquin lui dit que Degrelle les avait reçus en grand uniforme nazi avec toutes ses décorations, et que Genoud et lui en avaient beaucoup ri...

2. Parrain de Françoise Genoud, fille de François Genoud.

convolé en secondes noces avec un diplomate français, Plourin. Elle se retrouve en 1940 à Saint-Malo et devient la maîtresse et secrétaire du général allemand qui commande la place. À l'époque, la petite amie de Diethelm, Jacqueline, qui vit alors dans la cité malouine, prend contact avec ledit général pour qu'il intervienne en faveur de réfugiés du nord de la France. Le général tombe alors amoureux de Jacqueline. Tout « naturellement », Jacqueline et Francisca sont amenées à se connaître. À la fin de la guerre, Jacqueline épouse André Diethelm, devenu ministre de la Guerre. Grâce à Diethelm, Jacqueline évite à Francisca la prison pour ses activités pro-allemandes, puis lui fait rencontrer son frère, qui l'épouse. Les deux amies deviennent ainsi belles-sœurs...

Genoud, qui a connu Francisca en Espagne dans les cercles pro-allemands, rencontre de la sorte les Diethelm peu après la guerre. Une amitié se noue entre les deux hommes. « Entre nous, tout fut toujours très clair. Il connaissait ma germanophilie, mon intérêt pour le national-socialisme, et, en vrai libéral tolérant, il m'acceptait ainsi : "Vous êtes Suisse, c'est votre droit..." Cette amitié dura jusqu'à sa mort en 1954[1]. »

Genoud ne gagne pas seulement de l'argent dans l'édition[2], il en fait également dans de multiples combines et trafics. Comme pendant la guerre, il sait jouer sur les restrictions, les interdictions, les différences de cours. En 1947, un « gros coup[3] » lui rapporte de très grosses sommes qu'il investit dans des affaires « décentralisées » à Tanger — dès l'hiver 1945-1946, il a en effet pris un domicile légal dans cette zone franche, paradis des trafiquants et refuge de ceux qui ont besoin de « prendre un peu l'air » après la guerre. C'est l'ami Constant Bourquin qui dirige à Tanger, 9, rue Grotuis, l'« Agence littéraire SA » autour de laquelle gravite Genoud.

---

1. Cette affirmation m'a été confirmée par la fille de Jacqueline Diethelm.
2. Pour la seule année 1948, l'éditeur de livres d'art, Pierre Cailler, a versé 120 000 francs suisses de commission à François Genoud !
3. Bizarrement, Genoud reste muet sur ce « gros coup ».

Durant l'automne 1946, ce dernier consacre beaucoup de son temps à aider son ami Abdallah Nasser, bien connu dans les années 1930 à Lausanne, l'éternel étudiant qui aimerait bien avoir un diplôme pour sanctionner ses quinze années passées en Europe. Genoud cherche à l'université de Louvain quelqu'un de suffisamment « compréhensif » pour transformer quelques certificats de scolarité et quelques attestations de l'université de Lausanne en bon et vrai diplôme. Genoud en parle autour de lui dans le milieu de la presse qu'il connaît bien. Certains de ses amis belges pensent que l'homme à approcher n'est autre que le secrétaire général de l'université de Louvain, M. Van der Eesen. L'un d'eux est d'avis que la meilleure façon d'accéder au respectable universitaire est de passer par son fils. Raoul Tack, président de la presse belge, demande à Jacques Dancette, gendre de Jean Van Gysel, un homme d'affaires belge très florissant, de le contacter et de l'inviter à dîner pour lui présenter le fils d'un fidèle du fondateur de l'Arabie, Abdulaziz. Si le fils Van der Eesen accepte le dîner, il est outré qu'on ait pu envisager de demander à son père une chose pareille. Sans doute est-ce de ce jour qu'il a conçu une profonde aversion vis-à-vis d'Abdallah. C'est en tout cas de ce dîner que date la première rencontre entre Georges Van der Eesen et François Genoud.

Quelques jours plus tard, à la Toussaint, le destin vient bouleverser la vie « calme et ensoleillée » que mène Genoud aux côtés de sa jeune femme Liliane. Tous deux sont invités à passer le week-end à la villa Green Light, à Knokke-le-Zoute, chez les Dancette, en compagnie de quatre autres couples. Le 30 octobre, alors qu'il se trouve au premier étage de la villa, François Genoud se retourne et découvre une jeune femme qu'il ne connaît pas. Ce souvenir reste encore éminemment présent en lui, obsédant même : « J'ai eu, j'ai toujours l'impression qu'une fée a ouvert une cloison d'un coup de baguette magique. Stupéfait, je lui demande abruptement : “Mais vous, qui êtes-vous ?” Elle me répond : “Je suis Élisabeth, la cousine de Jeanot [la femme de Jacques Dancette[1]]." Jeanot est notre hôte. Je m'excuse auprès d'elle de lui avoir parlé si brutalement. Mais mes excuses étaient certainement inutiles, mon ton et mon regard admiratifs avaient suffi. En l'espace d'un instant, le destin bascule. C'est le coup de foudre, le troisième et le dernier après Klari et Liliane. Oui, tout bascule : c'est à la fois le drame et le bonheur fou... »

François se confie alors beaucoup à Abdallah qui, sans le vouloir, a joué un rôle dans cette affaire en contribuant fortement à attiser la passion de son ami pour Élisabeth. « Il savait manipuler les gens sans avoir l'air d'y toucher », se rappelle Genoud.

« Après trois semaines de cour discrète, je sais que le reste de ma vie se passera avec Élisabeth, prénom que j'ai toujours beaucoup aimé. En vérité, c'est sur l'instant que je l'ai su. Mais tout s'y opposait : les mœurs, les traditions, mes principes si bien ancrés. Chacun de notre côté, nous sommes mariés depuis près de cinq ans. Élisabeth a une petite fille de trois ans. Je suis déchiré, honteux vis-à-vis de ma jeune femme de vingt-deux ans. Dans un dernier sursaut moral, je veux me confesser à mon beau-père. Je pense, j'espère même qu'il va se dresser comme un justicier, me pulvériser, me dire d'un ton méprisant : "Et c'est à vous que j'ai confié ma fille innocente, de neuf ans votre cadette !" Le bon vieillard — quatre-vingts ans à l'époque — s'attendrit, se montre compréhensif avec moi. Lui-même en a tant vu, tant vécu ! Et moi qui espérais les foudres de Jupiter ! Ainsi, le dernier rempart s'écroule. Le Destin s'est prononcé, ou la volonté divine, si l'on veut. Contre cela, nul ne peut rien. Le remords ne m'a jamais quitté, mais le regret ne m'a jamais effleuré. Pendant quarante-quatre ans et quatre-vingt-neuf jours, j'ai été l'homme le plus heureux de la Terre avec la compagne, la complice la plus divine qui soit, la mère de mes quatre enfants. »

---

1. Élisabeth est la femme de Georges Van der Eesen.

Flamande, Élisabeth était une Van Gysel. Un Jean Van Gysel avait fait fortune pendant la guerre de 1914-1918 et avait monté une chaîne de magasins. Le *pater familias* s'occupa de tout un chacun, hormis la mère d'Élisabeth qui fut quelque peu négligée... Celle-ci épousa Jules Peeters, autre Flamand très engagé dans la politique. Élisabeth admirait fort son père, qui avait considéré l'Allemagne non pas comme l'ennemie, mais comme une puissance libératrice aussi bien en 1914 qu'en 1940. Ainsi Genoud va-t-il remplacer une anti-allemande qui n'aimait pas la politique par une épouse beaucoup plus proche de ses idées.

Depuis le début de l'année 1945, Genoud n'a plus guère été importuné ou questionné sur son passé. Il saute les frontières au même rythme, repassant toujours régulièrement par Lausanne.

Pour son ami Dickopf, la vie est plus compliquée, en dépit du soutien de Paul Blum et de l'OSS. Lui est encore gêné par son passé. Malgré ses puissants protecteurs, il ne peut échapper aux lourdes procédures de « dénazification » mises en place par les militaires. En janvier 1947, il dépose ses papiers, qu'il reconnaît lui-même être peu probants, entre les mains des militaires américains du contre-espionnage (CIC) de Wiesbaden. Les rapports entre les gens du CIC qui traitent son dossier et ceux de l'OSS, qui deviendront pour la plupart des agents de la CIA, ne sont pas des meilleurs. Pour Dickopf, cette période est une difficile traversée du désert, car il ne peut trouver de travail officiel sans certificat de « dénazification ». Heureusement qu'il a ses amis suisses — Genoud et la famille Bernhardt, de l'hôtel Löwen à Worb — pour l'aider à survivre dans une Allemagne dévastée où l'on manque de tout...

Son ami Genoud prospère, mais un vent mauvais l'atteint à son tour à la fin de l'été 1947. Constant Bourquin l'appelle et l'informe que des amis communs, journalistes à *Europe-Afrique*, lui ont appris qu'il risquait d'être importuné par la Sûreté belge pour ses activités à Bruxelles pendant la guerre. Genoud ne revient pas directement en Belgique, mais s'arrête en Hollande pour s'enquérir des risques qu'il prendrait en rentrant. Convaincu qu'on n'a rien trouvé contre lui, il gagne finalement Bruxelles.

Les Anglais — probablement leurs services secrets — ont fait parvenir des informations sur Genoud aux autorités belges. Un Allemand interné dans leur zone a évoqué la surveillance dont Genoud faisait l'objet de la part de la Gestapo pour ses relations avec un officier de l'Abwehr, Paul Dickopf. L'information signale qu'un agent belge était même venu parler à Genoud. L'affaire semble suffisamment embrouillée aux enquêteurs belges pour qu'ils convoquent Genoud.

Celui-ci leur explique que l'affaire a déjà été examinée en Suisse et a fait l'objet d'un non-lieu à la fin de 1944. Mais on va même jusqu'à le confronter à un « agent provocateur » belge qui, selon Genoud, n'est pas très à l'aise de se retrouver devant un homme qui a été témoin de son engagement aux côtés des Allemands pendant la guerre. Le Lausannois déclare néanmoins aux enquêteurs ne pas reconnaître l'homme qui le surveillait alors pour le compte des Allemands, et le tire ainsi d'affaire. Aussitôt après, l'indic, soulagé, se met à charger le Suisse. « Les Belges l'ont rudement remis à sa place », se souvient Genoud. Mais, à partir de cet incident, il estime que ça commence à « sentir le roussi » à Bruxelles, et il préfère quitter cette ville où il adorait vivre...

Le « roussi » ? Difficile à dire... Quoi qu'il en soit, les documents américains du contre-espionnage militaire que j'ai réussi à faire déclassifier le 11 septembre 1995 à Washington montrent que l'affaire a suivi son cours. Sollicité par les Belges, l'état-major des forces américaines stationnées en Europe, basé à Bruxelles, a demandé par télex, le 28 avril 1948, au commandant du contre-espionnage de la IIIe région militaire, installé à Wiesbaden, d'interroger Paul Dickopf sur Genoud...

Dickopf, finalement « dénazifié » le 30 mai 1948, va pouvoir songer de nouveau sérieusement à son avenir. Il écrit le jour même une longue lettre à son ami Genoud qu'il croit encore marié avec Liliane. Dans cette lettre au ton désabusé, il parle de son séjour en Suisse pendant la guerre comme d'un paradis perdu. Il évoque avec émotion ses trois amis arabes, Muhidin Daouk, Khaled Daouk et Abdallah Nasser, avec qui il passait alors le plus clair de son temps. Il reparle de sa vieille idée d'effectuer un voyage au Proche-Orient pour voir le Liban « en vrai » :

> « Fasse le Ciel que ces trois extraordinaires compagnons ne se soient pas laissé entraîner dans la guerre pour la cause palestinienne, engagement qui pourrait nuire considérablement à leur santé, outre que, lors d'une telle occasion, on peut perdre la vie... »

Il évoque ensuite sa « dénazification », en profite pour étaler son amertume vis-à-vis des occupants, réaffirme qu'il était antinazi et qu'il a pris des risques (point important, car cette lettre n'était pas destinée à la publication) :

> « Après ma dénazification, je suis théoriquement un homme libre, ce qui ne veut rien dire aussi longtemps que quatre gouvernements militaires différents exerceront dans un pays détruit leur mode de démocratie ô combien différent, le concept même de démocratie apparaissant fort relatif... Jusqu'à présent, il n'a pas été question de la moindre restitution des biens qui nous ont été volés lors de l'arrivée des Américains. À tel point que c'est en vain que j'attends d'être dédommagé de mon vin, de mon appareil radio, de mon linge, de mon argent... Mais, pire que tout cela, j'ai perdu tous les papiers que pendant des années et au péril de ma vie j'avais volés aux services nazis et que je cachais avec moi. Ils ont disparu à l'arrivée des Américains et, depuis, n'ont pas été retrouvés. Tu parles d'une armée ! Tout d'abord, j'étais obsédé par cette perte, mais, aujourd'hui, je dois avouer que cette perte même a peut-être du bon, car, vu le genre de dénazification qui se pratique en Allemagne, il est tout simplement absurde de vouloir chercher le droit ou la justice et de vouloir contribuer à rendre tout cela un tant soit peu raisonnable. Je suis fermement convaincu que les diverses forces d'occupation continuent d'agir selon les schémas qu'elles avaient organisés en 1942 ou 1943 en les fondant sur de faux principes... »

Il fait des descriptions apocalyptiques de la situation alimentaire et des conditions de logement, parle longuement de l'inflation galopante, puis exhale à nouveau sa rancœur contre les Alliés :

> « Mon beau-frère juif, qui pendant les deux dernières années de la guerre travaillait dans une compagnie disciplinaire au déblaiement de Hambourg et, la nuit, de peur d'être arrêté, dormait contre la porte de la cave, a l'air de quelqu'un qui serait déjà mort ; et cela, bien que le gouvernement militaire anglais ait gracieusement ordonné que tous ceux qui ont été poursuivis par les nazis pendant un temps donné reçoivent un peu plus de denrées alimentaires. Tu rirais si je te disais ce qu'il reçoit de plus, et je veux t'épargner de rire. Si, à Hambourg, il n'y avait pas la nourriture suédoise, ses deux enfants ressembleraient depuis le temps à des prisonniers des camps de concentration... En vérité, celui qui n'a pas pour habitude de s'aider lui-même, dans l'Allemagne d'aujourd'hui, peut bien mourir quand et comme il le veut, et cela, trois ans après la guerre. Peut-être sais-tu, par hasard, si l'on songe à nous accorder la paix, ou si l'on va continuer cette cochonnerie éternellement ? Pourquoi donc les Alliés ont-ils fait la guerre et pourquoi avons-nous risqué notre tête ? Moi, en tout cas, je ne me suis pas mis en contradiction avec toutes les lois allemandes pour voir aujourd'hui le communisme entouré de mille soins, et je crois que toi aussi, tu étais persuadé de servir une bonne cause lorsque tu remettais toi-même toujours en jeu ta vie et ta liberté... »

Cette dernière affirmation est on ne peut plus troublante, car Dickopf semble assimiler l'attitude de son ami à son propre combat antinazi, ce que Genoud, naturellement, a toujours nié !

> « Quand on y songe et qu'on voit ce qu'on fait de l'Europe et du monde, on rejoint l'avis d'une de mes connaissances qui prétend qu'il n'y a qu'une seule bonne politique pour l'individu, à savoir celle qui consiste, toujours et quelles que soient les circonstances, à être pour le système dominant. Chaque jour qui passe me laisse croire que cette idée est vraie, car si, par exemple, j'étais resté en Allemagne et que je m'étais tenu à l'écart des affaires de sanctions, j'irais au moins aussi bien qu'aujourd'hui je vais mal ; au surplus, pendant la guerre, je ne me serais pas fait de souci pour ma famille ni pour moi-même ; dernier point et non le moindre, je n'aurais pas besoin de me reprocher d'être complice de l'actuelle idiotie qui prévaut en Allemagne, ni d'une grande partie des actions criminelles qui s'y commettent... En réalité, la situation est telle que tout tourne en rond et chacun agit à sa guise... »

Dickopf s'emploie à rédiger une histoire de la Police criminelle et fait collection de livres anciens. Dans un passage surprenant, tout comme devant la Justice suisse, il affirme à nouveau qu'ils travaillaient tous deux pour les services de renseignement suisses, ce que Genoud a toujours nié avec la dernière énergie :

> « À mon grand regret, on ne m'a jamais demandé de tes nouvelles, car s'il reste des gens pour nous reprocher d'avoir travaillé avec les services suisses, il n'y a rien à faire pour changer cela. Je ne peux autrement m'expliquer la bêtise de nombreuses questions. Au fait, que pensent les rares personnes qui aujourd'hui fouillent dans les vieux documents ? Croient-ils qu'en ce temps-là on pouvait vivre d'amour et d'eau fraîche, ou qu'il était possible d'obtenir du sieur Hitler une avance avec laquelle ensuite on le combattrait ?... Je crois du reste que, petit à petit, on aura d'autres soucis que la chasse aux fantômes... »

Dickopf prie son ami de lui procurer des livres. Il lui suggère de venir voir en Allemagne ce qui se passe :

> « ...Tu t'apercevrais que nous avions tous tort de croire qu'on faisait la guerre au nom de la liberté, car lorsque tu es Allemand, ton attitude sous le régime hitlérien joue un sacré petit rôle : tu es Allemand et donc condamné d'avance... Pour finir, je voudrais tout de même te dire que tu n'as plus besoin de te faire d'illusions sur la démocratie, car elle creusera sa propre tombe et ne laissera personne l'en empêcher. De toutes façons, j'ai assez d'expérience pour apprendre à aimer les animaux et à considérer les hommes comme le pire mal qui existe sur terre. »

Dickopf lui demande enfin un coup de main d'ordre financier, « d'autant qu'une compensation ultérieure sera facile à faire entre nous deux : j'espère bien que le projet de commerce entre l'Orient et l'Europe sera un jour réalité... ».

L'ancien responsable de l'Abwehr a quelques raisons de s'énerver une nouvelle fois contre les « vainqueurs » quand, le 25 juin 1948, Harry J. Meyers, agent spécial du CIC, le contre-espionnage militaire américain, lui pose des questions expédiées de Bruxelles sur François Genoud, lequel a déjà été convoqué là-bas par les enquêteurs. Dickopf affirme que lui-même a quitté l'Abwehr quand ce service a été intégré par la Gestapo. Concernant Genoud, il déclare d'entrée de jeu : « François Genoud, Suisse, était membre du service de renseignement de l'armée suisse. » Il assure avoir travaillé avec lui de 1941 à 1943. Il fournit deux adresses de son ami, l'une à Bruxelles, l'autre en Suisse. Il précise qu'il lui a procuré un permis de résidence à Mayence et Karlsruhe, divers alibis pour séjourner en Allemagne, et des visas sur son passeport suisse pour entrer en France, en Allemagne et en Belgique. Le procès-verbal d'interrogatoire résume : « En 1941, Dickopf commença à travailler pour le SR suisse. Il fut suspecté par la Gestapo et les enquêtes sur lui commencèrent. Pendant tout ce temps, les activités de Dickopf avaient été couvertes par deux hommes de l'Abwehr, Wagner et Baumeister, deux *alias* recouvrant Max Waaser, de Stuttgart, et le professeur Walter Britzinger, d'Esslingen. Quand la Gestapo mit la main sur l'Abwehr, Dickopf fut forcé de fuir en Suisse où il trouva refuge grâce à l'aide de Wagner et Baumeister qui réussirent à cacher ses activités jusqu'à ce qu'il ait pu gagner ce pays. » Dickopf précise : « Genoud et moi avons fait du marché noir à grande échelle pour financer nos fuites. » Après que Dickopf eut échappé à la Gestapo, Genoud lui aurait procuré une carte d'identité belge avec laquelle il put circuler en France et en Suisse sans autres papiers ni visas.

Cet interrogatoire confirme la ligne de défense adoptée par Dickopf depuis l'automne 1944 devant la justice militaire suisse : il travaillait pour le SR suisse depuis 1941 par l'intermédiaire de Genoud. Il se présente donc comme un agent de François Genoud, continuant ainsi à semer le doute sur la nature des activités de ce dernier pendant la guerre.

Le paradoxe est complet. Genoud pourrait s'appuyer sur de nombreux témoignages et documents existant à Berne, Mannheim et Washington pour affirmer qu'il a eu une conduite honorable pendant la guerre, puisqu'il était un agent des services de renseignement militaires suisses et avait aidé par ce biais les Alliés. Or, il nie farouchement[1] la véracité des témoignages de ses amis Dickopf et Olivet, eux-mêmes couverts par les services de renseignement militaires. Il ne veut pas davantage entendre parler des affirmations de Dickopf dans les lettres que celui-ci lui envoie en 1948. Il s'arc-boute sur une position de fidèle nazi qui a aidé un officier de l'Abwehr à déserter au nom de l'amitié, sans trahir la cause. Il dit regretter de n'avoir pas fait plus pour « son » Führer, et, à propos de son aide à Dickopf, il ajoute : « Je me disais souvent : Ah ! si mon bon Führer savait les circonstances, il m'approuverait... »

Le 4 août 1948, Dickopf écrit une nouvelle lettre à Genoud, moins déprimée que la précédente. Il dit aider Muhidin Daouk à faire des affaires. Il a envie de se lancer dans l'import-export jusqu'à la fin de l'année, date à laquelle les perspectives devraient être pour lui meilleures. Il demande à devenir le représentant de Genoud dans son commerce de livres. Il le prie de venir à Wiesbaden et, pour ce faire, de se rendre à la légation américaine à Berne pour obtenir un visa. Il évoque enfin les « histoires de Bruxelles », autrement dit son interrogatoire du 25 juin précédent : la bureaucratie alliée est tellement pléthorique qu'il n'a pas été étonné qu'on l'interroge sur cette affaire ; tout a été déformé et il s'est efforcé de rétablir la vérité ; il est lassé de l'incompréhension qu'il rencontre, et, n'ayant aucune envie de répéter à l'infini les mêmes choses, il s'est contenté de donner l'adresse de Genoud comme garantie. Il a expliqué à l'officier comment Genoud et lui se sont entraidés pendant la période nazie : « J'espère qu'on finira par nous pardonner de ne pas avoir assassiné Hitler ! » Il continue ainsi, dans une lettre privée, à assimiler l'attitude de Genoud à son combat antinazi !

Dickopf ignore que le CIC a rédigé sur lui, le 31 août 1948, un mémorandum secret qui explique probablement en partie sa

1. La seule pression que Genoud a tenté d'exercer sur moi pendant l'enquête a porté sur ce point : « Je vous demande instamment de ne pas dire que j'étais un agent du SR suisse. »

carrière ultérieure : « Rien ne sera fait actuellement avec lui comme source possible d'informations. Il est cependant recommandé de le garder de côté pour une utilisation future. Dickopf a de très grandes possibilités en tant que *stay-behind agent* ["agent dormant"] ou pour quelque mission spéciale. D'après les informations dont nous disposons, il est favorable à la politique des Alliés et a prouvé ses capacités par le passé. »

Il faut ici rappeler la tension qui existait alors entre l'URSS et le monde occidental. Les puissances de l'Ouest montaient alors des « réseaux dormants » pour être en mesure de lutter contre les Soviétiques si, comme ils le croyaient, ceux-ci venaient à envahir l'Europe. Ces opérations prirent le nom de « Gladio » en Italie, « Stay-behind » en France, etc.[1]. Le CIC voyait donc en Dickopf une « taupe » possible en cas de coup dur.

Dans une lettre datée du 1er octobre, Dickopf presse son ami de venir à Wiesbaden pour lancer avec lui des projets d'édition. À propos du visa qu'il doit obtenir, il lui conseille fortement de s'adresser à « Mr. Bill Hood, Berne, Dufourstrasse... Dis que tu es mon ami et que je t'ai écrit de le prier de t'aider ». Bill Hood est cet ancien de l'OSS qui, en octobre 1948, faisait partie de la CIA, que j'ai pu joindre dans sa retraite et qui n'a pas voulu me croire quand je lui ai dit que son ami Dickopf était un ancien de l'Abwehr...

Tout va bientôt aller pour le mieux pour Dickopf. Il deviendra conseiller des Américains pour les affaires de police criminelle et de justice. Il travaillera avec acharnement à la constitution d'une police criminelle pour l'ensemble de la zone américaine. Dickopf prendra ensuite contact avec les membres du premier gouvernement de la République fédérale, notam-

1. L'existence de ces réseaux dans les pays européens de l'Alliance atlantique a été révélée en novembre 1990, à la suite de la découverte de « Gladio » (le glaive) en Italie. En France, « Stay-behind » était — selon Claude Silberzahn, ex-patron de la DGSE — une structure dormante et non armée, destinée à maintenir en place un réseau logistique (essentiellement de communication et d'exfiltration) en cas d'occupation du territoire par les forces ennemies.

ment le ministre de l'Intérieur qui le chargera officiellement de trouver un lieu où installer le siège de la future police criminelle (BKA). Il rencontrera encore quelques difficultés pour expliquer son passé, mais sera finalement choisi comme collaborateur du ministre et jouera un rôle clé dans la création du BKA[1] dont il mettra sur pied l'organisation et définira les grandes orientations... En 1951, il sera nommé conseiller gouvernemental pour les affaires de police criminelle. Son rôle ne cessera de grandir et il deviendra membre du comité exécutif d'Interpol à partir de 1952.

Avant de quitter la Belgique parce que « ça sent le roussi », Genoud fait don à Liliane de sa société de distribution dont l'ex-mari d'Élisabeth va désormais s'occuper. Abandonnés et complètement déboussolés, Liliane Genoud et Georges Van der Eesen décident alors de vivre ensemble et ne tarderont pas à s'épouser. Quant à Genoud et à Élisabeth, ils partent d'abord pour la Suisse, puis se dirigent vers la péninsule Ibérique.

Bourquin s'était installé en Espagne, pays pour lequel il avait une grande prédilection et où il avait séjourné quelques années avant la guerre. L'Espagne franquiste, qui abritait beaucoup de « réprouvés », offrait de larges possibilités pour l'édition telle qu'il la concevait. Genoud rejoignit son ami Bourquin et fit la navette entre Tanger, où il avait une adresse légale[2], Madrid et Lisbonne, où il élut également domicile. Il monte des sociétés d'édition destinées à échapper aux divers contrôles suisses ou belges. Depuis 1946, il est aussi actionnaire d'une banque, la Martan (Maroc-Tanger), dont son ami Pitron assure la direction. En 1948, Genoud va gagner de l'argent en fournis-

1. Bundes Kriminal Amt, le service fédéral allemand de police criminelle.

2. En 1961, les Suisses découvrirent que sa domiciliation à Tanger était fictive et mirent donc fin à son congé militaire, ce qui l'obligeait à faire une période militaire : autant dire pour lui le bagne ! La « chance » voulut qu'en revenant de Turquant (la résidence forcée des cinq chefs historiques du FLN) avec le mari de sa belle-fille Anne, il eut un sérieux accident qui lui écrasa deux vertèbres, l'immobilisant et le rendant inapte à tout service militaire...

sant à des banques suisses des opportunités et des montages d'évasion fiscale discrets et sûrs à certains de leurs déposants français, dont les fonds avaient été bloqués aux États-Unis pendant la guerre. Pour ces faits, François Genoud sera d'ailleurs inscrit au fichier central de la police française le 8 septembre 1951. Connu comme banquier proche des fascistes et des Européens bruns, il n'est pas étonnant qu'il accepte d'acheminer de l'argent à l'ancien cagoulard Henri Deloncle, réfugié en Espagne. À Tanger, Genoud renoue avec les milieux nationalistes marocains. Pitron le présente à Hachemi Cherif, dont le frère aîné était le chef interprète de la zone internationale. Hachemi Cherif jouera un rôle central dans le retour du sultan Mohammed V et le départ de l'éphémère sultan « *made in France* ».

Élisabeth et François retrouvent aussi Léon Degrelle. Avec Bourquin, Genoud s'occupe activement de l'« accouchement » et de la publication des deux premiers livres de l'ancien leader rexiste : *La Campagne de Russie* et *La Cohue de 1940*, qui seront saisis en France, en Suisse et en Belgique. « La démocratie se déchaîne, violant allégrement ses principes les plus sacrés ! » commente aujourd'hui François Genoud.

En Espagne, il y a légion de personnalités dont la fréquentation enchante le couple Genoud. Il sympathise avec Abel Bonnard, exclu de l'Académie française pour avoir été ministre de l'Éducation nationale du maréchal Pétain de 1942 à 1944, proche du PPF de Jacques Doriot et qui a préféré fuir la France à la Libération. Comme tout ce petit monde d'anciens collaborateurs et d'anciens nazis, les Genoud sont proches de Ramon Serrano Suner, beau-frère de Franco. Genoud et Bourquin publient son livre, *Entre Hendaye et Gibraltar*. Le premier voit en lui le « digne » successeur de José Antonio Primo de Rivera, créateur des Phalanges, même si ses rapports avec Hitler n'ont jamais été des plus cordiaux : « Serrano Suner était totalement engagé dans le combat entre les anticapitalistes et les marxistes, et son très grand souci de la dignité de sa patrie n'avait que des aspects positifs. C'était l'homme le plus fidèle et le plus loyal qui soit. »

Les Genoud rentreront en Suisse pour la naissance de leur premier enfant.

À la fin des années 1940, Genoud s'emploie à systématiser ce qu'il a fait jusqu'alors de façon artisanale : rechercher les grands réprouvés nazis et les têtes d'affiche de la Collaboration européenne. Il souhaite d'abord les connaître, puis leur faire raconter leurs souvenirs, sur lesquels tout le monde crache. À travers eux, il entend s'accaparer des bribes de la « grandeur » nazie et se rapprocher ainsi de « son » Führer. Il veut se replonger dans une pièce qu'il n'a vue finalement que de loin, malgré ses efforts pour se rapprocher de la scène. Au fond de lui-même, il ressent la contradiction majeure qu'il a vécue au cours de cette période en préférant l'amitié à l'idéologie, Paul Dickopf, le déserteur, à Hitler.

Dès 1945, il a commencé cette quête luciférienne. À y regarder de plus près, il n'y a rien de bien nouveau dans son attitude qui l'a toujours porté à fréquenter et à aider les rejetés de la société. Or, y a-t-il plus réprouvés que les nazis et les anciens collaborateurs après la défaite du IIIe Reich ? Il y a un côté « visiteur de prison » chez François Genoud. On dirait que toute sa vie a été bâtie sur une volonté systématique de se trouver à contre-courant ou du mauvais côté de l'Histoire.

Paradoxalement, c'est ainsi qu'il va se faire connaître, endossant une partie de la renommée de ses « clients ». Avant qu'il ne se lance dans la recherche de ces héros négatifs, il n'était rien, nul ne le connaissait. Il ne va pas tarder à se faire un nom dans les milieux fascistes, nazis et vichyssois. Lui, le modeste employé de la maison Genoud, qui a arrêté ses études au niveau du brevet, connaît paradoxalement une rapide ascension sociale. Mais c'est dans une hiérarchie qui relève d'un passé maudit : on ne peut dire qu'il ait rencontré beaucoup de concurrence pour se hisser parmi ces individus honnis du reste de l'humanité.

Au début, Genoud écrit dans les prisons, soutire à ses amis des recommandations auprès des plus grandes figures. C'est ainsi qu'il écrit à Jacques Benoist-Méchin, ancien secrétaire d'État dans deux gouvernements à Vichy, alors que celui-ci se trouve encore derrière les barreaux. Quand il en sortira, c'est avec plaisir qu'il rencontrera cet ami de Lausanne qui cherche à rééditer l'*Histoire de l'armée allemande*. Et, comme les nombreux prisonniers auxquels s'intéressera Genoud, Benoist-Méchin réagira avec gratitude vis-à-vis d'un homme qui, toute sa vie, mêlera l'amitié et les affaires, tout en rendant d'innombrables services aux déclassés et marginaux de l'Histoire. Sans en être probablement conscient, il crée ainsi des situations de dépendance qu'il n'utilisera pas forcément, puisqu'il se sent déjà « payé » par l'entrée de ces personnages dans son propre univers.

C'est aussi le cas de Raymond Abellio, rattrapé par son passé et obligé de se réfugier en Suisse en 1947. Proche d'Eugène Schueller, patron de L'Oréal mais aussi financier de la Cagoule avant la guerre et du MSR (Mouvement social révolutionnaire[1]) pendant la guerre, Abellio avait été, à partir de 1941, un très proche collaborateur du chef de la Cagoule, Eugène Deloncle, avant de devenir secrétaire général du très collaborationniste MSR. Le tandem Jardin/Bourquin accueillit à bras ouverts ce vichyssois en difficulté, qui fut naturellement amené à rencontrer Genoud...

Malgré la sollicitude de Jardin et des autres protecteurs du « Cheval ailé », Constant Bourquin a toujours eu beaucoup de mal à compter et à bien gérer sa maison d'édition. On le sent plus à l'aise dans le choix de photos destinées à un album d'art ou dans celui de bons vins que dans la lecture de registres comptables. Début 1948, il a du mal à honorer 39 900 francs

1. Le Mouvement social révolutionnaire a été fondé le 15 septembre 1940 par Eugène Deloncle et les chefs de la Cagoule. Le MSR « reprend le vieux programme traditionnel de néo-nationalisme xénophobe, d'antisémitisme systématique, de conservatisme intellectuel, social et économique, de lutte antirépublicaine et marxiste », selon les termes d'un rapport de la PJ après la guerre.

suisses qu'il doit à François Genoud, son plus gros créancier, lequel lui apporte un grand nombre d'affaires. Au terme de laborieuses discussions, Bourquin lui cède un stock de livres à Paris, et ses droits sur trois contrats que les éditions du Cheval ailé ont signés le 3 juillet 1947 avec Raymond Abellio. Genoud se retrouve ainsi détenteur des droits des ouvrages suivants : *Les Yeux d'Ézéchiel, La Bible, document chiffré* et *Vers un nouveau prophétisme*. Pendant deux ans, Genoud et Abellio entretiennent une importante correspondance. L'ancien secrétaire général du MSR a le plus grand mal à joindre les deux bouts et réclame d'urgence des avances. Les lettres évoquent souvent des négociations d'Abellio avec Gallimard, qui doivent recevoir l'aval de Genoud. Abellio se plaint de la difficulté qu'il a à joindre son « ami », lequel se balade toujours autant, mais séjourne alors le plus souvent à Lisbonne. Le 15 avril 1949, Genoud donne pleins pouvoirs à Abellio pour négocier la cession des *Yeux d'Ézéchiel* et de la *Bible* à un éditeur sérieux de son choix. Abellio signe avec Gallimard à la fin de 1950 et Genoud récupère de la sorte les avances qu'il a consenties à l'auteur. Les relations entre les deux hommes restent suffisamment bonnes pour qu'Abellio demande à son ami de l'aider à s'installer en Espagne. Finalement, il rentrera en France en 1952.

La sympathie de Genoud pour l'Allemagne de l'après-guerre obéit aux mêmes ressorts que sa germanophilie du début des années 1930 : l'humiliation résultant de l'application du traité de Versailles hier, le comportement des occupants alliés aujourd'hui. Après Tanger, Lisbonne, Lausanne, il vit désormais à Barbizon où sa femme a acheté la villa « Verfeuille », mais l'Allemagne exerce toujours sur lui la même fascination : « Tant d'hommes éminents, de héros sont toujours là, et le peuple allemand a tant de vertus que dans les décombres moraux et physiques, dans les indicibles souffrances, il reconstruit son pays sur un territoire incroyablement diminué, avec des millions de réfugiés chassés de leur terre. Je pense que jamais peuple n'a été si héroïque et si grand dans le succès, si courageux dans l'adversité. Je retrouve et découvre beaucoup d'amis. » Mais il ne se contente pas de compatir à la détresse des Allemands : « L'Allemagne était défaite. J'étais révolté par le comportement des vainqueurs qui violaient tous les droits de la façon la plus barbare vis-à-vis des vaincus. J'ai été particulièrement choqué par les législations qui permettaient de juger les Allemands alors qu'ils ne devaient de comptes qu'à leur propre pays. Des gens qui s'étaient battus pour leur patrie étaient traduits devant les tribunaux. Dans cette législation de spoliation totale des responsables nationaux-socialistes, j'ai découvert une petite faille : le droit d'auteur. Le droit d'auteur comporte un droit moral imprescriptible qui ne peut être cédé de son vivant. Il ne tombe pas sous les lois de blocage et de séquestre de tous droits... Je me suis intéressé en premier lieu au cas de Hitler... »

Parce que cela se sait, la « chance » va lui sourire... Début juin 1948, l'éditeur italien Rizzoli fait parvenir au « Cheval ailé » la correspondance entre Martin Bormann et sa femme, qui aboutit dans le casier de Genoud, spécialiste des choses allemandes. Genoud est fasciné par la large écriture du plus proche collaborateur du Führer. Les mots d'amour échangés par le couple alors que Bormann sait que l'Allemagne va s'écrouler dans un fracas wagnérien le touchent au plus profond[1]. Il est également sensible à l'anticléricalisme viscéral de Bormann qui transparaît dans une lettre envoyée à la veille des fêtes : « Veille à ce qu'il n'y ait pas une goutte de ce poison chrétien qui touche l'âme de nos enfants... » Mais Rizzoli en veut beaucoup d'argent. Or, Genoud ne voit pas ce qu'il peut en faire : d'un strict point de vue historique, les révélations sont quasi inexistantes. C'est la mort dans l'âme qu'il renvoie ces lettres à l'expéditeur, sans pour autant renoncer à l'idée de les récupérer un jour.

1. Voir en annexes, une des dernières lettres de Bormann écrite dans le bunker de Hitler.

Le 21 juin, le Dr Pietro Zampetti, « soprintendante alle Gallerie delle Marche », lui écrit de Gênes pour lui signaler que c'est lui qui est chargé de négocier ces documents pour le compte de leur propriétaire. Genoud lui répond et une correspondance s'amorce entre les deux hommes, qui durera jusque vers la fin de 1949. Toujours intéressé par l'acquisition des lettres d'un des principaux héros de son panthéon personnel, Genoud est très intrigué par le cheminement de ces lettres. Il est rapidement convaincu que le prétendu propriétaire a dérobé ces documents qui ne sont pas là où ils devraient être. Il souhaite les récupérer au nom de la « Cause ». En décembre 1949, il décide de les réexaminer et de les acheter.

Le 26 janvier 1950, Genoud rencontre Zampetti à Rome. Les discussions entre le Lausannois et l'Italien sont difficiles, car le premier ne maîtrise pas la langue de Mussolini que le second pratique exclusivement. Zampetti trouve enfin un interprète qui parle couramment l'allemand, langue qui n'a pas grand secret pour Genoud. Zampetti lui confie alors sous le sceau du secret que ce prétendu interprète n'est autre que... le propriétaire des lettres de Bormann ! À la suite d'une maladresse de Zampetti, Genoud apprend que l'homme s'appelle Rusconi.

Pour le décider à acquérir la correspondance de Bormann, Rusconi laisse entendre à Genoud que, l'affaire conclue, il pourra avoir accès à des documents encore beaucoup plus importants : la prise en notes de propos tenus par Hitler pendant la guerre.

Au cours des repas qu'il prenait avec ses nombreux collaborateurs au Grand Quartier général, ainsi que durant la réception appelée « l'heure du thé », Hitler parlait beaucoup. Certains de ses proches estimaient regrettable que ces propos fussent définitivement perdus. Hitler accepta qu'ils fussent consignés, mais à condition de pouvoir en disposer à tout moment et qu'ils ne fussent pas enregistrés de façon mécanique. Il confia cette mission de confiance à Martin Bormann, son collaborateur le plus direct. Celui-ci dut à son tour trouver quelqu'un de tout à fait fiable, capable de garder le secret le plus absolu. C'est Heinrich Heim qui fut choisi : l'un des tout premiers adhérents au parti national-socialiste, lui aussi collaborateur de confiance de Hitler, il avait longtemps travaillé au secrétariat du parti nazi. Obligé de quitter Berlin pendant trois mois pour organiser une exposition de peintures, Heim confia à un suppléant, Heinrich Picker, le soin de le remplacer durant cette absence au cours du printemps 1942. Pour qu'il sache comment rédiger les notes, Heim lui communiqua alors une partie des siennes. Picker garda un double de ces notes prêtées par Heim ainsi que de celles qu'il avait prises... C'est à ces documents que Rusconi faisait allusion.

Très excité, Genoud achète les lettres de Bormann et s'en retourne en Suisse. Le poisson est ferré. Il laisse s'écouler peu de temps avant d'écrire à Zampetti pour entamer les discussions sur le second volet de l'opération : l'achat des « Propos de Hitler ». Mais, malgré ses lettres répétées à Zampetti, rien ne se passe : l'Italien ne répond pas.

Ce n'est qu'au début de septembre 1950 que Genoud réussit à obtenir un rendez-vous avec Zampetti entre Ancône et Urbino. Genoud sympathise de plus en plus avec l'intermédiaire, qui lui dit faire son possible pour convaincre son ami de vendre les « Propos ». Au cours de ce rendez-vous, Zampetti apprend à son interlocuteur qu'il existe aussi des aquarelles de Hitler. Il en possède une et la vend à Genoud, transporté à l'idée de posséder une œuvre picturale de son suprême héros[1]. Sans grande conviction, Zampetti indique qu'il a acheté naguère cette aquarelle à un soldat allemand, à Trente, au moment de la débâcle. Genoud objecte : « Cette aquarelle se trouvait certainement dans les archives de Bormann, avec toutes celles peintes par Hitler... » Le silence et le sourire de Zampetti valent confirmation. Genoud est bien sur la trace du trésor.

Zampetti réussit finalement à joindre Rusconi à Naples. Le propriétaire du trésor, toujours convaincu que Genoud ne

1. Cette aquarelle de Hitler est toujours entre les mains de Genoud.

connaît pas son identité, lui fixe rendez-vous à Venise. Rusconi rencontre Genoud à son hôtel, à un jet de pierre du palais des Doges.

Le Suisse a la même impression désagréable que la première fois : Rusconi ment constamment, il fait croire qu'il n'est lui aussi qu'un intermédiaire, que le vrai propriétaire se fait tirer l'oreille... Des mois passent. Rien ne progresse avec l'Italie. De guerre lasse, Genoud confie l'affaire à son conseil. De son côté, le Dr Zampetti prend également un avocat.

Genoud est d'autant plus impatient qu'il a découvert le cheminement des archives Bormann, comprenant notamment sa correspondance, les fameux « Propos de Hitler » et les aquarelles du Führer. Elles étaient déposées chez lui, dans des caves, à Ober-Salzberg. Quand les Alliés sont arrivés dans la région, Mme Bormann est partie pour le sud du Tyrol en les emportant. Arrivée à Bolzano, elle a été arrêtée et internée dans un camp. Rusconi, fonctionnaire de l'administration des Beaux-Arts, était chargé de veiller à ce que les Allemands n'emportent pas d'œuvres du patrimoine italien dans leur retraite, et à ce que les Américains ne fassent pas de même dans leur avancée. C'est lui qui a trouvé les caisses de documents (certaines, en tout cas). Ces caisses n'ayant plus de propriétaire identifié, il les a gardées. Plus tard, il a cherché à vendre les aquarelles de Hitler. Il a réussi à en écouler quelques-unes auprès d'acheteurs américains. Il s'est également évertué à monnayer les lettres de Bormann.

Son enquête en Allemagne a permis à Genoud de rencontrer, près de Bolzano, le curateur de la succession Bormann, le vicaire Theodor Schmitz qui a pleine procuration pour traiter tout ce qui concerne les droits d'auteur du principal collaborateur de Hitler. Avant de mourir d'un cancer dans un camp de prisonniers, Mme Bormann avait désigné comme tuteur de ses enfants l'aumônier catholique du camp. « Ce n'est pas parce que j'étais l'aumônier catholique — elle-même était d'origine protestante — qu'elle m'a nommé, mais parce qu'elle avait confiance en moi... », raconte-t-il au Lausannois.

Genoud a également appris le chemin emprunté par Adolf-Martin, fils aîné des Bormann et filleul de Hitler : après l'effondrement du Reich, il s'est réfugié dans les montagnes et a été recueilli dans un petit hameau par de braves paysans catholiques. Là, il a commencé à se poser des questions : « Comment mon père a-t-il pu agir contre ces gens-là ? » Adolf-Martin est devenu prêtre, malgré les conseils de son tuteur qui objectait que sa vocation n'était qu'une réaction contre son père. Le tuteur avait raison : peu après son ordination, Adolf-Martin s'est épris d'une religieuse qu'il a ensuite épousée. « C'était un Bormann à tous points de vue », conclut Genoud.

Genoud n'a aucune difficulté à convaincre le vicaire de signer avec lui un contrat lui cédant tous droits sur la succession Bormann. Il le reverra encore à plusieurs reprises dans le nord de l'Allemagne, du côté de Lübeck. Après sa première rencontre avec le vicaire, il rend visite à Milan à la fille aînée de Bormann. Il attendra de nombreuses années pour faire la connaissance d'un autre des fils Bormann, en Rhénanie. En revanche, il n'a jamais rencontré le « filleul de Hitler ». Celui-ci a dénoncé son action et pris un avocat pour engager une procédure contre lui...

Un nommé Hans Rechenberg

En janvier 1951, les communistes déclenchent une très violente campagne contre le réarmement allemand, les « revanchards » et le projet de défense européenne[1]. Les manchettes de *L'Humanité* se déchaînent contre ceux qui tendent ainsi la main aux anciens nazis, dont la liste des atrocités est déroulée à longueur de colonnes. Le PC mobilise contre la venue prochaine à Paris de deux généraux allemands. Le 26 janvier, en première page, l'organe du Parti communiste interroge : « Le général nazi Ramcke, "évadé" avec la complicité des autorités françaises, a-t-il déjà rencontré le général de Hitler, Speidel, à qui Eisenhower serrait la main le 22 janvier ? »

Le général Ramcke était « prisonnier sur parole » depuis octobre 1950 à la pension « Bois-Margot », à Soisy-sur-Seine, en attendant d'être jugé par le tribunal militaire du Cherche-Midi. Ramcke, officier parachutiste, était considéré comme un héros sous le IIIe Reich. Ayant conquis le canal de Corinthe et la Crète, il était le seul titulaire de la Croix de fer à avoir reçu simultanément les deux plus hauts grades, les « glaives » et les « brillants », pour son héroïque défense de Brest. Il avait en effet été chargé par Hitler de tenir le Finistère coûte que coûte et avait effectivement tenu la poche de Brest jusqu'au 17 septembre 1944, forçant l'admiration d'Eisenhower qui, dans ses mémoires de guerre, en parle comme d'un « combattant excep-

1. Le projet de la Communauté européenne de défense (CED) va déchirer la France de 1951 à 1954. Gaullistes et communistes s'acharneront contre lui et parviendront à l'enterrer.

tionnel ». Les généraux Middleton, Gerhardt et Robertson se montrèrent tout aussi admiratifs à son égard. Middleton ira jusqu'à écrire une lettre qui sera produite au procès Ramcke et dans laquelle il dit : « Vos troupes furent les meilleures que j'aie rencontrées durant la Deuxième Guerre mondiale. Je regrette bien vivement d'avoir ignoré votre passage en Amérique il y a quelque temps. Nous aurions passé en revue nos stratégies respectives dans la péninsule bretonne. »

Tout cela agace prodigieusement les communistes, qui ne voient en Ramcke qu'un nazi comme les autres à qui sont d'ailleurs reprochés 150 meurtres, divers cas de tortures et autres exactions pendant le siège de Brest. Pour *L'Humanité*, il ne fait aucun doute que le gouvernement français, qui pactise avec les « nazis », est responsable de l'évasion du général. Des affiches fleurissent sur les murs de la capitale, protestant contre l'évasion du « boucher de Brest ».

Le général allemand tient une conférence de presse à Hambourg à la mi-février, analysée comme une véritable provocation. Les communistes enragent encore davantage quand ils apprennent qu'André François-Poncet, haut-commissaire français en Allemagne, a déclaré officiellement que le général Ramcke ne risquait pas une condamnation bien sévère. Ramcke en est si bien convaincu qu'il revient tranquillement en France et se constitue prisonnier à la caserne de Reuilly, le 8 mars. Il justifie son évasion par les lenteurs de la justice française. Il est conduit au fort de Cormeilles-en-Parisis. La justice se montre alors plus prompte, puisqu'il comparaît devant le tribunal militaire du Cherche-Midi à partir du lundi 19 mars pour répondre de « violences et exactions ».

Les communistes manifestent une nouvelle fois leur dépit à l'occasion de ce procès qu'ils estiment « arrangé », notamment à cause de la personnalité du président, Pierre Ménégaux, qui a jugé pendant la guerre les patriotes de la rue de Buci et du lycée Buffon. Ramcke semble effectivement plus écouté que les témoins qui racontent les exactions, les meurtres, les cas de tortures. L'un d'eux déclare même avoir vu une boîte remplie d'oreilles de patriotes. À chaque déposition en sa défaveur, Ramcke répond : « J'ignore ces détails. » Plus généralement, il affirme pour sa défense qu'il était « contre toute irrégularité dans le combat. Nous combattions les Américains. La population nous attaquait ; 70 % de nos pertes (9 000 tués, 20 000 blessés) furent causées par les FFI. Il fallait penser à la sécurité de nos troupes... ».

Le général est entendu, puisqu'il n'est condamné qu'à cinq ans de réclusion, pratiquement couverts par le temps qu'il a déjà passé en prison aux États-Unis puis en France. Ramcke quitte ce pays le 23 juin pour rejoindre sa famille en Allemagne.

Telle est l'histoire officielle de l'évasion et du jugement du général Ramcke. Elle passe sous silence le rôle de François Genoud et d'un autre nazi suisse, son ami Bauverd qui, dans cette affaire, a une nouvelle fois croisé son chemin.

Les deux anciens frontistes s'étaient séparés en 1941. Genoud était parti vers Fribourg, puis Bruxelles. Bauverd rejoignit la même année leurs amis Georges Oltramare et Paul Bonny qui collaboraient à Radio-Paris (« Radio-Paris ment... Radio-Paris est allemand... »). Il était payé par l'ambassade d'Allemagne à Paris et s'occupait de la propagande à destination du Moyen-Orient. « Ça a tellement plu aux Allemands qu'ils m'ont appelé à Berlin pour remplir la fonction de rédacteur en chef — mais sans le titre, car je n'étais pas Allemand — à Radio-Métropole », se souvient Jean Bauverd. Il y exerça ses talents de propagandiste à destination du monde arabe à compter d'avril 1942. Ce fut pour lui l'occasion de retrouver le Grand Mufti, mais aussi d'autres grands leaders, trois vieilles connaissances, comme Rachid Ali Khailani (l'homme qui avait lancé de Bagdad la guerre sainte contre les Anglais au début de la Seconde Guerre mondiale), Fauzi el-Kaukji, ancien chef de l'armée révolutionnaire de Palestine... « Je suis alors leur interprète auprès du ministère des Affaires étrangères et je facilite la coopération entre les Arabes et le Reich. » Genoud croise également le Grand Mufti à Berlin en 1943.

Puis Bauverd donne son congé à l'Interradio et s'inscrit au cours organisé par les Waffen SS à Cernay (Alsace), dans l'espoir d'y « trouver quelques traces de l'idéal pour lequel il était venu en Allemagne[1] ». De retour à Berlin, il refait du journalisme en direction des pays baltes. En septembre 1943, il reçoit une proposition en vue de travailler à la création d'un nouveau poste d'information à Radio-Monte-Carlo, sous les ordres du Dr Woellner. Lors du débarquement des Alliés à Saint-Raphaël, il quitte la principauté et regagne Berlin.

Il souhaite alors se battre contre les bolcheviques sur le front de l'Est et s'engage dans les Waffen SS. Mais il est alors convoqué par le patron de la radio qui lui remontre qu'il sera plus utile au Reich en faisant de la propagande à destination de la France et des francophones. En mars 1945, il se trouve ainsi à la tête d'une quarantaine d'étrangers qui émettent les ultimes diatribes hitlériennes...

Bauverd part finalement pour l'Autriche et y reste jusqu'au 8 mai. Il rentre ensuite clandestinement en Allemagne, puis revient en Suisse, le 2 janvier 1946, au volant d'une BMW de couleur rouge-brun. Il revoit naturellement ses amis Genoud et Muhidin Daouk. De retour en Allemagne dans le courant de 1946, il se fait arrêter par la gendarmerie française au poste-frontière de Grenzach-Horn, porteur d'éditoriaux dont il est fier et d'une photo en uniforme SS. Il croque alors sa pilule de cyanure (contenant du mercure)...

— Je suis le seul à avoir résisté au cyanure ! déclare-t-il crânement. Il est vrai que j'ai longtemps eu de violents maux d'estomac...

Le 26 septembre 1946, Bauverd est refoulé sur la Suisse. Il y est arrêté et fait deux mois de prison. Un peu plus tard, il est à nouveau convoqué pour répondre de sa « collaboration avec l'Axe ». (Il ne nie pas, aujourd'hui, avoir souhaité la victoire de

1. Archives fédérales de Berne, E4320 1973/17.

l'Axe ni avoir collaboré.) Bauverd est condamné le 23 mars 1948 à un an de prison ferme pour espionnage politique. Après la condamnation, il rencontre Genoud qui lui dit de « foutre le camp de Suisse » et lui prête mille francs pour qu'il parte.

Bauverd prend le bateau pour Évian, puis le train pour Paris. Il se rend à l'ambassade de Syrie, qui lui accorde un visa. Pendant deux ans, il dirige la radio syrienne en langue française et renoue avec son métier de propagandiste contre le sionisme et les Juifs. « Je n'ai pas honte de mes opinions ! » lance-t-il après avoir développé sa théorie favorite sur la connexion sionisme-marxisme-impérialisme, qu'il décline comme au temps où il rédigeait des éditoriaux pour *Front national.* Il fréquente les nationalistes arabes au Caire et les nazis qui y sont installés.

Sachant ses dossiers trop épais en France, en Allemagne et en Italie, et conscient qu'il ne peut remettre les pieds en Suisse, Bauverd décide ensuite de s'installer en Espagne, « seul pays où j'étais tranquille ». Il y reste dix ans, aide les réfugiés belges rexistes et les fugitifs allemands à quitter les démocraties européennes et à trouver asile chez Franco. Il est particulièrement fier d'avoir obtenu par Serano Suner, beau-frère du Caudillo, une telle autorisation de séjour pour l'ancien chef SS Otto Skorzeny, ex-patron du « service Action » des services de renseignement extérieurs de la Gestapo. Skorzeny resta longtemps protégé par l'« organisation Gehlen » avec laquelle ses liens étaient étroits.

Aujourd'hui, Bauverd n'a pas changé d'un iota. Il affiche toujours le même antisémitisme. Il est révisionniste : « L'holocauste est une invention destinée à faire oublier ce que les sionistes ont fait en Palestine. » Il parle de la France comme du « pays le plus enjuivé ».

— Vous en avez quatre millions, n'est-ce pas ?

— Votre ami Genoud partageait-il les mêmes opinions sur le sionisme et les Juifs ?

— Genoud a toujours été très antisioniste. Je n'ai jamais parlé des camps de concentration avec lui.

Mais, d'un seul coup, il se souvient qu'un jour son ami lui a fait remarquer que la politique antisémite de Hitler avait constitué une grave erreur, car elle avait finalement renforcé le sionisme et donc coûté très cher aux Palestiniens.

— Je n'ai pas la haine du Juif, mais je considère l'impérialisme sioniste au même titre que l'impérialisme soviétique ou américain.

Après la guerre, l'ancien auxiliaire de la *Propagandastaffel* de Goebbels sillonna donc le monde arabe, résida en Espagne et put venir en France sans être inquiété. Le voici en tout cas à Paris, à l'automne 1950, pour s'occuper du général Ramcke, « prisonnier sur parole » à Soisy-sur-Seine. Il prend contact avec son vieil ami Genoud qui habite alors, à Barbizon, la villa Verfeuille, propriété de la dame qui n'est pas encore sa légitime épouse. Genoud accepte de servir de chauffeur à son ami pour le conduire de Paris à Soisy-sur-Seine, qui n'est pas très éloigné de Barbizon. Les deux hommes rencontrent le général Ramcke à la pension Bois-Margot. Ramcke, qui est accompagné d'un autre général allemand, doit se rendre chaque jour à la gendarmerie de l'endroit.

Genoud n'avait jamais entendu parler du « héros » du réduit de Brest. À un moment donné, Bauverd s'isole avec Ramcke et s'entretient un certain temps en tête à tête avec lui, cependant que Genoud reste en compagnie de l'autre officier, un général du génie. Puis Genoud quitte la pension et reconduit Bauverd à Paris. Il s'apprête ensuite à rentrer chez lui, mais se ravise soudain et décide de refaire un détour par la pension Bois-Margot pour revoir Ramcke, qui lui a fait une forte impression.

Genoud entame une discussion avec le général :

— Les Allemands me surprennent toujours ! Tout chez eux est fait sur ordre. Quand on leur ordonne d'être des lions, ils sont des lions. Quand on leur ordonne d'être des moutons, ils sont des moutons. Il y a encore des dizaines de milliers de prisonniers allemands : pas un ne se sauve !...

— Mais c'est ce que je veux faire... J'en ai parlé avec votre ami, mais il m'a dit qu'il ne fallait surtout pas..., rétorque le général.

— Au contraire, c'est ce qu'il faut pour attirer l'attention de l'opinion publique internationale !

Genoud ignore alors que si son ami Bauverd a instamment prié le général de ne pas s'évader, c'est qu'il a obtenu du président du tribunal militaire la promesse que Ramcke serait prochainement libéré. Genoud ne l'a appris — par moi ! — que quarante-cinq ans plus tard...

C'est chez lui, dans le sud de l'Espagne, que Bauverd m'a raconté cet épisode. Au début des années 1950, toujours aussi fasciné par l'Allemagne, il y retourne et y découvre une nouvelle cause : le rapprochement franco-allemand. Il comprend que l'emprisonnement du général Ramcke par les Français constitue, aux yeux des Allemands, un obstacle déterminant à la réconciliation entre les deux pays. De retour à Paris, il parvient à entrer en contact avec le président du tribunal militaire et lui dit en substance[1] :

— Monsieur le Président, je n'ai aucun titre pour vous adresser la requête que je vais vous faire. Mais la réconciliation entre la France et l'Allemagne achoppe sur l'incarcération du général Ramcke, qui est très populaire en Allemagne...

— Je sais bien, mais...

— Ramcke est innocent, il n'a fait que son devoir de soldat.

— Je le sais, mais l'opinion publique n'accepterait pas sa libération.

— Vous-même savez qu'il est innocent. L'Histoire a été faite par des hommes courageux qui ont su braver l'opinion publique. Êtes-vous prêt à faire partie des hommes de cette trempe ?

---

1. Entretien reconstitué à partir du témoignage de Jean Bauverd et ne reflétant donc que sa propre version de ce dialogue.

— J'ai été pétainiste. Le général Ramcke sera libre, mais attention : il ne doit pas s'évader d'ici la décision...

« C'était peu avant les fêtes de fin d'année, me raconte Bauverd. J'ai demandé à mon ami Genoud de m'emmener voir le général Ramcke, en lui faisant croire que j'étais mandaté par la Croix-Rouge pour lui rendre visite. J'ai recommandé à Ramcke de ne pas s'évader et ai demandé à Genoud de s'occuper de lui pendant les fêtes... »

Mais c'était oublier l'activisme invétéré de Genoud. Revenons donc à la discussion animée entre le général et le Lausannois. Les deux hommes sympathisent. Genoud propose à Ramcke de s'enfuir en Espagne, ultime bastion des idées qu'ils défendent tous deux. L'évasion sera un coup d'éclat destiné à attirer l'attention sur le « scandale » que représente la situation faite aux milliers de héros vaincus. Genoud suggère en outre à son nouvel ami de constituer outre-Pyrénées un gouvernement « libre ». Il estime en effet que la République de Bonn, qui n'a qu'un peu plus d'un an, est sans avenir.

Tout excité, Genoud part pour l'Espagne afin de rencontrer Serano Suner, beau-frère de Franco, qu'il connaît bien et qu'il a même publié. Il lui pose le problème de Ramcke et va jusqu'à évoquer la possibilité de favoriser en Espagne la constitution d'un gouvernement allemand en exil. Serano Suner boit les paroles du Suisse comme du miel. S'il n'a plus d'accès direct au Caudillo, il peut néanmoins lui transmettre des messages : sa femme est la sœur de l'épouse de Franco, toutes deux s'aiment beaucoup et sont constamment ensemble.

Quarante-huit heures plus tard, Serano Suner annonce à Genoud que l'Espagne accordera le statut de réfugié à Ramcke. Genoud rentre en France. Il fête joyeusement Noël à Barbizon avec le général, devenu son ami. Il est tout heureux de se lancer dans cette nouvelle aventure. Début janvier, il loue près de Fribourg, en Suisse, un chalet pour y cacher le général Ramcke avant qu'il ne parte pour l'Espagne. Il parvient même à convaincre son père de lui prêter son passeport : il y a une certaine ressemblance entre les deux hommes...

Genoud revient en France, tout content de rendre compte de ses préparatifs. Mais Ramcke a le mal du pays et s'est ravisé. Cela fait sept ans qu'il n'a pas revu sa famille, il ne connaît même pas son dernier fils. Il souhaite avant toute chose revoir les siens en Allemagne. Changement de programme : les deux hommes organisent la fuite en chemin de fer par la Sarre...

Tout se passe sans encombre. La nouvelle de l'évasion ne paraît dans les journaux français qu'une dizaine de jours plus tard. Ramcke rencontre la presse, puis le chancelier Adenauer qui est bien embêté par cette histoire. Il explique à tout un chacun qu'il n'a nullement l'intention de fuir la justice française, mais il proteste à la fois contre les lenteurs de la procédure et contre les poursuites engagées contre des soldats allemands qui furent chargés de lutter contre les partisans.

Genoud n'a jamais été soupçonné d'avoir trempé dans l'évasion de Ramcke...

On a vu que le général est rentré en France après avoir reçu l'assurance qu'il serait jugé promptement et dans de bonnes conditions. Après ce retour, François Genoud est allé faire la connaissance de sa famille dans le Schleswig. La femme de Ramcke, trop occupée par ses enfants et trop éloignée de Paris, est dans l'incapacité de faire usage de son droit de visite et remet à Genoud une lettre adressée à l'autorité militaire. Elle y expose sa situation et prie qu'on veuille bien laisser « son cousin » Genoud se substituer à elle dans l'exercice de ce droit. Genoud va donc à Cormeilles-en-Parisis pour rendre visite au prisonnier. Il est accueilli par un colonel qui parcourt la lettre de Mme Ramcke et lui dit avec un petit air dubitatif :

— Ainsi, vous êtes cousin du général Ramcke ?

— C'est un peu compliqué : cousin par les femmes, répond Genoud.

— Ah, par les femmes ! Alors, tout s'explique ! s'exclame le colonel avec un large sourire tout en lui délivrant le permis de visite.

L'audience du tribunal militaire se déroule comme prévu. François Genoud est dans la salle en compagnie de sa femme et de la petite-fille de Karl Liebknecht[1], dont la beauté frappe tout un chacun. Pendant le procès, Genoud ne rase pas les murs, au contraire. Il rencontre les journalistes (surtout allemands) au Flore et parle de son « ami intime » Ramcke, de ses propres sympathies nazies. Une fois installé dans le célèbre café parisien, il sort de sa serviette des lettres de Bormann : « Les originaux sont en Suisse... Vous pouvez me contacter à Lausanne... »

Le 23 juin, quand Ramcke quitte la France, les deux hommes sont devenus de grands amis et promettent de se revoir bientôt.

De fait, dans le courant de l'été, Genoud retrouve Ramcke chez son éditeur à Francfort. Le général est accompagné de Hans Rechenberg. Rechenberg et le Lausannois sympathisent aussitôt. Nouvelle rencontre déterminante dans la vie de François Genoud...

Hans Rechenberg est né en 1910 en Prusse orientale. Il a fait des études de droit et a milité tout jeune dans les organisations nazies. En 1933, il entre dans la haute administration du IIIe Reich. Proche collaborateur de Göring au ministère d'État prussien, puis au Plan de quatre ans, il intègre en 1938 le ministère de l'Économie où il devient l'homme de confiance et le plus proche collaborateur du Dr Funk, ministre de l'Économie et président de la Reichsbank jusqu'à la chute du IIIe Reich. Dès le début des hostilités, Rechenberg part comme volontaire dans les parachutistes et fait successivement les campagnes de Pologne, de Corinthe, de Crète, de Russie et d'Afrique du Nord. C'est de là que date son amitié avec le général Ramcke.

Parmi les derniers à se battre en Tunisie, il tenta en vain de rejoindre l'Allemagne par le Maroc et l'Espagne, puis s'élança avec trois de ses hommes à travers le Sud algérien. Pendant des

1. L'un des leaders du groupe social-démocrate opposé à la guerre de 1914-1918, puis l'un des fondateurs du spartakisme, il participa à la création du Parti communiste allemand et fut assassiné en 1919 lors de l'insurrection spartakiste.

semaines, ils progressèrent, marchant de nuit, se cachant chez des indigènes durant la journée. C'est à cette occasion que se développa chez lui son estime pour les Arabes en général et les Algériens en particulier. Il finit par se faire capturer par une patrouille américaine et se retrouve dans un camp de prisonniers en Amérique. De retour en Allemagne en 1946, il se rend à Nuremberg pour collaborer à la défense des grands accusés, en particulier de Hermann Göring et de Walther Funk, ses deux anciens patrons « dans le civil ». Il s'occupe parallèlement des prisonniers de guerre, et notamment de Ramcke. Après le procès de Nuremberg, il continuera inlassablement à venir en aide aux anciens chefs nazis « persécutés par les vainqueurs ».

Comme beaucoup d'anciens responsables nazis, Rechenberg a alors choisi, pour se « blanchir », d'entrer dans l'« organisation Gehlen ».

Rappelons qu'à la fin de la guerre, Reinhardt Gehlen avait pris la tête du FHO *(Fremde Heere Ost)*, c'est-à-dire des services spéciaux allemands voués à l'espionnage de l'Union soviétique ; à ce titre, il s'était retrouvé sous les ordres de Heinrich Himmler, chef des SS, et de son adjoint Ernst Kaltenbrunner, patron du RSHA, chargé de superviser à partir de juin 1944 tous les « services » de sécurité. Gehlen avait amassé une documentation considérable sur l'Union soviétique. En mars 1945, convaincu de l'inéluctable écroulement du Reich, il propose à Walter Schellenberg, adjoint de Kaltenbrunner, de monter une organisation occulte destinée à résister aux forces d'occupation, tout en se réservant la possibilité de mettre cette organisation au service des Alliés dont il pressent déjà qu'ils seront vite préoccupés par la menace soviétique. Gehlen pense également que son organisation pourra servir d'excellent sas de « dénazification » à de nombreux militaires... Il réussit son pari : après la défaite, il négocie avec les militaires américains et se retrouve d'abord sous les ordres du Pentagone — ses rapports avec l'état-major yankee furent exécrables —, puis sous ceux de la CIA. L'« organisation Gehlen » s'installe au sud de

Munich, à Pullach, dans l'ancien quartier général de Martin Bormann. Hans Rechenberg élit quant à lui domicile à Bad Tölz, à quelques kilomètres de Pullach.

Gehlen et la CIA se livrent alors une véritable partie de bras de fer au sujet des agents de l'Organisation. L'Américain James Crichfield, qui « traite » Gehlen, souhaite connaître les noms de ces agents afin de détecter parmi eux les ex-nazis non « récupérables » et non « fréquentables ». Gehlen, qui a pris la précaution d'affubler tous ses agents de numéros et de fausses identités, refuse longtemps de les communiquer, puis se borne à livrer une liste de 150 officiers. Ainsi, d'entrée de jeu, il utilise son poids considérable auprès des Américains dans la guerre froide pour s'autoriser à abriter d'anciens nazis et s'employer à faire renaître une Allemagne dans laquelle lui-même et d'autres « nationaux » joueraient un rôle de premier plan.

Genoud affirme n'avoir pas été au courant, à l'origine, des liens entre Rechenberg et l'« organisation Gehlen » (qui deviendra en avril 1956 le BND, service de renseignement de la République fédérale avec pour mission de « réunir des informations sur les pays étrangers afin d'élaborer la politique étrangère de la RFA »). Il ne comprend que petit à petit que son ami Hans a des rapports avec l'Organisation, mais sans y attacher beaucoup d'importance : « L'organisation Gehlen était essentiellement un havre pour les anciens nazis. Rechenberg était avant tout un ami et je suis sûr qu'il ne rendait pas compte de nos activités. » Pour Genoud, en somme, les anciens nazis se sont davantage servis de l'« organisation Gehlen » que l'inverse. Quand il parle de l'Organisation, il évoque aussi le nom d'Aloïs Brunner[1], également lié à elle, et qu'il a rencontré en 1965 à Damas : « Un type sympathique. » Il pourrait de même parler d'Otto Skorzeny, de Klaus Barbie, entre autres « réprouvés » qui réussirent à passer le cap de l'après-guerre

1. Aloïs Brunner est toujours recherché par la France pour répondre de crimes contre l'humanité (il a été notamment le maître d'œuvre de la grande rafle des Juifs de Nice).

sans trop de problèmes. Jean Bauverd lui-même aura beaucoup plus tard des liens avec le BND et se rendra à Pullach pour parler notamment du leader syrien Hafez el-Assad...

Ainsi, même si Genoud déclare avoir toujours été un homme libre ne dépendant d'aucune organisation et s'il affirme que les « liens de Rechenberg avec l'organisation Gehlen » ne représentaient rien d'essentiel, il n'empêche : Rechenberg rédigeait des rapports à son organisation dans lesquels il présentait son ami Genoud comme son « correspondant »... Quand les archives seront ouvertes, gageons que les historiens seront tentés d'écrire que nombre d'actions de l'extrémiste lausannois furent d'abord celles d'un agent de l'« organisation Gehlen », puis d'un membre du BND.

Quoi qu'il en soit, Rechenberg et Genoud sont indubitablement sur la même longueur d'onde et d'accord sur tout : passé, présent, avenir. « C'est mon frère jumeau, né ailleurs, d'autres parents... », se plaît à dire Rechenberg de Genoud. « Entre nous, c'est la confiance totale », reconnaît le second. Rechenberg va lui présenter tout le gotha du nazisme et faciliter d'autant son travail d'éditeur. Les deux hommes vont devenir inséparables dans l'aide à la cause nazie aussi bien que dans le soutien à la cause arabe.

En lui présentant le général Ramcke auprès duquel le Lausannois a pu rencontrer ensuite Rechenberg, Bauverd a bel et bien changé le destin de son ami Genoud.

Le dépositaire

François Genoud attend toujours avec anxiété des nouvelles d'Italie. Il obtient enfin un rendez-vous, le 11 juillet 1951, avec Zampetti et l'avocat Urbani. Il leur montre les pleins pouvoirs du curateur de la succession Bormann. L'avocat est conscient que la situation a changé et que celle du « propriétaire », Rusconi, devient précaire. Il se dit prêt à faciliter désormais un arrangement à l'amiable. Seize jours plus tard, Genoud et l'avocat de Rusconi signent à Venise un accord sur les *Libres propos* de Hitler. La signature de l'accord à peine sèche, Genoud laisse entendre à l'avocat que son client possède d'autres documents, notamment des aquarelles de Hitler, et que mieux vaudrait régler une bonne fois l'ensemble de l'affaire...

Contrat en poche, Genoud achète le *Corriere della Sera* et tombe en arrêt devant un article évoquant la publication en Allemagne de « propos de Hitler » par l'éditeur Athenäum ! Son cœur bat la chamade. S'agit-il du document qu'il a eu tant de mal à arracher à Rusconi ? Il se demande si le fonctionnaire italien n'a pas vendu deux fois ses *Propos*. Ivre de rage, il écrit aussitôt à Paul Dickopf, son grand ami allemand, et le prie de lui expédier d'urgence un exemplaire du livre.

Pas de doute : Genoud a bien été doublé, mais pas par Rusconi. Heinrich Picker, l'un des secrétaires privés de Hitler au Quartier général jusqu'au 7 septembre 1942, avait probablement conservé une « pelure » des propos recueillis sous la responsabilité de Martin Bormann. Genoud essaie d'abord de trouver un arrangement avec le Dr Junker, patron d'Athenäum.

Les deux hommes se rencontrent dans la villa de l'éditeur, à Bad Godesberg. L'entretien se passe mal. Junker ne veut pas entendre parler d'arrangement, tant il est sûr de son bon droit. Il est de surcroît patronné par l'Institut d'histoire de Munich.

Une grande et longue bataille juridique commence. Le Lausannois attaque conjointement en justice Athenäum et Picker. Pour être mieux armé dans son combat, Genoud, qui dispose déjà des pleins pouvoirs des héritiers de Bormann, légitimes propriétaires des archives récupérées par Rusconi, a besoin d'une procuration des héritiers de Hitler qui seuls disposent du droit de publier ses œuvres. Grâce à son nouvel ami Hans Rechenberg, il entre alors en relation avec Paula Wolf, sœur du Führer, qui habite Königsee, près de Berchtesgaden. Le *curriculum vitae* de Rechenberg suffit à apaiser la méfiance de cette vieille fille aigrie qui ne vit que dans le culte du souvenir de son frère. Rechenberg réussit à obtenir, début novembre, un rendez-vous avec elle pour son ami Genoud qui doit lui soumettre un projet de cession de la propriété intellectuelle des *Propos*.

Par une lettre du 20 novembre 1951 de Hans Rechenberg à Paula Wolf[1], on apprend que la sœur de Hitler a décommandé son rendez-vous et que Genoud « se sent meurtri par ses atermoiements ». Rechenberg plaide la cause de son ami, affirmant qu'il est « le seul apte à représenter honnêtement les héritiers ». Plus loin, il insiste : « Ce n'est pas bien d'être méfiante à l'égard de Genoud qui a engagé de l'argent et est très soucieux de publier l'intégralité des propos de votre frère. Votre méfiance le blesse, mais il la comprend. »

Touchée par la lettre de l'ex-collaborateur de Göring, Paula Wolf écrit le 22 novembre[2] à François Genoud. Elle constate que leurs relations n'ont pas débuté « sous une bonne étoile ». Elle souhaite que, désormais, les négociations se fassent par l'intermédiaire de son avocat, le Dr Seidl, et non avec elle. Le

1. Un double de cette lettre figure dans les archives de l'auteur.
2. La copie de cette lettre ainsi que de toutes celles de Paula Hitler figurent dans les archives de l'auteur.

nom de Seidl a été suggéré à Paula par Genoud lui-même. Il a toutes les qualités pour dissiper la méfiance de la sœur de Hitler (il a été le défenseur de Rudolf Hess au procès de Nuremberg, où il s'est illustré en contestant la compétence du tribunal dans la mesure « où des crimes autres que des crimes de guerre proprement dits font l'objet de ce procès »... Toute sa vie, Genoud lui-même ne tiendra pas un discours différent).

En l'espace de quelques mois, le jeune Lausannois inconnu se trouve ainsi évoluer de plain-pied dans l'univers des anciens dignitaires nazis. Il a été admis dans ce milieu abhorré par la planète entière et condamné à Nuremberg. Il parle d'égal à égal avec la sœur de Hitler, avec le principal collaborateur de Funk et de Göring, à présent avec le Dr Seidl, défenseur de Rudolf Hess... Quel chemin parcouru, même s'il ne rencontre ses idoles qu'une fois mortes ou déchues !

Paula tempère ses exigences : elle lui fait savoir qu'elle veut bien discuter des *Propos*, mais pas des autres écrits de son frère. Le 17 décembre 1951, elle écrit à François Genoud que « les bonnes choses doivent se faire lentement ». On imagine un Genoud impatient, souhaitant bousculer la vieille fille qui, de son côté, lui répond simplement : « Je n'ai pas l'impression que nous nous comprenions » — et d'expliquer sa défiance par le « sixième sens des femmes » : « Cette fin de guerre nous a apporté beaucoup d'expériences dont nous nous serions bien passés. » Elle reconnaît que le fait de vivre seule explique cette suspicion exagérée, mais « le Destin lui assigne pour tâche de défendre le souvenir de son frère. Il s'agit, d'un côté comme de l'autre, de *justifier*[1] un homme qui ne peut plus se justifier lui-même ».

Ainsi, parce qu'il est Suisse, qu'il n'a pas été impliqué dans les crimes du nazisme, Genoud peut se lancer en toute impunité, moins de sept ans après la fin de la guerre, dans une entreprise de justification de l'action de ses héros et dans la propagation de leurs écrits...

1. Souligné par l'auteur.

Grandeur et décadence : la sœur du Führer, qui a pris le nom de Wolf à la demande de son frère, vit en Allemagne dans une seule pièce dont les murs laissent passer tous les bruits du voisinage : « Vivre dans de telles conditions rend impossible la rédaction de mes souvenirs de jeunesse... » C'est que Genoud, appuyé par Rechenberg, a essayé de faire d'une pierre deux coups en demandant à la sœur de Hitler de rédiger ses propres mémoires. Elle ne dépassera pas les six feuillets d'un texte[1] serré, d'un très faible intérêt littéraire, où le lecteur apprend qu'Adolf et Paula étaient les deux enfants survivants d'une famille de six (quatre étaient morts en bas âge), que le petit Adolf était « très sentimental », que leur père était dur (« on pliait ou on cassait »). Paula compare à plusieurs reprises son frère à Napoléon. Déjà, enfant, « c'est lui qui menait toujours les autres... Il ne pouvait se soumettre ». Elle évoque son amour pour Wagner, ses dispositions pour les beaux-arts, son désir de devenir architecte. Paula essaie de réécrire l'Histoire : « Si notre mère n'était pas morte si jeune, aurait-il embrassé la carrière politique ?... Cette mort était envoyée par le Destin, car elle l'a poussé à s'engager dans la carrière politique. » Toujours à propos de sa mère : « Le bonheur et le malheur de son fils seraient devenus sa seconde nature, comme pour la mère de Napoléon. » Hitler, dit-elle encore, adorait l'histoire. Elle parle également des conséquences de son échec à l'Académie des arts de Vienne : « J'aurais mille fois mieux aimé qu'il embrasse la carrière d'architecte... » Soudain très matérialiste, elle conclut : « Ce n'était pas la peine d'être la sœur du Führer pour ne posséder qu'un deux-pièces à Vienne. »

Genoud a perdu son procès à Cologne : le tribunal a constaté que Hitler avait laissé un testament, la veille de sa mort, et qu'il n'instituait nullement sa famille comme légataire. Ce testament, sorte de proclamation politique, spécifie que tout ce qu'il possède ira au Parti ; si le Parti vient à disparaître, tout ira à l'État ; si l'État lui-même vient à être anéanti, inutile de prendre

1. Copie dans les archives de l'auteur.

d'autres dispositions ! La cour spécialisée interprète : en droit allemand, on ne peut instituer qu'un héritier à la fois. Au moment de la mort de Hitler, le Parti nazi existait. Après la disparition de ce parti du fait de la capitulation, c'est l'« État Dönitz[1] » qui a cessé d'exister, trois semaines plus tard, quand les GI's sont venus coffrer Dönitz. Le tribunal déclare ne pas savoir qui peut revendiquer l'héritage de l'« État Dönitz », mais conclut de toute façon que les héritiers naturels de Hitler ne sont aucunement les héritiers de Dönitz.

Genoud n'est pourtant pas trop mécontent de la décision du tribunal : celle-ci confirme que Picker et son éditeur n'ont, eux non plus, aucun droit, ce qui lui laisse la possibilité de publier les *Propos* si bon lui semble.

Genoud expédie régulièrement des colis à Paula, car les temps sont encore très rudes pour l'ensemble des Allemands et pour elle en particulier. Genoud lui apprend que la cour de Düsseldorf vient de le débouter de son action contre Picker, parce que Hitler a laissé un testament : elle ne s'en étonne guère, le 22 janvier 1952, car « il me suffit de savoir que ce refus correspond à l'esprit du temps ». Elle se lance alors dans une grande digression sur « l'esprit du temps » et cite la formule d'un certain Saulot[2], en 1792, à propos de Bonaparte : « Le Dieu protecteur que j'implore pour ma patrie peut être un tyran, pourvu que ce soit un génie. » Elle ajoute : « Quand je pense aux tyrans de 1951 qui sans arrêt font marcher les machines de la loi pour étouffer tout ce qui pourrait s'opposer à eux ! Ils ont fait leurs preuves en tant que tyrans, pas en tant que génies... On ne peut malheureusement pas dire : "Chère patrie, tu peux être tranquille..." Rien ne va changer dans les temps prochains... Le combat va être dur. » Les lettres de Paula laissent entendre que Genoud abonde dans le même sens.

---

1. Dans la nuit du 28 au 29 avril 1945, Hitler rédige un testament et investit le grand-amiral Dönitz des responsabilités de président du Reich et commandant suprême de la Wehrmacht. Le chancelier est le Dr Goebbels. Le 30 avril, Hitler se suicide. Le 8 mai, l'armée allemande capitule. C'en est fini de l'« État Dönitz ».

2. Je n'ai pas réussi à retrouver la trace de cet homme.

Après la décision du tribunal de Cologne, Genoud décide de publier les *Propos* en France et en Angleterre. Il prend alors contact avec d'Uckermann, directeur littéraire chez Flammarion, qui s'enflamme pour le projet et signe un contrat pour éditer les *Libres propos sur la guerre et sur la paix*. On voit désormais souvent Genoud à Paris. Il réside à l'hôtel Belfast, se rend fréquemment rue Racine, chez Flammarion, et donne ses rendez-vous au Flore. Il procède lui-même à la traduction des *Propos* et rédige un avertissement.

Au cours de l'hiver 1951-1952, Genoud entre en relation avec un universitaire anglais, Hugh Trevor-Roper, grand spécialiste de l'histoire contemporaine. Les échanges entre les deux hommes sont cordiaux. De retour en Grande-Bretagne, l'historien publie dans un grand journal un article où il parle du « sympathique sympathisant nazi ». Ce compte rendu intéresse divers éditeurs, en particulier un éditeur juif autrichien, George Weidenfeld (de la maison Weidenfeld and Nicholson). Celui-ci signe avec Genoud un contrat aux termes duquel la traduction anglaise des *Propos* sera faite à partir de la version française : le droit d'adaptation sera ainsi protégé, à défaut du droit d'auteur. Mais Weidenfeld est pressé ; il souhaite que la traduction anglaise soit effectuée en parallèle afin de gagner de vitesse ceux qui joueraient la carte Picker. Il envoie un traducteur à Genoud : le major Stevens, qui a été arrêté par les Allemands le 9 novembre 1939 et a passé toute la guerre dans un camp ! Le major, chef du SOE[1] basé en Hollande, était un des deux membres des services secrets britanniques qui tentèrent, au tout début de la guerre, de favoriser un coup d'État contre Hitler avec l'aide de généraux allemands de mèche avec les Anglais. Stevens devait rencontrer un général allemand qu'il croyait appartenir à la Résistance ; à la place, ce sont des agents de la Gestapo qui vinrent au rendez-vous et le kidnappèrent, le jour

1. Le « Special Operations Executive » était un service secret britannique créé en juillet 1940, chargé de coordonner les activités subversives et de sabotage contre l'ennemi allemand. Le SOE a été dissous en janvier 1946.

même où, à Munich, un attentat dans la Bürgerbrau manquait le Führer.

« Quand j'apprends que c'est Stevens qu'on m'envoie, raconte Genoud, je me méfie, car c'était un homme des "services" anglais... Mais nous sommes devenus de grands amis, malgré nos idées radicalement différentes... On a travaillé ensemble. Très bon traducteur, il s'est installé dans un petit hôtel de Montreux où j'avais également pris une chambre. Pour gagner du temps, au lieu d'adapter ma traduction française, il m'a demandé de travailler directement sur les *Propos* en allemand. J'ai accepté à condition qu'on dise que c'était traduit du français... On a travaillé de front, également avec l'ami Constant Bourquin qui était souvent là. Weidenfeld et moi sommes devenus amis. C'est un type sympathique, très capable. Il a fait un succès... » Le même éditeur a publié en 1954 les lettres de Bormann à sa femme, précédées d'une préface du même Trevor-Roper.

Au début de mai 1952, accompagné de son épouse, Genoud rend visite à Paula Hitler à Munich. Paula tombe sous le charme d'Élisabeth Genoud à qui, à compter de ce jour, elle aura coutume d'envoyer de petits mots. Genoud parle avec Paula de son frère en des termes qui lui plaisent, ainsi que l'atteste sa lettre du 30 juin.

Fin juin, les *Libres propos* sortent à Paris avec une préface de Robert d'Harcourt, de l'Académie française, et un avertissement de François Genoud dont le nom figure en couverture du livre. Les exemplaires ne sont pas encore sur les rayons des librairies que cette parution fait grand bruit. *France-Soir,* qui en publie des bonnes feuilles, est attaqué, conjointement avec Flammarion, par le célèbre ténor du barreau Me Maurice Garçon agissant pour le compte de Picker et de son éditeur allemand. Leur action se justifie d'autant plus que les éditions Corrêa leur ont acheté les droits et s'apprêtaient à publier également les *Propos* en France. Me Garçon réclame 20 millions de francs à *France-Soir.* L'Agence France-Presse, qui annonce la nouvelle dans une dépêche du 1er juillet, fait de

François Genoud un ancien conseiller de Hitler ! Le Lausannois a dû si bien rougir de plaisir qu'il s'est abstenu d'exiger un rectificatif de l'AFP ou de l'attaquer. Dans la procédure engagée par ses concurrents, il demande à Me Henry Torrès, sénateur gaulliste, d'être son défenseur à Paris.

Si la publication des *Propos* fait grand bruit, les considérations de Genoud sur Hitler, évidemment fort complaisantes, ne suscitent guère de polémiques. Tout au plus Henri Petit, dans *Le Parisien libéré*, écrit-il : « Suit un avertissement du traducteur : impossible de mieux nous indiquer, et plus sobrement, comment Hitler, après les conférences d'état-major, se détendait en égrenant ses souvenirs ou en vaticinant sur toutes choses. Mais pourquoi François Genoud en vient-il à écrire : "Sa vision des choses n'est jamais conventionnelle. Il dépouille tout problème de sa gangue de considérations accessoires et de préjugés. C'est un esprit neuf, un autodidacte dans le plein sens du terme" ? À l'égard des mauvaises fréquentations, personne n'est donc tout à fait immunisé, même un traducteur excellent et très averti. On peut donc encore subir le magnétisme de Hitler et se tromper du tout au tout sur sa vraie taille... »

La publication relance en tout cas les spéculations sur la disparition de Martin Bormann. Beaucoup croient qu'il n'est pas mort, mais qu'il s'est réfugié dans un abri sûr que certains recherchent avec frénésie. Le *Spiegel*[1] affirme : « Bormann, qui vit quelque part, prendrait intérêt aux résultats... » À l'origine de la rumeur : les nombreuses allées et venues de Genoud, particulièrement à Tanger. Interrogé par le journaliste allemand, celui-ci répond : « Mes voyages relèvent de mes affaires privées... Je sais que mes ennemis disent que je rencontre Martin Bormann à Tanger. Ses enfants ne savent rien sur le sort de leur père. Je n'en sais pas plus qu'eux. » *Maroc-Presse* s'interroge lui aussi en grand titre : « Martin Bormann s'est-il réfugié à Tanger ? », et conclut ainsi l'article : « Si l'on s'en tient aux fréquents contacts maintenus par Genoud avec le territoire

1. Dans sa livraison du 9 juillet 1952.

international de Tanger, tout laisse supposer que Bormann, en attendant le moment de se manifester, réside là. »

La détention de sa correspondance, les relations qu'il a nouées avec sa famille continueront longtemps à alimenter les fantasmes sur les liens entre Genoud et un Martin Bormann encore en vie. Au début des années 1960, les services secrets israéliens ont ainsi « approché » le Lausannois pour savoir où se cachait Bormann. Genoud s'est toujours dit intimement convaincu que ce dernier était mort dans le fameux bunker. Quand je lui ai fait remarquer que des documents américains déclassifiés décrivaient les mouvements de l'adjoint de Hitler après la guerre, il m'a ri au nez, s'exclamant que les Américains étaient décidément capables de tout...

François Genoud n'est pas qu'un nostalgique. Heureux d'avoir reconstitué son « paradis-enfer » perdu, il sait aussi être un militant acharné, qui ne perd jamais de vue son objectif. Bien élevé, capable de mettre tout son charme au service de la cause, il n'hésite pas à frapper à toutes les portes.

Il fait ainsi la connaissance de Thaddée Diffre, collaborateur le plus proche de René Pleven, homme-charnière de la IVe République. Il a connu ce Compagnon de la Libération, ancien secrétaire général de la Confédération nationale des combattants, par son ami le colonel Henri Guisan, fils du général Guisan qui fut chef d'état-major de l'armée suisse pendant la guerre. Genoud défend devant Diffre la thèse selon laquelle la République de Bonn est éphémère et ne représente pas la véritable Allemagne. Une fois de plus, comme après 1918, les vainqueurs ne collaborent qu'avec des vaincus complexés : or une telle attitude ne peut déboucher sur rien de bon... Cette analyse, semble-t-il, séduit Pleven qui donne son accord à un voyage de Diffre outre-Rhin. Ce déplacement, préparé par Genoud et Rechenberg, devait avoir lieu à la fin de 1952 et comporter des rencontres avec le Dr Schacht, ancien ministre de l'Économie du Reich, Paul Dickopf et quelques autres... Mais, pour cause de fêtes de fin d'année, Rechenberg demande à Genoud un report du voyage. Celui-ci n'eut finalement jamais lieu : peu de temps après éclate en effet l'affaire Naumann. Werner Naumann, le plus proche collaborateur de Goebbels, avait été désigné dans le testament de Hitler pour occuper le ministère de la Propagande dans le gouvernement Dönitz. Or les autorités anglaises viennent de découvrir que Naumann avait alors monté un plan destiné à infiltrer les partis politiques. Pleven eut alors trop peur de s'engager dans une affaire qui, après tout, n'était peut-être pas sans points communs avec ce dont lui avait fait part son collaborateur Diffre.

François Genoud consacre beaucoup d'énergie aux batailles juridiques qu'il livre tant à Paris qu'en Allemagne. Sous sa pression, Paula Hitler se rend le 19 août devant le tribunal de Berchtesgaden afin de prendre position contre le testament de son frère, qu'elle considère comme nul et non avenu, et de demander en conséquence que s'applique le droit commun. Elle décline l'état civil de la famille Hitler. Du premier mariage de son père sont nés deux enfants : Aloïs, qui a pris le patronyme de Hiller et qui est bistrotier à Hambourg, et Angelica, morte en 1949, qui a eu elle-même trois enfants : Leo, actuellement prisonnier en Russie, Angelica, décédée, et Elfried. Si bien que la répartition des droits de succession est la suivante : 4/6 pour Paula, 1/6 pour Aloïs, 1/6 pour Leo et Elfried, les deux enfants survivants d'Angelica. Paula accepte l'héritage en son nom et au nom d'Elfried, et demande la délivrance d'une attestation. Elle déclare sous serment qu'il n'existe pas d'autres dernières volontés que le testament de Hitler du 29 avril 1945 et que celui-ci n'a pas d'autre famille que les cohéritiers désignés.

Le 25 septembre 1952, l'avocat de Paula confirme à Genoud qu'il l'a bien chargé, au nom de Paula, sœur de l'ex-chancelier du Reich, de prendre toutes mesures destinées à récupérer l'héritage de Hitler.

Le 14 octobre, Paula se plaint à Genoud que l'Allemagne est devenue un pays de non-droit, que la presse déshonore ses parents. Comment l'en empêcher ? « Ces attaques émanent de cercles qui crient à l'assassin dès que l'on cite *le vrai nom d'un des leurs, c'est-à-dire dès qu'on donne son arbre généalogique*[1] ! » En termes voilés, il s'agit ici ni plus ni moins d'une attaque contre les Juifs. Elle n'accorde pas pour autant à Genoud — qui ne sursaute pas à de telles lectures — l'extension des pouvoirs qu'il cherche à obtenir des héritiers. Il songe notamment aux fameuses aquarelles. Il voudrait en effet dépasser le cas des *Libres propos* et avoir les coudées franches pour négocier en position de force, en Italie, avec Rusconi et le gouvernement italien.

La correspondance entre Paula et Genoud reprend au début de 1953. La sœur de Hitler a déménagé et vit maintenant à Berchtesgaden même, dans un grand dénuement. Elle souffre des rumeurs que font courir les journaux et selon lesquelles elle ne serait pas la vraie sœur de Hitler, mais sa demi-sœur. « Est-ce Dieu possible ? J'ai toujours reconnu que j'étais sa vraie sœur, alors même que cet aveu ne me rapportait rien ! »

En mars, les Genoud lui rendent visite. Le charme d'Élisabeth opère une fois de plus. Paula Hitler s'étonne qu'elle puisse supporter une brute comme son époux ! Genoud se laisse aller à faire miroiter des rentrées financières à Paula, ce qui l'incite, après leur départ, à effectuer des achats importants. Fin mai, elle se plaint de n'avoir toujours rien reçu : « J'attends toujours votre visite ; sinon, faites au moins usage de mon compte. » Elle conclut sa lettre par un pessimiste : « Notre monde n'est que contradictions ! »

Dans les jours qui suivent, « ses anciennes dépressions reviennent ». Elle en veut beaucoup à son propriétaire cupide, lequel a cru lui aussi qu'elle deviendrait riche, les journaux ayant parlé d'elle au moment des procès intentés par Genoud contre Picker. Le 4 juin, Genoud écrit à Paula en faisant de nouvelles promesses ; il annonce une visite pour juin ou juillet afin de « parler de tout tranquillement ». En attendant, il lui demande de « trouver un appartement par tous les moyens : le moral en dépend ». Mi-juin, Paula manifeste sa mauvaise

1. Souligné par l'auteur.

humeur, Genoud ne tenant pas ses promesses : « Vous savez trop bien faire les comptes pour lâcher quelque chose sans qu'on vous donne autre chose en retour. N'ai-je pas raison ?... Encore une fois, utilisez mon compte, car son chemin est plus direct et plus court que la voiture pour venir me voir ! »

François Genoud et sa femme rendent une nouvelle fois visite à Paula Hitler dans la première semaine de septembre 1953, mais les paroles ne suffisent plus à calmer la sœur de Hitler, laquelle doit faire face de surcroît aux remontrances désagréables de sa famille qui n'apprécie pas plus qu'elle le long silence estival de Genoud. « Mes parents ne sont pas convaincus qu'il soit nécessaire d'aller plus loin tant que vous n'aurez pas établi les comptes définitifs qui les intéressent plus que tout. »

Les relations font plus que se rafraîchir. Genoud adresse un relevé de compte au défenseur de Paula ; il en ressort que le Suisse a envoyé 7 050 marks à l'avocat et à Paula. L'avocat s'empresse de transmettre cet état à sa cliente, qui n'en est pas du tout satisfaite. Elle découvre notamment que son conseil a touché plus qu'elle ! Fin 1953, les rapports se tendent de plus en plus entre les Hitler et Genoud. Au début de février 1954, Paula envoie promener son avocat Seidl, qui lui semble avoir basculé dans le camp de Genoud et ne plus défendre ses intérêts. Paula n'a probablement pas tort : les deux hommes s'entendent fort bien[1]. Elle se plaint de constater que son avocat est payé par Genoud, alors que ses avocats autrichiens ne lui ont jamais demandé un sou pour la défendre dans des affaires autrement plus compliquées. « Je me rappelle les paroles de Bormann[2]... Les choses devaient se dérouler sans problème, mais elles ne se sont pas déroulées sans problème. De même, vos affaires d'édition ne se déroulent pas sans problème... On

1. Ils entretiendront des relations suivies jusqu'à la mort de Seidl en 1993.

2. Dans ses discussions avec Genoud, Paula Hitler rappelait constamment les paroles de Martin Bormann dans le bunker, la dernière fois qu'elle a rencontré son frère : « *Heilige Frau* ! Vous pouvez être sans inquiétude pour l'avenir. Tout a été réglé ! »

aurait pu arriver à une collaboration sans friction si vous n'aviez pas l'habitude, quand votre amabilité a trouvé un sol fertile, de prendre la main quand on vous donne le petit doigt... Mais j'ai trop appris de la vie pour me laisser faire... Le premier compte que vous m'avez envoyé m'a laissé l'impression que vous pouviez fixer les sommes *ad libitum* sans possibilité de contrôle... » Paula refuse d'aller plus loin avec Genoud : « Réfléchissez à la façon d'arranger ces problèmes. Je ne signerai aucun contrat qui reposerait sur des cachotteries et des choses mal définies. »

Genoud sollicite une nouvelle fois l'intervention de Rechenberg dans ses relations avec Paula. Intervention rendue nécessaire car, en mai 1954, il a sérieusement progressé dans ses démarches auprès du gouvernement italien pour récupérer les aquarelles de Hitler et les documents Bormann. Il est convaincu que l'héritage de Hitler est maintenant à portée de main.

Paula, qui en est tout aussi convaincue, devient de plus en plus méfiante envers Genoud. « Les aquarelles signées de la main de mon frère ne sont pas rien, écrit-elle mi-juin à Rechenberg. Je veux répéter l'impression que me fait Genoud : il est sympathique quand on n'est pas en affaires avec lui. Ne serait-il pas possible qu'il reste sympathique dans les négociations et n'augmente pas à l'infini ses exigences sur l'héritage des autres ?... »

À la mi-juillet, Rechenberg organise une réunion dans un chalet de montagne avec Paula, son nouvel avocat, Vogeli, Genoud, lui-même et un cohéritier. Le cadre alpestre a été choisi pour détendre l'atmosphère. Mais, quelques jours plus tard, Paula écrit à Rechenberg pour manifester une nouvelle fois sa suspicion envers Genoud. Elle est furieuse de s'être laissé influencer par l'ambiance de la rencontre : « On a trop parlé, trop fumé... Je voulais faire des observations, mais elles ont été noyées dans la fumée... que je n'aime pas ! Il aurait mieux valu que Genoud n'utilise pas le premier contrat pour faire pression en vue d'aller plus loin. » Paula est désormais convaincue qu'il n'a pas tout dit sur ses pourparlers italiens et qu'il connaît le contenu exact des caisses Bormann. « S'il ignorait leur contenu, il ne me poursuivrait pas comme le diable poursuit les âmes... J'ai laissé ces messieurs mener les négociations. Par-dessus le marché, il faisait un froid de canard... » Pour le nouveau contrat, Genoud a proposé une répartition 50/50 de tout ce qu'il pourrait tirer de l'héritage. Paula s'exclame : « Jamais ! Si on suivait Genoud, j'obtiendrais deux aquarelles et ma propre signature sur le contrat ! » Elle redoute que toutes ces tractations ne soient ébruitées par la presse, car les cohéritiers la maudiraient et ses amis lui tourneraient le dos pour avoir tout cédé à un étranger. Elle exhale son amertume contre Genoud et le monde en général. Elle conclut sa lettre à Rechenberg en révélant qu'elle a reçu un très gentil mot d'Élisabeth Genoud et qu'elle a feint de croire que c'était elle qui avait écrit cette « lettre du dernier recours » pour dénouer une situation complètement bloquée : « Mais c'est Genoud, le *diktateur*, qui l'a *diktée* ! »

Une lettre de Paula du 16 février 1956 montre qu'à cette date, rien n'a avancé. Paula se plaint encore et toujours que les versements du premier contrat n'ont pas encore été tous effectués. « Ne voudriez-vous pas honorer vos obligations avant que nous nous revoyions ? » Le contrat relatif aux « caisses Bormann » n'est toujours pas signé, et, dans la lettre qui suit, elle s'en prend une nouvelle fois à Genoud : « Il n'est pas vrai qu'on puisse donner une procuration en échange d'un mirage ! » Mais, dans l'une de ces missives très dures, elle glisse un petit mot aimable pour lui souhaiter bonne chance et plein succès dans la publication des écrits de Goebbels...

Un thème revient souvent dans les lettres de Paula Hitler : l'utilisation que les hommes font des femmes pour parvenir à leurs fins, comme c'est le cas de Genoud. Elle se plaint également de ses conditions de vie, des économies sordides qu'elle doit faire, y compris sur les timbres. Des éditeurs étrangers s'intéressent à elle, mais elle ne croit plus en rien ni en personne.

Le 16 janvier 1960, Paula, qui signe pour la première fois « Hitler », écrit une dernière lettre à François Genoud. Son « corps devient de plus en plus faible ». Elle ne tient plus sur ses pieds. Des amis de Berchtesgaden lui ont dit que Genoud n'avait aucune obligation à l'égard de son frère ni à l'égard d'elle-même. « À présent, je suis complètement enracinée en Allemagne... La vie est incompréhensible du berceau à la tombe... De la prochaine décennie nous n'avons pas à attendre grand-chose... En France, de Gaulle a des soucis avec les Algériens, et les Algériens en ont avec de Gaulle. À y bien considérer, il aurait mieux valu qu'il ne s'immisce pas dans le conflit entre l'Allemagne et la Pologne... »

Début juin, Paula Hitler meurt dans une maison en ruine, près de la gare de Berchtesgaden, sans avoir signé le contrat qui aurait donné tous pouvoirs à Genoud sur les caisses récupérées par les Italiens et qui sont revenues sous la protection de leur gouvernement. Les pressions exercées par Genoud et son avocat sur Rusconi ont en effet contraint ce dernier à se dessaisir des archives Bormann qui lui restaient. Quatorze ans plus tard, vingt aquarelles de Hitler sont exposées à Florence, au Palazzo Vecchio, en hommage à Rodolfo Siviero, ministre chargé après la guerre de retrouver les trésors florentins raflés par les Allemands pendant le conflit mondial. La parenthèse Rusconi se trouve ainsi gommée de l'histoire italienne. Siviero ? « Je me souviens bien de lui, car c'est avec lui que j'ai négocié après que Rusconi eut rendu les archives qui lui restaient... », se rappelle Genoud. Quand il a appris l'ouverture de l'exposition, le Lausannois a envoyé un télégramme à la Justice italienne pour bloquer toute vente éventuelle des aquarelles. Convoqué par le juge de Trieste, il a attendu, attendu... mais n'a pas été reçu. Finalement, il a fait une déposition à la police, mais sans suite.

Le monde des anciens dignitaires nazis fait bloc, s'entraide, s'infiltre dans les institutions de la nouvelle Allemagne sans avoir renié son idéologie. Hans Rechenberg, à l'abri de l'« organisation Gehlen », est le sésame qui permet à Genoud d'y accéder. S'il l'a présenté à Paula Hitler, à Arthur Axmann, ex-chef des Jeunesses hitlériennes qui a perdu un bras à Berlin en défendant le fameux bunker, au Dr Seidl, au Dr Schacht, il ne l'a pas entraîné, comme la rumeur en a longtemps couru, dans les réseaux Odessa qui aidèrent les anciens nazis à quitter l'Allemagne pour des pays plus accueillants et surtout plus sûrs. Quand j'ai posé la question à Genoud, il m'a répondu placidement que s'il n'en avait pas fait partie, c'est qu'il n'en avait pas eu l'opportunité.

C'est aussi grâce à Rechenberg que Genoud devient l'éditeur du « testament politique » de Hitler. Après le verdict de Nuremberg, un des protecteurs de Rechenberg, Göring, se suicide ; l'autre, le Dr Funk, est condamné à la réclusion à perpétuité, puis transféré à la prison de Spandau. Rechenberg se fait désigner comme tuteur de Walther Funk et ne va plus cesser de s'occuper de lui. Il met sur pied un service de correspondance clandestine avec lui et, pratiquement, avec tous ceux qui se trouvent internés à Spandau. Ce service porte le nom de code de *Kassiber*[1], mot allemand d'origine yiddish. Il a parfaitement fonctionné au fil des années grâce à la collaboration de gardiens, d'infirmiers, tous désintéressés, uniquement motivés par la sympathie qu'ils éprouvaient à l'égard de leurs prisonniers. C'est ainsi que, très vite, Funk peut faire comprendre à Rechenberg qu'il doit récupérer un pli qu'en mai 1945, après sa sortie de Berlin et avant son arrestation par les Américains, il a déposé à Bad Gastein, chez un de leurs amis communs. Ce pli contenait les dernières réflexions de Hitler à la fin de la guerre, transcrites par Martin Bormann et remises à Funk par ce dernier sur ordre du Führer. Jugeant ce document explosif, Funk ordonne à Rechenberg de le détruire et de lui confirmer qu'il l'a fait. Rechenberg le récupère, en prend connaissance et, discipliné, le brûle, mais après en avoir pris copie avec les moyens du bord. C'est ce document que, par mesure de sécurité,

---

1. « Message clandestin ».

Rechenberg confie à Genoud, ce dernier s'engageant sur l'honneur à le garder absolument secret...

Le financement des activités de Rechenberg et de Genoud en faveur des prisonniers nazis est assuré pendant un certain temps grâce à la vente de clichés pris à l'intérieur de la prison de Spandau — endroit réputé à l'époque le plus fermé du monde — et sortis par le réseau « Kassiber ». Ces photos sont vendues très cher à des publications à sensation. L'argent ainsi recueilli sert d'abord à dépanner les familles de détenus qui ont le plus de problèmes.

Rechenberg réussit également le tour de force de se faire verser pour Mme Funk le solde d'un petit compte que son mari avait ouvert à Bâle auprès de la Banque des règlements internationaux (la banque des banques centrales !) à l'époque où il était président de la Reichsbank, et qui était alimenté par ses jetons de présence d'administrateur. Accompagné de Genoud, Rechenberg, reçu par le chef du département juridique de la BRI, un Anglais, se présenta et formula sa demande tout en soulignant qu'il comprenait que sa démarche ne lui fût pas sympathique.

— Ici, je ne suis pas britannique, je suis « BRI » ! répliqua le représentant de la banque. Nous ne tenons compte que de nos propres règles et principes. Rien ne s'oppose donc à ce que le président Funk, notre ancien administrateur, dispose de son compte. La seule chose indispensable, c'est que vous ayez une procuration signée de lui.

Rechenberg répondit qu'il reviendrait un mois plus tard. Il revint effectivement avec la procuration qu'il avait pu obtenir par le réseau « Kassiber »...

Toujours sur la brèche, Rechenberg réussit à faire libérer Funk pour raisons de santé en 1957 alors qu'il était, comme Rudolf Hess, condamné à la prison à vie. Funk passa ainsi ses trois dernières années en liberté. Il eut le loisir de revenir sur son interdiction de révéler la teneur du « testament politique » de Hitler et autorisa ses deux bienfaiteurs, Rechenberg et

Genoud, à le publier hors d'Allemagne (en France en 1959, en Grande-Bretagne en 1960-1961).

C'est l'ami Constant Bourquin qui met Genoud en contact avec la Librairie Arthème Fayard, qu'il connaît bien grâce aux Jardin, Pascal s'étant marié avec la petite-fille d'Arthème. Le 24 janvier 1959, il envoie le document à Claudine Jardin pour qu'elle apprécie son « intérêt historique ». Genoud traite directement avec André François-Poncet, qui commentera le texte, et avec l'historien britannique Trevor-Roper, qui le préfacera. Le 19 mars, Genoud passe contrat avec la Librairie Fayard et reçoit une avance correspondant aux droits sur six mille exemplaires. Finalement, le livre sera bien publié, mais sans préface et sans commentaires, précédé seulement d'un court et très neutre avertissement de François Genoud. La violence du texte, notamment à l'égard des Juifs, a probablement effrayé l'historien anglais et l'ancien diplomate.

Voici quelques-uns des derniers propos du Führer recueillis dans le bunker, vingt-huit jours avant son suicide, qu'il me semble indispensable de faire figurer dans la biographie de son ardent admirateur :

> « Si nous devons être battus dans cette guerre, il ne pourra s'agir pour nous que d'une défaite totale. Nos adversaires, en effet, ont claironné leur but en sorte que nous sachions que nous n'avons pas d'illusions à nourrir quant à leurs intentions. Qu'il s'agisse des Juifs, des bolchevistes russes ou de la meute de chacals qui aboient à leur suite, nous savons qu'ils ne poseront les armes qu'après avoir détruit, anéanti, pulvérisé l'Allemagne nationale-socialiste. Il est d'ailleurs fatal qu'un combat malheureux, dans une guerre comme celle-ci où s'affrontent deux idéologies aussi contraires, ait pour conclusion une défaite totale. C'est un combat qui doit être mené, de part et d'autre, jusqu'à l'épuisement, et nous savons, en ce qui nous concerne, que nous lutterons jusqu'à la victoire ou jusqu'à la dernière goutte de sang.
>
> Cette pensée est cruelle. J'imagine avec horreur notre Reich écartelé par ses vainqueurs, nos populations livrées aux débordements des sauvages bolcheviks et des gangsters américains. Cette perspective ne m'ôte pas la foi invincible que j'ai dans l'avenir du peuple allemand. Plus nous souffrirons, et plus sera éclatante la résurrection de l'éter-

nelle Allemagne ! La particularité qu'a l'âme allemande d'entrer en léthargie lorsque son affirmation menace l'existence même de la nation, nous servira une fois de plus. Mais, moi personnellement, je ne supporterais pas de vivre dans cette Allemagne de transition qui succéderait à notre IIIe Reich vaincu. Ce que nous avons connu en 1918, en fait d'ignominie et de trahison, ne serait rien par comparaison à ce qu'il faudrait imaginer. Comment concevoir qu'après douze ans de national-socialisme une telle éventualité pourrait se produire ? Comment concevoir que le peuple allemand, privé désormais de l'élite qui l'a conduit aux sommets de l'héroïsme, pourrait, durant des années, se vautrer dans la fange ?

Quel mot d'ordre, en ce cas, quelle règle de conduite pour ceux dont l'âme sera demeurée inébranlablement fidèle ? Replié sur lui-même, meurtri, ne vivant plus qu'en veilleuse, le peuple allemand devrait s'efforcer de respecter spontanément les lois raciales que nous lui avons données. Dans un monde qui sera de plus en plus perverti par le venin juif, un peuple immunisé contre ce venin doit finir à la longue par l'emporter. De ce point de vue, le fait d'avoir éliminé les Juifs d'Allemagne et de l'Europe centrale demeurera un titre de reconnaissance durable à l'égard du national-socialisme.

La seconde préoccupation doit consister dans le maintien de l'union indissoluble entre tous les Allemands. C'est quand nous sommes tous réunis que nos qualités s'épanouissent ; c'est quand nous cessons d'être des Prussiens, des Bavarois, des Autrichiens ou des Rhénans pour n'être plus que des Allemands. Les Prussiens, en prenant l'initiative de rassembler les Allemands dans le Reich de Bismarck, ont permis à notre peuple de s'affirmer, en l'espace de quelques décennies, comme le premier peuple du continent. Moi-même, en les unissant tous dans le IIIe Reich national-socialiste, j'ai fait d'eux les bâtisseurs de l'Europe. Quoi qu'il arrive, les Allemands ne doivent jamais oublier que l'essentiel, pour eux, sera d'éliminer toujours les ferments de discorde entre eux et de rechercher avec une infatigable persévérance ce qui porte à les unir.

Pour ce qui est de l'étranger, il est impossible d'établir des règles rigides, car les données du problème changent constamment. J'écrivais, il y a vingt ans, qu'il n'y avait que deux alliés possibles, en Europe, pour l'Allemagne : l'Angleterre et l'Italie. La façon dont le monde a évolué au cours de cette période n'a pas permis d'incarner dans les faits la politique qui, logiquement, eût dû naître de cette constatation. Si les Anglais avaient encore la puissance impériale, ils n'avaient déjà plus les qualités morales nécessaires pour conserver leur empire. Apparemment, ils dominaient le monde. En fait, ils étaient eux-mêmes dominés par la juiverie. L'Italie, elle, avait renoué avec les ambitions de Rome. Elle en avait les ambitions, mais sans les autres caractéristiques — une âme fortement trempée, et la puissance matérielle. Son seul atout, c'était d'être dirigée par un vrai Romain. Quel drame pour cet homme ! Et quel drame pour ce pays ! Pour les peuples aussi bien que pour les hommes, il est tragique d'avoir des ambitions privées du support matériel indispensable, privées à tout le moins de la possibilité de créer ce support.

Reste la France. J'ai écrit il y a vingt-cinq ans ce que j'en pensais. La France demeure l'ennemie mortelle du peuple allemand. Sa déliquescence et ses crises de nerfs ont pu parfois nous porter à minimiser l'importance de ses gestes. Fût-elle toujours plus faible, ce qui est dans l'ordre des probabilités, cela ne doit rien changer à notre méfiance. La puissance militaire de la France n'est plus qu'un souvenir, et il est certain que, de ce point de vue-là, elle ne nous inquiétera plus jamais. Cette guerre, quelle que soit son issue, aura du moins le mérite de faire passer la France au rang de puissance de cinquième ordre. Si elle demeure néanmoins dangereuse pour nous, c'est par son potentiel illimité de corruption et par son art de pratiquer le chantage. Donc, méfiance et vigilance ! Que les Allemands prennent garde de ne jamais se laisser endormir par cette sirène !

Si l'on ne peut, en ce qui concerne l'étranger, se tenir à des principes rigides, car il y a toujours lieu de s'adapter aux circonstances, il est en tout cas certain que l'Allemagne recrutera toujours ses amis les plus sûrs parmi les peuples foncièrement résistants à la contagion juive. Je suis persuadé que les Japonais, les Chinois et les peuples régis par l'islam seront toujours plus proches de nous que la France, par exemple, en dépit de la parenté du sang qui coule dans nos veines. Le malheur veut que la France ait dégénéré au cours des siècles et que ses élites aient été subverties par l'esprit juif. Cela a pris de telles proportions que cela est irréparable. La France est condamnée à faire une politique juive.

En cas de défaite du Reich, et en attendant la montée des nationalismes asiatiques, africains et peut-être sud-américains, il ne restera dans le monde que deux puissances capables de s'affronter valablement : les États-Unis et la Russie soviétique. Les lois de l'histoire et de la géographie condamnent ces deux puissances à se mesurer, soit sur le plan militaire, soit simplement sur le plan économique et idéologique. Ces mêmes lois les condamnent à être les adversaires de l'Europe. L'une et l'autre de ces puissances auront nécessairement le désir, à plus ou moins courte échéance, de s'assurer l'appui du seul grand peuple européen qui subsistera après la guerre — le peuple allemand. Je le proclame avec force : il ne faut à aucun prix que les Allemands acceptent de jouer le rôle d'un pion dans le jeu des Américains ou des Russes.

Il est difficile de dire en ce moment ce qui peut être le plus pernicieux pour nous, sur le plan idéologique, de l'américanisme enjuivé ou du bolchevisme. Les Russes, en effet, sous la contrainte des événements, peuvent se dégager complètement du marxisme juif pour ne plus incarner, dans son expression la plus féroce et la plus sauvage, que l'éternel panslavisme. Quant aux Américains, s'ils ne parviennent pas à secouer rapidement le joug des Juifs new-yorkais (qui ont l'intelligence du singe qui scie la branche sur laquelle il est perché), eh bien, ils ne tarderont pas à sombrer avant même d'avoir atteint l'âge de raison. Le fait qu'ils allient tant de puissance matérielle à tant de labilité d'esprit évoque l'image d'un enfant atteint de gigantisme. L'on peut se demander si, dans leur cas, il ne s'agit pas d'une civilisation-champignon destinée à se défaire aussi vite qu'elle s'est faite.

Si l'Amérique du Nord ne réussit pas à construire une doctrine un peu moins puérile que celle qui lui sert actuellement de morale passe-partout, à base de grands principes creux et de science dite chrétienne, l'on peut se demander si elle demeurera longtemps un continent à prédominance de Blancs. Il serait démontré que ce colosse aux pieds d'argile était tout juste capable, après une montée en flèche, de travailler à son autodestruction. Quel prétexte pour les peuples de race jaune devant ce subit effondrement ! Du point de vue du droit et de l'histoire, ils auraient exactement les mêmes arguments (ou la même absence d'arguments) qu'avaient les Européens du XVIe siècle pour envahir ce continent. Leurs masses prolifiques et sous-alimentées leur confèrent le seul droit que reconnaisse l'Histoire, le droit qu'ont des affamés d'apaiser leur faim — à condition que ce droit soit appuyé par la force !

Aussi bien, dans ce monde cruel où les deux grandes guerres nous ont replongés, il est bien évident que les seuls peuples blancs qui aient des chances de survivre et de prospérer seront ceux qui savent souffrir et qui gardent le courage de lutter, même sans espoir, jusqu'à la mort. Ces qualités, seuls pourront y prétendre les peuples qui auront été capables d'extirper d'eux-mêmes le mortel poison juif... »

À propos de ce texte qui ne semble pas requérir de commentaires explicatifs, Genoud déclare : « Le Testament a joué un rôle important dans ma vie ; peut-être a-t-il encore un rôle à jouer dans l'avenir du monde ? »

Après Hitler et Bormann, Genoud ne pouvait qu'essayer d'obtenir aussi les droits sur les écrits éventuels du « propagandiste du diable », le Dr Goebbels. Lorsqu'il apprend qu'un éditeur allemand, Wort und Werk, s'apprête à publier quelques-uns de ces textes, il se doute bien que cet éditeur n'a pas sollicité l'accord des héritiers. Il part aussitôt à leur recherche. Il met tout de suite dans le coup l'ami Hans Rechenberg, lequel le fait entrer en relation avec l'ancien producteur de cinéma Max Kimmich dont la femme, Maria, née Goebbels, est la sœur de Joseph. Kimmich, qui n'a jamais été nazi et qui a souffert de ce lourd apparentement, reçoit aimablement Genoud. Il ne s'opposera pas à ses projets, dit-il, mais précise que sa femme et lui-même ne sont pas encore les héritiers. Il conseille au Suisse de rencontrer Kurt Leyke, qui a été nommé curateur de la succession.

Genoud se rend à Berlin et y rencontre le notaire Kurt Leyke. Les deux hommes s'entendent bien. Genoud propose de l'intéresser aux résultats. Leyke commence par demander au Sénat de Berlin (le gouvernement), qui l'a nommé curateur, les moyens d'intenter un procès à l'éditeur Wort und Werk. Le 23 août 1955, Genoud obtient les droits d'exploitation de la totalité de l'héritage littéraire du défunt, « sans restriction aucune ». En octobre 1955 puis en mars 1956, Genoud complète le contrat afin de « verrouiller » tous les droits Goebbels.

Fort de ces accords, l'avocat de Genoud écrit à la maison Wort und Werk pour l'aviser que son client détient tous les droits de publication sur les écrits de Goebbels et les lui réclame donc. L'éditeur l'envoie promener ! L'avocat revient à la charge et apprend alors l'existence d'une « bonne sœur » qui joue un rôle non négligeable dans l'affaire.

Au sanatorium de l'abbaye de Holsterhausen, le frère de Goebbels avait reçu en février 1945 un message-radio dans lequel Joseph lui demandait de détruire ses papiers personnels. Sœur Hildegard et son oncle, le prélat Heinrich Meyer, empêchèrent Hans Goebbels de brûler le carton contenant ces documents. Mais les papiers brûlaient sans doute les doigts de Hans, qui préféra les remettre à sœur Hildegard en présence de son oncle et de sœur Céleste. Une partie de ces documents (lettres d'amour et boucles de cheveux des fiancées de Goebbels, journaux intimes, poèmes, roman, bulletins scolaires, thèse de doctorat) furent archivés à l'abbaye. Sœur Hildegard emporta le reste chez elle, à Cologne. Puis, à la mort de son oncle, elle déménagea chez elle les archives qui étaient restées conservées à l'abbaye. Les temps étant durs pour elle comme pour tous les Allemands, elle en vint à décider d'écouler certains papiers de Goebbels. En 1954, elle se sépara d'une partie d'entre eux en les vendant aux enchères à Berlin. C'est ainsi que la maison d'édition Wort und Werk fit l'emplette de certains écrits et que les Archives de Coblence se retrouvèrent en possession d'un testament rédigé en 1920 et d'une lettre d'adieu à son amie Anka Stalhern.

Genoud attaque la maison Wort und Werk devant le tribunal de Cologne. Il gagne son procès le 31 mai 1956. Contre une caution de 90 marks, il peut entrer en possession des documents. Genoud est reconnu propriétaire exclusif des droits d'exploitation des écrits du Dr Goebbels et a donc la faculté d'exiger de tous les détenteurs d'écrits de Goebbels qu'ils les lui remettent. Les Archives de Coblence acceptent de restituer les documents en leur possession à leur « propriétaire légitime ». Mais sœur Hildegard rejette le jugement rendu et refuse de remettre à François Genoud ceux qu'elle a conservés. Elle fait appel du verdict de Cologne.

Une fois de plus, Genoud occupe une place de choix dans la presse allemande. « Goebbels ricanerait bien en lisant les journaux ! » s'insurge un éditorialiste, scandalisé par cette bataille autour des écrits d'un homme qui a toujours ignoré la frontière entre le mensonge et la vérité. Tous se posent la question : « Mais qui est ce Genoud qui ose intenter un procès aussi coûteux ? » Et les journalistes de fantasmer sur l'« agent littéraire » Genoud : les uns reprennent des rumeurs zurichoises selon lesquelles il aurait participé à un transfert de toiles de valeur à destination de Tanger pour le compte de nazis, les autres évoquent ses relations avec le Grand Mufti ou parlent à son sujet d'« esprit diabolique », de « maudit ».

En avril 1958, les héritiers (ou leurs ayants droit) du Dr Goebbels, dont la mort a été constatée le 1er mai 1945, approuvent le contrat conclu entre le Dr Leyke et François Genoud. Ces héritiers sont : Maria Kimmich, née Goebbels, sœur du défunt, et sa fille Wiltrud Kimmich ; Hertha Goebbels, veuve de Hans Goebbels, frère du défunt, décédé en 1947, et sa fille Eleonore Reysteher, née Goebbels ; les enfants de Konrad Goebbels, frère du défunt, décédé en 1949, à savoir : Wolfgang Goebbels, Margot Goebbels et Elsbeth Ackermann, née Goebbels.

Genoud gagne définitivement son procès en appel le 30 janvier 1964. Désormais, la publication dans le monde entier de tous les écrits de Goebbels, fût-ce d'un simple paragraphe, devra obtenir l'aval de François Genoud. « C'était une victoire posthume de Joseph Goebbels. Lui, le Diable, était le seul à avoir obtenu que ses droits soient respectés !... » épiloguera-t-il trente ans plus tard, en septembre 1995.

En 1977, l'éditeur allemand Hoffmann und Campe paie un demi-million de marks pour publier ses carnets de l'année 1945. En 1992, il en coûte 150 000 marks au *Spiegel* pour reproduire des extraits des écrits de Goebbels. Pour quelques simples lignes citées, la *Frankfurter Zeitung* a dû obtenir l'autorisation de Genoud et lui verser quelque argent. Les droits du Lausannois sont si bien assurés que l'Institut d'histoire moderne de Munich (IFZ) a dû négocier avec le Suisse pour reproduire les 36 000 pages retrouvées à Moscou dans les archives du KGB par une de ses chercheuses. En l'occurrence, Genoud n'a pas réclamé d'argent.

Interrogée par un journaliste allemand qui s'étonnait de l'habituelle rapacité de l'« agent littéraire », son avocate, la fille du Dr Schacht, répondit vers la fin février 1995 : « D'aucuns pensent qu'il n'y a que l'argent qui intéresse François Genoud. Eh bien non, ce n'est pas cela. Il se considère comme l'administrateur des biens de Goebbels, qu'il admirait pour son intelligence et sa fidélité à Hitler... »

Malgré ses droits, l'« administrateur » tombe un beau jour sur un os qui manque de lui rester en travers de la gorge. Le néo-fasciste anglais Irving Fischer subtilise à Moscou des microfilms des carnets de Goebbels et les vend au *Sunday Times* en déclarant à la direction de l'hebdomadaire qu'il a obtenu les droits de publication auprès de François Genoud. Deux jours avant la date de publication prévue, Fischer téléphone à Genoud et lui dit être fort mécontent de son avocate, laquelle n'a toujours pas répondu à sa demande de publication dans le *Sunday Times*.

— Vous me prenez pour un gâteux ? réplique Genoud. Vous croyez que je vais vous céder les droits comme ça, à la sauvette ?

— Mais si vous ne me les cédez pas, cela ne pourra pas paraître ce dimanche...

— Si ces textes qui datent de plusieurs dizaines d'années ont de l'intérêt ce dimanche, ils en auront autant un peu plus tard !

Irving Fischer est convaincu que Genoud ne bougera pas et conseille au *Sunday Times* de publier... Genoud entame aussitôt un procès, mais, au bout de quelques mois, il est obligé de baisser les bras : il a déjà dépensé quelque 80 000 francs suisses et pense qu'il ne gagnera pas face au puissant groupe Murdoch. Mais le retrait de sa plainte risque aussi de lui coûter fort cher, puisqu'il sera obligé de payer les frais de la partie adverse. Il décide alors d'écrire directement à Murdoch, dont il a trouvé l'adresse personnelle. Il lui explique que c'est bien à contrecœur qu'il a entamé cette procédure et conclut sa lettre en se disant convaincu qu'« un homme de sa qualité ne voudra pas d'une telle victoire ». Un mois plus tard, il est contacté par le chef du service juridique du groupe. Genoud et son avocate, Cordula Schacht, rencontrent à Londres le conseil de Murdoch et concluent un arrangement aux termes duquel chacun réglera ses frais de justice : « C'était inespéré, car ils avaient dépensé beaucoup plus que moi ! Sans cet accord, je serais encore aujourd'hui pourchassé à travers le monde pour honorer mes dettes ! » s'exclame Genoud.

Après ces procès, Genoud est connu outre-Rhin comme l'agent littéraire étranger qui ose défendre les anciens nazis spoliés par les lois édictées par les Alliés. Il est populaire chez les Allemands — nazis ou non — qui jouèrent un rôle dans les années 1930 et 1940 et qui sont désormais déchus ou bannis. Il est « l'ami des amis de Hitler », ainsi que l'a présenté un journal de Pretoria. Désormais, il n'a plus d'efforts à déployer pour constituer son panthéon nazi : on vient à lui. Lui qui était un simple admirateur de la cause, mais qui n'avait pu approcher les « grands », est maintenant traité sur un pied d'égalité par les rescapés du régime nazi. Il fait partie de divers cénacles autour de Ramcke et Rechenberg, mais également autour de l'avocat Heinrich Heim. Responsable à la Chancellerie des *Propos* de Hitler pour le compte de Martin Bormann, Heim a pris son parti dans la querelle qui l'a opposé à Picker. Il vit à Munich, où Genoud se rend très souvent et descend toujours à l'hôtel « Maison bleue ». Heim a renoué avec les milieux artistiques et le fait profiter de ses relations. C'est ainsi que Genoud fait la connaissance de Leni Riefenstahl[1], avec qui il entrera en correspondance, et de Winifred Wagner, la belle-fille anglaise du héros de Hitler, Richard Wagner. Heim lui présente également l'ex-général nazi Karl Wolf, qui négocia avec Allen Dulles la reddition des forces allemandes d'Italie. Wolf lui présente à son tour Dolmann, l'interprète des conversations entre Hitler et le Duce, mais aussi l'homme qui fut au cœur des tractations entre Allen Dulles et Gero von Schultze-Gaevernitz d'un côté, et Karl Wolf de l'autre[2].

---

1. La cinéaste, admiratrice de Hitler, qui mit en scène le congrès de Nuremberg et les Jeux Olympiques de Berlin.

2. Allen Dulles a raconté ces tractations dans *The Secret Surrender*, publié à New York chez Harper & Row.

L'éditeur allemand Dürer, installé à Buenos Aires, le contacte en 1954 pour venir en aide au colonel Hans Rudel, ancien pilote de Stukas sur le front de l'Est, titulaire de la plus haute décoration allemande. Les archives de Genoud renferment de nombreuses lettres de Rudel. Il essaya de lui obtenir une préface du général Lindbergh, puis du général Spaatz[1], pour l'édition américaine de *Pilote de Stukas*, qui fut un best-seller dans le monde entier. Mais les efforts de Genoud ne furent pas couronnés de succès, même si les deux hommes se virent et s'écrivirent régulièrement jusqu'à la mort de Rudel. Genoud a d'ailleurs gardé aujourd'hui des liens avec sa dernière femme.

On trouve également dans ses archives toute une correspondance, qui n'a rien d'idéologique, avec Otto Skorzeny, installé à Madrid grâce à l'ami Bauverd : elle tourne autour des meilleurs moyens de vendre des antennes et autres matériels en Égypte. Quelques lettres d'Annelies von Ribbentrop. Des lettres chaleureuses d'Emma Göring, qu'il a connue quand il s'est occupé des intérêts du Grand Mufti.

À la fin des années 1950, le carnet d'adresses de Genoud est sûrement de ceux qui comptent le plus de patronymes nazis connus : Hitler, Goebbels, Bormann, Göring, Schacht, Funk, Wolf, Rechenberg, Skorzeny, Ribbentrop, Heim, Rudel, Rosenberg.

Le nom de Rudolf Hess revient aussi souvent dans la conversation de Genoud. Depuis une trentaine d'années, il a noué des relations avec sa femme et surtout son fils. Il aime à résumer ainsi l'« histoire du héros de la paix de la dernière guerre » :

« Il sait que Hitler va attaquer l'URSS. Il prend un petit avion, passe les DCA, saute en parachute, arrive avec un drapeau blanc pour négocier. On le met en prison, ce qui est déjà scandaleux, puis les Anglais le livrent à un tribunal dont la création est postérieure à la guerre, on le juge selon des lois qui n'existaient pas au moment des faits, et on les fait jouer de

---

1. Général américain qui séjourna à Fontainebleau au milieu des années 1950.

façon rétroactive. On le condamne à la détention à perpétuité et il meurt en prison... »

Ayant fait le plein de « nazis allemands » dans son carnet de relations, Genoud, avec une patience de bénédictin, l'a complété et entretenu en y ajoutant ceux qui, à travers l'Europe, les approuvèrent et les aidèrent sans pour autant faire partie d'un de ces réseaux d'activistes néo-nazis qu'il méprise au plus haut point.

Genoud a ainsi entretenu une correspondance suivie avec Georges Oltramare, chef de la très fasciste « Union nationale » suisse d'avant-guerre. Antisémite virulent, cet ancien journaliste, créateur du *Pilori*, mit sa plume en France au service de l'occupant. Proche d'Otto Abetz, on le voit alors à Paris en compagnie de Sacha Guitry, Jean Cocteau, Cécile Sorel ou Arletty. Il travaille pour Radio-Paris, échappe de justesse à un attentat, quitte la capitale dans les fourgons de l'armée allemande et s'installe avec les derniers des collaborateurs français à Sigmaringen. Comme Paul Bonny et René Fonjallaz — autres proches de François Genoud —, il est condamné à mort par contumace à Paris, mais n'écope en Suisse que de trois ans de réclusion. Une fois cette peine purgée, il part pour l'Espagne, puis pour l'Égypte où il exerce quelque temps ses talents de speaker. En septembre 1957, de retour au Caire, Oltramare propose à son ami Genoud de l'associer à un projet qu'il forme « pour le plus grand bien du monde arabe, auquel vous rendez tant d'éminents services ». Il lui dit avoir communiqué au Dr von Leers, ancien adjoint de Goebbels chargé de la propagande antisémite, réfugié au Caire, les *Propos* de Hitler « qui vous doivent d'avoir été publiés » : « Ils firent ses délices, comme ils ont fait celles d'Abel Bonnard à Madrid. On attend avec impatience ce que vous allez révéler des mémoires de Goebbels. » Dans une autre lettre, Oltramare écrit : « Au milieu des embêtements que s'ingénie à me procurer une démocratie de plus en plus totalitaire, il m'a été agréable d'apprendre que vous aviez gagné votre procès en Allemagne. » Plus tard, le

2 janvier 1958, il offre à nouveau ses talents de propagandiste au monde arabe : « Un idéal, c'est ce que demande ce temps désaxé. Une valeur morale à défendre, quel atout précieux en politique ! Les moyens sont connus : radio, télévision... »

Genoud a entretenu une très importante correspondance — 93 lettres échelonnées d'avril 1950 à juillet 1957 — avec le leader des néo-fascistes anglais, Sir Oswald Mosley, qui s'est lui aussi beaucoup intéressé au monde arabe. Mosley avait rencontré Hitler en 1937 et fêté son mariage avec Diana Mitford chez Goebbels. Fidèle à ses habitudes, mêlant idéologie et *business*, Genoud tente de faire des affaires avec l'ex-ami de George V qui s'est lancé lui aussi dans l'édition à travers Mosley Publications et Euphorion Books. Mosley et lui essaient également de lancer avec le banquier Pitron une affaire de matériel chirurgical hautement sophistiqué... Après trois ans de silence, Mosley revient sur la scène politique, le 10 février 1954, en prononçant un discours devant les militants de son Mouvement de l'Union. Décrivant l'Angleterre comme une prison, il annonce à ses partisans qu'il préfère aller résider en Irlande et qu'il ne reprendra la parole en Angleterre que lorsque son mouvement aura arraché quelques barreaux. Il prône le désarmement général pour résoudre la question de la réunification allemande. Il tient au courant son ami Genoud de toutes ses pérégrinations politiques et financières...

Un étrange personnage figure dans le carnet de Genoud à la lettre « H » : Ahmad Huber. Journaliste suisse, né il y a soixante-huit ans (et portant alors les prénoms d'Albert, Frédéric, Armand) de parents protestants, il a longtemps été rédacteur de la presse social-démocrate suisse accrédité auprès du gouvernement et du Parlement. À partir de 1981, il travaille pour le groupe Ringier. En 1994, il est exclu du parti social-démocrate pour « révisionnisme » et « khomeinisme ». Il faut dire que, depuis que son prénom a été changé en Ahmad, il est devenu pro-nazi et a donné publiquement son appui à la *fatwa* condamnant Salman Rushdie... Le CV qu'il m'a remis est placé sous l'invocation d'Allah « le Clément, le Miséricordieux[1] ».

Ahmad Huber, qui a l'air d'un bon retraité et qui se déclare tout à fait suisse, tient un discours pour le moins surprenant mais qui, manifestement, ne doit rien aux circonstances ; il croit vraiment ce qu'il dit :

« J'étais un brave Suisse pro-israélien. Mes parents protestants étaient ouverts, tolérants, formidables. Je ne suis pas un frustré. J'ai fait mes études à Fribourg en milieu catholique et j'ai vraiment reçu le meilleur des deux religions. Mais, un beau jour, mon parti m'a demandé de cacher quelques Algériens qui étaient en Suisse pour acheter des armes. J'ai mal réagi, car, pour moi, les Algériens étaient dans le camp communiste et je n'aimais guère les Arabes. J'étais l'équivalent d'un bon SFIO. Mais le parti s'est fait plus pressant, je ne pouvais plus discuter. Finalement, j'ai caché trois Algériens pendant trois nuits. Nous avons eu des discussions incroyables sur leur vie, leur engagement religieux et politique... Cela a été pour moi un vrai choc culturel, j'étais fasciné par tout ce qu'ils me disaient. Puis ces conversations ont fait leur chemin. J'ai travaillé, je me suis renseigné sur l'islam. J'ai eu des réponses à des questions concrètes : par exemple, la conception de Dieu, les contradictions entre la foi et la raison, la notion de peuple élu (cause profonde du racisme...). Quand j'ai compris qu'Allah était aussi le créateur du Mal, j'ai eu la paix en moi, j'ai enfin trouvé mon unité. Ma conversion ne s'est pas opérée brutalement. J'ai fait finalement ma *shihada*[2] dans un centre islamique à Genève.

« Un jour, je reçois une convocation de l'ambassade d'Égypte. J'y vais et rencontre Fathi el-Dib[3], qui me demande où j'ai fait ma profession de foi. Je le lui dis. Il m'explique que ce centre est tenu par les Frères musulmans, qui ne sont pas de bons musulmans mais souhaitent la chute du grand leader du

1. Rencontre avec l'auteur, à Berne, le 27 septembre 1995.
2. Profession de foi dans la religion musulmane.
3. Ambassadeur d'Égypte à Berne avec qui nous ferons plus ample connaissance.

nationalisme arabe, Nasser. Je n'en savais rien, j'étais naïf. "Il faut que tu fasses ta *shihada* en Égypte", me dit-il. »

Ahmad reçoit une invitation à se rendre en Égypte. Il y refait sa profession de foi à l'université Al-Ahzar, en février 1962. À son retour, il rend visite à l'ambassade d'Égypte et y fait la connaissance de Zeinab, la secrétaire de Fathi el-Dib, qui deviendra bientôt sa femme. Il a avec elle deux enfants qui sont maintenant des « musulmans actifs ». Petit à petit, Ahmad Huber épouse les causes arabes. Il devient d'abord nationaliste militant, renonce à son admiration pour Israël. Son antinazisme se fait de plus en plus modéré. Diverses rencontres avec des chrétiens arabes, puis avec des Juifs de Bagdad le conduisent à réviser toutes ses idées. Il est « mûr » pour accepter, en 1965, le discours du Grand Mufti qui lui donne « une version totalement différente du IIIe Reich ». Il n'est pas choqué par les propos de von Leers — le plus antisémite des ex-collaborateurs de Goebbels — qu'il rencontre à plusieurs reprises au Caire, entre 1963 et 1965, pas plus que par ceux des nombreux anciens nazis qu'il côtoie dans le monde arabe au cours des années 1960. Il se définit à présent comme un « révisionniste modéré », refuse toute démonisation du IIIe Reich, tout comme l'idée d'un holocauste unique : « Il y a bien eu génocide. On ne peut le nier, c'est épouvantable et impardonnable, mais c'est une insulte raciste aux millions d'Africains qui ont été tués, mis en esclavage pendant des siècles, que d'affirmer que cet holocauste est le seul de l'Histoire... On a affaire à une telle manipulation qu'il est devenu impossible de parler de ces sujets... »

Pour compléter son évolution sacrilège — qui lui a valu d'être exclu du parti social-démocrate —, il approuve en 1979 la révolution khomeyniste et, étape marquante dans sa vie, il a été invité en 1983 en Iran où il a pu rencontrer l'imam Khomeyni : « Je suis un ami critique de l'Iran et je n'hésite pas à parler de ses échecs... Ce qui est important, dans cette révolution, c'est que les gens du peuple dirigent le pays... » Depuis une dizaine d'années, il consacre beaucoup de son temps et de son énergie à sillonner le monde et à y prononcer des conférences qui circulent aussi beaucoup sous forme de cassettes dans le monde musulman.

Huber est très lié au chef de l'opposition parlementaire turque, Necmettin Erbakan[1], qui est venu à la IIIe Conférence des musulmans en Europe, fin septembre 1995 à Davos. Huber et ses amis ont même demandé à Jean-Marie Le Pen de les retrouver pour rencontrer Erbakan. Ahmad Huber, en effet, « travaille » depuis quelques années le chef du Front national pour lui recommander de réviser ses mots d'ordre contre les immigrés et les pays arabes, qui tendent à devenir selon Huber de plus en plus son « fonds de commerce ».

Ahmad édite enfin une revue de presse à destination de l'Iran, des mouvements islamistes turcs, de l'opposition palestinienne (Hamas), du Hezbollah, du FIS, etc.

« Il y a deux caractéristiques capitales dans le monde musulman, explique-t-il : l'ignorance catastrophique des musulmans, qui ne connaissent pas l'extraordinaire modernité du Coran et qui, parce qu'ils sont ignorants, ont peur ; l'énorme impact de la pseudo-culture américano-sioniste en tous domaines, avec son culte de la laideur, du mal, du mensonge. Nous devons livrer un combat très dur, et, dans ce cadre, nous sommes amenés à nouer des alliances avec l'extrême droite. »

J'apprends ainsi qu'Ahmad Huber fait partie du groupe « Avalon », qui renoue avec certaines traditions de la religion celtique. Deux fois l'an, il se retrouve, aux solstices, en compagnie de quelques centaines de Suisses, au fond des bois, à cultiver le retour aux racines face à l'invasion américano-sioniste...

« Avalon » agit en liaison avec le groupe « Thulé », loge d'extrême droite infiltrée outre-Rhin dans les principaux partis et rouages de l'État et qui se donne pour but, comme après le traité de Versailles, de redonner sa « dignité » à la Grande Allemagne. Également lié du côté français au Club de l'Horloge, dont l'objectif depuis les années 1970 est de réarmer idéologi-

---

1. Necmettin Erbakan, leader du parti islamique, le REFAH (Parti de la prospérité) est arrivé en tête des élections du 25 décembre 1995 avec 21,32 % des voix.

quement la droite, « Avalon » a des contacts avec Giancarlo Fini, le président de l'Alliance nationale, avec la fille de Mussolini, Alessandra, et avec Henry Fischer, un Californien d'extrême droite qui figure aussi en bonne place dans le carnet de Genoud[1]. À propos des institutions de son pays, ce Fischer parle toujours du « ZOC » et du « ZOG » *(Zionist Occupied Congress* et *Zionist Occupied Government),* et répète volontiers : « On est en 1931, on attend 1933. »

« Je suis absolument antiterroriste, déclare Huber. Je l'ai sans cesse répété au Hamas : "Si vous vous attaquez aux représentants de l'État d'Israël, je suis avec vous, mais si vous tuez des innocents dans des supermarchés, c'est vraiment trop con, trop dégueulasse..." Je suis absolument contre ce qui se passe en Algérie, mais il ne faut pas oublier que ce sont les militaires qui ont perpétré un coup d'État, arrêté le processus démocratique et commencé à semer la terreur... »

Huber a connu Genoud à la fin des années 1960 dans des associations proarabes. Il a de la sympathie pour lui — « car tout le monde lui tombe dessus » —, même s'il ne partage pas toujours ses opinions, par exemple sur Hassan Tourabi, le chef spirituel soudanais, caution du régime révolutionnaire, qui a « livré » Carlos.

« Je ne lui ai jamais posé de questions, mais j'ai constaté que, dans des milieux aussi différents que la droite allemande, les mouvements islamiques d'Asie, les Palestiniens, les Maghrébins, on parle de lui avec beaucoup de respect. Tous me disent : il nous a aidés. J'ai l'impression qu'il a joué un rôle important, quoique discret... C'est moi qui l'ai introduit auprès des Iraniens. Je leur ai dit : "C'est un ami, vous pouvez lui faire confiance." Ici, en Suisse, il a beaucoup milité contre la loi antiraciste inspirée par les sionistes, qui voulaient criminaliser le "révisionnisme". Genoud a été avec nous. On a officiellement perdu, mais de peu, si bien que la loi n'est pas appliquée... »

1. Henry Fischer est un ami de Jean-Marie Le Pen.

Huber manifeste son profond attachement à la Suisse, qui est le « seul pays médiéval au cœur de l'Europe. Ici, on parle l'allemand comme il y a cinq siècles. La Suisse a préservé ses vieilles structures. C'est un cas unique de vraie participation populaire. Un pays avec ses fidélités autour des vieilles familles, doté d'une formidable stabilité... »

À cette galerie de portraits des amis et relations de François Genoud pourraient encore s'ajouter le professeur Gaston-Armand Amaudruz, qui affirma que « le procès de Nuremberg lui avait fait comprendre que la victoire des Alliés était celle de la décadence » et qui créa en 1951, en Suisse, un mouvement néo-nazi, le « Nouvel Ordre européen » — Genoud dit de lui : « Un type très bien : raciste, désintéressé... Un homme du passé, quoi... » —, ou encore l'historien britannique d'extrême droite David Irving, le premier à s'être attaqué à l'attitude de Churchill pendant la guerre et qui joua un rôle non négligeable dans l'affaire des « vrais-faux » carnets de Hitler... Mais, à allonger la liste des invités à ce bal de revenants, le lecteur, gagné par la lassitude, risquerait de finir par plaquer les expressions de l'un sur les traits de l'autre, et par prêter à tous le même discours...

Islam et croix gammée

À la vie, à la mort ! L'ami allemand de Genoud est désormais Rechenberg. Pendant vingt ans, il sera difficile de parler de l'un sans évoquer l'autre. Les deux anciens fidèles de l'hitlérisme ne vont pas se cantonner à l'aide aux anciens dignitaires nazis ; François n'a eu aucun mal à entraîner Hans dans son activisme en faveur des mouvements nationalistes arabes : l'ancien collaborateur de Göring a gardé un excellent souvenir de son passage dans le Maghreb pendant la guerre. Leur analyse est simple : « Notre monde est tombé en miettes ; l'ordre des vainqueurs tel qu'il s'est manifesté au procès de Nuremberg est instauré pour longtemps. Nous devons nous tourner vers un univers où il se passe autre chose, où il y a de la vie, de l'avenir : là où se déroule la lutte des Arabes pour leur indépendance. Nous sentons que c'est là que réside l'espoir, là qu'est donc le danger pour le vieux monde universaliste et bicéphale. »

Bien qu'ils n'aient nul besoin d'arguments supplémentaires pour se considérer du bon côté par rapport à celui des méchants vainqueurs, ils ont l'habitude d'invoquer le souvenir du massacre de Sétif, en Algérie, le 8 mai 1945. Ce jour-là, la ville du sud de la Petite Kabylie est en pleine effervescence. Un mot d'ordre du mouvement nationaliste clandestin de Messali Hadj appelle à manifester pour exiger, après le sacrifice des Algériens sur les champs de bataille d'Europe, un peu de démocratie et de justice. Un inspecteur de police blesse à mort le porteur d'une pancarte où était inscrit : « Vive la Victoire alliée ! »

La manifestation dégénère. Dans la nuit qui suit, on tue de part et d'autre. Après une répression sauvage, le nombre de morts algériens varie selon les estimations, mais s'exprime en dizaine de milliers[1]. « C'est la France démocrate, la France de la Résistance, la France de De Gaulle, la France unie derrière son chef qui a assassiné ceux qui s'étaient battus à Monte Cassino !... » explose Genoud.

En aidant activement le nationalisme arabe, Rechenberg et Genoud ont conscience de renouer avec une vieille tradition, de poursuivre à leur manière la politique du IIIe Reich, voire celle du Kaiser Guillaume à l'égard de l'Islam et du monde arabe[2]. L'alliance du Reich et de l'Empire ottoman contre la Triple Alliance (France, Angleterre, Russie) date en effet de la fin du siècle dernier. En se rendant à Constantinople, en 1898, le Kaiser s'était arrêté à Jérusalem et avait déclaré être « l'ami du Sultan et des trois cents millions de musulmans dispersés de par le monde ». La plus brillante traduction économique de ce rapprochement fut le projet de la construction du chemin de fer Constantinople-Bagdad. L'Allemagne encourage ses « Lawrence » à « travailler » l'ensemble du monde musulman du Maghreb jusqu'à l'Inde ; la Wilhelmstrasse (équivalent allemand du Quai d'Orsay) consacre beaucoup d'hommes et d'argent à soutenir les peuples colonisés et leurs mouvements insurrectionnels contre Paris et Londres. L'objectif principal est de faire exploser les empires coloniaux. Parmi les acteurs importants de cette diplomatie secrète, il y a le « baron Max », Werner-Otto von Hentig et le Dr Fritz Grobba[3], qui rêvent

1. D'après *La Guerre d'Algérie*, d'Yves Courrière, Éd. R. Laffont, 1990.

2. Lire à ce sujet l'excellent livre de Roger Faligot et Rémi Kauffer, *Le Croissant et la Croix gammée*, Albin Michel, 1990. Je m'y suis souvent reporté pour rédiger ce chapitre.

3. Le baron Max von Oppenheim est archéologue, mais travaille comme espion en Orient pour la Wilhelmstrasse. Il prend la tête du service en 1914. Il recrute le diplomate Werner-Otto von Hentig, qui se poste à Constantinople puis à Téhéran. L'officier Fritz Grobba complète le dispositif à Damas et s'allie avec les Turcs pour contrer les Anglais qui ont réussi à convaincre les Arabes de secouer le joug ottoman contre la promesse de devenir indépendant, après la guerre...

d'unir tous les musulmans et ont pour commun dominateur la haine de l'Anglais.

L'Allemagne hitlérienne poursuit la politique du Kaiser avec une haine encore plus vive envers les vainqueurs qui l'ont humiliée, et avec une influence facilitée par le ressentiment des Arabes envers Londres qui les a trahis en installant un foyer juif en Palestine. Mais la politique nazie recèle une grave contradiction engendrée par l'antisémitisme du national-socialisme. Avant d'avoir opté pour la « solution finale », les nazis sont favorables à la dispersion des Juifs et à leur transfert en Palestine, et se retrouvent par là les alliés objectifs du sionisme et des puissances de l'Entente. Ils négocient ainsi avec l'Agence juive un accord de transfert, attitude que réprouve évidemment le chef politique et spirituel des Palestiniens, le Grand Mufti de Jérusalem, lequel recherche néanmoins l'alliance avec Berlin pour lutter contre les Anglais et les immigrés juifs. Pendant quelques années, l'Allemagne va ainsi mener deux politiques aux effets opposés, celle du parti nazi et celle de la Wilhelmstrasse. Mais, en 1937, le Grand Mufti et le consul allemand à Jérusalem jettent les bases d'une alliance germano-arabe. Hentig, l'ancien diplomate du Kaiser, se montre en l'occurrence très actif. L'Abwehr finance le Grand Mufti qui devient, à la fin des années 1930, un admirateur inconditionnel des nazis, au point de venir s'installer à Berlin pendant la durée des hostilités...

Au début, l'association Genoud-Rechenberg se concrétise sur le plan commercial par la création de la société Arabo-Africa, domiciliée à Munich, donc près de Bad Tölz et de Pullach, là où sont respectivement installés Rechenberg et le siège de l'« organisation Gehlen ». La constitution de cette société s'explique par le fait que les deux hommes, on l'a vu, mêlent en permanence activités politiques, financières et commerciales. Arabo-Africa s'appuiera sur le réseau d'amitiés nazies de Rechenberg et le carnet d'adresses nazies et arabes de Genoud. Les deux hommes bénéficient en outre d'une aide et d'une couverture dont il est difficile, encore aujourd'hui, de mesurer le poids : celles de l'« organisation Gehlen », puis du BND qui la remplace en avril 1956. Si l'appartenance de Rechenberg aux services spéciaux allemands est indiscutable, il est difficile de savoir s'il leur rendait compte de toutes ses initiatives. Il est néanmoins attesté[1] que, dans les rapports qu'il leur adressait, il présentait Genoud comme son agent...

Autre certitude : Rechenberg est identifié comme espion et traité comme tel par les services spéciaux français au moins depuis 1954. Dans les fiches du Ministère public helvétique consacrées à Genoud, on peut lire en effet que le colonel du SDECE Marcel Mercier[2], chargé en Suisse d'entretenir des relations avec ses homologues allemands de l'« organisation Gehlen » et d'échanger avec eux des informations, notamment sur les réseaux d'aide au FLN et ses achats d'armes, rencontra à ce propos Hans Rechenberg. Après l'assassinat par la « Main rouge[3] » de Paul Stauffer, un trafiquant d'armes de Zurich, les services français envoyèrent à leurs homologues une note reproduite partiellement dans une fiche relative à Genoud : « Attire l'attention sur Genoud, lequel exprime publiquement son aversion pour la France et admire Nasser. Pourtant, Genoud retourne toujours à Paris où il est reçu à bras ouverts. En 1954, Genoud a été présenté par l'espion Rechenberg Hans-Joachim à Mercier Marcel qui a recommandé Genoud à Paris en signalant qu'il était prêt à travailler pour le SDECE[4] sous couvert d'affaires financières arabes... »

Pendant toute cette période, l'« organisation Gehlen », puis le BND en général et Rechenberg en particulier jouent un rôle très ambigu vis-à-vis de la France. Les services allemands transmettent à Paris des informations à propos des activités du

1. Témoignage d'un fonctionnaire allemand à l'auteur.

2. Le colonel Mercier fut en 1957 à l'origine d'un énorme scandale après la découverte que le procureur général de la Confédération était un de ses agents. Le procureur Dubois se suicida.

3. La « Main rouge » est une création du SDECE chargée de traquer par la violence les « terroristes » du FLN et ceux qui les aident.

4. Genoud ne se souvient pas d'avoir rencontré Marcel Mercier ni par conséquent d'avoir proposé ses services au SDECE.

19

MANDAT D'ARRÊT

LE JUGE D'INSTRUCTION FÉDÉRAL EXTRAORDINAIRE

ordonne à tous huissiers ou agents de la force publique d'arrêter et de conduire dans la prison de Lausanne *, en se conformant à la loi :*

François Genoud

*prévenu d'*espionnage.

Il ordonne en même temps au Geôlier de la susdite prison de recevoir et de retenir le prénommé jusqu'à ce qu'il en soit autrement ordonné.

Le présent mandat est exécutoire sur tout le territoire de la Confédération Suisse.

Tous les dépositaires ou agents de la force publique, et même tous les citoyens, s'ils en sont requis, sont tenus de prêter main-forte pour la mise à exécution de ce mandat.

Fait à Lausanne *le* 31 mai *191*7

Le Juge d'Instruction Fédéral extraordinaire :

Imprimerie Lausannoise. — Octobre 1916. — 200 ex.

Le père de François Genoud est accusé d'espionnage en faveur de la France. (D.R.)

19

MANDAT D'ARRÊT

LE JUGE D'INSTRUCTION FÉDÉRAL EXTRAORDINAIRE

ordonne à tous huissiers ou agents de la force publique d'arrêter et de conduire dans la prison de Lausanne *, en se conformant à la loi :*

François Genoud

*prévenu d'*espionnage.

Il ordonne en même temps au Geôlier de la susdite prison de recevoir et de retenir le prénommé jusqu'à ce qu'il en soit autrement ordonné.

Le présent mandat est exécutoire sur tout le territoire de la Confédération Suisse.

Tous les dépositaires ou agents de la force publique, et même tous les citoyens, s'ils en sont requis, sont tenus de prêter main-forte pour la mise à exécution de ce mandat.

Fait à Lausanne *le* 31 mai *191*7

Le Juge d'Instruction Fédéral extraordinaire :

Imprimerie Lausannoise. — Octobre 1916. — 200 ex.

Un *ausweis* de Paul Dickopf, espion de l'Abwehr.. (D.R.)

D.6279 SH.

ARMÉE SUISSE — COMMANDEMENT DE L'ARMÉE

SCHWEIZERISCHE ARMEE — ARMEEKOMMANDO

ESERCITO SVIZZERO — COMANDO DELL'ESERCITO

No. 9941 Col.J./ab.
In der Antwort vermerken — A indiquer dans la réponse — Da indicare nella risposta

Q.G., 2.12.1944.

Monsieur le Conseiller Fédéral DE STEIGER,
Chef du Département de Justice & Police,
B E R N E.

Monsieur le Conseiller Fédéral,

J'ai l'honneur d'attirer votre attention sur la personne d'un ressortissant allemand, s.d. DICKOPF Paul, commissaire de police criminelle, alias JUNG, alias DONALDSEN, alias DIEKMANN, alias HARDEGGER, alias Peter DORR.

Le s.d. JUNG, sous ce nom-là, était titulaire d'un livret d'internés, suivant décision de la Division de police du Département fédéral de justice et police.

On se trouve en présence d'un redoutable chef de l'espionnage allemand qui, grâce à des manigances audacieuses, a réussi à dissimuler pendant de longs mois sa personnalité et à vivre en marge de la légalité. La note ci-jointe, qui constitue un bref résumé de l'affaire, vous orientera plus complètement.

Nous avions déféré l'affaire à la Justice Militaire. Or, récemment, nous avons appris que le s.d. DICKOPF avait été remis en liberté, qu'il séjournait à Berne dans un hôtel et qu'ainsi il est en situation de continuer à porter préjudice à notre pays.

DICKOPF, au titre d'interné, dépendant de la Division de police de votre Département - elle est au courant de l'affaire vu l'importance qu'il convient d'attribuer à son cas, je me permets de vous le soumettre à toutes fins utiles.

Veuillez agréer, Monsieur le Conseiller Fédéral, l'assurance de ma haute considération.

Etat-major de l'Armée
GROUPE DU LAC
Jaquillard, col.

A. St. 1121/1345 — -1-

... tions avec l'étranger, ... le truchement de "boîtes aux lettr... JUNG a fini par dire q... commissaire criminel.

Après avoir menti, JUNG a fini par dire q... DICKOPF Paul, allemand, né le 6.9.10, commissaire criminel.

A Lausanne, le s.d. DICKOPF était connu sous le nom de DONALDSEN André. Il n'avait pas de pièce d'identité à ce nom. Par contre, il a été trouvé en possession des documents suivants portant sa photographie:

1) un passeport allemand au nom de DICKOPF Paul, né en 1910;
2) un passeport allemand établi à Francfort au nom de DIEKMANN Peter, né le 8.9.09, commerçant (ce passeport a été falsifié et utilisé par DICKOPF alias DIEKMANN à des fins d'espionnage en Suisse);
3) un passeport allemand établi à Stuttgart au nom de DIEKMANN (ce passeport a été également falsifié lorsqu'il a été établi par les instances compétentes);
4) en outre, DICKOPF possédait toute une série de cartes de légitimation militaires allemandes concernant son activité. Une partie de ces cartes a été établie au nom de DICKOPF dans le but d'obtenir des cartes frontalières à des fins d'espionnage. Une autre partie a été falsifiée par DICKOPF qui les a établies sous le nom de HARDEGGER.

DICKOPF aurait fait des études de forestier, après quoi il aurait suivi des cours de criminalistique en Allemagne (cours supérieurs de police scientifique). En 1937, il est devenu commissaire criminel et a été attribué à la section de police criminelle de Karlsruhe. Il a suivi également les cours de l'école des chefs (Führerschule) de la police de sûreté de Berlin. Lorsque la police allemande a été incorporée dans les troupes des SS., DICKOPF a reçu le grade de SS.-Untersturmführer. A la déclaration de guerre, il a été attribué à la Abwehrstelle Stuttgart, Wehrkreiskommando V. En cette qualité, il a dirigé l'espionnage et le contre-espionnage contre le Luxembourg et la Belgique, tout en étant chargé de missions d'espionnage dans notre pays. Il prétend avoir abandonné son service pour venir chez nous "étudier le droit".

A propos de Dickopf : « On se trouve en présence d'un redoutable chef de l'espionnage allemand. » Les C.V. suisses de Dickopf ne donnent pas de lui une image d'une clarté absolue ! (D.R.)

Paul Dickopf

Wiesbaden-Biebrich
le 21-12-48

Mon cher François,

en toute hâte je t'adresse à toi et à Liliane mes meilleurs vœux pour les fêtes de Noël et de Nouvel An. Je souhaite que la nouvelle année vous apportera un bonheur parfait, bonne santé et de bonnes affaires.

N'ayant pas encore reçu une réponse à ma lettre du 9 ct. j'espère que celle-ci te soit bien parvenue. Entre temps j'ai eu de nouveaux entretiens avec des libraires au sujet des livres "Salena" et je crois que l'on arriverа à faire marcher cette affaire. N'oublies donc pas de me donner des renseignements sur les détails d[illegible] dans ma lettre préc[illegible]

Paul Dickopf

grandes difficultés accompagnent chaque maladie.

En te souhaitant encore une fois des bonnes fêtes je reste ton ami dévoué

Paul

P.S. Mes remerciements répétés pour les livres — l'un plus intéressant que l'autre — la lecture desquelles je veux continuer les jours suivants. Est-ce-qu'il sera possible de me procurer prochainement des nouveaux bulletins du "Cheval Ailé"?

P.

Une lettre de Paul Dickopf
à son grand ami Genoud. (D.R.)

SECRET

HEADQUARTERS
SUB-REGION WIESBADEN
COUNTER INTELLIGENCE CORPS REGION III
APO 633

III-W-1986

25 June 1948

MEMORANDUM FOR THE OFFICE IN CHARGE

SUBJECT: Interrogation of Paul DICKOPF alias DICKMANN

Re: Francois GENOUD

1. Interrogation of Subject was conducted in accordance with TWX from Region III, ref. No. X-5993, received 29 April 1948.

2. Paul DICKOPF, Adolfsallee 8, Wiesbaden-BIEBRICH (K51/M35), was interrogated 25 June 1948. Subject is former Chief of the Kriminal Polizei in KARLSRUHE (L50/R44). He was drafted into the Abwehr in October 1939 and served in the STUTTGART (L49/S02) Abwehr Office until 1943 when the office was taken over by the SD. Subject then fled to France, Belgium, and Switzerland. He later worked with the OSS and took part in behind-the-line penetration for that organisation in 1944. In response to questioning Subject stated as follows:

a. Francois GENOUD, Swiss national, was a member of the Swiss Army intelligence service. Paul DICKOPF worked with GENOUD from 1941 to 1943. Present addresses of GENOUD are:

(1) Kunstlaan 12, BRUSSELS, Belgium.

(2) 2bis Avenue des Alpes', LUCERNE, Switzerland, #1315 Case Postale, where he is known to have been on 15 June 1948.

…ove referenced TWX, that in 1941
…its for MAINZ (K51/M35), and
…on his Swiss passport for France,
…ve arranged for entrance and exit

…or Swiss intelligence. He was
…n. During this time Subject's
… WAGNER and BAUMEISTER. These
…wiesen Weg STUTTGART and Prof.
…ively. When the SD took over,
… he was given refuge through the
…keeping his activities from the SD
…

REGRADED UNCLASSIFIED
ON 11 SEP 1995
BY CDR USAINSCOM FOI/PO
AUTH Para 1-603 DOD 5200.1R

pages
copies

Interrogatoire de Paul Dickopf sur François Genoud par le contre-espionnage militaire américain : « C'est un espion suisse. » (D.R.)

Dossier Paul Dickopf

THE FOREIGN SERVICE
OF THE
UNITED STATES OF AMERICA

19. Sept. 45

AMERICAN LEGATION
Bern, Switzerland
September 6, 1945

To Whom It May Concern:

Mr. Paul Dickopf, a German national, has been a political refugee since 1942. He fled to Switzerland in July, 1943, was interned and only late in 1944 was free to give me his wholehearted cooperation.

Since that time Mr. Dickopf has been of very great service to me. His wide knowledge of German organization and personalities has been invaluable; he is a trained member of the Kriminalpolizei and I have drawn extensively upon his experience for information on War Crimes and Criminals.

Mr. Dickopf has made many friends among Swiss Police officials and these contacts also have been most useful. In the confused period that followed the German capitulation, when Switzerland was deciding what was to be done with the German nationals within her borders, Mr. Dickopf was my intermediary with the authorities on a number of occasions and gave me repeated proof of his tact and discretion.

He is a man of intelligence, of superior education and, above all, of exceptional personal integrity. I regret to see him leave Switzerland and I warmly recommend him to the Allied authorities in his homeland, to which he now returns.

Paul G. Blum

Les Américains « blanchissent » Dickopf. (D.R.)

MARTIN BORMANN

BERLIN W 8, DEN 2/4.45
WILHELMSTR. 64

392

Mein Geliebtes!
Die Führung der Heeresgruppe im Wiener Raum ist so hundsschlecht, daß man tatsächlich ~~jetzt~~ schlimmste Möglichkeiten ins Auge fassen muß.
Ich hoffe, daß baldigst eine andre Führung eingesetzt wird, die den Ablauf der Dinge wieder in die Hand bekommt.
Für alle Fälle aber Folgendes:
Tritt einmal eine ernstliche Bedrohung des Salzkammergutes u. damit auch des

…

das hole ich in besseren friedlicheren Zeiten nach!
Ich bin ganz Dein
M.

L'une des dernières lettres
de Martin Bormann à sa femme.
(D.R.)

Martin Bormann Berlin W8, le 2/4/45 Wilhelmstrasse, 64.
Ma bien-aimée,
Le commandement des armées du secteur de Vienne est si incapable qu'il faut effectivement envisager le pire. J'espère que l'on mettra en place le plus rapidement possible un autre commandement qui reprendra en main la déroulement des événements. Mais pour parer à toute éventualité, je te conseille la chose suivante : si une menace sérieuse sur *Salzkammergut* et donc aussi sur *Obersalzberg* venait à se préciser, les femmes et les enfants devront se replier immédiatement sur le Tyrol. Dans ce cas – puisque nous avons suffisamment de véhicules –, le transport se ferait par la brigade de Greidener, en voitures particulières et en camions. En tout état de cause, la femme de Hummel devrait à ce moment-là partir avec vous. Par mesure de précaution, je te prie de discuter immédiatement de cette affaire avec Hummel, mais de façon strictement confidentielle, pour qu'il puisse s'y préparer moralement et prendre toutes dispositions nécessaires. J'espère, comme déjà dit expressément, qu'on n'en viendra pas à de telles extrémités, mais on ne prend jamais assez de précautions. Je regrette et je suis désolé de ne pouvoir actuellement rien écrire de mieux, mais je me rattraperai dans des temps meilleurs, quand la paix sera revenue. Je suis à toi M.

Beglaubigte Abschrift

Walther Funk

Frankfurt (Main)
[illegible] 39
Telefon 772440
6. Mai 1959

Son Eminence
le Grand Mufti Haj El Husseini

Eminence

Il y a très longtemps, que j'ai le désir d'entrer en contact avec Vous au sujet d'une affaire, qui Vous intéresse et à laquelle j'ai été indirectement mêlé. Pendant douze années j'ai été complètement retranché du monde et dans l'impossibilité de le faire. Puis mon mauvais état de santé, qui fut d'ailleurs la cause de ma libération, m'a fait remettre de jour en jour ce projet. J'espérais d'ailleurs avoir la possibilité de le faire en compagnie de ma femme lors d'un séjour de repos en Egypte, ce qui m'aurait procuré le plaisir de Vous revoir. C'eût été une excellente occasion pour moi de m'acquitter d'une obligation, que j'ai à Votre endroit.

Le Reichsmarschall, durant les derniers mois de son existence, m'a fait part en effet à plusieurs reprises de la préoccupation que lui causait le dépôt d'argent que Vous lui avez fait et qu'il devait en tout temps tenir à V[illegible]

[illegible] prie, de mon [illegible]

Walther Funk

L'ancien président du Reichsbank
ministre d'économie du Reich

Die wörtliche Übereinstimmung der vorstehenden Abschrift mit der Urschrift beglaubige ich hiermit.
Berlin, den 28. April 1971.
Notar

Walther Funk

HANS-ULRICH RUDEL
[illegible]
DIRECC. PARTICULAR: VILLA CARLOS PAZ

Carlos Paz,22.9.54.

Lieber Herr Genoud,

vielen Dank für Ihre Zeilen vom 1o.9.
Es tut mir leid,daß Ihre Lindbergh-Bemühungen vergeblich waren und ich schließe mich Ihrer Meinung über die Yankees im allgemeinen absolut an.Es wird nun nichts anderes übrig bleiben,als einen anderen Weg zu beschreiten.Dank für die Übersendung des Manuskriptes an Daussy,ich hoffe,er wird es bald bestätigen.

Meine Reise Ende Oktober ist noch nicht ganz fest,doch hoffe ich,sie wie vorgesehen durchführen zu können.Selbstverständlich gebe ich Ihnen sofort Nachricht,und es wird mir eine große Freude sein,Sie wieder persönlich begrüßen zu können.

Mit den herzlichsten Grüßen für heute will ich schließen,

Ihr

Hans-Ulrich Rudel

Le colonel Rudel

Les archives de François Genoud,
un florilège du gotha nazi. (D.R.)

THE ACHOLI INN
P.O. BOX 239,
GULU,
UGANDA.

Uganda Hotels Ltd.
Registered Office:-
Ralli House,
P.O. Box 3473,
Kampala.
Tel. 3963, Grams "Uhotels."

Telephone:-
Gulu 108.

9. Mai 1963

Lieber geehrter Herr Genoud.

Fast ein halbes Jahr war ich jetzt verschollen und weiß überhaupt nicht, was während dieser Zeit in der Welt geschehen ist. Ich habe mich wirklich einmal von all den Widerwärtigkeiten abschirmen, die die Nachkriegszeit für mich mitgebracht hat und ich muß sagen, daß ich mir restlos gelungen. Ueber fünf Monate dieser Zeit habe ich unter primitivsten Verhältnissen aber restlos glücklich in den entlegendsten Gebieten des Sudans im Busch gelebt. Ohne Zelt nur ein Klappbett ohne Matratze und jeden unnötigen Ballast schlief ich täglich unter den Sternen. Durch die großzügige Hilfe, die mir von allen Persönlichkeiten der sudanesischen Regierungsstellen gegeben wurde, kam ich in Gebiete in die sonst kein Europäer hinkommt und ich habe als erste die Genehmigung erhalten auch in diesen Gebieten fotografieren zu dürfen. Filmen konnte ich ja leider nicht denn niemand hat mir Geld dafür gegeben. Dabei habe ich Dinge gesehen die so faszinierend und neu waren daß es sich gelohnt hätte. So habe ich meine Erlebnisse nur in vielen Fotos festhalten können und

[illegible] ich: Adresse für die nächsten [illegible]
Leni Riefenstahl
Poste restante
Nairobi - Kenya
East-Africa

In der Hoffnung bald von Ihnen zu hören, verbleibe ich mit herzlichen Grüßen auch an Ihre Gattin

Ihre Leni Riefenstahl

Leni Riefenstahl

Weihnachten 1962.

Lieber Herr Genoud!

Dieser Brief soll mit einem Dank anfangen und mit einem Dank enden. So glücklich bin ich über Ihre 2 Briefe, die eben ankamen.

[...]

Emma Göring

Emma Göring

Dipl. Ing. OTTO SKORZENY

MADRID-14, Montera, 25-27, 4.°-4
Teléfono 222-03-17
Telegr.: Reifse

15. Juni 1971

M. François G e n o u d
25, Fontanettaz
CH-1012 Lausanne / SCHWEIZ

Lieber Freund Genoud,

heute nur eine kurze Nachricht. Wahrscheinlich werden Sie wissen, daß ich vom Oktober vergangenen Jahres an 6 Monate in Deutschland war und mich einer sehr schweren und einmaligen Operation im Rückenmark in der Halswirbelsäule unterziehen mußte. Ich bin aber wieder soweit ganz o.k. und hoffe, in einigen Monaten wieder alles überwunden zu haben.

Heute nur eine verrückte Anfrage an Sie: Vielleicht wissen Sie, daß in Deutschland noch sehr hohe Beträge der beiliegenden Banknote vorhanden sind, und angeblich kann man diese Banknote zu einem natürlich sehr, sehr reduzierten Preis in verschiedenen, arabischen Ländern, wie Kuwait etc., verkaufen. Ich lege Ihnen drei dieser Noten bei und bitte Sie, mir so rasch wie möglich Nachricht zu geben.

Was gibt es sonst Neues? Ich würde mich freuen, sehr bald von Ihnen zu hören, und verbleibe

mit freundlichen Grüßen

Ihr

Otto Skorzeny

3 Anlagen

Otto Skorzeny

Lyon, 23. 3. 1991

0/9103

LIEBER FRANÇOIS
MEINE HERZLICHSTEN GRÜSSE, LASS DICH NICHT UNTERKRIEGEN UND KOPF HOCH!

Foto von Zefa/Faltner

Klaus Barbie

FRAU ANNELIES VON RIBBENTROP

11. 9. 54.

Sehr geehrter Herr Genoud,

haben Sie herzlichen Dank für Ihre lieben Zeilen [...]

1 Anlage

Annelies von Ribbentrop

LES ÉDITIONS DU CHEVAL AILÉ
CONSTANT BOURQUIN, ÉDITEUR, GENÈVE

MONSIEUR FRANCOIS GENOUD
CASE POSTALE 1315
LAUSANNE

TÉLÉPHONE 5 73 35
ADR. TÉL.: PÉGASE GENÈVE
CH. POSTAUX I. 9266

GENÈVE, le 17 septembre 1948
4, chemin des Crêts de Champel

Cher Monsieur,

Comme suite à notre conversation concernant les comptes pendants e
nous depuis plusieurs mois, nous avons l'avantage de vous confirmer les
de l'accord que nous venons de prendre avec vous.

Nous devons à M. Hecht pour solde de son compte Commission la so
12.500 francs suisses (douze mille cinq cents) dont il nous donne quit
cession par nous d'une participation pour une somme équivalente sur l
valant 42.000 francs suisses (quarante deux mille) que nous possédons
La valeur de ce stock est ainsi ramenée à 29.500 fr (vingt neuf mille

Nous vous devons à vous-même à des titres divers une somme de
suisses (trente neuf mille huit cents).

En paiement de cette somme, nous vous cédons d'une part le s
de livres que nous possédons à Paris, à concurrence de 29.500 fr (v
cinq cents), et d'autre part tous nos droits sur les trois contra
avons signés avec M. Georges Soulès (en littérature Raymond Abell
1947 et concernant les trois ouvrages suivants : Les Yeux d'Ezéc
La Bible Document chiffré, Vers un nouveau Prophétisme, à charge
reprendre nos obligations envers l'auteur. Ces droits vous sont
l'accord de l'auteur. Les avances que nous avons faites à celui
montant total de 7.228 fr (sept mille deux cent vingt huit) vie
de votre compte qui est ainsi ramené à 3.000 fr (trois mille) e
ferons ultérieurement des propositions pour le paiement de ce

(En ce qui concerne les contrats de M. Georges Soulès, n
que dans un délai de six mois à dater de ce jour vous êtes p
tuer la propriété contre remboursement de la somme de 7.228
des sommes que personnellement vous aurez avancées à M. Geo
de ses contrats.)

Veuillez agréer, cher monsieur, l'assurance de nos s
dévoués.

LES ÉDITIONS D
Société

Après la guerre, François Genoud, dans l'édition, récupère les droits de Raymond Abellio. (D.R.)

Paula Wolf
Berchtesgaden
Hansererweg 1

26.Jänner 1960

Lieber Herr Genoud !

Es ist jedes Wort zuviel,das Sie wegen Ihrer Verspätung schreiben,denn bei mir ziehen sich die Verspätungen noch mehr in die Länge.

Ich bin mit der Beantwortung der Weihnachtspost immer noch nicht am Ende ,zum Teil liegt es daran,die Post wächst von Jahr zu Jahr und ich selbst werde von Jahr zu Jahr -von den Knien abwärts - hinfälliger.Ist daran doch die Fusskälte schuld,die Wohnung ist nicht unterkellert und ich bin sehr empfindlich gegen Kälte.Andererseits sagen die Berchtesgadener,sie sind meinem Bruder zu gar nichts verpflichtet und mir noch weniger verpflichtet,mir eine trockene,sonnige Wohnung zu geben.Am 11.April sind es 15 Jahre,dass ich hier bin und oft habe ich an Ihre junge Frau gedacht,wenn es diese ausgehalten hat,jahrelang im Hochgebirge zu wohnen, dann werde ich es auch aushalten ohne dass es mich umbringt.Aber es hätte mich beinahe umgebracht,die Nähe der hohen Berge ging mir manchesmal schrecklich auf die Nerven. Ich konnte jahrelang Wien nicht vergessen.Aber dann habe ich es mit der Zeit doch geschafft.

Jetzt bin ich in Deutschland mit Leib und Seele daheim.Aber es müsste nicht gerade das Hochgebirge sein.Als ich vor zwei Jahren in Wertheim am Main war,habe ich in dem alten Städtchen mit den schönen Fachwerkbauten direkt aufgelebt und dann musste ich doch wieder zurück,so unbegreiflich kann das Leben sein - von der Wiege bis zum Grabe...

Eigentlich wollte ich Ihnen auch eine hübsche Karte von Berchtesgaden schicken,aber ich komme jetzt so selten in den Markt hinauf und in meiner Nähe bekommt man nichts gescheites.

Ja,von diesem neuen Jahrzehnt dürften wir auch nicht viel Gutes zu erwarten haben.Der Anfang war nicht vielverheissend.In Frankreich hat De Gaulle auch seine Sorgen mit Algerien und Algier mit de Gaulle - und es dürfte doch so sein,dass es besser gewesen wäre,man hätte sich nicht eingemischt in den deutschen Konflikt mit Polen.

Gerade hatte ich wieder Besuch und das Schreibeprogramm ist in Unordnung.Nachdem ich die Absicht habe,inndiesem Frühjahr irgendwo zu kuren,hoffentlich bleibt es dabei,wäre es gut,wenn Sie mich verständigen würden,sobald Sie ernstlich die Absicht haben,nach Berchtesgaden zu kommen.Ihnen, Ihrer lieben Frau und den Kindern ein gesundes Jahr 1960 und auchbsonst alles Gute wünscht Ihnen

Ihre

Paula Hitler

Une lettre de Paula Hitler quelques mois avant sa mort. (D.R.)

P/j. —

SCHWEIZERISCHE BUNDESANWALTSCHAFT
* 29. JAN. 1958
C. 2.7012

27. Jan. 1958

NOTE

En date du 13.2.1957, nous avions demandé le contrôle de la correspondance adressée à Case 76 à Lausanne, case dont le titulaire est l'Association Internationale des Amis du Monde Arabe Libre, dont le nommé François GENOUD est le secrétaire général.

Depuis lors, très peu de correspondance est parvenue à la case. Les recherches faites par la Police de sûreté vaudoise ont permis d'établir que François GENOUD reçoit passablement de correspondance au domicile de son épouse Mme François GENOUD, Bld. de la Forêt 47, à Pully.

Comme GENOUD paraît entretenir des relations très suivies avec la délégation syrienne à Genève, entre autres avec le nommé Zoheir El KABBANI, nous estimons qu'il serait utile de faire contrôler la correspondance qui arrive à l'adresse de Mme GENOUD.

MINISTÈRE PUBLIC FÉDÉRAL
Service de police
Pache, comm.

Berne, le 22.1.58.

Pache, comm.

La correspondance de Genoud est surveillée. (D.R.)

Le 11 Août 1961

Mon cher François,

Je bénis les dieux d'avoir un ami si noble et si dévoué ! Et dans les jours dangereux que j'ai vécus, on apprécie encore mieux le prix d'une réelle amitié.

Mais je suis heureux d'avoir connu tous ces périls si, pour finir, ça me vaut la joie de vous revoir ici. Vous verrez, c'est beau, ma propriété est maintenant grandiose, et vous vous y reposerez.

J'ai hâte de vous voir pour vous donner tous les détails. L'opération était très bien montée. Comme il est entendu que je [illegible] pas dans ce pays-ci, il était donc impossible de poursuivre les kidnappers pour la tentative de kidnapping. On les a coincés fort habilement

[...]

Léon Degrelle, le grand nazi belge, remercie François Genoud qui a déjoué une tentative d'enlèvement. (D.R.)

Arabo-Afrika

GESELLSCHAFT FÜR WIRTSCHAFTSFORSCHUNG M·B·H

817, Bad Tölz, am 2.8.1971
Gudrunstrasse 5

Eingegangen
-4 AUG 1971

Lieber Herr Dr. Flächsner,

schon als Gefreiter (1935) habe ich gelernt, [...]

für jede operative Entscheidung die Vors[...] Vera, !)

Nun, ich habe die mir zustehenden[...], 7.August in Genf,

[...]erdkung" benutzt und die E[...]chon am Freitag abend, da ich

Papier bringen lass[...]ge und 20.45 in Genf lande ... falls die

Donnerstag[...] oder mit 5 Stunden Verspätung abfliegt, wie gestern

habe [...]

[...]nen !

Bitte ausnahmsweise auch aus kollegialen Rücksichten den gewesenen Notar nicht unterrichten.

Am 21.August werde ich, leider nur im Geiste dabei sein. Vivat Monte Pelligrino, oder Pellerine

Une lettre de Hans Rechenberg, sur papier à en-tête, qui symbolise son association avec François Genoud. (D.R.)

(0)26/92
C.2.7012

Name : G e n o u d
Vorname : François Georges Albert
geboren : 26.10.1915 in Lausanne
Heimat : Lausanne
Eltern : François und Marie geb.Breithaupt
Zivilst. : verh.m.Elisabeth geb.Peters gesch. van Essen
Kinder :
Beruf : Kfm., Verleger, Agent Commercial, Bankier *)
Wohnort : (Gattin) Pully, Blvd.de la Forêt 47 z.Zt. Algier in Haft (früher Frankfurt a.M.) Pully, Fontanettaz 25 /Pully, Bd de la Forêt 47
Militär : Ex.abs.
Ausweise :

richtig alias :

Eröffnung gerichtspol.Ermittlungsverfahren (Verdacht Verstoss gg. Art. 272 – 274 und 301 StGB). 6.2.70 [redacted]

Foto [X] Signalement [ ] Schrift [ ]

Mitgl. : Nationale Front / Nationale Bewegung der Schweiz / Europäische Neuordnung / V-Kat. 4
Funkt. : Gen.Sekr.der 'Association Internationale des Amis du Monde Arabe libre'
Ausschr. : Fdbl.Bupo Ueberw.v.29.12.41 Revok. 26.11.42
TK 22.1.58/[redacted] 11.62/[redacted] Aufh. 16.4.58 11.4.63
7.7.64/[redacted] Aufh. 29.10.68
29.10.68[redacted] Auf. 6. 2.70
6.2.70 17.2.72

(0)26/92
C.2.7012

Name : G e n o u d
Vorname : François Georges Albert
geboren : 26.10.1915 in Lausanne
Heimat : Lausanne
Eltern : François und Marie geb.Breithaupt
Zivilst. : verh.m.Elisabeth geb.Peters gesch. van Essen
Kinder :
Beruf : Kfm., Verleger, Agent Commercial, Bankier *)
Wohnort : (Gattin) Pully, Blvd.de la Forêt 47 z.Zt. Algier in Haft (früher Frankfurt a.M.) Pully, Fontanettaz 25 /Pully, Bd de la Forêt 47
Militär : Ex.abs.
Ausweise :

richtig alias :

Eröffnung gerichtspol.Ermittlungsverfahren (Verdacht Verstoss gg. Art. 272 – 274 und 301 StGB). 6.2.70 [redacted]

Foto [X] Signalement [ ] Schrift [ ]

Mitgl. : Nationale Front / Nationale Bewegung der Schweiz / Europäische Neuordnung / V-Kat. 4
Funkt. : Gen.Sekr.der 'Association Internationale des Amis du Monde Arabe libre'
Ausschr. : Fdbl.Bupo Ueberw.v.29.12.41 Revok. 26.11.42
TK 22.1.58/[redacted] 11.62/[redacted] Aufh. 16.4.58 11.4.63
7.7.64/[redacted] Aufh. 29.10.68
29.10.68[redacted] Auf. 6. 2.70
6.2.70 17.2.72

Bemerkungen : *) Adm.der BANQUE COMMERCIALE ARABE SA, Gen
Adm.der BANQUE POPULAIRE ARABE in Algier
Stieftochter: Anne van der Essen 43 [redacted]
Stief-Schwiegersohn: JENNY Alain 40 [redacted]

Fahrzeug : VW blau; VD 18696 (Ltd.a/Ehefrau)
EPD Anm. :
Abm.

Name

(52)/ ... serait bon que la douane le lasse comme habituellement. G. doit avoir séjourné 4 à 5 jours en Libye.

+(52)/9/1
-(HBO)26/92
20.12.73 de [redacted] -; Etant donné les déclarations de BOUMAZA Bachir et l'amitié qui le lie avec G., il serait mal venu de discuter avec ce dernier. G. a pris l'avion à GE puis à Kloten pour se rendre en Libye. Le motif est ignoré de [redacted] ce déplacement.

(52)/9/1
22.12.73 de Pol. GE/FS; déroulement de la surveillance de l'arrivée de G. en Suisse à la suite de son séjour en Libye. Son passage à Kloten a passé inaperçue. Le [redacted] a décidé d'annuler toutes les [redacted] dispositions prévues.

3.1.74 de Sûreté VD.-; contact entre G. et BURRI Armand, 1922, lequel éta[it] à Lausanne de passage à l'hôtel Carlton où il était de passage. [redacted] ... intitulé "Un banquier peu ...

Wehrkreiskommando V
~~Generalkommando V. Armeekorps~~

Stuttgart, den 29.Ma

Ausweis

Inhaber dieses Ausweises Hans H a r d e g g , Oberregieru
steht im Dienste der Abwehrstelle Stuttgart und damit der Abwehrabteilung im ... kriegsministerium Berlin.

Alle militärischen und zivilen Dienststellen und Behörden werden ersucht, ihm in seinem ... in der Spionage-Abwehr in jeder Weise behilflich zu sein.

Geburtsort: München-Gladbach Geburtstag: 8.6
Gestalt: schlank
Gesicht: oval
Farbe der Augen: blau
Farbe des Haares: blond
Besondere Kennzeichen: --

Inhaber dieses Ausweises ist berechtigt, Schußwaffen zu führen.

Der Chef des Generalst...

Quelques fiches du SR suisse sur François Genoud. (D.R.)

RECOMMANDATIONS IMPORTANTES

1 - Le passeport est rigoureusement personnel et doit être signé de son titulaire. Il ne peut être prêté ni faire l'objet d'un envoi par la poste

2 - Il est interdit d'y effectuer aucun grattage ni aucune correctio rature, surcharge ou adjonction de mentions ou de feuillets blan supplémentaires. Toutes rectifications non opérées par l'autorité com 'ente pour sa délivrance ou son renouvellement entraînent la nullité ce document.

3 - Les enfants portés sur un passeport cessent de pouvoir voy sous le couvert de ce document dès qu'ils ont atteint l'âge de 15 a doivent, alors, être munis d'un passeport individuel.

4 - En cas de perte ou de destruction du passeport son ti doit en informer immédiatement le service qui l'a délivré ou, à l'Autorité Administrative ou Consulaire compétente la plus proche.

5 - Le titulaire doit, avant de se rendre à l'étranger, s'assu conditions dans lesquelles le passeport lui permet d'entrer de destination et de transit, et obtenir du ou des Consulats compétents le visa qui pourrait être nécessaire. Il aura égal plus grand intérêt à se renseigner sur la durée de séjour que l le seul passeport ou le visa et éventuellement sur les condition pour l'exercice d'une activité professionnelle.

6 - Le titulaire du passeport doit aussi se renseigner sur le afférentes au transfert ou à l'acquisition des moyens de p monnaie étrangère de manière à disposer de moyens suffisant rer son séjour à l'étranger et son retour, les Consulats algé pas en mesure de prendre en charge son rapatriement.

7 - Le renouvellement ou la prorogation d'un passep cours d'un séjour à l'étranger doivent être demandés d'Algérie le plus proche.

8 - Le titulaire du passeport doit, s'il se fixe à l'étr immatriculer au Consulat d'Algérie dans un délai de trois arrivée dans la circonscription consulaire.

RÉPUBLIQUE ALGÉRIENNE DÉMOCRATIQUE ET POPULAIRE

MADANI
Abdelkader
Algérienne
1er Avril 1942
Alger
Commerçant
4, Rue Larbi
Hidi

passeport contient 32 pages
N° 17-178/70
N° 051085

Signature du titulaire

RÉPUBLIQUE ALGÉRIENNE DÉMOCRATIQUE ET POPULAIRE

PASSEPORT

Genoud était proche du Prince rouge :
son vrai-faux passeport algérien. (D.R.)

François Genoud Esq.
Paris, 4/XII/94

Fresnes, 30th May 1995

Fresnes, 10th June 1995

Fresnes, 8th July 1995
My Dearest Comrade,
I received yesterday your 2 letters dated on 20th and 27th June.

Fresnes, 2nd August 1995
My Dearest Comrade,
I have just received your letter of 23rd July,
but I did not receive Bassam's book yet.
It seems that you did not understand well
my letter of 8th July: neither my brother Lenin,
nor any other members of my family should come
to France at all! Two lawyers from Venezuela
should come to visit me soon; do arrange with
Magdalena a way to meet them in Paris.
I want to thank you for faxing to my family
all the letters I have written to you; please con-
-tinue doing so.
I hope you will be able to visit me, though I
doubt that you will get a permit.
I need the address of Johannes Parents, in
order to write to them.
How is your health? Can you still drive the
car, or have you not recovered yet?

Carlos photographié
au Soudan. (D.R.)

Quelques lettres de Carlos
à François Genoud,
son «dearest comrade». (D.R.)

Fresnes, 30th August 1995

François Genoud Esq.

My Dearest Comrade,

I have just received your letter of 12th August.

I am very worried about your health.
I know that yo[u] are very affected by the death
of your wife, yo[...] [...]an who
gave you the m[...]
your valiant st[...]
and mishaps yo[...]
your situation [...]
that for men [...]
vanquish all.

In this perio[...]
your vision [...]
necessary tha[...]
Our materi[...]
did not preve[...]
a new kind [...]
has joined t[...]
he now is [...]
This new s[...]
most fellow[...]
dogmatism[...]

I am disg[...]
of Saddam[...]
and every[...]
enemy tr[...]

(2)

I do not believe that Saddam's brother, Barzan, who is a true militant, has betrayed the Revolution. I know that on 17th July 1968, Barzan was with Saddam inside the first tank which forced the gates of Baghdad's Presidential Palace (Republican Palace) to free Iraq from British and American Neo-Colonialism.
Please, do find out the truth about this question (Barzan is the Iraqi Ambassador to the United Nations in Geneva), because all news affirm his defection, but no proof is ever given.

How did Elbita react when you congratulated her on my behalf for her birthday?

I am looking forward to holding you in my arms in a comradely embrace.

Give my love to all your people.

Recibe un abrazo revolucionario de:

Carlos

Lettre de Carlos du 30.08.1995. (D.R.)

Fresnes, le 30 août 1995 François Genoud, Esq.
Mon très cher camarade,
Je viens juste de recevoir votre lettre du 12 août. Je suis très préoccupé de votre santé. Je sais que vous êtes très affecté par la mort de votre femme, la compagne de toute votre vie qui vous a donné le support moral nécessaire à votre vaillant combat. Les accidents et les méformes consécutives dont vous avez souffert n'ont pas facilité votre situation. Mais, tous les deux, nous savons que pour les hommes de notre caractère, la volonté peut balayer toutes les adversités. En cette période de déclin révolutionnaire, les hommes qui ont votre vision et votre foi dans la Victoire sont plus nécessaires que jamais. Notre conception matérialiste du monde ne nous a pas disposés à voir, ces dernières années, qu'un nouveau type de militant, le révolutionnaire islamiste, rejoignait l'avant-garde de la Révolution, de laquelle il est maintenant le fer de lance. Ce nouvel état des choses n'était pas accepté par la plupart de nos camarades révolutionnaires, pour des raisons dogmatiques. [Carlos demande à Genoud de lui dire la vérité sur les trahisons des parents de Saddam Hussein.] J'attends de vous serrer dans mes bras pour une accolade de camarade, transmettez mon affection à votre entourage. Recibe un abrazo revolucionario de : Carlos.

FLN sur leur territoire ; celles-ci permettent au « service Action » du SDECE (agissant le plus souvent sous couvert de la « Main rouge ») de mener à bien des « opérations Homo » (des homicides) en territoire allemand. Dans le même temps, ils aident les nationalistes algériens. Dans un livre, l'ancien résident du BND à Tunis fournit des informations détaillées sur cette assistance. On y apprend par exemple qu'un dénommé Abdelkader Changriha a acheté à Munich des émetteurs sophistiqués qui ont été acheminés sur un vol régulier Munich-Tanger ; qu'un certain Rachid Zeghar, qui avait été en pourparlers avec un officier américain au Maroc pour acquérir du matériel radio, était aussi en contact avec Otto de Habsbourg, lequel l'aurait mis en relation avec des fournisseurs d'armes en Allemagne. On a du mal à imaginer que cet excellent intermédiaire n'ait pas été « couvert », tout comme il n'est guère pensable que le duo Genoud-Rechenberg ait aidé activement le FLN sans y avoir été encouragé par les services allemands.

Même si Genoud est domicilié à partir de 1955 à Francfort — il a perdu sa domiciliation à Tanger —, il se trouve très fréquemment en Suisse, à Lausanne ou à Genève. Il y rencontre nombre de nationalistes arabes qui jugent ce pays fort pratique pour mener à bien leurs actions ou leurs transactions. Il revoit de temps à autre les deux frères Daouk, et souvent Atef Danial, un baasiste syrien qui a fait ses études en Suisse et représente alors la Syrie à l'ONU. Genoud sert de passerelle entre deux univers qui se sont longtemps ignorés : le Proche-Orient et le Maghreb. Il va se lier avec Zouhair Kabbani, nationaliste arabe d'origine syrienne qui va ouvrir un bureau de la Ligue arabe à Genève, et avec d'autres dont on voit les noms apparaître dans les fiches d'écoutes téléphoniques, les rapports de filatures et de surveillance du courrier le concernant.

À chaque fois qu'il se rend à Tanger, Genoud rencontre des nationalistes marocains autour de son ami Abderamane Youssoufi. Après la déposition par la France, en août 1953, du sultan Mohammed V, il voit fréquemment Mehdi Ben Barka et Mohammed Basri, deux leaders de l'Istiqlal , et s'emploie à les aider. Tout va bien pour ses amis marocains après l'indépendance du Maroc et le retour du sultan en 1956. Genoud peut alors tenter de créer la Banque nationale du Maroc[1]. En décembre 1959, Basri et Youssoufi sont arrêtés pour atteinte, par voie de presse, à la personne du roi. Genoud intervient pour leur libération. Coffré quelques heures, à Rabat, au siège du journal de l'opposition, puis remis en liberté, il obtient le droit de visiter Youssoufi, interné dans une clinique, et lui trouve un avocat allemand, le Dr Diether Posser, qui fera ensuite une très honnête carrière politique en RFA après avoir dissimulé ses sympathies nazies sous un inoffensif manteau couleur social-démocrate...

François Genoud s'engage davantage encore aux côtés des nationalistes algériens après le déclenchement de l'insurrection contre la France lors de la « Toussaint rouge » du 1er novembre 1954. Le Grand Mufti lui avait bien recommandé de suivre de près l'évolution du Maghreb et d'y prendre part dans la mesure de ses possibilités. C'est ce qu'il fait. Il rencontre des nationalistes algériens, parmi lesquels Ferhat Abbas, le docteur Ahmed Francis, des amis d'Atef Danial. Le combat populaire constitue le véritable moteur de la décolonisation que Genoud appelle de ses vœux. Il ne comprend pas que les « Français veuillent à tout prix conserver l'Algérie sous la forme de trois départements français ». Dans ses carnets, il se moque de « la France une et indivisible, de Dunkerque à Tamanrasset, traversée par la Méditerranée comme Paris l'est par la Seine... Le ridicule ne tuant pas, cela va durer des années ! La France, pour conserver l'essentiel, lâchera progressivement la Tunisie, le Maroc, l'Afrique noire. Elle est suivie par la Belgique[2]... La guerre populaire du peuple algérien accélérera l'évolution de Gamal Abdel Nasser, qui devient le champion du nationalisme arabe. Son soutien au FLN en fait l'homme à abattre pour la France qui croit que c'est sur les bords du Nil qu'il est possible d'écra-

1. Cf. *infra* p. 229.
2. Avec le Congo.

ser la “rébellion” algérienne. Ce qui explique la démentielle opération de Suez d'octobre 1956... » Et il poursuit : « La France légale, enfoncée dans cette guerre d'Algérie, regarde avec admiration les sionistes qui, en plein XXe siècle, siècle de la décolonisation, ont réussi à envahir une terre arabe, à en déplacer des centaines de milliers d'autochtones par le terrorisme sauvage. C'était en 1948, il y a huit ans ; aujourd'hui, en octobre 1956, ils repartent à la conquête du Sinaï. C'est la chance miraculeuse : les Français entraînent les Anglais ; pour une fois, les rôles sont inversés, et, sous prétexte de séparer les adversaires, ils tombent dans le dos des victimes pour les achever. Mais c'est un peu gros, même dans ce monde d'épouvantables hypocrites ! Les États-Unis et l'URSS n'ont pas la vision aussi bornée que les deux vieux empires croulants. L'entreprise, qui avait réussi militairement, politiquement, capote lamentablement. C'est un triomphe pour Nasser, l'impulsion décisive pour le nationalisme arabe... »

L'analyse de François Genoud est largement corroborée par la lecture des journaux français de l'époque. Paris et Tel-Aviv sont solidaires pour lutter contre le Raïs, leur ennemi commun qui dérange les intérêts économiques de la Grande-Bretagne, soutient les nationalistes algériens contre la France et menace Israël. « Israël craint aujourd'hui le même ennemi que nous, qui n'est pas les peuples arabes, mais le fanatisme islamique », écrit Raymond Aron le 21 février 1956. *Rivarol,* pourtant longtemps antisémite, clame : « Des canons, des munitions !... Pour nos soldats... et pour Israël ! » « Deux problèmes identiques : l'Algérie et Israël », titre un journal de l'Orne. « Comme la France en Afrique du Nord, Israël commence la lutte pour la vie », enchaîne le magazine *Noir et Blanc*. Nombre de gazettes et de responsables politiques — à commencer par Guy Mollet, président du Conseil — assimilent le Raïs au Führer, Nasser à Hitler. Image d'autant plus facile à imposer que l'Égypte a recueilli beaucoup d'anciens nazis reconvertis comme « conseillers techniques » dans la police, l'armée, la radio, et dont certains sont devenus ou deviendront des amis de François

Genoud. Nasser comme Sadate eurent d'excellentes relations avec l'espionnage allemand, puis, plus tard, avec des rescapés de l'entourage du Führer.

L'opinion française est ainsi préparée à un engagement encore beaucoup plus déterminé aux côtés d'Israël. Entre responsables israéliens et français, les rencontres secrètes succèdent aux rencontres secrètes. Paris est désormais prêt à accorder tous les moyens destinés à accroître la puissance militaire israélienne. Rappelons la chronologie des événements : le 26 juillet 1956, Nasser nationalise le canal de Suez, huit jours après le refus américain de financer le barrage d'Assouan ; deux jours plus tard, Londres et Paris envisagent un débarquement en Égypte ; durant le mois d'août, des livraisons massives d'armes partent des arsenaux de France à destination d'Israël ; militaires français et israéliens mettent au point des préparatifs pour une attaque conjointe ; le 1er octobre, un état-major commun franco-israélien est installé à Paris, rue Saint-Dominique ; les troupes israéliennes pénètrent en Égypte le 29 octobre ; tout est coordonné avec Paris qui, aidé des Anglais, bombarde le surlendemain les aéroports égyptiens. C'est le début de l'opération baptisée « Mousquetaire ». L'engagement de Paris aux côtés d'Israël est si étroit que, pendant que les forces françaises s'apprêtent à débarquer en Égypte, des dirigeants français, conduits par Guy Mollet, s'engagent à fournir à Israël les moyens de construire la bombe atomique[1].

Pendant que Paris prépare cette agression néo-colonialiste contre l'Égypte, les services secrets français détournent le 22 octobre un avion d'Air-Maroc transportant de Rabat à Tunis cinq leaders du FLN : Ahmed Ben Bella, Mohammed Khider, Mohammed Boudiaf, Hocine Aït Ahmed et Mostefa Lacheraf. La Révolution algérienne est décapitée : quatre des neuf chefs historiques de la rébellion sont désormais sous les verrous en France. Cet acte de piratage aérien va rendre la lutte entre Français et nationalistes algériens encore plus sauvage, raidissant

1. Cf. *Les Deux Bombes*, de Pierre Péan, Fayard, 1982.

les positions des uns et des autres. En cette fin de 1956, Paris a tout fait pour exaspérer le monde arabe et ses amis.

Pas question, pour François Genoud, de rester les bras croisés devant ces événements. Les policiers suisses qui suivent toujours avec autant d'attention leur « mouton brun », officiellement domicilié en Allemagne mais dont la femme réside en Suisse à Villars-sur-Ollon, constatent qu'il rencontre alors beaucoup d'Arabes. Il téléphone à ses relations pour étudier les moyens de venir en aide à ses amis égyptiens et algériens victimes de la politique française. Toujours en contact étroit avec Hans Rechenberg et grâce à lui, il mobilise le vieux Werner-Otto von Hentig, l'ancien diplomate du Kaiser et de Hitler. Le Lausannois n'a aucun mal à entraîner aussi derrière lui Jacques Benoist-Méchin, l'ancien secrétaire d'État de Laval, grand spécialiste du monde arabe, qui est sorti de prison. L'orientaliste français Louis Massignon accepte également que son nom figure au bas d'une profession de foi rédigée par Genoud :

> « Les événements d'Afrique du Nord et du Proche-Orient incitent à regrouper dans un mouvement de sympathie à l'égard du monde arabe les hommes lucides et raisonnables que la géographie situe de ce côté-ci d'un fossé qu'on a artificiellement creusé entre ledit monde arabe et le monde qu'on dit occidental.
>
> En fait, il n'existe pas d'opposition fondamentale entre le monde arabe et l'Europe, mère de l'Occident. Il s'agit bien plutôt de deux mondes complémentaires entre lesquels les liens sont nombreux et remontent à loin. À tour de rôle, ils ont porté le flambeau de la civilisation, et si, au cours de l'histoire, Arabes et Européens se sont si souvent rencontrés les armes à la main, luttant chacun pour leur foi, le recul nous permet de constater qu'ils n'ont fait ainsi que s'enrichir mutuellement.
>
> Les civilisations connaissent des hauts et des bas ; les alternances cycliques de l'Histoire touchent les unes et les autres. Le monde arabe a subi, après des siècles de splendeur, une assez longue éclipse. Il renaît aujourd'hui à la vie, reprend sa course dans le noble effort pour forger un avenir digne de ce prestigieux passé dont le grand sociologue français Gustave Le Bon a dit : “Au point de vue de la civilisation, bien peu

de peuples ont dépassé les Arabes, et l'on n'en citerait pas qui ait réalisé des progrès si grands dans un temps si court. Au point de vue religieux, ils ont fondé une des plus puissantes religions qui aient régné sur le monde, une de celles dont l'influence est la plus vivante encore. Au point de vue politique, ils ont créé un des plus gigantesques empires qu'ait connu l'Histoire. Au point de vue intellectuel et moral, ils ont civilisé l'Europe."

Non seulement il ne faut pas s'opposer au mouvement du monde arabe vers l'indépendance totale et l'unification, mais il faut l'y encourager avec compréhension, avec amitié. Il faut en effet se féliciter que cet espace, qui s'étend des rives de l'Atlantique à celles du golfe Persique, dont l'importance économique et stratégique est si considérable, soit habité par des hommes d'un seul tenant, unis par le souvenir d'un glorieux passé et par leur foi dans un avenir commun, par des hommes qu'anime la volonté légitime de se libérer des influences qui contribuèrent jusqu'ici à les diviser. Car un monde arabe seul maître de son destin apporte un élément nécessaire à la paix du monde.

Notre association entend réunir les hommes qui éprouvent un sentiment de sympathie spontanée pour la cause arabe, et également ceux qui, doués du sens de la justice et de l'équité, capables d'objectivité, s'inclinent devant les faits, savent discerner le sens de l'Histoire. Leurs amis arabes et eux ont le projet d'étudier ensemble les conditions d'une collaboration amicale et qui s'impose, et de créer le climat de cette collaboration.

Les deux mondes que nous représentons, eux et nous, sont appelés à coexister, à vivre côte à côte sur des rivages qui ne sont pas une frontière, mais que baigne une mer qui est leur comme elle est nôtre : *mare nostrum*. Le destin de l'Histoire nous y pousse autant que les impératifs de la géographie. Il suffit d'ailleurs d'ouvrir les yeux pour voir à quel point ces deux mondes se complètent et sont faits pour s'entendre.

Notre association s'efforcera de rendre patentes les raisons innombrables qui militent en faveur d'un accord réel, complet, sans arrière-pensées, entre l'Occident et le monde arabe (qui, par l'islam, pénètre si profondément l'Asie et l'Afrique). Elle s'emploiera, à cet effet, à multiplier les contacts entre les deux mondes, ne négligeant rien de ce qui peut les amener à se comprendre, à s'entraider, à s'aimer.

L'antagonisme actuel n'étant pas dû aux souvenirs d'un passé lointain, mais aux erreurs de l'époque colonialiste contemporaine, c'est aux Européens de bonne volonté qu'il appartient de faire le geste qui s'impose : tendre la main au nationalisme arabe. C'est le but que nous poursuivons en créant l'Association internationale des amis du monde arabe libre. »

Sur ces bases, Genoud et un Anglais, Walter-Archer Tongue, président du Bureau international contre l'alcoolisme, proche des quakers, officialisent en janvier 1957 la création de cette association. Fidèle à son habitude de clamer haut et fort ce qu'il fait — du coup, personne n'y croit —, le tout nouveau secrétaire général des « Amis du monde arabe libre », François Genoud, adresse officiellement les statuts au Département politique fédéral, lequel prend aussitôt contact avec le Ministère public. Comme à chacune de ses initiatives, l'administration helvétique, tétanisée, ressort les dossiers de cet encombrant compatriote. Après avoir ouvert une énième chemise (B.25.60.5), consulté l'inspecteur Humbert, qui s'occupe des affaires arabes, et M. Dick, du Ministère public, un responsable du Département politique conclut : « En résumé, le Ministère public suggère la prudence et la discrétion dans les rapports à avoir avec M. Genoud. Dans ces conditions, on estimera peut-être préférable que l'accusé de réception des statuts envoyés à M. Petitpierre ne soit pas signé par le chef du Département... »

Il faut dire que les comptes rendus d'écoutes et de surveillance reçus par le Ministère public révèlent une grande agitation autour de l'association : celle-ci ne dit rien qui vaille aux autorités helvétiques. Gravitent autour de Genoud beaucoup de gens d'extrême droite et de nationalistes arabes que les services suisses n'identifient pas tous. Ainsi, le néo-fasciste Armand Amaudruz insiste beaucoup pour que le Lausannois participe aux réunions du Nouvel Ordre européen. Et voici à nouveau Jean Bauverd. Des inconnus surgissent dans l'univers de Genoud : Paul Guignard, Von Gerardo Laguens, l'Algérien Abdelmajid Mecheri, Michel Chenouda...

Avant même sa création officielle, un des premiers actes de l'association consiste à envoyer un télégramme de soutien à Nasser. Message aussitôt repéré par les « anges gardiens » confédéraux qui surveillent le courrier et le téléphone de leur compatriote. L'association écrit également à John F. Kennedy, qui répondra de façon sympathique à la lettre du secrétaire général. Celui-ci, à la tête de ce nouvel outil, s'agite en tous sens et ameute la presse.

Parallèlement à la mise sur pied de cette association composée surtout d'anciens nazis et collaborateurs, Genoud essaie de monter un groupe international de juristes qui aurait pour vocation de s'occuper du droit des peuples. Le 29 novembre 1956, il demande au défenseur de Rudolf Hess, Albert Seidl, d'être partie prenante à ce groupement qui s'attacherait dans un premier temps à faire en sorte qu'Anthony Eden, Guy Mollet, Ben Gourion et leurs principaux collaborateurs soient dénoncés comme criminels de guerre aux termes de la déclaration de Moscou du 30 octobre 1943, du traité de Londres du 8 août 1945, de la loi n° 10 de Berlin du 20 décembre 1945, etc. Il demande à Seidl de prendre à cette fin contact avec Hans Rechenberg, et fait référence au traité qui l'a obsédé toute sa vie durant, le traité de Versailles, signalant que ses articles 228 à 230, et la loi du 13 décembre 1919 sur la poursuite des criminels de guerre, pourraient également servir de bases juridiques pour déférer devant une cour internationale les « criminels » auteurs de l'opération de Suez...

Une vieille connaissance de François Genoud, Jamil Mardam Bey, ancien Premier ministre syrien, nationaliste arabe de droite, tente en 1958 de créer une banque en Suisse grâce à des capitaux de riches Arabes, notamment de la péninsule Arabique. Proche d'Abdulaziz, fondateur de la dynastie d'Arabie Saoudite, Mardam souhaite disposer d'un instrument de collecte de fonds destinés au développement du monde arabe. Après avoir été bien accueilli par la communauté bancaire helvétique, il s'aperçoit néanmoins que les Suisses ont une idée bien précise du rôle de chacun : aux Arabes l'apport d'argent frais, à eux sa gestion. Le Syrien n'est pas loin de renoncer à son idée quand il pense au « Suisse plus arabe que les Arabes », François Genoud, lequel accepte aussitôt de participer au montage de l'établissement. Malgré un impressionnant tir de barrage helvète contre le « nazi Genoud », Jamil Mardam Bey parvient à l'imposer comme administrateur avec un mince paquet d'actions. Genoud met ainsi ses prérogatives de citoyen suisse au service de Mardam Bey qui réussit à créer, le 25 juin 1958, la Banque commerciale arabe (BCA). Celle-ci se donne pour objet de financer le commerce entre la Suisse et les pays arabes, le développement de ceux-ci, le maintien et l'amélioration des relations entre eux et les pays industrialisés, etc. Genoud fait partie du *Board*.

À partir de 1957, l'espace de quelques années, il se démène pareillement pour aider Demnati, un Marocain de la vallée de Souss, à mettre en œuvre un projet de Banque nationale du Maroc. Il cherche à l'extérieur du royaume chérifien des personnalités et des institutions susceptibles de faire aboutir ce projet. Jean Jardin et Jacqueline Diethelm interviennent. Genoud convainc Mohammed Ali Ayoub, directeur d'une banque cairote, d'y participer. En 1958, il promet à Demnati d'engager la Banque commerciale arabe de Genève dans l'opération. Hans Rechenberg, les deux anciens ministres de l'Économie du Reich, le Dr Schacht et Walther Funk, sont mobilisés. Schacht a retrouvé un « job » dans une banque privée de Düsseldorf. Genoud et lui échafaudent alors de multiples projets qui dépassent de loin le cadre marocain. On parle d'affaires en Amérique du Sud, notamment en Argentine, et dans les pays arabes : le redémarrage économique de l'Allemagne offre en effet de nouvelles opportunités. Genoud coiffe désormais une casquette qui ne va plus le quitter : celle de « banquier ».

Décrire la toile d'araignée où évolue François Genoud de manière à peu près complète et compréhensible contraint l'auteur à ne pas toujours suivre le fil chronologique et à prendre parfois des voies de traverse.

Fin 1957, le patron des services spéciaux égyptiens, Fathi el-Dib, spécialement chargé de l'aide aux rebelles algériens, emprunte un chemin qui va bientôt croiser le sien. Ce personnage mérite un détour, car il fait partie de ceux qui ont compté dans la biographie de Genoud.

Homme de « coups » de Gamal Abdel Nasser, c'est l'une des plus hautes figures du nationalisme arabe entre 1951 et 1970. Il a connu et jaugé ses principaux militants, les a propulsés sur le devant de la scène ou les a cassés quand ils ne répondaient plus aux objectifs de la révolution. Grand fournisseur d'armes du FLN, il a été le chef d'orchestre de la rébellion algérienne et a soutenu ceux qui allaient prendre le pouvoir à Alger en 1962. Fathi el-Dib, qui a connu Ben Bella en 1954, grâce à Mohammed Khider, l'a ensuite imposé. C'est le même Fathi el-Dib qui, aidé de « spécialistes » allemands (en fait, d'anciens nazis), a monté les filières d'approvisionnement d'armes des nationalistes algériens. Il a participé activement au renversement du roi Idriss en Libye. Il a encouragé, voire fomenté çà et là de nombreux coups d'État. Il a monté plus tard des opérations en Afrique avec Che Guevara, etc., etc.

Né en 1922, Fathi el-Dib a choisi la carrière d'officier comme son grand-père, qui avait conduit la révolte contre les Anglais et avait été exécuté par eux. Officier parachutiste, il se lance dans le renseignement militaire. Proche de Nasser, dès son accession au pouvoir, il devient responsable du groupe de renseignement sur les pays arabes. Puis il prend rapidement la tête de l'ensemble des services de renseignement et reste à ce poste jusqu'à la mort du Raïs en septembre 1970, cumulant cette mission avec les fonctions gouvernementales qu'il occupe à partir de 1960.

La grande affaire de sa vie a été l'Algérie. Dans son appartement d'Héliopolis, le retraité s'enflamme[1] en évoquant les noms d'Ahmed Ben Bella et de Mohammed Khider, qu'il cite en tête de son panthéon algérien. À la fin de 1957, Fathi el-Dib apprit que certains chefs militaires algériens envisageaient de faire enlever les cinq prisonniers de la Santé, puis de les faire exécuter. En accord avec Nasser, il décida alors de monter une contre-opération préventive d'enlèvement de Ben Bella et de

1. Rencontre avec l'auteur, le 12 octobre 1995.

ses amis[1]. Après le rejet d'une première proposition émanant d'un mercenaire italien, une autre offre de services lui parvient par l'intermédiaire d'Issam Khalil, chef des services de renseignement de l'Armée de l'air. Cette opération serait réalisée grâce à deux hautes personnalités allemandes, aidées de huit jeunes néo-nazis, avec le consentement de l'un des directeurs de la Santé qui percevrait en l'occurrence 15 000 livres égyptiennes. Le plan consiste à déguiser l'un des Allemands en officier français qui devra présenter un faux ordre de transfert des prisonniers en vue de leur interrogatoire à la citadelle de Metz. Le directeur sera pris en otage. Une camionnette maquillée en véhicule militaire et deux motos encadreront une voiture privée à bord de laquelle les cinq Algériens seront transportés sous la garde des jeunes Allemands costumés en militaires français. Les Algériens devront finalement être livrés, à Mannheim, à Fathi el-Dib en personne. Le patron des services spéciaux égyptiens souhaite seulement recueillir l'accord de Ben Bella sur l'opportunité d'une telle opération. L'avocat marocain Abderamane Youssoufi, vieil ami de Genoud, est chargé de l'en aviser. Tout est prêt : Fathi el-Dib et Issam Khalil, chacun installé dans un hôtel de Mannheim, attendent. Les Allemands informent alors les Égyptiens qu'à la demande de Ben Bella, l'opération est retardée de quelques jours. Puis ils y sursoient à nouveau, affirmant que c'est encore à la demande de Ben Bella. Fathi el-Dib quitte alors Mannheim pour Le Caire afin de ne pas attirer l'attention des services secrets français, bien implantés à la frontière franco-allemande...

Une telle opération semble impossible à mener à bien, mais la situation anarchique qui règne en France en ce printemps 1958, alors que la IVe République agonise et que le général de Gaulle s'apprête à prendre le pouvoir, laisse peut-être quelques chances à ses concepteurs. C'est alors que la section allemande de l'Association des amis du monde arabe est mise au courant

1. Cette opération est racontée par Fathi el-Dib dans *Nasser et la révolution algérienne,* Paris, L'Harmattan.

du projet et alerte François Genoud. Celui-ci fonce à Paris et met à son tour son grain de sel dans l'affaire. Il réussit à entrer en contact tout à la fois avec les prisonniers, *via* l'avocat marocain Abderamane Youssoufi qu'il connaît depuis son séjour à Tanger, et avec les membres du commando allemand. Genoud estime que ceux-ci sont vraiment très repérables, que ce soit dans leur hôtel, situé près de la gare de l'Est, ou au Café de la Santé qu'ils fréquentent à proximité de la prison. Il acquiert la conviction que l'entreprise est noyautée par les services français et ne croit pas un seul instant à la trahison du responsable de la prison. Il est même persuadé que ce fonctionnaire n'est qu'un provocateur qui fait le jeu de Français extrémistes, ceux-ci espérant qu'à la suite de cette tentative d'évasion les Algériens seront abattus, ce qui réglera une fois pour toutes le problème du leadership de la « rébellion ». Avec l'accord de l'avocat marocain et des prisonniers eux-mêmes, Genoud décide donc de faire annuler l'opération dont il connaît maintenant tous les rouages.

En compagnie d'Abderamane Youssoufi, il part pour Mannheim rencontrer le patron des services spéciaux égyptiens. Fathi el-Dib se range d'emblée à l'avis de Genoud et met fin à l'opération. Les membres du commando rentrent en Allemagne, où ils se font arrêter avec leurs armes et munitions dont la provenance égyptienne est aisément reconnaissable. Genoud appelle aussitôt à la rescousse son ami Rechenberg, qui contacte un avocat pour tenter d'étouffer l'affaire. Ce qui sera fait.

« Au cours de ces deux semaines d'aventures intenses, des liens amicaux, fussent-ils indirects, s'étaient tissés entre les prisonniers algériens et moi. Leur libération devint pour moi non seulement un but, mais une obsession. Nous étions incapables de les libérer par la force ? Il fallait essayer par la persuasion ! Je me suis alors efforcé de développer mes relations avec la France nouvelle qui se mettait en place, beaucoup plus attrayante que la IVe République moribonde », raconte aujourd'hui Genoud.

Jacqueline, veuve d'André Diethelm, avait depuis longtemps un certain faible pour l'ami François. Elle ne demandait qu'à rendre service à ce personnage scandaleux qui arborait haut et fort son admiration pour Hitler, et maintenant pour la cause algérienne. Intrigante, aimant avoir l'impression de participer à l'Histoire en faisant se rencontrer dans son salon certains de ses acteurs, brillante, passionnée de politique, connaissant le monde qui compte, intervenant partout mais toujours discrètement, Jacqueline ne se privait pas d'user de ses talents de séductrice envers François Genoud en lui déclarant par exemple ce que son mari lui avait confié peu avant sa mort : « André m'a dit qu'il n'avait plus que trois vrais amis : deux Juifs — les deux Marocains israélites qui avaient été ses collaborateurs à Londres — et un nazi... »

« Je m'efforçai de faire de l'intox, raconte Genoud. Je le fis en toute bonne conscience, car je pensais servir la cause de l'Algérie, ma cause, et, simultanément, rendre service à la France en lui permettant de sortir du guêpier dans lequel elle s'était stupidement fourrée. Jacqueline trouva ma vision attrayante. Elle en parla à certains de ses amis et me demanda si j'accepterais de les rencontrer. J'acquiesçai évidemment avec enthousiasme. »

Jacqueline Diethelm fait ainsi se rencontrer Genoud et le patron des services spéciaux français, Paul Grossin, dans son salon du 31, boulevard Malesherbes. Elle connaît bien Grossin depuis que celui-ci fut directeur de cabinet de son mari au ministère de la Guerre du premier Gouvernement provisoire dirigé par Charles de Gaulle. Le général Paul Grossin avait été nommé à la tête du SDECE par le président du Conseil Maurice Bourgès-Maunoury et confirmé à ce poste par le général de Gaulle à son retour au pouvoir en juin 1958. Sa principale affaire est alors la lutte contre la rébellion algérienne et contre ceux qui lui viennent en aide, des trafiquants d'armes aux avocats.

« À l'heure convenue, j'attendais dans son salon quand j'entendis la sonnette. Mme Diethelm et Grossin entrèrent ;

elle nous servit le café, puis nous demeurâmes seuls. Nous parlâmes longuement du problème qui nous intéressait, la guerre algéro-française, et des moyens d'y mettre fin. Ma position était très claire : seule la reconnaissance de l'indépendance de l'Algérie le permettrait. Une négociation ne pouvait réussir qu'à condition qu'il y eût des concessions de part et d'autre. Une chance immense était que la France était maintenant entrée dans la Ve République, avec un homme fort à sa tête : de Gaulle. En face, du fait de la capture des quatre grands dirigeants, c'était beaucoup plus difficile : des prisonniers ne peuvent intervenir ni faire aucune concession ; leurs camarades sont également paralysés par l'absence de leurs frères... J'ai senti que ce raisonnement "passait"... J'ai vu le général Grossin à de nombreuses reprises, j'en garde un souvenir très sympathique. Je crois qu'il a veillé scrupuleusement à ce que le SDECE et l'un de ses bras armés, la "Main rouge", agissent dans le cadre strictement défini par de Gaulle et ne commettent pas trop de bavures... Son amitié pour mes amis Diethelm, une certaine sympathie que, pour cette raison, il éprouvait à mon égard, peuvent avoir exercé une influence heureuse sur ma sécurité au cours de ces années de turbulences... »

À l'époque, en plein accord avec Matignon, le service Action du SDECE, abrité derrière une organisation fictive appelée la « Main rouge », assassinait en effet volontiers les gens qui avaient le profil de François Genoud. C'est si vrai qu'un des amis de ce dernier, Wilhelm Beissner — autrefois membre de l'Abwehr, puis de la Gestapo à Tunis, désormais à la tête d'une firme d'import-export entre pays arabes et Allemagne fédérale, mais surtout émargeant au « service » égyptien de Fathi el-Dib —, fit l'objet d'un attentat le 16 novembre 1960. Aujourd'hui, Genoud reste persuadé que ses rencontres avec le général Grossin le protégèrent de la redoutable « Main rouge ». Peut-être oublie-t-il une autre raison : on se souvient de la fiche sur Genoud dans laquelle le colonel Marcel Mercier[1] affirmait que le Lausannois était « disposé à travailler pour l'ASdec[2] *(sic)* sous couvert d'affaires financières arabes »...

Genoud n'a pas gardé un souvenir précis des dates de ses rencontres avec Grossin. Les lettres que lui a adressées Jacqueline Diethelm permettent de situer l'une d'elles dans le courant de l'été 1958 ; dans un courrier du 10 septembre, elle écrit : « Mon ami, que vous avez trouvé si sympathique, serait très heureux de vous revoir aussi. » On peut donc supposer qu'une deuxième rencontre a eu lieu en septembre-octobre de la même année. Une autre s'est sans doute produite vers la fin août 1961 ; Jacqueline parle en effet de son « sympathique ami [qui] tient à ce que ce soit secret. Je suis très préoccupée par cette affaire, je n'en dors plus. Si seulement vous pouviez réussir, beaucoup d'êtres humains vous devraient la vie ou cesseraient de vivre dans la peur ». D'autres rencontres semblent avoir suivi jusqu'à la fin de l'année 1961.

Jacqueline Diethelm a également présenté son ami Genoud à Antoine Pinay[3]. Les rencontres avec l'« homme au petit chapeau » ont lieu la plupart du temps avec Jean Jardin, tantôt à la Tour de Peilz, près de Lausanne, tantôt à Paris, à l'hôtel La Pérouse ou rue de Rivoli. Il y est invariablement question de la « rébellion » et des moyens d'y mettre fin. Le rôle de Jean Jardin semble ici essentiel. Ce dernier, qu'il a connu juste après la guerre, resurgit régulièrement dans les activités « arabes » de François Genoud, notamment, on l'a vu, au Maroc pour le projet de Banque nationale, Jacqueline Diethelm déployant son énergie charmeuse pour faciliter les choses aux côtés des deux

1. Marcel Mercier, officier du SDECE, était chargé à l'époque des relations avec l'« organisation Gehlen ».

2. Il s'agit évidemment du SDECE !

3. Genoud a revu Antoine Pinay pour la dernière fois au début des années 1980 en intervenant pour un dossier libanais dans une administration française. Il s'agissait d'obtenir de la France qu'elle accepte de céder un terrain abritant une école des sœurs du Carmel dans le cadre d'une opération censée déboucher sur la construction d'un établissement plus vaste sur un autre site... L'intervention d'Antoine Pinay fut couronnée de succès, mais l'opération se termina plutôt mal...

hommes. Les liens entre ceux-ci sont étroits et ne se réduisent pas à un rapport de dépendance dans lequel Genoud ne serait qu'un agent de renseignement de Jardin[1]. Complémentaires, ils s'épaulent l'un l'autre, et chacun se sert de l'autre. Quand Simon, fils de Jean, se marie en Suisse, Genoud est à la table d'Antoine Pinay aux côtés de Constant Bourquin et de Jean Jardin lui-même.

Ces entrelacs dessinés par autant d'hommes de l'ombre, l'intimité des relations entre Genoud et Rechenberg, obligent à poser ici la question du rôle du BND dans l'affaire algérienne. Les deux partenaires de l'Arabo-Africa montent en effet en 1959 une très grosse opération de relations publiques outre-Rhin. Celle-ci a pour objectif de convaincre le patronat allemand de ne pas suivre les Français dans l'exécution du plan de Constantine, lancé en 1959 par le général de Gaulle après sa prise de pouvoir et qui constitue le volet économique de la « pacification » menée par les militaires. Les chances de réussite de ce plan, dirigé par Paul Delouvrier, nouveau délégué général en Algérie, font peur aux nationalistes algériens. Rechenberg et Genoud accompagnent le Dr Ahmed Francis, « ministre des Finances » du GPRA, et un militant influent, Hafid Keramane (futur directeur des relations extérieures de la Sonatrach), dans une tournée qui les conduit à Wiesbaden jusqu'au siège du BKA[2] où Paul Dickopf, alors numéro deux de l'organisation, les reçoit en grande pompe, leur faisant même visiter le centre ultra-secret d'écoutes téléphoniques. Un peu plus tard, Genoud présente M'Hammed Yousfi — membre important du MALG (ministère de l'Armement et des Liaisons générales) — à Rechenberg. L'Algérien sera ensuite aidé par le BND pour ses achats d'armes à partir de l'Espagne.

---

1. Comme l'avance Pierre Assouline dans *Une éminence grise* (Éd. Balland, 1986). Il est tout à fait compréhensible que les amis et la famille de Jean Jardin n'acceptent pas l'idée d'une possible amitié entre ces deux hommes dont l'un, Genoud, fait trop figure de diable infréquentable.

2. Bundes Kriminal Amt : la police criminelle de la République fédérale d'Allemagne.

Difficile d'imaginer que ces diverses opérations montées avec Rechenberg n'aient pas reçu l'aval complet des services allemands...

Depuis la création de l'Association des amis du monde arabe, les autorités suisses essaient de comprendre ce que peut bien encore manigancer leur turbulent et sulfureux ressortissant. Ils le placent sous très haute surveillance, l'écoutent, ouvrent son courrier, le filent quelquefois. C'est d'autant moins facile que Genoud a pris l'habitude de toujours avoir un domicile à l'étranger. Après Athènes, Madrid, Bruxelles, Tanger, Barbizon, il s'est installé, depuis la fin 1957, à Francfort — qu'il s'apprête à quitter au printemps 1958 pour... Wuppertal, toujours en Allemagne ! Les agents qui le surveillent voient apparaître dans leur champ visuel beaucoup d'Arabes et d'Allemands dont ils essaient de brosser un rapide portrait. La lecture des fiches relatives à Genoud laisse deviner bien du travail et une bien grosse fatigue pour des résultats médiocres. Depuis le début des années 1950, il a le « privilège » que le commissaire Pache lui soit spécialement affecté. Le Lausannois entretient de bons rapports avec son ange gardien et n'hésite jamais à lui téléphoner, voire à le rencontrer pour lui faire part d'une partie — d'une partie seulement — de ses activités « sensibles ». Pendant la période agitée dont il est ici question, le commissaire Pache est assisté de l'inspecteur Müller qui se gratte la tête pour interpréter la masse d'informations disparates recueillies sur Genoud.

Le 15 avril 1958 à 17 h 15, le secrétaire général des Amis du monde arabe frappe à la porte du bureau de Müller. Il s'est déplacé de Lausanne à Berne. Toujours aussi urbain, son petit sourire n'en annonce pas moins une sérieuse dégradation de l'atmosphère. Après les civilités d'usage, il se plaint du contrôle de son courrier :

— Je suis au courant depuis plusieurs mois, mais je n'ai rien voulu dire, car ayant passé de nombreuses années en Allemagne et ayant eu l'occasion de constater qu'au bon temps du

IIIe Reich, c'était une coutume courante que de contrôler le courrier de chacun, j'estime que le bien de la collectivité doit passer avant celui de l'individu...

Le pauvre Müller, sérieusement déstabilisé, ne voit pas où son interlocuteur veut en venir.

— Je ne serais pas venu me plaindre si je n'avais eu la désagréable surprise de constater que l'on contrôlait également mon courrier privé, comme les lettres que j'envoie à ma femme. De surcroît, mon courrier arrive avec de trop gros retards...

Müller ignore que Genoud a procédé à divers tests pour mesurer les retards imputables au contrôle policier.

— Vous pouvez donc continuer à contrôler ma correspondance, mais, de grâce, faites en sorte que les lettres que j'adresse à ma femme ne subissent pas le même sort que les autres, et que les siennes suivent par le tout prochain courrier !

Müller tente sans grande conviction de lui remontrer qu'il n'est pas au courant de ce contrôle postal. Mais Genoud reprend les choses en main : il « présume » que c'est son activité dans le cadre des « Amis du monde arabe » qui lui vaut cette attention policière concernant sa correspondance.

— Étant toujours à contre-courant, c'est-à-dire national-socialiste au moment où tout le peuple suisse était germanophobe, et ami des Arabes maintenant que tout le monde est francophile, je comprends que l'on puisse prendre certaines mesures de contrôle à mon sujet. Mais, monsieur Müller, si vous voulez des informations précises, il n'est pas nécessaire de procéder à toutes ces vérifications, il suffit de me les demander et je me ferai un plaisir de vous répondre.

Et, avant même que Müller ait repris son souffle, Genoud se « met à table » en lui révélant qu'un Allemand lui a proposé un stock d'armes — « ce que vous savez sûrement déjà » —, mais qu'il a décliné cette offre qui n'entre pas du tout dans le champ de ses activités.

— J'entends plutôt montrer au monde arabe qu'il existe en Europe et en Suisse des gens qui comprennent leur désir d'être un jour libérés de la tutelle étrangère. Quant à votre contrôle, il est sans objet : avant d'entreprendre quoi que ce soit, j'ai bien pris la peine d'aviser le Département politique fédéral de mes intentions en créant les « Amis du monde arabe ». Et je me tiens à votre disposition pour toutes informations complémentaires.

Sur ce, Genoud prend poliment congé de l'inspecteur qui, encore tourneboulé, commence à rédiger une note rendant compte à son chef[1].

Depuis ses premiers contacts indirects avec les cinq prisonniers algériens, au moment de la préparation de leur enlèvement, jusqu'à leur transfert à Turquant, dans une propriété du Maine-et-Loire, dès les premiers pourparlers d'Évian avec le FLN, François Genoud a poursuivi avec eux ses relations par l'intermédiaire de l'avocat marocain Abderamane Youssoufi. Ben Bella et ses amis connaissent donc parfaitement l'existence de cet homme de l'ombre qui consacre beaucoup d'énergie à obtenir leur libération. Leur situation a évolué depuis que les Français, le 6 janvier 1961, ont voté massivement oui au référendum pour « gagner la cause de la paix et de la raison ». En février, des conversations se sont déroulées en Suisse entre Georges Pompidou, Bruno de Leusse et trois Algériens, sur les conditions d'éventuelles négociations entre la France et le GPRA (Gouvernement provisoire de la République algérienne). Paris est prêt à engager des pourparlers sur l'autodétermination « avec les diverses tendances algériennes, notamment avec le FLN ». Cette évolution rapide du gouvernement français provoque de violentes réactions des ultras de l'OAS. Un coup de force militaire éclate à Alger dans la nuit du 21 au 22 avril. En guise de réplique, le GPRA propose d'entamer le 11 mai des négociations. Finalement, la date du 20 mai est retenue pour une première rencontre à Évian ; Louis Joxe conduit la délégation française. Ce même 20 mai, le sort d'Ahmed Ben

1. Scène reconstituée à partir de cette note de l'inspecteur Müller.

Bella et de ses codétenus change radicalement : ils sont transférés de la prison d'Aix-les-Bains et assignés à résidence dans une belle propriété du Maine-et-Loire, à Turquant.

L'acceptation par la France de pourparlers avec les Algériens décide Nasser, toujours très attentif à leur cause, à envoyer son fidèle agent, Fathi el-Dib, comme ambassadeur de la République arabe unie à Berne[1]. Il y aura pour mission de se « mettre en contact avec les frères algériens dès son arrivée et de leur prodiguer tous les conseils nécessaires[2] ». Une fois sur place, Fathi el-Dib modifie radicalement les méthodes de travail de l'ambassade égyptienne, qui va alors devenir un « carrefour d'informations entre l'Occident et l'Orient, mais surtout en provenance du monde arabe ». Il contrôle étroitement les menées hostiles à la RAU, suit l'évolution de la situation en Afrique du Nord, assure un contact permanent avec les négociateurs algériens. Naturellement, toujours disposé à servir la cause, Genoud renoue à l'époque avec lui.

En juin 1961, François Genoud joue à nouveau les chauffeurs, comme il le fit jadis pour son ami Bauverd lorsque ce dernier rendait visite au général Ramcke, avec les suites que l'on connaît... Cette fois, il pilote Atef Danial, baasiste syrien lié aux services français et américains, qui rend visite à Ben Bella et à ses compagnons à Turquant. Quand Ben Bella apprend que Genoud n'est qu'à quelques dizaines de mètres, dans une modeste pension toute proche de la propriété, il empoigne son téléphone et appelle Hervé Bourges pour solliciter un permis de visite pour son ami suisse. Autorisation accordée : François Genoud fait ainsi directement connaissance avec Ben Bella, Mohammed Khider, Mohammed Boudiaf, Hocine Aït Ahmed et Mostefa Lacheraf. Il sympathise d'emblée avec Ben Bella, et davantage encore avec Khider à

1. De 1958 à 1961, la Syrie et l'Égypte ont formé la République arabe unie. L'Égypte a gardé, après 1961, le nom de RAU.
2. In *Nasser et la révolution algérienne, op. cit.*

qui une solide amitié le lie spontanément. Genoud et Khider échangent beaucoup, échafaudent des projets pour l'Algérie, à présent que l'indépendance est proche. Plus que tout autre, Khider est conscient que celle-ci coïncidera avec le début d'une nouvelle guerre, pour l'indépendance économique, cette fois, et que cette guerre-ci, selon lui, sera au moins aussi difficile à gagner que la première[1]. Le banquier Genoud joue les pédagogues, lui parle de l'expérience qu'il a faite en Suisse en créant la Banque commerciale arabe, première banque à vocation panarabe, et il se dit prêt à la mettre à la disposition de l'Algérie pour l'aider à lutter contre les grands intérêts capitalistes internationaux qui tenteront inéluctablement de l'asphyxier.

Genoud rend fréquemment visite aux prisonniers. Il sert d'intermédiaire entre eux et l'émissaire de Nasser, désormais installé en Suisse. Son intimité avec les cinq Algériens est telle qu'au mois d'août il emmène toute sa famille à Turquant, y passe plusieurs jours et en repart avec le fils de Boudia — futur président de la République algérienne, assassiné le 29 juin 1992 — qui vivra quelque temps à Lausanne au sein de la famille Genoud.

Cette relation directe avec Ben Bella et ses codétenus insuffle une nouvelle énergie à François Genoud pour développer ses contacts français. Jacqueline Diethelm, toujours dévouée, lui présente le colonel de Boissieu. La teneur et le ton des lettres[2] du gendre du général de Gaulle à Genoud ne laissent planer aucun doute sur la nature et l'objet de leurs rapports. Le 15 octobre 1961 : « Profitant des réceptions de ces jours-ci, j'ai pu aller de-ci de-là parler de notre entretien avec les deux principaux collaborateurs du Palais... » Boissieu a reçu pour consigne d'obliger Genoud à n'avoir de contacts qu'avec la « Maison Joxe », et lui suggère un « garçon très sûr

---

1. D'après une lettre de François Genoud datée du 18 juin 1970 et envoyée à Mme Mohammed Khider.

2. Photocopies dans les archives de l'auteur.

et raisonnable », probablement Roland Cadet, que lui présentera également Jacqueline Diethelm. Il est clair que Genoud est alors accepté comme négociateur occulte. Le 15 octobre 1961, Boissieu parle à Genoud du raidissement de la position française : « Autrement dit, sur ce terrain, les positions sont plus fermes que jamais, étant donné qu'il faut bien tenir compte de l'opinion publique en Algérie et en métropole (où rien n'a été fait pour détendre le climat), et surtout de l'opinion de l'armée... Je vous redis à nouveau ceci : nos adversaires ne peuvent demander au Président d'avaler son képi morceau par morceau, cela n'est pas dans la nature du personnage (croyez-moi), ni dans le domaine des choses possibles dans l'ambiance actuelle, quand bien même il le voudrait... En écoutant les voix de quelques Français, pêcheurs en eaux troubles, nos adversaires n'ont pas cru devoir saisir, à Évian ou à Lugrin[1], la balle au bond... Maintenant, cette balle est beaucoup plus lourde à jouer... » Boissieu explicite les menaces qui pèsent sur le Général, seul garant possible d'une solution raisonnable aux yeux de « 500 000 hommes d'une armée nullement battue et nullement bousculée ». Et il termine par cette note chaleureuse : « Je vous redis combien j'ai été heureux de vous connaître, combien je vous remercie de ce que vous m'avez fait comprendre ; cela servira certainement un jour... »

Un mois plus tard, Boissieu, qui a appris par Jacqueline Diethelm le grave accident de voiture dont Genoud a été victime en rentrant de Turquant, lui envoie une nouvelle lettre pleine de cordialité : « Vous n'avez peut-être pas senti toute l'estime que j'ai eue pour votre franchise dès notre premier contact. C'est avec espoir et optimisme que je voyais un homme de votre qualité se pencher sur ce grave problème qui nous préoccupait tous les deux et en discuter avec tant de sincérité... » Il explique à son ami tous les incidents qui sont venus perturber la situation : « Pour compliquer le tableau, l'affaire de la grève de la faim

1. Après Évian, les négociateurs algériens et français se rencontrèrent à Lugrin à partir du 20 juillet.

des pensionnaires de Turquant commençait, sous des prétextes que je n'ai pas encore discernés, mais qui cachent sûrement quelque chose !... Certes, la manœuvre a ramené Ben Bella au premier plan de la scène politique, mais est-ce que tout cela ne complique pas encore un problème déjà bien difficile ? »

Le gendre du Général[1] était bien loin de se douter que Genoud était à l'origine de cette grève de la faim, commencée le 5 novembre et qui avait pour but de protester contre le traitement que les autorités françaises réservait aux prisonniers pour les « amener à adopter une position moins intransigeante vis-à-vis des négociations ». Genoud transmit à Fathi el-Dib une lettre de Ben Bella dans laquelle celui-ci demandait que Nasser fût averti de leur protestation et lui apportât son soutien. Les médias égyptiens furent mobilisés et Nasser intervint directement auprès du gouvernement français pour le mettre en garde sur les conséquences de cette grève de la faim.

Durant la phase finale des négociations d'Évian, Ben Bella et ses amis sont transférés à Aunoy, dans la région parisienne. Genoud les rencontre toujours aussi souvent. Par l'intermédiaire de Fathi el-Dib, l'Égypte joue un rôle important dans ces pourparlers dont le déroulement est suivi jour après jour par Nasser. En l'occurrence, Fathi el-Dib est appuyé par les autorités suisses au plus haut niveau et accepté par les Français. L'ancien maître-espion égyptien souligne devant moi[2] l'aide très importante que lui ont apportée Jean Jardin et François Genoud au cours de ces tractations secrètes. Face à la détermination de Fathi el-Dib, les Suisses, qui n'étaient guère enchantés de voir Genoud dans le « circuit », durent faire contre mauvaise fortune bon cœur. « Si vous ne voulez pas le voir en tant que Suisse, considérez-le comme nationaliste arabe ou comme Égyptien », leur répliquait l'ambassadeur-espion installé à Berne.

---

1. François Genoud a revu le général de Boissieu peu avant l'arrivée de la gauche au pouvoir.
2. Dans l'entretien que j'ai eu avec lui au Caire le 12 octobre 1995.

Le 18 mars 1962, c'est la conclusion des accords d'Évian aux termes desquels l'Algérie deviendra indépendante. Tout n'est pas réglé pour autant : les luttes pour le pouvoir sont très violentes ; quant à l'OAS, elle ne désarme pas et sème la terreur en Algérie. Le jour même de la conclusion des accords, Ben Bella et ses compagnons quittent Aunoy à bord d'un hélicoptère qui les conduit dans un hôtel situé entre Genève et Lausanne, au Signal de Bougy. L'endroit est protégé par d'importants détachements de l'armée suisse. Le premier soir, les amis fidèles fêtent dans la joie la libération des prisonniers et la signature des accords d'Évian. Parmi eux, François Genoud se retrouve avec des gens d'horizons politiques très différents : « Le combat pour l'Algérie, qui fut le couronnement du mouvement de décolonisation, a suscité un enthousiasme tous azimuts. Les militants les plus nombreux venaient de la gauche sincère, celle qui croit aux grands principes. Moi, je venais d'ailleurs, du nationalisme arabe, de Gamal Abdel Nasser, et du combat pour la Palestine de Hadj Amin el-Husseini. J'étais heureux de croiser des hommes et des femmes venus d'autres horizons, appartenant à d'autres générations, avec lesquels j'avais en commun cette chose essentielle : l'engagement en faveur de la décolonisation et du Tiers Monde. La plupart d'entre eux éprouvèrent certainement les mêmes sentiments que moi », se souvient Genoud.

La fête est pourtant entachée par les conflits entre dirigeants algériens. Boudiaf a boudé la réunion. La crise est déjà en germe. Ben Bella et ses compagnons s'envolent le 21 mars pour Rabat avec de multiples précautions, car de lourdes menaces pèsent sur eux. Le roi Hassan II souhaite que les leaders algériens restent deux semaines au Maroc, espérant ainsi les éloigner de l'influence nassérienne. Mais Fathi el-Dib tient bien les choses en main et parvient à convaincre Ben Bella de ne rester que quelques jours au Maroc avant de regagner Le Caire, *via* la Suisse. Une fois de plus, Genoud joue un rôle important au cours de cette phase délicate. Il est envoyé par Fathi el-Dib à Rabat, porteur d'une lettre personnelle et secrète à l'ambassadeur d'Égypte afin que celui-ci établisse cinq passeports diplomatiques égyptiens avec des noms d'emprunt et les lui remette ensuite pour que l'ambassadeur égyptien à Berne obtienne les visas d'entrée en Suisse. C'est encore Genoud qui organise le voyage de retour des Algériens sur un vol Rabat-Zurich de la compagnie aérienne tchèque, puis qui les accompagne — sauf Boudiaf — à bord de l'avion qui les ramène à Zurich. À la descente de l'appareil, les autorités helvétiques empêchent Genoud et l'avocate française Lafut-Veron de poser le pied sur le sol suisse ! Fathi el-Dib doit intervenir. Genoud peut enfin emprunter le convoi qui conduit Algériens et Égyptiens jusqu'à la résidence de l'ambassadeur d'Égypte à Berne...

Défenseur du Grand Mufti

François Genoud voyage régulièrement au Caire depuis le début des années 1950 pour rendre visite à son frère Pierre qui y est installé comme architecte d'intérieur. Sur place, il ne se contente évidemment pas de retrouvailles familiales, il rencontre des nationalistes arabes. Il y revient pour des raisons extra-familiales en février 1959. Il y a désormais ses grandes entrées, son nom est connu dans les milieux nationalistes et chez les anciens nazis, nombreux dans la capitale égyptienne. Il fait la connaissance du professeur Johannes von Leers, ancien chef de la propagande antisémite de Goebbels, auteur du livre *Les Juifs te regardent* dans lequel figuraient des photos d'Albert Einstein et de Konrad Adenauer accompagnées de la légende : « Pas encore pendus. » « Il ne m'a pas intéressé. Il faisait partie de ces obsédés antijuifs... Il était convaincu qu'Adenauer était juif ! Je n'ai pas cherché à le revoir », se remémore Genoud.

Fathi el-Dib, chef des services secrets égyptiens, chargé de suivre et d'aider les rebelles algériens, qu'il connaît bien depuis la tentative avortée d'enlèvement des « Cinq », lui ouvre de nombreuses portes. Au cours de son séjour, il sympathise avec le maréchal Hammer, le numéro deux égyptien, fait également la connaissance de Michel Aflak, d'Akram el-Haarani et de Salah Bitar, fondateurs du Baas syrien, et de quelques autres membres de ce parti panarabe qui dirige encore deux pays, la Syrie et l'Irak. Par l'intermédiaire de l'ex-Premier ministre syrien Jamil Mardam Bey — qui a été à l'origine de la Banque commerciale arabe et qui est installé au Caire —, il renoue avec le Grand Mufti, qu'il n'a pas revu depuis leur rencontre à Berlin en 1943. Genoud est réputé prendre la défense des ex-dignitaires nazis et obtenir auprès des tribunaux allemands d'honorables succès. C'est d'un homme comme lui qu'a besoin le Grand Mufti.

Inutile de décrire le bonheur de François Genoud lorsqu'il se retrouve à Héliopolis, le 26 février 1959, face à l'un de ses héros qui affirme le reconnaître et dit tout le plaisir qu'il éprouve à le revoir. Genoud boit ses paroles. Il partage tout à fait ses analyses. Reprenant leur discussion de 1943, ils critiquent dans les mêmes termes la politique antisémite de Hitler. « Nous avons évoqué l'erreur que constituait cette forme d'antisémitisme. Je ne puis ni ne veux tuer tous les chrétiens sous prétexte que le christianisme serait nocif ! Les nazis hitlériens ont fait le jeu des sionistes. Avez-vous remarqué comme la plupart des antisémites ont tendance à trouver les sionistes sympathiques ? » dit-il en remâchant ce thème.

Mais ce n'est pas pour parler du sionisme ou de la cause palestinienne que le Grand Mufti a souhaité voir ce Suisse si dévoué à la Cause. Il entreprend de lui conter une longue histoire que Genoud, dit-il, est plus qu'un autre à même de bien comprendre.

Après l'échec à Bagdad du coup d'État de Rachid Ali Khailani, monté avec l'aide de l'Allemagne en mai 1941 contre les Britanniques, le Grand Mufti avait fui la capitale irakienne et s'était réfugié dans un premier temps à Téhéran. Puis il prit le train pour Berlin, *via* la Turquie et Rome. Arrivé dans la capitale du Reich à la fin octobre, il est logé pendant deux semaines comme un chef d'État dans un palais du gouvernement, au Schlöss Bellevue. Il s'installe ensuite dans une villa à Berlin-Zehlendorf, sur Goethestrasse, où il ouvre avec quelques collaborateurs une représentation officielle intitulée *Das arabische Büro der Grossmufti.* Il a rapidement des conversations avec le ministre des Affaires étrangères, divers membres du gouvernement, et surtout le maréchal Göring. Ce dernier était particulièrement favorable à son idée de créer une fédération d'États arabes indépendants, alors que Ribbentrop — le responsable des Affaires étrangères — se montrait beaucoup plus réservé. Durant l'offensive de Rommel, à l'été 1942, le Grand Mufti répond à l'appel de Mussolini qui souhaite que, partant de Rome, il installe son Bureau au Caire, une fois l'Égypte « libérée ». Il est invité à se rendre en Afrique du Nord, mais exige au préalable une déclaration formelle des puissances de l'Axe reconnaissant l'indépendance du monde arabe. Déclaration qui ne vient pas, faute d'obtenir l'approbation de l'Italie, de la France de Vichy et de l'Espagne, ainsi que l'a exigé Ribbentrop. Le Grand Mufti est contraint de retourner à Berlin après l'offensive britannique et le débarquement américain en Afrique du Nord.

À Berlin, au cours d'une réception organisée à l'occasion de l'anniversaire de quelque haut personnage nazi, le Grand Mufti a un aparté avec Göring, alors responsable suprême de l'Économie et des Finances du Reich. Il lui demande — en français — s'il pourrait l'aider à assurer la sécurité de fonds en devises en sa possession. Le Maréchal, intéressé, lui propose de poursuivre la conversation quelques jours plus tard, chez lui, dans une villa située sur Potsdamer Platz, à laquelle on accède par le ministère de l'Air.

Le jour dit, une grosse Mercedes gris-bleu vient chercher le Grand Mufti, franchit trois postes de garde, deux grilles, et le dépose finalement devant la villa. Après l'entrée, il laisse le vestiaire sur sa gauche, traverse le vaste hall et pénètre, au fond à droite, dans le bureau du Maréchal. Il lui expose son problème : il possède l'équivalent de 920 000 livres sterling en billets de banque fourrés dans des valises, exposées dans les circonstances présentes à de nombreux risques, notamment du fait des bombardements. Göring confirme qu'il est prêt à l'aider par tous les moyens. À la question de savoir s'il pourra lui assurer en toute éventualité la restitution de la somme en devises fortes, Göring ne répond pas dans l'immédiat ; il déclare devoir en discuter avec le Führer et le président de la Reichsbank, Walther Funk.

Trois jours plus tard, Göring envoie de nouveau sa Mercedes au Grand Mufti. Hitler et Funk sont d'accord, mais ce dernier ne veut pas s'engager sur un remboursement de la totalité en devises fortes, et il exige le dépôt des fonds à la Reichsbank. Ni Göring ni le Grand Mufti n'en voient la nécessité. Göring propose alors à son interlocuteur de prendre lui-même en charge la gestion fiduciaire de ce paquet de devises, et, en contrepartie, de tenir à sa disposition des valeurs industrielles de tout premier ordre. Seul Göring était à même de formuler une telle proposition, car il n'était pas tenu de confier ses devises à la Reichsbank et disposait de grandes quantités d'actions...

Pour procéder à la conversion des devises du Grand Mufti en actions, Funk suggère un cours de 20 marks pour une livre sterling, soit un capital total de 18,4 millions de marks. Le Grand Mufti accepte. Début février 1943, après l'habituel trajet dans la Mercedes gris-bleu, il se présente à la villa de Göring. Ses deux secrétaires déposent devant l'entrée des valises pleines de dollars, de francs suisses, de livres sterling. Un domestique s'en empare et les emporte jusque dans le bureau du Maréchal. Göring a fait préparer un texte valant reçu et explique les conditions de leur accord. Il lui en fait la traduction, puis signe l'original et une copie avec une plume en or trempée dans l'encre violette. Le Grand Mufti appose à son tour sa signature en caractères arabes, puis en caractères latins.

La villa où résidait le Grand Mufti fut touchée par trois fois par les bombardements, la dernière fois si gravement qu'il fut obligé d'évacuer son Bureau qu'il transféra, au cours de l'été 1944, d'abord à Zittau, puis à Eubin, dans l'Erzgebirge, et enfin, au printemps 1945, à Bad Gastein. Lors de sa dernière rencontre, en 1944, avec Göring, ce dernier lui déclara que ses valeurs étaient en sécurité dans les bunkers de deux banques dont l'une portait le nom de la capitale du Reich. En avril 1945, le Grand Mufti essaya sans succès d'entrer en contact avec Göring qui se terrait à Berchtesgaden.

Le 6 mai 1945, le Grand Mufti et ses collaborateurs détruisent les archives de son Bureau, mais gardent néanmoins la convention signée avec Göring. Le lendemain, le chef arabe s'envole de Klagenfurt à bord d'un avion militaire pour la Suisse, qui lui refuse l'asile politique. Des militaires helvètes l'escortent jusqu'à la frontière et le livrent à leurs collègues français. En cours de route, Amin Hadj el-Husseini détruit ses derniers papiers confidentiels, notamment la convention signée avec Göring. À Lindau, il est le prisonnier de la 1re armée et interné à l'hôtel Bayerischer Hof. Au bout de quelques jours, il est expédié à Paris et interné à la prison du Cherche-Midi. Il sera ensuite gardé dans des villas de la banlieue de Paris. Il s'enfuira (ou on le laissera s'enfuir...) en 1946 et il s'installera alors au Caire.

Au terme de cette longue histoire, le Grand Mufti demande à François Genoud de s'occuper de ses intérêts en Allemagne. Il lui donne tous pouvoirs pour le représenter « dans la recherche, la récupération et l'encaissement des sommes que, pendant la guerre, il a confiées au maréchal du Reich Hermann Göring ».

Pendant une quinzaine d'années, Genoud va consacrer beaucoup d'énergie — et d'argent — à cette affaire. Il s'agira aussi pour lui d'un combat politique. Il le mènera en étroite collaboration avec Hans Rechenberg, qui fera flèche de tout bois pour récupérer cette somme colossale. Dans les nombreux échanges de correspondance que j'ai pu consulter, le nom de Rechenberg revient presque aussi souvent que celui de Genoud, notamment dans les lettres à en-tête d'« Arabo-Afrika ». La raison en est simple : pour avoir la moindre chance de réussir cette opération, il fallait mobiliser le ou les héritiers du Maréchal et de Walther Funk. Or, Rechenberg était l'homme idoine puisqu'il avait été le collaborateur direct des deux hauts dignitaires nazis.

Le premier à réagir positivement est Walther Funk, ancien patron de la Reichsbank et ex-ministre de l'Économie. Le 6 mai 1959, il écrit une lettre au Grand Mufti Hadj el-Husseini pour lui parler « d'une affaire qui Vous intéresse et à laquelle j'ai été intimement mêlé » :

« Pendant douze années, j'ai été complètement retranché du monde[1], et donc dans l'impossibilité de le faire. Puis mon mauvais état de santé, qui fut d'ailleurs cause de ma libération, m'a fait remettre de jour en jour ce projet. J'espérais d'ailleurs avoir la possibilité de faire en compagnie de ma femme un séjour de repos en Égypte, ce qui m'aurait procuré le plaisir de Vous revoir. C'eût été une excellente occasion pour moi de m'acquitter d'une obligation que j'ai à Votre endroit... Le Reichsmarschall, durant les derniers mois de son existence, m'a fait part en effet à plusieurs reprises de la préoccupation que lui causait le dépôt d'argent que Vous lui aviez fait et qu'il devait en toute éventualité tenir à Votre disposition. Comme Vous le savez, j'ai eu connaissance de cette affaire au même moment en tant que président de la Reichsbank, puisqu'il s'agissait d'une somme très importante en devises. J'ai appris récemment que Vous tentiez de récupérer Votre argent. J'espère que les autorités de mon pays auront à cœur de Vous faire restituer ce dépôt saisi. »

Dans un document ultérieur, Funk fournira quelques précisions complémentaires sur cette affaire. L'« ami étranger » de Göring avait souhaité que ses devises fussent converties en valeurs industrielles de Rhénanie-Westphalie. Mais, surtout, Funk avait revu Göring en prison et celui-ci lui aurait parlé à plusieurs reprises de cette « histoire qui l'accablait » ; il lui aurait également confié avoir déposé les fonds du Grand Mufti à la Berliner Handels Gesellschaft (BHG).

Emmy Göring, veuve du Maréchal, ne pouvait évidemment rien refuser à Rechenberg. Le 12 décembre 1960, elle rétrocède par-devant notaire au représentant du Grand Mufti tous les droits, titres et valeurs que celui-ci lui aurait confiés en 1942. Par le même acte, le Grand Mufti donne son accord pour que

1. Walther Funk fut condamné au procès de Nuremberg à l'emprisonnement à vie à Spandau.

Genoud bénéficie de l'ensemble de sa créance sur la succession de feu le Reichsmarschall[1].

Un échange de correspondance avec la banque berlinoise commence. Celle-ci affirme n'avoir jamais entendu parler d'un quelconque dépôt fait par Göring. Elle émet l'hypothèse de l'intervention d'un prête-nom, puis, dans un second temps, elle explique que la banque a été détruite et sa salle des coffres pillée par les soldats de l'Armée rouge. De toute façon, elle ne se sent aucunement responsable de ce qui s'est passé à cette époque. Le dossier n'avance guère, car, en dépit de l'intervention d'anciennes hautes personnalités du IIIe Reich, il n'est pas très étoffé. Le 28 janvier 1964, une loi est promulguée fixant au 31 décembre de la même année la date limite pour déposer les recours ouvrant droit à des dédommagements pour pertes du fait de la guerre. Le notaire de Genoud ne dépose pas le recours dans les temps. Pourquoi ? Le dossier[2] ne permet pas de répondre avec certitude. Pourtant, une proportion non négligeable de la correspondance entre les hommes de loi et le Bureau de dédommagement va désormais tourner autour de cette question : le Grand Mufti, François Genoud et leurs défenseurs n'ont-ils pas laissé sciemment passer le délai prescrit par la loi ?

Plus généralement, la direction du Bureau de dédommagement a instruit le dossier, de la fin des années 1960 au début des années 1970, sur les points suivants :

— La réalité du dépôt de devises entre les mains de Göring : les preuves semblent plutôt légères aux enquêteurs. « Les attestations des anciennes personnalités du IIIe Reich ne constituent pas des preuves suffisantes », estiment-ils.

— S'il y a bien eu dépôt de devises, qui en est le véritable propriétaire : Göring ou le Grand Mufti ?

---

1. Document reproduit en annexe.
2. Dans les archives de l'auteur.

— L'argent éventuellement déposé par le Grand Mufti lui appartenait-il ou était-il la propriété du Haut Comité arabe[1] ?

Le document signé par Emmy Göring et la délégation du Grand Mufti sont contestés par le Bureau de dédommagement. Une vague suspicion transparaît dans la plupart des courriers. On a le sentiment que les rédacteurs des nombreuses lettres se demandent si cette histoire de dépôt de devises au maréchal Göring n'est pas un coup monté par une bande d'anciens compères nazis. Mais les soupçons se déchaînent quand, à la fin novembre 1970, pour répondre aux nombreuses demandes de preuves du Bureau de dédommagement, les hommes de loi de François Genoud sortent de leur chapeau une déclaration de Munif al-Husseini, archiviste du Haut Comité arabe pour la Palestine depuis 1948. Celui-ci affirme qu'à la fin de l'année 1969, triant les archives du Comité pour détruire les pièces inutiles, il est tombé sur des annotations de la main de Saduddin Abdulatif, membre du Haut Comité arabe, dans le journal tenu par Son Éminence Hadj Amin el-Husseini durant la Seconde Guerre mondiale. « Mon attention a été attirée par certaines annotations qui m'ont semblé intéressantes, aussi les ai-je recopiées. » Cette déclaration de l'archiviste est complétée par une autre attestation de Saduddin Abdulatif el-Husseini :

« Récemment, M. Munif al-Husseini, membre du Haut Comité chargé des archives, me montra copie de la note que j'avais inscrite dans le journal de Son Éminence durant la Seconde Guerre mondiale et à la requête du Grand Mufti, note qui donnait les noms des entreprises allemandes dans lesquelles Son Éminence avait investi son argent et dont les parts (actions) avaient été confiées au Reichsmarschall. Je me rappelle fort bien avoir écrit la note ci-dessus en caractères arabes correspondant à la prononciation des mots et à la valeur des actions. »

---

1. Cf. *supra* p. 87.

	VALUE	
AEG	2 002 000	(1 100 000)
BUBIAG	2 439 000	(900 000)
DAIMLER-BENZ	L 764 000	(900 000)
IG-FARBEN	3 136 000	(1 800 000)
ILSE BERGBAU	3 692 000	(1 750 000)
RUTGERSWERKE	1 394 000	(850 000)
MANNESMANN	2 907 000	(1 800 000)
VEREINIGTE STAHLWERKE	1 147 000	(675 000)

Ces deux attestations ont paru bien tardives aux hommes chargés d'instruire le dossier. Naturellement, ils ont demandé à voir le journal du Grand Mufti pour vérifier l'original de la note prétendument recopiée par l'archiviste. Il leur fut répondu que le journal avait été brûlé ! Les responsables du Bureau de dédommagement n'ont pas cru davantage les affirmations selon lesquelles le Grand Mufti et ses représentants n'avaient pas déposé leur dossier avant le 31 décembre 1964 parce qu'ils avaient oublié cette date butoir...

Fin août 1971, le Bureau de dédommagement demande au notaire de François Genoud de s'adresser aux tribunaux de Berlin, seuls compétents désormais pour traiter leur affaire. De nouvelles démarches sont faites pour dénouer cet imbroglio auquel Genoud souhaiterait donner une tournure politique. Le ministre de la Justice de Rhénanie-Westphalie, le Dr Posser[1], est sollicité. Il ne peut rien et renvoie le dossier sur le secrétaire général du Parlement, lequel ne peut ou ne veut le faire avancer... Genoud relance l'affaire en 1974 en réclamant devant le tribunal de Berlin un dédommagement limité aux seules actions AEG. Il est débouté pour les raisons déjà invoquées par le Bureau de dédommagement. Jugement confirmé le 18 mars 1975 : la cour d'appel ne croit pas à la véracité des déclarations du Grand Mufti, pas plus que de son collaborateur qui a prétendu avoir retrouvé des notes manuscrites et les avoir reco-

1. Ancien nazi reconverti qui avait déjà accouru à la demande de Genoud pour défendre l'opposant marocain Abderamane Youssoufi. Cf. *supra* p. 222.

piées avant de brûler l'original. Il n'y a, selon lui, aucune preuve tangible de l'existence des fonds.

Dans une interview accordée le 2 septembre 1973 au quotidien libanais *The Daily Star*, le Grand Mufti a déclaré : « Mon séjour en Allemagne pendant la guerre n'a pas été une erreur. Il était logique, parce que le sionisme et l'impérialisme me pourchassaient, dépensant des fortunes pour m'arrêter et m'assassiner. L'Allemagne était le seul endroit dans le monde où je pouvais aller à cette époque. »

Le Grand Mufti est mort au Liban le 4 juillet 1974. Vingt et un ans après ce décès, Genoud n'a toujours pas renoncé à récupérer ses fonds et a chargé l'avocate Cordula Schacht, fille du Dr Schacht, de reprendre le dossier...

Contrer le Mossad

L'activité débordante des deux compères dans les affaires arabes ne leur fait pas oublier leur première mission : l'aide aux anciens dignitaires nazis. On a déjà vu à quel point Genoud, avec le concours de son ami Rechenberg, se démenait pour diffuser les écrits de certains d'entre eux (Hitler, Goebbels ou Bormann), faire reconnaître leurs droits devant les tribunaux, assister ceux qui étaient encore incarcérés, mais la traque par le Mossad de certains qui s'étaient surpassés dans l'horreur, comme Adolf Eichmann ou le Dr Mengele, exécuteurs de la « solution finale », de Martin Bormann, du Belge Léon Degrelle, entre autres, va faire sortir l'« extrémiste » du bois.

Le 22 mai 1960, Adolf Eichmann atterrit à Tel-Aviv à bord d'un avion spécial en provenance d'Argentine où il a été enlevé une dizaine de jours plus tôt par le Mossad. Les dirigeants de l'État juif ont décidé de le juger en Israël même. Quand Genoud apprend cet enlèvement, il est d'abord persuadé qu'il s'agit d'une histoire fabriquée par la propagande sioniste, car lui qui connaît bien son « gotha » nazi n'a jamais entendu parler de celui que toute la presse présente comme le grand responsable de l'extermination des Juifs. Il consulte l'index des comptes rendus du procès de Nuremberg et constate qu'effectivement le personnage existe et est très fréquemment cité.

« Rechenberg et moi pressentons alors que c'est une affaire on ne peut plus importante, qui peut tourner très positivement ou très négativement pour l'un ou l'autre camp. Nous décidons instantanément de nous en mêler, retrouvons trace de la famille et sommes quarante-huit heures plus tard auprès du frère d'Eichmann, en Autriche. Volontaires pour défendre Eichmann, nous sommes accueillis avec enthousiasme par ses proches. Un avocat s'est déjà pointé : Servatius, de Cologne. Ce n'est donc pas notre choix, mais nous lui rendons visite, lui offrons notre appui moral et matériel, lui exposons notre stratégie de défense : l'accusé doit se refuser absolument à participer à une parodie de justice dépourvue de toute base légale. Eichmann a été kidnappé, drogué, séquestré, puis transporté illégalement en Israël. Il est traduit devant la justice d'un pays créé par la violence, illégalement, sur une terre usurpée, un pays où il n'a commis aucun délit. S'il se trouve dans ce pays, c'est par suite d'une série de crimes dont il est la victime. Il s'agit de dire : "Messieurs, vous êtes les plus forts, faites de moi ce que vous voulez, mais ce sera sans ma complicité." L'affaire fait un tel bruit (l'Argentine proteste auprès du Conseil de sécurité des Nations Unies), Israël paraît si peu sûr de soi qu'on se prend à douter que l'État hébreu ait trempé dans l'entreprise. Eichmann ne court pas le risque d'être torturé. En cas de procès, en revanche, le verdict est certain : ce sera la mort. Dans cette situation, l'attitude la plus confortable est le silence, seul moyen de ne pas dire de bêtises et de ne pas se laisser entraîner dans un engrenage. Servatius nous promet de transmettre le message. L'a-t-il fait ? J'en doute. En tout cas, Eichmann a fait tout le contraire. Il a joué le rôle qui lui était dévolu par ses ennemis, et l'a joué pleinement. Une véritable diarrhée verbale ! Impossible d'intervenir : le contact avec lui ne pouvait passer que par Servatius. En définitive, nul ne peut dicter à un prisonnier l'attitude qu'il doit adopter face à ses juges... Il y a eu un avant et un après le procès Eichmann. Cette affaire (1960-1962) a marqué un grand tournant dans l'après-guerre et a constitué un très grand succès pour les sionistes. À partir de là, tout leur a été permis, tout le monde s'est mis à trembler devant eux. On ne peut que s'incliner devant autant d'efficacité... »

À la fin de l'année 1960, peu de temps après que l'affaire Eichmann eut fait ainsi enrager d'impuissance François Genoud, les services secrets israéliens projettent d'enlever Léon Degrelle afin de l'interroger puis de le remettre à la justice belge. L'exil doré de l'ancien chef rexiste en Espagne dérange beaucoup de monde. Il a déjà fait l'objet de plusieurs tentatives de rapt. La première, montée par le colonel de Lovinfosse, un officier belge des services de renseignement bardé de décorations gagnées pendant la guerre, a eu lieu alors qu'il était encore à l'hôpital militaire de San Sebastian. Une autre a été tentée par un juge belge du nom de Melot.

D'après Michel Bar-Zohar[1], le Mossad était convaincu que Degrelle connaissait le refuge de Bormann en Amérique du Sud. Officiellement journaliste, Zwy Aldouby[2] est chargé de monter l'opération. Les services secrets israéliens, qui ont depuis longtemps Genoud à l'œil, savent qu'il est sinon le meilleur fil, du moins l'un des plus sûrs pour conduire jusqu'à Léon Degrelle, avec qui il est en relation constante, voire à d'autres anciens dignitaires nazis comme Martin Bormann. Genoud est, on l'a vu, l'éditeur des œuvres de ce dernier, il est en liaison avec sa famille, il est devenu l'ami d'Arthur Axmann, ancien chef des Jeunesses hitlériennes, qui se trouvait à l'intérieur du bunker dans les derniers jours de Hitler et qui affirme que Bormann est mort.

Zwy Aldouby monte une opération d'encerclement à partir de Mme Andrée Blouin, la plus proche collaboratrice de Patrice Lumumba. L'ex-Congo belge se trouve alors en pleines turbulences. Mme Blouin séjourne souvent en Suisse où elle est placée peu ou prou sous la protection du colonel Henri Guisan, fils du général Guisan, l'ancien chef d'état-major de l'armée suisse pendant la guerre (il y organisa secrètement la résis-

1. In *Les Vengeurs*, Fayard, 1968.

2. Il existe une autre version de cette tentative de rapt exposée par Dan Raviv et Yossi Melman dans *Tous les espions sont des princes* (Stock, 1991), selon laquelle Zwy Aldouby, un ancien du Shin Bet, aurait monté cette opération de sa propre initiative après avoir constaté l'impact de l'enlèvement d'Eichmann.

tance pour le cas où les nazis envahiraient le pays). Andrée Blouin a commencé la rédaction d'un livre sur les événements dramatiques qui se déroulent en Afrique centrale. Le colonel Guisan la présente à François Genoud qui s'intéresse au FLN, mais aussi à tous les mouvements de libération en lutte contre la France.

Barbara Aigon, qui se présente comme une tiers-mondiste engagée[1] poursuivant le même combat que la collaboratrice de Lumumba, et qui travaille pour la société Eurafor-Presse, passe un contrat, à la fin mars 1961, avec Andrée Blouin pour l'édition de son livre. Elle lui présente Zwy Aldouby, journaliste travaillant pour le magazine *Look*, qui sera chargé, avec un collaborateur du *Stern*, de recueillir son témoignage et ses documents, puis de les mettre en forme.

Devenu familier d'Andrée Blouin et du colonel Guisan, Zwy est présenté à Genoud comme Herbert Aldouby, jeune Américain d'origine arabe, partisan enthousiaste de la cause de l'indépendance des peuples opprimés. Dans le même temps, Guisan parle à Genoud du projet de libération d'un leader politique marocain astreint à résidence en Espagne et lui demande son aide pour trouver en Méditerranée un yacht pouvant servir à cette fin. Guisan étant lui-même un grand yachtman, l'affaire paraît plutôt curieuse à Genoud. Le Lausannois compte parmi ses amis politiques marocains un combattant bien connu qui peut être ce Marocain bloqué en Espagne. Il l'interroge : celui-ci, à son tour très intrigué, conseille à Genoud de solliciter l'avis de Mehdi Ben Barka, qui lui est proche. Genoud suit le conseil et interroge le leader tiers-mondiste :

— Cela m'a tout l'air d'une nouvelle affaire Eichmann, répond spontanément Ben Barka.

— Mais qui peut bien intéresser les sionistes en Espagne ? demande Genoud.

---

1. Il est question de Barbara Aigon dans le livre de Moumen Diouri, *Réquisitoire contre un despote*. Elle fit partie de l'entourage très proche de Mehdi Ben Barka et passe pour être proche des services israéliens.

— Le nazi, c'est vous, mon cher, ce n'est pas moi ! Faites travailler votre matière grise ! s'exclame l'opposant marocain.

L'éditeur londonien Cassell vient de publier l'édition anglaise du *Testament politique de Hitler.* Genoud en a un exemplaire posé sur son bureau, tourné à l'envers ; la dernière page de la jaquette est consacrée à la publicité pour un autre livre du même éditeur dont le titre est *Minister of Death* ; l'un des trois coauteurs s'appelle Zwy Aldouby. Ce nom attire l'attention de Genoud : c'est le même que celui du jeune journaliste américain que Guisan lui a présenté ! Il entreprend aussitôt d'en savoir plus long sur cet Aldouby qui loge au « Lausanne Palace ». Or le concierge en chef de cet hôtel est un ancien camarade du Front national.

— Tu as chez toi un certain Aldouby. Puis-je voir sa fiche ?

Le concierge la lui remet. Il s'agit bien de Zwy Aldouby. Genoud comprend qu'il a les « sionistes » sur le dos. Tout s'éclaire subitement : Guisan joue de sa prétendue passion pour la liberté des peuples afin de participer à un « coup » dont Genoud cherche alors à cerner les contours, tout en se gardant d'éveiller l'attention de Guisan et d'Aldouby. Ce dernier, quant à lui, devenu très proche de Genoud, amène subrepticement la conversation sur Martin Bormann à qui il semble s'intéresser beaucoup. Genoud joue le jeu. Il a compris que son interlocuteur cherche à localiser le chef nazi, qu'il croit vivant. Il lui dit qu'ils pourraient faire ensemble un voyage en Amérique du Sud après un petit séjour en Allemagne. Aldouby est enthousiaste. Genoud feint la naïveté : avant de s'engager plus avant avec Aldouby, il tient à le cerner mieux et demande à Henri Guisan une fiche sur son ami Zwy. Invoquant ses liens avec certains officiers des services secrets suisses, Guisan lui répond favorablement et lui montre une pseudo-fiche confidentielle[1] affirmant l'origine arabe de « Herbert ». Genoud apprendra plus tard que lesdits « services » étaient certes intéressés par cette histoire, mais n'y étaient mêlés ni de près ni de loin...

---

1. Figurant dans les archives de l'auteur.

Avant d'accompagner Genoud en Allemagne puis en Amérique du Sud sur les traces de Martin Bormann, Zwy Aldouby doit aller « passer des vacances en Espagne ». Le puzzle est désormais pratiquement complet. Genoud a compris qu'Aldouby participe à un « coup » dirigé contre Degrelle, réfugié dans la péninsule Ibérique. Il écrit le 18 juin 1961 à son vieil ami Léon pour le mettre en garde :

« Mon cher Juan,

... Je vous écris aujourd'hui pour vous conseiller la plus extrême prudence. Le hasard m'a permis de découvrir qu'une tentative semblable à celle qui réussit il y a un an en Argentine est projetée contre vous. Il est facile d'imaginer tout le profit que le pays en question en tirerait sur le plan international [...]. Il est très possible que l'on cherche à vous attirer dans une histoire prétendument africaine. Ce ne serait qu'un piège [...]. Méfiez-vous de tous ceux que vous ne connaissez pas très bien [...], méfiez-vous de votre ombre... »

Degrelle répond le 22 juin et révèle à Genoud que le gouvernement allemand est au courant du plan de Zwy Aldouby depuis avril ; Bonn a prévenu le gouvernement espagnol, qui l'a immédiatement entouré « d'une protection impressionnante, à cinq cents kilomètres de [son] logis habituel ».

« Le complot en question ? poursuit Degrelle. Il n'est que trop certain. Et si, vraiment, ces gens veulent atteindre leur but, ils l'atteindront : ils ont des moyens puissants, je ne puis tanner sans cesse le gouvernement d'ici. Et puis, vous connaissez le pays : les mesures sérieuses se relâchent rapidement et me kidnapper est un jeu d'enfant. Simplement, tout ce que je puis vous dire, c'est que si l'opération est tentée un jour, on ne m'aura pas vivant. D'ailleurs, vivant, le suis-je encore ? Tout est mort autour de moi, les grandes idées et les grands rêves. Les années passent, les belles années de la force et de la foi ; tout s'effiloche, se décompose. Je suis le mort resté l'œil grand ouvert dans son cercueil. De temps en temps, une bouffée d'espérance revient, rafraîchit l'air, me redresse vers l'action. Mais notre temps ne va plus que de fausse couche en fausse couche, comme une femme qui n'en peut plus. Les grandes foules sont abruties, des puissances énormes de bêtise et de corruption dominent tout. Comment faire encore sauter tout cela ? Bien sûr, si réapparaissait encore une chance sur cent de reconstruire une Europe grandiose, je bondirais. Mais mes jarrets s'engourdiront avant que ne revienne le temps de bondir, si jamais cette possibilité est encore donnée à un monde qui ne la mérite plus... Mais enfin, Michel-Ange employait de l'argile non pour honorer l'argile, mais pour créer du beau et de l'éternel ! L'homme est de la boue qui peut servir pour le pire (aujourd'hui) ou pour le meilleur (si l'heure du Destin repasse)... »

Les Espagnols sont sur leurs gardes, mais ignorent l'origine du projet de rapt. Ils pensent qu'il s'agit des Belges. Dès qu'il reçoit la lettre de Genoud, Degrelle bondit chez le gouverneur de la province de Séville et la lui montre.

Cette fois, Degrelle est caché à Madrid ; des mesures de sécurité exceptionnelles sont mises en place contre les Israéliens. Le 5 juillet, Zwy Aldouby est arrêté au poste-frontière de la Junquera dans les Pyrénées-Orientales avec un compagnon porteur d'un passeport français. Dans leur voiture, les policiers découvrent une grosse somme en devises, sept revolvers et, dans le coffre arrière, une longue caisse équipée de tout un appareillage d'anesthésie et de respiration artificielle. Rapidement, Zwy et son compagnon sont jugés et condamnés lourdement, non pour tentative d'enlèvement sur la personne de Léon Degrelle — officiellement, celui-ci n'est pas en Espagne —, mais pour complot contre la sûreté de l'État. Les deux « chasseurs de nazis » seront finalement libérés, à la suite d'une intervention de Tel-Aviv auprès de Franco, après n'avoir purgé qu'une faible partie de leur peine.

Genoud a continué à rencontrer fréquemment Degrelle jusqu'à la mort de ce dernier en mars 1994. En septembre 1970, Degrelle demanda à son indéfectible ami de l'aider à se procurer de faux papiers libanais à partir d'un faux certificat de naissance établi par un prêtre maronite.

Après avoir subi une ultime intervention chirurgicale, il disait encore à Genoud : « Nous deux, François, nous pouvons mourir tranquilles : nous sommes restés fidèles à nos idées jusqu'au bout. »

Vive la Révolution algérienne !

Le 1er juillet 1962, François Genoud foule le sol algérien pour la première fois de sa vie. Il débarque avec Kherredine Boudiaf, qui vit sous son toit depuis l'été précédent. Il est accueilli à sa descente d'avion par le père de ce dernier, avec qui il passe ses premiers jours en terre algérienne. Boudia le présente à ses camarades du GPRA de façon chaleureuse : « François Genoud, notre ami à tous ! » Il le conduit partout, lui montre le pays ; le Lausannois est frappé par l'apparent détachement des habitants vis-à-vis des événements atroces qui viennent de se dérouler.

Il n'est pas encore mêlé aux violentes dissensions qui opposent les chefs historiques de la Révolution. Il considère les « Cinq » comme ses amis, tout en montrant un faible pour Mohammed Khider à qui il va fréquemment rendre visite au secrétariat général du FLN, à la Villa Joly. Il voit en lui le principal leader algérien. Il rencontre tous les autres dirigeants de l'Algérie nouvelle, comme Ben Khedda. Il revoit Ben Bella, qui bientôt s'impose grâce à l'appui du colonel Boumediene.

S'il passe beaucoup de temps à Alger, Genoud continue à bouger sans arrêt et se rend souvent à Paris et à Genève. Inlassablement, il entretient ses multiples réseaux, et voit toujours Jean Jardin et Fathi el-Dib. À la fin août 1962, Jardin lui demande d'examiner dans quelle mesure il serait possible de rétablir les relations diplomatiques entre la France et l'Égypte, interrompues depuis 1956 ; il est parfaitement au courant des liens entre Genoud et Fathi el-Dib, et suggère à son ami d'avoir une discussion préliminaire avec l'Égyptien. Ce dernier invite ensuite Jean Jardin à déjeuner en compagnie de Genoud. Il est séduit par la culture du Français et par sa bonne connaissance de l'histoire des rapports franco-égyptiens. Jardin déclare que le général de Gaulle lui a dit être bien informé du rôle joué par Fathi el-Dib pour faciliter les pourparlers franco-algériens, qu'il n'a aucun grief à son encontre et souhaite au contraire qu'il serve d'intermédiaire dans cette affaire[1]. Nasser donne aussitôt mission à son ambassadeur de poursuivre les discussions. Jardin et Fathi el-Dib se revoient. Le premier indique que le Général a chargé Couve de Murville de rencontrer le second. Cette rencontre n'aura pas lieu. C'est le secrétaire général du Quai d'Orsay qui se substituera au ministre. Jardin et Genoud continueront à jouer les bons offices entre Paris et Le Caire. Jardin mettra en contact l'ambassadeur de France à Berne avec Genoud, lequel organisera, le 11 novembre 1962, une rencontre entre Fathi el-Dib et le diplomate français à la résidence de Jardin, à la Tour de Peilz.

À l'automne 1962, François Genoud vit comme un poisson dans l'eau à Alger. Il a toute la confiance des dirigeants algériens. Le 18 octobre 1962, en tant que patron et responsable des finances[2] du FLN, Mohammed Khider dépose tous les fonds extérieurs du parti sur un compte ouvert à son nom à la Banque commerciale arabe à Genève : soit environ 42 millions de francs suisses qui proviennent de dons faits par divers pays arabes après l'indépendance et des collectes auprès des travailleurs algériens à l'étranger, en France notamment. La confiance envers le banquier suisse est telle que sa proposition de créer une petite banque qui servirait d'instrument au FLN dans la conquête de l'indépendance économique du pays — idée qu'il avait longuement développée avec Mohammed Khider durant

1. In *Abdel Nasser et la révolution algérienne, op. cit.*

2. Après sa rupture avec le GPRA, le « groupe de Tlemcem » avait déjà chargé Khider de reprendre le contrôle du « nerf de la guerre » à ses adversaires potentiels.

l'été 1961 — est entérinée par le Bureau politique en décembre de cette même année. Grâce à des moyens fournis par la BCA, Genoud et le pouvoir algérien créent ainsi à Alger, au début de 1963, la Banque populaire arabe (BPA) dont le banquier suisse prend la présidence. Le FLN contrôle l'établissement avec 55 % des actions et trois représentants (désignés par Rabah Bitat) sur cinq au conseil d'administration, les deux autres sièges étant attribués à la BCA et à François Genoud. Le FLN va ainsi pouvoir participer à la guerre économique. Pour ne pas éveiller la méfiance des autres banques — surtout françaises — et pour éviter que le FLN n'ait à débourser de trop grosses sommes, le capital de la BPA est très faible : un million de francs français. Mais, pour que la nouvelle banque algérienne du FLN devienne un instrument plus puissant, Mohammed Khider décide de lui confier un important dépôt débité sur son compte à la banque de Genève.

Pour la suite des événements, il importe de savoir que Khider a alors tenu à ce que la participation du FLN comme actionnaire et important déposant de la BPA reste secrète. Il a donc demandé à François Genoud que le dépôt soit fait sous la forme d'un compte numéroté. Par mesure de précaution supplémentaire, il a également été décidé que ce compte serait considéré comme un compte fiduciaire de la Banque commerciale arabe. Ainsi le FLN, en la personne de Mohammed Khider, contrôle la BPA, première banque algérienne, et pratiquement aussi la BCA du fait de l'importance des fonds qu'il y a concentrés.

Genoud a les mains libres pour mettre au point l'instrument bancaire du FLN. Il achète et rénove un immeuble dans le centre d'Alger. Dans ce pays, exsangue mais renaissant, la BPA est un poste d'observation et d'intervention possible du fait de ses liens étroits avec le pouvoir. Genoud, comme certains de ses amis algériens, croit encore à une Algérie fraternelle, communautaire. Mais le départ massif des Français qui possédaient tout — terre, pouvoir, administration, etc. — a laissé un énorme vide, et le pouvoir algérien se retrouve confronté à de très lourdes obligations.

Si François Genoud a obtenu sans mal l'aval du président Ben Bella à la création de la première banque contrôlée par le FLN — c'est-à-dire par Khider —, les relations entre les deux hommes commencent à se tendre sérieusement. Le Lausannois reste néanmoins en excellents termes avec les frères ennemis. À preuve, quand Ben Bella décide de remplacer le directeur général de la Sûreté nationale, Genoud lui suggère M'Hammed Yousfi, qu'il a piloté en Allemagne avec Rechenberg ; Ben Bella l'écoute. C'est encore lui qui le convainc de demander aux Allemands de former sa police. Muni d'une lettre signée de Ben Bella, il s'en va voir son ami Dickopf, numéro deux mais véritable patron de fait du BKA, qui effectuera bientôt un voyage en Algérie et rendra visite à son président. Genoud devient ainsi l'instigateur d'une importante coopération technique entre les deux polices. En ce domaine, les Algériens vont même devenir les « chouchous » des Allemands et Dickopf va nouer une amitié étroite avec le colonel Ahmed Draïa qui devient, en avril 1965, le patron de la Sûreté. Genoud réussit également à convaincre Ben Bella de demander à la République fédérale de lui envoyer un conseiller économique ; celui-ci n'est autre que l'ami Hans Rechenberg qui, quelques années plus tôt, s'était démené en faveur des rebelles algériens. Rechenberg commence ses activités en septembre 1963 : certes, en faisant de l'économie et en aidant les entreprises allemandes à s'implanter au Maghreb, mais également en prenant les fonctions secrètes de résident du BND à Alger...

Genoud rend visite quand il le veut à Ben Bella et à ses principaux collaborateurs. Il est chez lui à la Villa Joly, il fait partie de la famille, comme s'en souvient Myriam Ben Bella, nièce du président et sa plus proche collaboratrice. Il y noue des relations avec des hommes qui ne se sont pas rangés dans la même case politique que lui, loin s'en faut. Avant de nouer avec lui des relations plus étroites, il rencontre en 1963 — à Alger, près de l'hôtel Aletti, chez un commerçant juif, dans un magasin d'artisanat — « Pablo », qui a présidé aux destinées de la IVe Internationale après en avoir été, en avril 1938, l'un des cofondateurs. « Pablo », de son vrai nom Michel Raptis, est un ingénieur grec. Il a soutenu dès le début la lutte armée des rebelles algériens et, avec ses amis trotskistes, s'est totalement engagé à leurs côtés. Le PCI assure l'impression de *Révolution algérienne*, l'organe du FLN en France, et celle des tracts. Cette aide conduit Pablo, en juin 1961, devant le tribunal d'Amsterdam pour impression de faux papiers et de fausse monnaie pour le compte du FLN. Malgré les témoignages de Laurent Schwartz, Claude Bourdet, Michel Leiris, il est condamné à quinze mois de prison ferme. Mais il a encore fait mieux en construisant une usine d'armement au Maroc ! Après l'indépendance de l'Algérie, Ben Bella le fait venir à la Villa Joly où, d'entrée de jeu, Pablo entonne l'antienne de l'autogestion. Les oreilles de Ben Bella y sont sensibles : Pablo devient un conseiller écouté de la Présidence. Chargé de s'occuper du « Bureau des biens vacants », il essaie d'appliquer ses idées révolutionnaires. Son profil est fait pour séduire Genoud qui aime les aventuriers dévoués à une cause, *a fortiori* quand celle-ci est aussi la sienne... Eussent-ils évoqué ensemble l'emprisonnement de Pablo dans les geôles de l'île de Folégandros par le général grec Ioannis Metaxas, qu'admirait tant Genoud, rien n'eût été changé dans les relations[1] entre ces deux hommes inclassables (il faut dire que le dictateur hellène avait ensuite offert à Pablo de partir en exil avec sa dulcinée[2]...).

François Genoud fait également la connaissance d'un autre « Pied rouge », Jacques Vergès, qui, après avoir rendu lui aussi d'importants services à la Révolution algérienne, est installé à Alger et a lancé l'hebdomadaire *Révolution africaine*, dont la vocation est de porter la révolution en Afrique noire et d'aider tous les mouvements nationalistes en lutte contre l'impérialisme et le néo-colonialisme. La vie de Genoud balancera toujours entre anciens nazis et révolutionnaires de l'ultra-gauche :

---

1. Michel Raptis a confirmé à l'auteur, le 17 décembre 1995, toute l'amitié qu'il portait à François Genoud.
2. Cf. *Éminences grises*, de Roger Faligot et Rémi Kauffer, Fayard, 1992.

il n'y a rien qu'il haïsse davantage que le centre mou — si ce n'est évidemment le sionisme, qu'il n'oublie jamais de combattre, notamment dans ses activités de banquier.

Si Genoud a des raisons d'être heureux en Algérie après y avoir créé la première banque nationale, introduit à des postes clés ses amis allemands et ainsi rendu la tâche plus difficile aux ex-colonisateurs français, il est très affecté par le conflit qui s'envenime entre Mohammed Khider et Ben Bella. Ce conflit porte sur un point essentiel : le rôle que doit assumer désormais le Front de libération nationale. C'est à l'occasion de la préparation du premier congrès du FLN à être tenu sur le sol de l'Algérie indépendante que les divergences s'aiguisent. Khider, auquel incombe précisément la préparation de ce congrès, voudrait un FLN qui mérite pleinement son nom de « Front », regroupant donc toutes les tendances des militants qui ont combattu et vaincu pour l'Algérie. Par « toutes les tendances », Khider entend évidemment tous les opposants à Ben Bella. Ce dernier, lui, voudrait un congrès bien préparé, contrôlé par l'équipe au pouvoir, c'est-à-dire par lui-même et Boumediene, dont le rôle va grandissant. Khider confie ses états d'âme à Genoud. Il répète que la place de l'armée est dans les casernes et redoute que Boumediene ne fasse bientôt qu'une bouchée du Bureau politique et de Ben Bella. Il souhaite dresser la liste de toutes les questions dont le congrès devrait débattre, la communiquer à tous les « frères » qui ne figurent pas dans l'équipe dirigeante du FLN afin qu'ils expriment leur opinion et que l'on puisse confronter les points de vue. Il est au demeurant persuadé que tous les membres du Parti se retrouveront sur l'essentiel : « Nous avons tous été animés par le même idéal, nous avons tous combattu pour le même but, explique-t-il à son ami. Sur les quelques points de divergence, nous allons essayer de rapprocher les points de vue. Puis le congrès tranchera sur les ultimes désaccords... »

En avril 1963, à la « Conférence nationale des cadres du Parti », Khider perd son combat contre Ben Bella et en tire immédiatement les conséquences. Le 13 avril, il abandonne le secrétariat général du FLN, tout en restant membre du Bureau politique et en conservant ses responsabilités aux finances du Parti. Il part alors avec sa femme chercher en Égypte ses deux aînés qui y sont toujours scolarisés. Non sans quelque naïveté, il donne à Ben Bella un sursis de six mois pour faire ses preuves, six mois au cours desquels il ne le gênera en rien, puis ils feront ensemble le bilan.

Sa « naïveté » ne l'empêche pas de prendre certaines dispositions en vue d'un éventuel combat futur. Exerçant ses pouvoirs sur les finances du Parti, il tire sur la Banque arabe de Beyrouth, où un compte au nom du FLN a été ouvert, un chèque de deux millions de livres avec ordre d'en virer le montant au compte ouvert à son nom à la Banque commerciale arabe de Genève.

Genoud s'afflige de constater que le fossé ne cesse de se creuser entre les deux chefs historiques de la Révolution algérienne. Il se souvient des appréciations que chacun portait sur l'autre, à Turquant et à Aunoy. Ben Bella estimait que Khider lui était « à tous points de vue supérieur : Khider, c'est de l'or en barre ! ». Aux yeux de Khider, Ben Bella était pour l'Algérie un « cadeau du ciel : il a le charisme, il a tous les dons ; d'une totale modestie, il sera prêt à se retirer s'il en va de l'intérêt du mouvement national ». En ce printemps de 1963, Khider estime plutôt que Ben Bella s'est laissé entraîné par la spirale de l'ambition personnelle. La visite de Nasser à Alger, le 4 mai, renforce encore son autorité et donne l'occasion à François Genoud de rencontrer le Raïs, qui lui est présenté par son ami Fathi el-Dib, organisateur du voyage.

Après le départ à l'étranger de Khider, les signes de raidissement de l'équipe au pouvoir sont perceptibles. Ben Khedda, le dernier président du GPRA, est mis à la porte du logement qu'il occupait et se retrouve à la rue. Le mécontentement grandit, les opposants à Ben Bella et à Boumediene prennent langue.

Khider voyage. Après l'Égypte, il se rend dans les Balkans, puis en Europe. Durant l'été, il rencontre son ami Genoud qui fait des aller et retour entre Alger et la Suisse. Genoud a deux messages pour lui : l'un émane de Ben Bella, qui lui demande de ne pas rentrer tout de suite ; l'autre de Bitat, qui le prie de rentrer sur-le-champ.

— Qu'en pensez-vous ? Qui dois-je écouter ? interroge Khider.

— Si vous êtes décidé à faire quelque chose, écoutez Bitat. Sinon, Ben Bella.

— Mon problème, c'est que la vie est très chère en Suisse...

Genoud se rappelle lui avoir donné alors 400 dollars : Khider avait épuisé quasiment tout son viatique et, selon son ami, ne songeait certes pas à prélever de l'argent sur le compte du FLN à la BCA. Pour lui venir en aide, Genoud lui prête de surcroît son appartement à Lausanne, où il reste jusqu'en septembre. Après les élections, Khider revient à Alger.

François Genoud, qui espère toujours réconcilier ses deux amis, rend visite à Ben Bella avec qui il est encore en bons termes. Il peut se permettre de conseiller au Président algérien de bousculer le protocole et de faire un geste en rendant visite à Khider. Ce qu'il fait. Les deux hommes n'en constatent pas moins qu'ils ne sont d'accord sur rien.

Au cours du séminaire de la Jeunesse du 8 septembre 1963, Ben Bella creuse le fossé : « Nous allons donner plusieurs tours au moteur de la Révolution. Nous perdrons des gens qui ne seront pas d'accord avec nous, mais nous en gagnerons d'autres... Il y a des gens qui réclament un congrès pour constituer le Parti. À ceux-là, je dis : est-ce que nous avons fait un congrès, le 1er novembre 1954, pour passer à l'action ? L'ancien FLN était un parc zoologique où il y avait de tout... Nous bâtirons le FLN de la Révolution socialiste à partir de l'action quotidienne dans l'autogestion et en frappant les gros richards... On verra alors une sélection naturelle se faire pour ou contre le maintien des privilèges... » Khider se trouve ainsi classé parmi les « réactionnaires ». Avant de rendre publiques ses divergences, il a, en accord avec Ben Bella, des entretiens avec Boumediene et ses amis, le ministre des Affaires étrangères Abdelaziz Bouteflika, le ministre de l'Intérieur Ahmed Medeghri. Khider rencontre également le ministre du Travail Béchir Boumaza. Ce dernier passe une soirée à lui exposer les éléments qui lui permettront de mieux juger les projets du pouvoir en matière économique, mais, sachant qu'il la déclinerait, il ne lui transmet pas la proposition de Ben Bella de faire de lui le vice-président du Conseil.

Cependant que ses deux amis approfondissent le fossé qui les sépare, la BPA, présidée par Genoud, fonctionne apparemment à la satisfaction de tous. Le Parti, la Défense et la présidence du Conseil assurent 80 % des activités de la banque. Son principal client est le ministère de la Défense, dirigé par le colonel Boumediene. Genoud traite surtout avec Slimane Hoffmann, l'homme de confiance du colonel, qui a la signature. Ayant remarqué les grosses commissions prélevées par Rachid Zeghar, l'ami de Boumediene, sur les contrats d'armements et les fournitures de l'armée, Genoud décide de s'en ouvrir à Slimane, lequel se lance dans de grandes envolées sur les éminents services que Zeghar a rendus naguère à la Révolution[1]. Genoud comprend alors qu'il a mis les pieds dans un mauvais plat...

Au cours de ce même été 1963, Genoud monte la première grande opération économique de l'Algérie indépendante contre l'ancienne puissance coloniale. Au plus grand bénéfice de... Ben Bella ! Le réseau financier monté par Genoud avec l'aide déterminante de Khider fonctionne depuis quelques semaines quand un de ses amis, Mustapha Berri, qui s'est éloigné de la Révolution pour se lancer dans les affaires, lui rend visite à la banque. Genoud a connu Berri au Signal de Bougy, entre Genève et Lausanne, juste après la sortie de prison des « Cinq ». Il a fait partie pendant la guerre de l'équipe de Boussouf. Mustapha est maintenant le représentant pour l'Algérie

1. Zeghar fut l'un des éléments les plus importants de l'organisation Boussouf, chargée de l'approvisionnement en armes de la rébellion. Il réussit notamment un beau « coup » en achetant du matériel de transmission à un officier américain à la base de Novaceur.

d'une grosse firme industrielle allemande (DRIAM) qui produit des tubes en spirales directement sur les chantiers à partir de rouleaux de ruban d'acier. Il raconte au président de la BPA que les pétroliers, essentiellement français, dont la production augmente, ont besoin d'urgence d'un troisième oléoduc qui relierait Haoud El-Hamra à Arzew[1], soit 800 kilomètres à travers l'Algérie. Les pétroliers, regroupés en mai 1963 à Paris au sein de la « Trapal » pour construire cet oléoduc, ont déposé en juin une demande de permis de construire à la Direction de l'énergie et des carburants. Aussitôt, le gouvernement algérien a demandé à la Trapal une participation de 20 %, avec possibilité de la porter à 33 %. L'Algérie admet donc d'emblée la suprématie des pétroliers et ne disposera même pas d'une minorité de blocage, mais la Trapal refuse néanmoins les exigences algériennes et ne veut pas entendre parler d'une participation algérienne supérieure à 13 %. Mustapha Berri prétend qu'en dépit de cette faible participation, l'Algérie a son mot à dire dans le choix des fournisseurs.

— Vous qui êtes très ami avec le président Ben Bella, pourriez-vous lui parler du procédé de tuyaux en spirales, qui permet de grandes économies ? demande Berri à Genoud.

Le même jour, Genoud reçoit Franz Kirchfeld, gros industriel de l'acier, ami de son ami Hans Rechenberg. Celui-ci lui raconte à peu près la même histoire — les spirales mises à part. Si Kirchfeld s'adresse à Genoud, c'est parce qu'il sait par son ami Rechenberg que ce dernier a beaucoup d'entregent, qu'il est en excellents termes avec Ben Bella, qu'il peut donc l'aider à bénéficier de la commande de tuyaux en l'aidant à trouver le financement de la participation algérienne dans le capital de la Trapal.

Genoud se remémore alors les nombreuses discussions qu'il a eues avec Khider sur l'indépendance économique du pays. Grâce à l'outil de la BPA, il entrevoit qu'il peut aider l'Algérie dans le secteur vital du pétrole, convoité par les grandes

1. Port situé au nord-est d'Oran.

compagnies pétrolières françaises. Il voit dans les deux visites qu'il a reçues au même sujet un signe du Destin, téléphone aussitôt à la Villa Joly et demande à parler au Président. Il obtient Ben Bella et lui demande s'il a quelques minutes à lui consacrer pour évoquer un problème aussi important qu'urgent. Ben Bella lui dit de venir. Genoud bondit dans sa voiture et se retrouve peu après dans le bureau du numéro un algérien.

Il fait part au président du Conseil algérien de ce qu'il vient d'apprendre et demande à son interlocuteur si ses informations sont fondées. Un peu surpris, Ben Bella répond :

— Vous êtes bien renseigné. Je suis en effet sur le point de donner mon accord à la Trapal.

— Je vous demande, Monsieur le Président, de revenir sur votre décision et de bien vouloir considérer le plan que notre groupe bancaire vous propose.

Avec toute l'ardeur et la séduction qu'il est capable de déployer, Genoud se lance dans un vibrant exposé :

— Ce troisième oléoduc doit être algérien à 100 % et le premier pipeline national du monde arabe. Pour la première fois, un État nouvellement indépendant pourra ainsi intervenir effectivement dans le domaine jalousement réservé du pétrole sans qu'il soit porté atteinte aux intérêts des sociétés exploitantes, garantis par les accords d'Évian de 1962. Par cette décision qui constituera une première, par cette initiative révolutionnaire, l'Algérie indépendante affirmera avec éclat sa volonté de jouer désormais un rôle plus actif. Dernière venue parmi les pays producteurs de pétrole, l'Algérie va en prendre la tête dans l'affirmation des droits de ces pays à l'exploitation de leurs propres ressources. Le chantage auquel vous soumettent les pétroliers en vous refusant une participation supérieure à 13 % est scandaleux. C'est non seulement stupide, mais d'une rare insolence[1] !

---

1. Exposé reconstitué à partir d'archives de l'auteur et d'un entretien avec François Genoud.

Ben Bella n'est pas insensible à ce discours qui pourrait être le sien.

— Vous avez raison, ce serait la plus grande victoire depuis l'indépendance, mais sommes-nous capables de réaliser un tel projet ? Je crains que nous ne soyons obligés d'accepter celui de la Trapal, car nous avons déjà les plus grandes difficultés à réunir l'argent pour prendre une participation de 13 %, objecte Ben Bella.

— Mais il n'est pas de jour que je ne lis dans le journal que tel ou tel pays vous propose des crédits !

— Oui, mais il s'agit de crédits liés à des projets précis. Ce qu'il nous faudrait, c'est de l'argent dont nous puissions disposer librement...

— Mais si vous preniez la décision de construire vous-mêmes un oléoduc algérien à 100 % et de le mettre à la disposition de Messieurs les Pétroliers pour acheminer leur pétrole ? Vous ne léseriez en rien leurs intérêts, au contraire, vous leur rendriez service tout en ouvrant une première brèche dans leur citadelle...

— Ce serait en effet un immense succès, mais, comme je vous l'ai dit, c'est déjà pour nous un problème que d'intervenir modestement dans le projet Trapal...

— Je me fais fort d'obtenir la collaboration d'un groupe puissant, capable de réaliser tous les éléments de l'ouvrage en dépit de l'hostilité qu'une telle entreprise provoquera chez les grands du pétrole, et de trouver l'argent dans la poche de vos frères arabes qui en ont, à condition que vous me donniez un minimum d'autorité : une lettre signée de vous me chargeant d'une mission d'études relative à ce projet, propose Genoud.

Au cours de la discussion qui suit, Ben Bella insiste bien sur le fait que la constitution de fonds propres devra se faire avec des capitaux nouveaux trouvés en dehors de tous ceux qui ont déjà été accordés à l'Algérie. Il estime d'autre part qu'il serait imprudent de se lancer dans pareille aventure avec un fabricant de tubes développant un procédé insuffisamment testé. *Exit* donc Mustapha Berri et ses spirales. De son côté, Genoud propose d'ores et déjà que la BCA finance 5 % du capital...

— Il me faut quarante-huit heures pour consulter mes camarades du Bureau politique élargi, conclut Ben Bella[1].

Quarante-huit heures plus tard, le 20 août, Smaïl Mahroug, conseiller économique du Président algérien, convoque Genoud à la Villa Joly. Manifestement, il le reçoit à contrecœur. Il lui dit avoir été informé de son projet par le Président, qui accepte sa proposition.

— Personnellement, je n'y crois pas, mais vos démarches peuvent améliorer la position de l'Algérie. L'oléoduc algérien à 100 % est une utopie ; l'idéal serait de parvenir à 50 %.

— Ce qui m'intéresse, moi, c'est le projet à 100 %, riposte Genoud.

— Vous avez votre point de vue, j'ai le mien.

— Il me faut une lettre de Ben Bella.

— C'est on ne peut plus dangereux, il faudrait ne la montrer à personne... En l'état actuel de nos relations avec la France, toute indiscrétion pourrait être très préjudiciable à l'Algérie.

— Je prends l'engagement de ne la remettre à personne et de ne la montrer qu'à deux ou trois personnes de confiance.

Les deux hommes élaborent un projet de texte qui n'implique pas trop Ahmed Ben Bella :

> Cher Monsieur,
>
> Comme suite à nos récents entretiens, j'ai l'honneur de vous charger d'une mission relative au projet de construction d'un troisième pipeline.
>
> Vous voudrez bien me faire part des résultats de cette étude dans les plus brefs délais.
>
> Veuillez agréer, cher Monsieur, l'assurance de ma considération distinguée.

---

1. Cette conversation a été reconstituée à partir des témoignages de François Genoud, de Ben Bella et de différents documents, dont une requête d'instance introduite le 29 mai 1967 par Mes Mourad Oussedik et Abdel Benachenhou, pour le compte de la BCA, auprès de la Chambre administrative de la Cour d'Alger.

Le lendemain, Genoud a sa lettre[1] paraphée par Ben Bella, et il a jusqu'au prochain anniversaire du soulèvement algérien — donc jusqu'au 1er novembre 1963 — pour mener à bien son projet. Muni de son précieux document, il s'envole dans les heures qui suivent pour Genève afin d'informer son partenaire de la BCA, Zouheir Mardam Bey, le fils de Jamil Mardam Bey, fondateur de la banque genevoise, qui s'enthousiasme. Les deux hommes dressent ensemble un plan de bataille.

L'argent, ils essaieront de le trouver au Koweït : Zouheir Mardam y a de très bonnes relations avec la famille régnante, les Jaber. Mais, avant de contacter ces derniers, il faut un bon montage. Pas question de se tourner vers les pétroliers. Il convient de chercher du côté des fournisseurs. S'agissant d'une très vaste opération, les gros fournisseurs ont déjà décidé de ne pas s'affronter et ont passé entre eux un accord d'association. Dans ce consortium figure le grand groupe allemand Thyssen, par le biais de sa filiale Phœnix-Rheinrohr International. Genoud y a deux excellentes entrées par son ami le représentant du BND à Alger, Hans Rechenberg, et par un autre vieil ami, Arthur Axmann, dernier chef de la *Hitlerjugend*, grand blessé de guerre qui s'est battu aux côtés de Hitler jusqu'à la chute de Berlin. Genoud est fort bien reçu par les dirigeants de Phœnix-Rheinrohr International. Il leur propose de participer à la construction de ce premier oléoduc national au monde à hauteur non pas de 20 %, comme prévu, mais de 100 %, car l'opération va constituer un précédent qui modifiera radicalement les pratiques habituelles. Genoud demande au consortium allemand de lui fournir en contrepartie les éléments qui lui permettront de convaincre ses interlocuteurs du Koweït. Phœnix-Rheinrohr donne son accord.

Conscients que le projet a maintenant de sérieuses chances d'aboutir, et avant de se rendre au Koweït, Zouheir Mardam et François Genoud tiennent à sensibiliser le président Ben Bella sur la nature explosive d'une telle affaire et les risques consi-

1. La photocopie de cette lettre figure dans les archives de l'auteur.

dérables qu'il va devoir assumer. Ils sont reçus longuement à la Villa Joly. Le numéro un algérien confirme à ses interlocuteurs qu'il est fermement décidé à livrer cette bataille.

Leur dossier bien ficelé, les deux banquiers peuvent partir pour Koweït City où ils sont immédiatement reçus par le cheik Jaber Ahmad al-Jaber, ministre des Finances et du Pétrole[1], qui marque d'emblée son très vif intérêt pour le projet.

— Pouvons-nous nous substituer aux pétroliers, prendre toute la responsabilité en reconnaissant évidemment à l'Algérie la place qu'elle escompte, soit 20 à 33 % ? demande le ministre.

— Ce serait une faute psychologique et politique à l'égard de l'Algérie. Elle qui a tant souffert pour conserver et affirmer son arabité, sa foi islamique — cent trente ans de domination, d'humiliations, huit ans d'une guerre atroce —, enfin libre parmi la grande famille des pays arabes, mais exsangue, ressentirait fort mal qu'un pays frère vienne occuper la place de ses exploiteurs internationaux. Il faut au contraire l'aider à prendre en main le contrôle de ses richesses, répond Genoud, toujours prêt à adopter un ton de prédicateur quand il défend ses causes.

Finalement, le Koweïtien se range aux arguments des deux banquiers, tout en expliquant la difficulté que représente pour le Koweït l'octroi rapide d'un prêt supplémentaire de 6 à 7 millions de livres sterling à l'Algérie, alors en conflit avec le Maroc. Genoud et Mardam insistent sur le caractère d'urgence et proposent que les fonds soient versés à la BCA de Genève sur le compte de la BPA, étant entendu qu'ils seront utilisés par l'Algérie pour mettre seule sur pied la « Société algérienne pour le transport des hydrocarbures » dont le premier objectif sera la construction du troisième oléoduc algérien.

Le 28 octobre, le président Ben Bella autorise par lettre la négociation et la conclusion du prêt avec le ministre du Koweït, ainsi que le transfert de son montant à la BCA de Genève.

1. Actuel chef de l'État koweïtien.

Ces négociations se déroulent sous la malveillante attention des milieux technocratiques algériens (qui n'apprécient pas d'être exclus de cette importante décision) et d'un groupe d'actionnaires majoritaires de la BCA qui estiment ce projet trop dangereux dans la mesure où il attaque de front les intérêts des pétroliers. Dans le même temps, Genoud a tenu au courant Mohammed Khider, toujours responsable des finances du FLN et principal déposant du réseau bancaire. Bien qu'il soit déjà en opposition radicale avec Ben Bella, celui-ci donne son accord total à l'opération, « dans l'intérêt supérieur de l'Algérie ». Pour contrecarrer l'opposition au sein de la BCA, il va jusqu'à accepter de prendre le contrôle direct de la banque en acquérant en son nom propre la majorité de son capital. De cette façon, pour le compte du FLN, mais sous son nom, il devient l'opérateur d'un énorme projet autorisé puis assumé par son adversaire Ben Bella ! Khider confirme la proposition de Genoud de prendre 5 % du capital de la société à créer pour la construction de l'oléoduc.

Dès l'origine, ce montage porte ainsi en lui des germes fatals.

Fin octobre 1963, tout est en place : l'Algérie est liée avec l'un des plus puissants aciéristes du monde, le groupe Thyssen, et a la certitude de disposer d'un crédit de 6,5 millions de livres sterling. Le 1er novembre 1963, le président Ben Bella peut annoncer la décision de l'Algérie, tout comme Nasser, sept ans plus tôt, avait proclamé sa décision de nationaliser le canal de Suez.

La réaction de la France est immédiate et vive : plainte est déposée devant la Cour internationale de La Haye contre l'Algérie pour violation des accords d'Évian, et une protestation est émise auprès du gouvernement de République fédérale d'Allemagne. La Trapal et les sociétés pétrolières écartées réagissent elles aussi avec violence. Mais des réactions plus insidieuses se manifestent également contre le groupe bancaire promoteur.

La France bat rapidement en retraite : François Genoud avait pris la précaution de gagner à sa cause tout un groupe de relations animé notamment par son vieil ami Jean Jardin[1]. C'est à l'intérieur du système algérien que le projet fait des ravages. Les « experts financiers » et autres « technocrates du pétrole » conduits par Smaïl Mahroug, conseiller économique de Ben Bella, et Belaïd Abdeslam, mettent tout en œuvre pour torpiller le projet initié par Genoud. Celui-ci, tel un prévenu, est convoqué devant Mahroug et ses homologues. Il lui est signifié qu'il n'est pas question de conclure un accord avec Phœnix-Rheinrohr sans avoir procédé à un appel d'offres en bonne et due forme. Genoud invoque les engagements moraux pris à l'égard de partenaires loyaux qui ont déjà déployé une aide décisive grâce à laquelle a pu être débloqué l'élément capital : le financement. Le Koweït a fait virer 6,5 millions de livres sterling, le 13 novembre 1963, à la BCA de Genève. « Rien n'y fit, se souvient Genoud. À ce niveau, ce sont toujours les rats qui font la loi. J'étais handicapé par le fait que tout s'était passé en confiance entre Ben Bella et moi. J'estimai ne pas pouvoir faire état de toutes mes démarches. Entre-temps, du fait de la crise au sein du FLN, les relations s'étaient sinon refroidies, du moins rafraîchies entre Ben Bella et moi... »

Sous la pression de l'Algérie, le Koweït exige de la BCA de Khider/Genoud le transfert des fonds destinés à la construction de l'oléoduc. L'Algérie reprend à son compte l'intégralité du projet en l'affublant d'un nom à peine différent — la Sonatrach, Société nationale de transport et de commercialisation des hydrocarbures, au lieu de la Société algérienne pour le transport des hydrocarbures. Le groupe BCA/BPA (la banque du FLN) est évincé au profit d'une banque anglaise, Kleinwort-Benson Ltd, liée à la banque Leumi d'Israël. « Vous vous rendez compte qu'une banque arabe a été remplacée par une banque dont tout le monde savait qu'elle était un des bastions

1. La note de Jean Jardin, destinée à Antoine Pinay et aux cercles dirigeants français, écrit : « Le gouvernement algérien respecte donc ses engagements en même temps qu'il assure sa pleine indépendance et souveraineté politique et économique, s'il procède lui-même à la création de ce troisième pipeline... » Cette note figure dans les archives de l'auteur.

financiers du sionisme ! » enrage encore aujourd'hui Genoud. Quant à la firme Phœnix-Rheinrohr, elle doit céder la place au constructeur britannique John Brown.

Dans cette affaire, Genoud a heurté beaucoup de monde. L'un de ses adversaires acharnés a été Hans Albert Kunz, citoyen suisse qui ne lui a pas pardonné de lui avoir fait refuser la commission de deux millions de livres sterling qu'il réclamait à Phœnix-Rheinrohr. Le trajet de ce Kunz est intéressant. Établi au Caire en 1950, il quitte précipitamment l'Égypte quand Nasser prend le pouvoir, car il est soupçonné d'être un agent de l'Intelligence Service. Il s'installe alors dans la Libye du roi Idriss au moment où commence l'ère du pétrole. Il se lie avec Mustapha Ben Halim, Premier ministre, et joue un certain rôle dans l'installation d'Armand Hammer[1] et de sa compagnie Occidental Petroleum en Cyrénaïque. Puis Kunz se lie avec les dirigeants algériens — notamment Ben Bella — au cours des années 1950. Aussitôt après l'indépendance de l'Algérie, toujours appuyé par Ben Halim, il se lance dans les affaires et s'intéresse d'abord à un projet de barrage ; mais son objectif est de participer aux infrastructures pétrolières et il noue, pour ce faire, des relations avec de grands groupes allemands (Thyssen et Phœnix-Rheinrohr, Mannesmann) et anglais (John Brown). Ayant eu vent du projet de troisième pipeline, il commence, au nom de l'IMEG, société qu'il a montée avec Ben Halim, à exercer de fortes pressions sur Phœnix-Rheinrohr : « Si nous ne recevons pas notre commission, vous ne décrocherez pas le projet. » Les Allemands préviennent Genoud, qui leur demande de ne pas céder puisqu'ils ont, grâce à lui, le contact direct avec Ben Bella : « Je leur ai dit : il faut arriver au prix le plus bas, ce qui exclut les parasites. Quelle erreur fut la mienne ! » raconte-t-il aujourd'hui en se lançant dans une violente diatribe contre les deux sœurs jumelles, Corruption et

1. Homme d'affaires américain qui fut l'ami de Lénine et aida l'URSS à résoudre la crise alimentaire au début des années 1920.

Concussion, et en faisant partir de cette affaire la dérive qui a précipité l'Algérie dans son chaos actuel.

Phœnix-Rheinrohr se trouve éliminée et remplacée par John Brown. Rachid Zeghar, ami intime du président Boumediene, confia à Genoud, en 1965, que l'IMEG avait bien touché les deux millions de livres sterling de commission qu'elle convoitait[1]. À l'époque, Genoud avait été sceptique sur l'importance de la somme. Bien des années plus tard, le 26 novembre 1988, Kunz lui en confirma lui-même le montant[2]. Le temps ayant fait son œuvre, raconte Genoud, Kunz lui expliqua alors sans ciller que c'était lui qui avait eu l'idée du projet de troisième pipeline entièrement algérien, lui qui avait songé au financement koweïtien, lui qui avait envoyé ses deux adversaires, Smaïl Mahroug et Belaïd Abdeslam, au Koweït pour demander que ce pays soutienne le nouveau projet ! Il ne semble cependant pas que Kunz se soit vanté d'avoir sciemment saboté le projet allemand de Genoud au profit des entreprises de Sa Majesté...

Pour expliquer cet échec qu'il ressasse constamment, Genoud met en avant la mesquinerie des technocrates, l'affairisme de certains individus qui gravitaient déjà autour de la Révolution algérienne. Ce n'est que dans un second temps qu'il évoque le rafraîchissement de ses relations avec Ben Bella. Il est pourtant clair que son éviction de ce grand projet eut des motifs essentiellement politiques. François Genoud se retrouvait au milieu d'une implacable bataille pour le pouvoir. Dans un projet de cette importance, il ne pouvait être question, pour le président Ben Bella, de devenir l'otage de la banque de son principal adversaire, Mohammed Khider ayant pris le contrôle du groupe BCA/BPA.

---

1. *Dixit* Genoud.
2. *Dixit* Genoud.

Autour du « trésor du FLN »

La position de Genoud est devenue intenable. Il a beau répéter qu'il est du côté de tous, qu'il refuse de participer aux luttes intestines, il ne peut être considéré par le clan Ben Bella que comme l'ami et le banquier de son principal adversaire, Mohammed Khider.

Jusqu'ici larvée, la guerre entre les deux hommes change de nature à compter d'avril 1964. L'année précédente, la Conférence nationale des cadres du FLN a recommandé à l'unanimité au Bureau politique la convocation d'un congrès, avant l'expiration du mandat de l'Assemblée constituante (septembre 1963), afin de préparer le projet de Loi fondamentale. Ben Bella a rejeté toutes les recommandations de la Conférence et mis en demeure Khider de lui déléguer les pleins pouvoirs. Après la démission de ce dernier, un communiqué du BP a annoncé que Ben Bella avait été désigné secrétaire général par intérim, alors que Bitat et Khider n'avaient pas été convoqués et que Boudiaf et Aït Ahmed, démissionnaires, n'avaient pas été remplacés. En somme, Ben Bella avait été nommé par trois voix sur sept[1].

Ben Bella, qui cumule ainsi le contrôle de l'appareil d'État et du FLN, convoque pour avril 1964 un congrès au cours duquel il se fait élire par acclamation secrétaire général pour deux ans. La rupture est dès lors consommée avec Mohammed Khider qui, comme d'autres opposants, considère que ce congrès n'a

1. Les sept membres du BP désignés en mai 1962 à Tripoli étaient Aït Ahmed, Ben Bella, Boudia, Bitat, Mohammed Saïd, Hadj Ben Allah et Khider.

aucune légitimité, même si Krim Belkacem, Boussouf et quelques autres ont été réintégrés.

Aït el-Hocine a été nommé responsable des finances au sein du Bureau politique du FLN. À la demande de Ben Bella, un expert, Yalloui, est chargé d'enquêter sur les fonds recueillis et déposés par Khider. Son rapport, rendu le 28 avril, mentionne expressément le transfert de deux millions de livres sterling[1] de la Banque arabe de Beyrouth à la BCA.

Au début juin 1964, Khider, dont la marge de manœuvre se réduit dangereusement, souhaite sortir d'Algérie pour mettre son trésor à la disposition des opposants qui ont pris le maquis. Mais il ne peut être autorisé à sortir seul. Il propose donc à Aït el-Hocine, son successeur aux finances du FLN, de l'accompagner à l'étranger pour visiter les banques où des comptes sont ouverts à son nom, et, dit-il, pour y effectuer la passation des pouvoirs. Khider suggère de se rendre d'abord à Tunis. Les deux hommes sont accueillis à leur descente d'avion par l'ambassadeur d'Algérie ; celui-ci les informe d'emblée que le voyage est inutile, puisque le compte a déjà été vidé. Khider et Hocine laissent éclater leur fureur. Dans le cas du premier, elle est feinte : il n'a proposé Tunis que pour pouvoir quitter l'Algérie. Prétextant des formalités à effectuer à Genève, Khider refuse d'écouter Hocine qui lui demande de rentrer au pays. La mort dans l'âme, celui-ci regagne seul Alger.

Khider se rend effectivement à Genève et, du 8 au 30 juin, retire les fonds déposés à la BCA et les place sur des comptes à numéros dans d'autres banques afin de les soustraire à l'emprise de Ben Bella. Il ouvre également un compte à son propre nom à l'Arab Bank de Zurich, auquel il fait virer par la Banque arabe de Beyrouth une somme de deux millions de francs suisses. Une fois tous ces fonds à l'abri, Khider entend bien aider les opposants à Ben Bella qui ont pris le maquis.

De son côté, Ben Bella s'active. Le 5 juin, il délivre un ordre de mission à Aït el-Hocine, l'invitant à récupérer « toutes

---

1. Cf. *supra*, p. 271.

sommes qu'était censé lui remettre Khider » et, le cas échéant, à « faire geler tous avoirs déposés par ce dernier auprès de tout organisme financier ou bancaire ». Aït el-Hocine part alors pour Genève exécuter sa mission. Le 12 juin, en compagnie de Khider, il a un entretien avec Genoud, administrateur de la BCA : il n'obtient rien. Après de nombreuses démarches, le 4 juillet, il fait procéder à un séquestre civil des fonds supposés se trouver encore à la BCA, puis, deux jours plus tard, il substitue à cette procédure civile une plainte au pénal pour abus de confiance contre Mohammed Khider...

Pendant que Hocine cherche à récupérer l'argent du FLN déposé au seul nom de Khider, ce dernier distribue des fonds à Boudiaf, chargé de les remettre au commandant Moussa, à Aït Ahmed et à Chebani qui, tous trois, ont pris les armes. Khider entend peser sur le cours des événements en finançant la rébellion contre Ben Bella. Plus grave, Hachour Hachemi, homme de confiance de Khider, a pris contact avec le SDECE au printemps pour obtenir que les services français procurent des armes au maquis kabyle[1]. L'Élysée a accepté. Les armes tchèques sont payées grâce aux fonds dont dispose Khider. Mais tout cela prend du temps et quand la première livraison, acheminée à bord d'un DC4 aux couleurs maquillées des Libyan Airlines, arrivera en octobre au-dessus de la Kabylie, le chef de l'insurrection, Aït Ahmed, beau-frère de Khider, aura déjà été arrêté par la police de Ben Bella.

Le 1er juillet, Khider prend officiellement position contre le régime de Ben Bella au cours d'une conférence de presse réunie à Paris. Le 5, sur le Forum d'Alger, Ben Bella traite publiquement Khider de « chacal » et de « voleur » pour avoir détourné les fonds qui lui avaient été confiés. Le lendemain, le gouvernement algérien et le FLN déposent plainte à Genève pour abus de confiance. L'affaire passe alors du domaine politique à celui du droit commun. Le 8 juillet, à Londres, Khider confirme néanmoins que ces fonds ne sont pas détournés, mais

1. In *SDECE, Service 7*, de Philippe Bernert, Presses de la Cité, 1980.

qu'il les a mis à l'abri et en distribue une partie à certains opposants à Ben Bella.

Malgré ces turbulences et sa position personnelle délicate, François Genoud tente une opération diplomatique qui s'intègre parfaitement à sa lutte acharnée contre le sionisme. Quand la RFA annonce sa reconnaissance prochaine[1] de l'État d'Israël, les responsables algériens cherchent la riposte la plus appropriée. Certains proposent une rupture des relations diplomatiques avec Bonn. Genoud, qui ne voit que des inconvénients à rompre avec un pays avec lequel il a beaucoup de liens, suggère à Ben Bella, en guise de représailles, de reconnaître l'Allemagne de l'Est. Ben Bella trouve l'idée lumineuse. Il donne instruction à son cabinet d'introduire Genoud auprès d'un diplomate est-allemand, tout heureux de recevoir le Suisse et d'accueillir sa proposition. Genoud parle bien entendu de toute cette affaire au résident du BND, son ami Hans Rechenberg, qui approuve son initiative, pourtant opposée à celle de son propre gouvernement !

Comment expliquer pareille attitude ? Rechenberg menait-il sa propre politique, pas toujours en accord avec celle de Bonn ? La centrale de Pullach avait-elle une ligne différente de celle des autorités ouest-allemandes ? Quoi qu'il en soit, avec l'aval d'Alger, la recommandation chaleureuse dudit diplomate et la bénédiction de Rechenberg, Genoud se rend à Berlin-Est où il rencontre le vice-ministre des Affaires étrangères. Pour éviter tous problèmes ultérieurs, Genoud préfère lui révéler ses sympathies pro-nazies. Mis en confiance, le vice-ministre n'en prend nullement ombrage et lui avoue qu'il a lui-même été aux *Hitlerjugend* ! Il acquiesce avec enthousiasme à la proposition de Genoud et déclare que son gouvernement est prêt à accorder une aide économique importante à l'Algérie. Genoud le freine en lui expliquant que Ben Bella recherche avant tout un soutien politique...

---

1. La RFA a reconnu Israël le 12 mai 1965.

Le 20 juillet 1964, Mohammed Khider est interpellé en Suisse par les policiers et interrogé par la justice qui cherche à savoir où est passé le « trésor du FLN ». François Genoud, également convoqué, refuse de répondre aux questions du juge d'instruction : il est lié, dit-il, par la confiance que les frères ennemis du FLN lui ont faite, et par le secret bancaire. À sa façon véhémente, il dénonce ce recours scandaleux à la justice helvétique et la grave faute commise par les plaignants algériens qui, en engageant une action devant une justice étrangère, mettent au grand jour des questions relevant du secret d'État. Bitat fait le même jour une déclaration dans ce sens.

Une nouvelle fois, le « parrain » Fathi el-Dib intervient à la demande expresse de Nasser qui a eu une discussion à ce sujet avec Ben Bella. L'Égyptien connaît bien Khider et l'« ami suisse » François Genoud. À la veille de son rendez-vous avec le premier, prévu pour le 18 août, Fathi el-Dib descend chez le second. Les deux hommes discutent de cette affaire d'État qui embarrasse d'autant plus le Raïs qu'il se range en l'occurrence totalement du côté de Ben Bella. Le lendemain, Khider, de très méchante humeur, commence à se plaindre de la presse égyptienne, surtout d'*Al-Arham* qui a diffusé et rediffusé trois jours durant le roman-feuilleton selon lequel lui, Khider, aurait dérobé des fonds appartenant à la Révolution algérienne[1]. Il se plaint du discours de Nasser du 23 juillet dans lequel ce dernier a qualifié les opposants à Ben Bella de « vauriens ». Il réaffirme à Fathi el-Dib son intention de mettre une partie des fonds qu'il détient à la disposition de ces opposants pour éliminer Ben Bella du pouvoir. Khider déclare néanmoins que Nasser peut contribuer à régler le contentieux à la condition que le Président algérien fasse une contre-déclaration annulant ses accusations de « vol », et retire sa plainte devant la justice helvétique. Cette condition remplie, Khider s'engage vis-à-vis de Fathi el-Dib à geler les fonds et à les remettre à des représentants du FLN régulièrement élus. Il est également prêt à discuter de

1. In *Abdel Nasser et la révolution algérienne, op. cit.*

cette situation avec les opposants. L'Égyptien rétorque que ses exigences sont inacceptables. Khider les réduit alors, en ce qui concerne l'accusation de vol, à une simple déclaration à la presse, mais il n'entend pas bouger, en revanche, sur le problème de la remise des fonds, et il charge Fathi el-Dib de transmettre ses conditions à Ben Bella, accompagnées d'une demande de grâce pour trois leaders algériens arrêtés : Chabani, Khobzi et Abderrahmane Farès.

Le 20 août, Fathi el-Dib et François Genoud voyagent ensemble à destination d'Alger. Ce n'est que le lendemain que l'Égyptien rend compte à Ben Bella de sa conversation avec Mohammed Khider. Au cours d'une conférence de presse, Ben Bella rejette les conditions de Khider et exige la remise des fonds. Quant aux arguments de ce dernier sur l'opposition et les opposants, ils n'ont plus aucune valeur à ses yeux, car il estime en avoir pratiquement terminé avec eux et prétend que les maquis ne seront bientôt plus qu'un souvenir. Bref, sa bienveillance envers Khider est maintenant tarie. Pour que les choses soient nettes, il exhibe alors une liste des membres du gouvernement qui était censé être installé en cas de victoire des maquisards : Khider aurait été le Premier ministre de Ferhat Abbas[1].

À l'issue de son entretien, Fathi el-Dib retrouve Genoud. Il lui confirme que Ben Bella est également très monté contre lui. Il prétend avoir vigoureusement plaidé sa cause en disant que l'amitié l'empêchait, lui, Genoud, de choisir entre les deux leaders algériens. « Finalement, conclut l'Égyptien, Ben Bella a fini par comprendre et admettre votre position, mais la violence des attaques lancées contre vous dans son entourage l'empêche de vous défendre plus longtemps. Il faut que vous vous éloigniez quelque temps. Prenez des vacances... »

---

1. Il était notamment composé de Ferhat Abbas, Mohammed Khider, Mohammed Boudiaf (Intérieur), Hocine Aït Ahmed (Affaires étrangères), Chabani (Guerre), Amar Ouzegane (Travail), Ahmed Francis (Finances).

Genoud est d'accord pour quitter Alger pendant quelques semaines. Fathi el-Dib, conscient des risques courus par son ami, lui demande instamment de reprendre avec lui l'avion du lendemain.

— Impossible ! s'exclame Genoud. Je ne veux pas quitter Alger sans avoir pris congé de Ben Bella !

Fathi el-Dib insiste. Genoud ne cède pas. Pendant quelques jours, il téléphone sans relâche à la Villa Joly. Sans succès : il est manifeste qu'il n'est plus en odeur de sainteté. De guerre lasse, sachant sa vie en danger à Alger, il décide de partir le 27 août et réserve deux places d'avion pour lui et sa femme. Il organise pour le matin même, *via* le Maroc, l'évacuation du fils d'Aït Ahmed — lui aussi en grand danger, son père ayant pris la tête du maquis de Kabylie —, qui sera accompagné de sa bru, de sa fille et du mari de celle-ci. Le fils d'Aït Ahmed voyage avec le passeport de Michel Genoud, fils du banquier, que sa femme est allée chercher en Suisse. Une fois que tout ce petit monde a quitté Alger, François Genoud avise la Villa Joly de l'heure de son départ, donne son emploi du temps et les diverses façons de le joindre d'ici là. Le téléphone reste muet. Genoud, sa femme et l'inévitable Rechenberg partent en voiture pour l'aéroport. Le couple monte dans une Caravelle à destination de Paris. Une fois à bord, Genoud entend appeler son nom. C'est le commissaire de l'aéroport qui le prie très poliment de redescendre, le président Ben Bella venant le saluer à l'aéroport. Genoud descend tout en laissant sa femme à l'intérieur de l'avion. Il attend cinq, dix minutes. Le représentant d'Air France s'impatiente, demande quand il pourra faire partir la Caravelle. Un motard arrive d'Alger, porteur d'un contrordre : Ben Bella ne viendra pas, Genoud doit regagner Alger et téléphoner à la Villa Joly. Le banquier va rechercher sa femme, toujours dans l'appareil, et tous deux empruntent la voiture d'un ami algérien qui, d'un balcon, a observé tous ces va-et-vient. Direction : la résidence de l'ami Rechenberg.

Genoud téléphone à la Villa Joly et parvient à parler avec Maachou, directeur de cabinet du Président. Il demande à s'entretenir avec celui-ci.

— Je croyais que vous deviez le voir à l'aéroport... Il n'est pas là, mais il a rendez-vous ici à 17 heures. Venez à mon bureau.

Genoud se dirige vers la Villa Joly et s'installe dans le bureau de Maachou. Ben Bella, en uniforme, arrive. Les deux hommes se serrent la main :

— Y a-t-il quelque chose à faire pour arranger les problèmes avec Khider ?

— Si vous vous étiez contenté de le traiter de réactionnaire, de contre-révolutionnaire, d'enturbanné, tout pourrait s'arranger, mais vous l'avez traité de voleur, et vous savez fort bien que ce n'est pas un voleur...

L'entretien est clos. Ben Bella et Genoud se serrent la main sans ajouter un seul mot. Le Lausannois quitte la Villa Joly et s'en retourne chez Rechenberg, qui prend sa voiture et reconduit le couple à l'aéroport. Là, le commissaire facilite leur passage et ils montent à bord d'un avion en partance pour Marseille...

Le banquier est heureux de prendre quelques vacances, d'autant plus qu'il ne peut rien faire d'autre. Il voyage avec sa femme à travers toute l'Europe. Début octobre 1964, il reçoit à Genève un mystérieux appel d'un homme qu'il pense être un Algérien : « Le président Ben Bella désire vous voir pour un problème qui vous a fait vous rendre en Europe du Nord... »

Genoud mord à l'hameçon. Il croit que l'homme fait allusion à sa récente mission secrète à Berlin visant à la reconnaissance de l'Allemagne de l'Est. Il est satisfait de boucler ses valises pour rentrer à Alger, exceptionnellement cette fois sans sa femme. Il y retrouve sa belle-fille Anne et son mari, téléphone à la Villa Joly, mais sent bien qu'il n'est pas du tout attendu : il n'arrive pas à franchir le barrage de la secrétaire... Pour meubler son inaction forcée, il accepte l'invitation d'un gros client de sa banque, la BPA, président de la « Nouvelle Hydraulique », d'aller passer le week-end à Toghourt. Genoud se retrouve ainsi en compagnie de Roland Dumas, l'avocat de cette société, qui attend lui aussi un rendez-vous avec Ben Bella et a préféré passer la fin de semaine hors d'Alger. De Toghourt, le Lausannois part en excursion à bord d'un petit avion jusqu'à Ghardaïa. Là, il apprend l'arrestation d'Aït Ahmed. Il rentre aussitôt à Toghourt et commence à s'agiter, sachant son ami en grand danger. Il joint sa femme en Suisse, laquelle lui demande de regagner Alger au plus vite afin d'accueillir le soir même Djamila, femme d'Aït Ahmed et belle-sœur de Khider. Mais il ne peut quitter Toghourt, son avion n'étant pas équipé pour voler de nuit. Le lendemain matin 19 octobre, il rentre sur Alger en compagnie de Roland Dumas. Il fonce chez lui et téléphone chez le père de Djamila. Il apprend qu'il a été arrêté la veille au soir avec sa fille.

Peu après, on sonne à sa porte : c'est Djamila et son père qui viennent d'être libérés et cherchent refuge chez François Genoud. Celui-ci installe le père et la fille au salon. Nouveau coup de sonnette : c'est Krim Belkacem, qui devient livide à la vue de Djamila et de son père, car lui-même est en grave danger et est aussi en quête d'une planque. Il boit un café et repart.

Encore un peu plus tard, ce même 19 octobre, Genoud apprend que le directeur de la Banque centrale l'attend à 18 heures. Arrivé à l'heure dite dans le hall de la Banque, il est enlevé par cinq individus en civil mais armés, et conduit de force dans une voiture à Hydra, dans les locaux de la police judiciaire. Le lendemain, il se retrouve, à Notre-Dame-d'Afrique, face au commissaire principal Hamadache.

Hamadache est officiellement directeur de la police judiciaire, mais il se consacre en fait à la brigade spéciale d'intervention (BSI), l'un des nouveaux outils de sécurité aux mains de la Présidence. C'est Bechir Boumaza, alors ministre de l'Économie, qui a donné l'ordre d'incarcérer Genoud après avoir pris connaissance d'un document en provenance de Suisse et mentionnant la collusion entre la BCA et certains opposants algériens[1] : « C'est bien moi qui ai pris la décision d'envoyer M. Genoud en prison car Ben Bella était louvoyant, raconte aujourd'hui Boumaza[2], et Genoud était trop proche de Khider. Ce qui m'intéressait également, c'était de récupérer l'argent du FLN, or Ben Bella aurait préféré qu'il le garde... »

Genoud a déjà croisé le commissaire Hamadache dans l'entourage de Ben Bella et des autres leaders algériens. Celui-ci commence à lui parler d'Aït Ahmed et davantage encore de Mohammed Khider. À aucun moment on ne l'interroge sur ses activités bancaires. Tout tourne autour de questions politiques. Genoud a d'autant plus peur. Il entend des hurlements de femmes, croit reconnaître la voix de la sienne. Il est ensuite jeté dans une cellule sans fenêtre et sans lumière ; la paillasse est maculée de sang, il y a des flaques d'urine sur le sol. Il y croupit jusqu'au 24 octobre, date de l'arrivée à Alger de son avocat suisse. Ce jour-là, on lui dit qu'il va être libéré le soir même après avoir répondu à un questionnaire.

Dans la soirée, il est transféré au tribunal d'Alger, inculpé d'infraction à la réglementation sur les changes, puis conduit à la prison civile de la capitale. Il n'ignore pas que cette inculpation n'est qu'un prétexte pour justifier son arrestation dans le cadre de l'affaire Khider. Il aura d'ailleurs connaissance par le juge d'instruction d'une lettre du procureur déconseillant son arrestation au vu du dossier de la Banque populaire arabe.

Dans sa cellule, François Genoud rumine et met bout à bout tous les menus indices en sa possession pour comprendre ce qui lui arrive. Il commence à entrevoir le rôle joué dans cette affaire d'État par un de ses compatriotes, Me Raymond Nicollet. Au début du mois de juillet précédent, Nicollet, après s'être annoncé par téléphone, est venu lui rendre visite à son bureau de la BPA, à Alger. Genoud le connaissait depuis plusieurs années, l'avocat étant lui aussi très engagé aux côtés de la

1. Selon Myriam Ben Bella, son oncle ignorait la décision d'enfermer Genoud. Elle l'aurait contrarié, si l'on en croit Boumaza, en compliquant les tractations secrètes qu'il menait avec Khider.

2. Entretien avec l'auteur, le 13 décembre 1995.

Révolution algérienne. Quelle ne fut pas sa surprise de le voir débarquer alors en compagnie d'un membre du Bureau politique du FLN, justifiant la présence de ce dernier par son besoin d'un « guide » à Alger. En présence de son « guide », Me Nicollet l'informa qu'en qualité de conseil du gouvernement algérien, il venait de déposer plainte à Genève contre Mohammed Khider et qu'il souhaitait que Genoud vienne déposer avant l'audition du prévenu. La surprise de Genoud fut encore plus grande quand Nicollet lui dit la teneur du témoignage qu'il attendait de lui. Le banquier l'interrompit, déclarant que son témoignage ne saurait être que véridique et complet, en aucun cas de complaisance. Nicollet lui fit alors comprendre sans détour qu'il s'acharnerait sur la Banque commerciale arabe de Genève si elle ne collaborait pas activement à la recherche des fonds « détournés », et que lui, Genoud, avait tout avantage à se montrer « très souple » dans cette affaire[1]. Très irrité, Genoud mit fin à cet entretien qui, d'après lui, ressemblait fort à un chantage. Comme on l'a vu[2], il se rendit alors à Genève et, invoquant son amitié à l'égard des deux protagonistes, refusa de témoigner. À partir de là, les ennuis s'abattirent sur la BPA et son président : une inspection fut aussitôt déclenchée contre la banque, cependant que Me Nicollet mobilisait beaucoup de monde et d'argent pour obtenir des renseignements sur François Genoud et les fonds du FLN...

Élisabeth Genoud se démène pour faire sortir son mari des geôles algériennes. Elle adresse un télégramme à Nasser, qui fait pression sur Ben Bella pour que l'ami suisse soit élargi. Elle contacte également Paul Dickopf, patron du fameux BKA allemand, qui a d'excellentes relations avec la police algérienne, notamment avec le colonel Draïa[3]...

---

1. Reconstitution à partir d'une lettre adressée par François Genoud, le 24 décembre 1964, de la prison civile d'Alger aux autorités judiciaires suisses.
2. Cf. *supra* p. 289.
3. Cf. *supra* p. 268.

Depuis sa prison, Genoud a appris la campagne de calomnies que l'avocat suisse a déclenchée contre lui, propos qui ont pour but de le discréditer dans son pays et de justifier son arrestation. Il supporte mal d'être traité d'« espion à la solde du gouvernement égyptien », d'« agent de Nasser »... Ce n'est que plus tard qu'il apprendra, en lisant un rapport de la police genevoise[1], que deux officines, les agences « Spot » et « Scope », dont l'animatrice est une certaine Mme Ingrid Vellino, dite Christine Peter, dite Ingrid Etter, ont été créées spécialement par le gouvernement algérien pour diffuser en Suisse des informations favorables à ses positions dans le cadre des affaires pendantes devant la justice helvétique, ainsi qu'en a témoigné Georges-Henri Martin, rédacteur en chef de la *Tribune de Genève*.

Genoud apprendra également plus tard qu'un ordre destiné à demeurer secret est donné le 27 novembre 1964 par Aït el-Hocine, membre du Bureaup politique du FLN, au commissaire du gouvernement placé à la tête de la BPA, pour « l'inviter instamment à faire opposition sur les fonds à l'actif de la Banque commerciale arabe de Genève » ; ordre est aussi donné de retirer les derniers fonds algériens déposés à la BCA, ceux de l'association « Djil el-Djadid ».

Genoud comprend qu'il est désormais un otage du gouvernement algérien dans son combat contre Mohammed Khider. Le 17 décembre, il reçoit la visite d'El-Hassan, procureur de la République, en sa qualité de représentant personnel de Ben Bella, et qui ne s'intéresse qu'à une chose : la localisation des fonds déposés un temps par Khider à la BCA à Genève. Deux jours plus tard, le procureur revient à la prison lui faire signer un procès-verbal de leur entretien. L'estimant inexact, Genoud refuse de le parapher.

À la fin de l'année, Genoud dépose plainte au pénal à Genève contre ses calomniateurs et demande qu'Aït el-Hocine, successeur de Khider et président de l'Amicale des Algériens

1. Photocopie de ce rapport dans les archives de l'auteur.

en Europe, soit entendu. Il sait que c'est l'homme qui se démène le plus activement — avec Me Nicollet — contre lui et Khider.

Exaspéré, Genoud entame à la fin janvier une sévère grève de la faim. Ses avocats, Mes Baechtold et Serna, tiennent une conférence de presse à Alger ; ils annoncent qu'ils renoncent à défendre leur client « pour ne pas se rendre complices des irrégularités de l'instruction ». Baechtold, le Suisse, révélera même que le gouvernement algérien a proposé quelque temps auparavant une solution « amiable » prévoyant la libération de leur client, courant janvier 1965, mais à condition que ses avocats s'engagent à ne pas en faire état publiquement...

La première femme de François Genoud, Liliane, a l'occasion d'intervenir elle aussi pour son ex-époux à qui elle porte toujours de l'affection. Connaissant l'homme, elle s'inquiète car elle sait qu'il est capable de refuser de s'alimenter jusqu'à ce que mort s'ensuive. Elle se trouve en Égypte quand son nouveau mari lit dans un journal que le ministre algérien de la Justice débarque au Caire en visite officielle. Elle lui écrit aussitôt pour le prier d'intervenir et de faire libérer Genoud qui a toujours défendu la cause arabe, et toujours de façon désintéressée — « moi, son ex-femme, je puis en témoigner... ».

Quinze jours après avoir entamé sa grève de la faim, Genoud est transporté au centre hospitalier Mustapha. Quelques jours plus tard, le 20 février 1965, il est mis en liberté provisoire. Le 25 février, il prend connaissance de la décision du directeur général des Finances mettant fin à la dérogation de nationalité qui lui a été accordée pour exercer des fonctions bancaires en Algérie et lui signifiant qu'il ne peut plus assurer les siennes à la tête de la Banque populaire arabe. Le document est signé Mahroug, qui a pris du galon.

Au moment précis où Genoud quitte sa prison, éclate l'affaire « Djil el-Djadid ». Abderahmane Naceur, directeur de l'Association d'assistance aux orphelins de guerre algériens, « Génération nouvelle », et quatre autres personnes, dont Djamila Bouhired, femme de Jacques Vergès, déposent plainte auprès du procureur de Genève contre la BCA. Celle-ci est accusée de n'avoir pas fait parvenir à Alger une somme de 500 000 livres sterling, don de l'émir du Koweït à l'association. Il s'agit en réalité d'une machination ultra-sophistiquée visant à détruire la banque genevoise. L'association est finalement déboutée et c'est au tour de la BCA de se retourner pour dénonciation calomnieuse contre les auteurs de la plainte.

Astreint à ne pas sortir du Grand Alger, Genoud obtient néanmoins, grâce à l'intervention de Mohammed Lebjaoui[1], l'autorisation de quitter l'Algérie pour sept jours afin de voir son père très âgé et malade. Genoud a donné sa parole à Lebjaoui qu'il reviendra. En revanche, tous ses ennemis sont convaincus qu'il ne remettra pas les pieds à Alger. À peine a-t-il quitté la capitale que des hebdomadaires français rappellent son passé nazi et brodent sur le thème « de Goebbels à Ben Bella ». Genoud passe quelques jours au chevet de son père, puis file à Madrid pour y rencontrer son ami Khider. Les deux hommes constatent que les luttes internes au FLN se sont quasiment terminées sur place en faveur de Ben Bella et que la bataille se circonscrit désormais à la Suisse, sur un terrain empoisonné, à coups de mémoires d'avocats ; Genoud suggère à Khider de rétablir le dialogue avec Ben Bella pour « sortir de ce merdier ». Khider accepte volontiers.

Genoud reprend alors contact avec Mohammed Lebjaoui, qu'il croit pouvoir compter parmi ses amis, pour l'informer de la décision de Khider. Puis il quitte Madrid, car il tient à honorer sa promesse de rentrer à Alger comme prévu. À son retour, l'atmosphère a changé. La méfiance et la haine à son endroit ont fait place à des manifestations de sympathie. Toutes les mesures policières le visant sont levées. Mais, devenu chômeur par décision de Mahroug, et n'ayant donc plus rien à faire dans le pays, Genoud décide de quitter le pays. Sa femme et lui s'en vont librement...

---

1. Lebjaoui n'avait pas de fonctions officielles, mais ce commerçant algérois, proche de Khider, de la fédération d'Alger du FLN, était un homme puissant.

De retour en Europe, il fait la navette entre Genève et Madrid. Rapidement, une délégation FLN arrive dans la capitale espagnole, composée de Mohammed Lebjaoui, Aït el-Hocine, successeur de Khider comme responsable des finances au Bureau politique issu du congrès du FLN de 1964, et Soubir Bouadjadj. Genoud les accueille. Ce sont de véritables retrouvailles entre « frères » chez Khider. Il y a de part et d'autre volonté de régler le problème du « trésor du FLN ». Khider en a gardé le contrôle afin de soutenir sur le terrain, donc en Algérie, le combat contre un pouvoir qui avait, selon lui, dérapé et conduit le pays à l'échec. Ce combat ayant pris fin à la suite de la capture de Chebani, puis d'Aït Ahmed, l'argent a cessé pour Khider d'être une arme et n'est plus qu'un boulet qui fausse le sens de sa lutte. Il émet des propositions claires et simples. Étant son propre maître, totalement libre, il peut donc s'engager sur-le-champ. Ses trois interlocuteurs, eux, ne jouissent pas de la même latitude. Ils doivent s'en retourner à Alger afin d'informer les « frères ». Ce qu'ils font.

L'accord n'est pas aisé à mettre en œuvre — notamment pour ce qui concerne la demande de Khider de libération des prisonniers politiques —, mais Ben Bella est bien décidé à crever l'abcès. Les accords FLN/FFS, assortis de l'élargissement de nombreux prisonniers, constituent un geste très important. Ben Bella donne un autre signe d'apaisement à Mohammed Khider : le 3 mai 1965, le chef de l'État algérien déclare à Claude Richoz du journal *La Suisse* : « Je ne dis pas que Mohammed Khider ait pris cet argent pour lui-même. Khider n'est pas un escroc ; je le connais parfaitement. Mais je lui reproche d'avoir pris cet argent pour se lancer dans une entreprise désespérée, vouée à l'échec... Cela dit, ses options politiques et les nôtres sont irrémédiablement opposées. La contradiction est fondamentale, il n'y a pas de conciliation possible... »

Malgré ces déclarations, une réconciliation entre les deux hommes ne semble pas du tout impossible. Ben Bella sent qu'elle lui permettrait de consolider son pouvoir, de plus en plus à la merci de ceux qu'il croyait constituer son rempart, mais qui sont en fait ses adversaires. Il a éloigné ses vrais amis, notamment Khider, et ses collaborateurs les plus proches sont à présent des hommes de Boumediene, qui le soutiennent comme la corde soutient le pendu. Trop tardive, la négociation de Madrid ne le sauvera pas. Elle a peut-être même été le signal qui a décidé Boumediene à frapper tout de suite, juste avant la Conférence afro-asiatique d'Alger qui aurait marqué le triomphe de Ben Bella.

Ce dernier est renversé le 19 juin 1965.

La chute de Ben Bella interrompt les discussions en vue de régler le problème du « trésor du FLN ». Khider, toujours optimiste, salue néanmoins avec sympathie le changement intervenu à Alger. Genoud n'a pas la même appréciation et en fait part à son ami :

— Je pense que la plus grande réserve s'impose et que l'on regrettera Ben Bella.

Un silence. Khider lui répond :

— Vous avez peut-être raison, mais j'ai déjà envoyé un message de félicitations... Ce qui est fait est fait !

Genoud commente avec sévérité les déclarations de certains des amis de Ben Bella comme Bedjaoui, son ministre de la Justice, qui dénonce à présent la « justice du tyran » : ainsi, après avoir « trahi » ses amis Ferhat Abbas et le Dr Francis sous Ben Bella, le voici qui « trahit » Ben Bella sous Boumediene...

Après un échange de réflexions amères sur la nature humaine, les deux hommes estiment qu'il convient de tenter de régler le problème des fonds du FLN avec le nouveau pouvoir. Les déclarations de Boumediene sont de surcroît plutôt voisines des préoccupations de Khider. Ils jugent que le meilleur intermédiaire serait Rachid Zeghar, proche de Boumediene, ami et client de la BPA. Zeghar fut l'un des éléments les plus importants de l'organisation de Boussouf, naguère chargé de l'approvisionnement en armes de la rébellion algérienne. Zeghar présente en outre l'avantage de bien connaître Genoud, car il a monté pour le ministère de la Défense diverses opérations avec l'aide de la BPA.

La rencontre est organisée en septembre 1965 à Genève, chez Zouheir Mardam, de la BCA, en présence de François Genoud, Mohammed Khider et Rachid Zeghar. Khider explique à Zeghar qu'il souhaite se débarrasser de ce boulet et être ainsi libre d'applaudir Boumediene s'il fait ce qu'il dit, libre de le combattre s'il trahit ses promesses. Khider est las d'être englué dans cette affaire d'argent, mal considérée à l'intérieur comme à l'extérieur de l'Algérie. L'œil froid comme celui d'un poisson, Zeghar semble néanmoins sincèrement touché par le drame que lui évoque Khider. Ce dernier pense que l'affaire doit être réglée au niveau des hauts responsables algériens et propose une rencontre ; elle ne peut se dérouler à Alger, où elle risquerait de donner lieu à des interprétations politiques ; il suggère donc qu'elle se produise de façon « fortuite » à l'occasion d'un voyage de Boumediene à l'étranger. Ce pourrait être à Casablanca, où celui-ci doit se rendre pour assister à la Conférence arabe. Zeghar répond qu'il fera tout pour régler ce problème dont la solution lui paraît aisée, car il y va à l'évidence de l'intérêt de l'Algérie et de celui de tous les protagonistes. Zeghar repart pour Alger et l'attente commence...

Dans les jours qui suivent, l'ambassade d'Algérie à Paris cherche à joindre Khider. Une entrevue est organisée dans la capitale française entre ce dernier et des émissaires de Boumediene, Chérif Belkacem et le commandant Larbi, par le ministre Tayeb, attaché à l'ambassade. Khider expose aux émissaires que l'argent a été rassemblé pour réaliser deux objectifs : l'indépendance nationale et l'instauration d'un régime démocratique en Algérie. « Le premier objectif a été atteint, pas le second », ajoute-t-il posément. Il ne restituera l'argent et ne rendra des comptes qu'à un congrès du FLN rassemblant tous les militants sans exclusive. Ce qui tombe bien, puisque le colonel Boumediene a annoncé la tenue d'un tel congrès. Les interlocuteurs de Khider, plutôt satisfaits des dispositions de leur « frère », lui demandent huit jours pour reprendre contact avec Alger, puis le retrouver afin de régler définitivement le problème.

Une nouvelle attente commence pour Khider et Genoud. Début octobre, le colonel Boumediene fait publiquement état auprès d'un journaliste égyptien de la « complicité de Ben Bella dans l'escroquerie de Khider ». Assommé, ce dernier ne veut pas croire, dans un premier temps, à l'authenticité de tels propos. Mais il est bien obligé de se rendre à l'évidence en lisant les journaux algériens qui reprennent les déclarations du nouveau chef de l'État. Face à ce nouveau coup de poignard, il prend sa plume et explique en détail comment les choses se sont réellement passées. Boumediene laisse sa lettre sans réponse et continue d'enfoncer le clou. Ainsi, le 6 mars 1966, devant la Conférence des cadres du FLN réunie à Constantine, il parle de « quelqu'un qui vole les biens des travailleurs, des militants et du peuple, et place 7 milliards dans les banques d'Europe. Qui vit de ces biens ?... Nous avons essayé en vain, après le 19 juin, de les récupérer. Mais nous ne sommes pas disposés à abandonner ces biens volés au Parti, et, tôt ou tard, il sera du devoir de chaque militant d'en réclamer la restitution ».

Seule la justice helvétique verse un peu de baume au cœur de Khider : après les déclarations de Ben Bella à un journal suisse, confirmées par celles de Boumediene aussitôt après le putsch, le juge Dessaix estime que l'affaire est d'ordre purement politique et que les autorités judiciaires de son pays ne sont pas compétentes pour instruire les plaintes du gouvernement algérien déposées contre Khider et la BCA en juillet 1964. Le 28 octobre 1965, le juge suisse décide donc de lever les séquestres, et Khider peut disposer librement des fonds bloqués. Les nouvelles autorités algériennes demandent et obtiennent un délai supplémentaire de trois mois pour se prononcer sur cette décision de clore la procédure, mais elles ne mettent pas à profit ce sursis pour relancer l'affaire. Le colonel Boumediene se résigne donc à la décision du juge Dessaix, sans pour autant renoncer à ses objectifs.

Avec l'évasion, en mai 1966, d'Aït Ahmed, chef du FFS, une guerre brutale va se dérouler dans l'ombre. Durant l'été suivant, Mohammed Khider repère des gens qui le prennent en filature. Une tentative est faite pour l'enlever, mais il refuse de porter une arme et d'être constamment entouré de gardes du corps.

Cette période est catastrophique pour la Banque commerciale arabe, puisque ses relations avec la BPA d'Alger sont rompues et ses dépôts à la BPA — pour près de 3,5 millions de francs suisses — gelés. Toutes les tentatives de la banque genevoise pour parvenir à un arrangement à l'amiable — elle adresse ainsi une lettre à Boumediene le 15 octobre 1966 — paraissent vouées à l'échec[1].

« Le début de janvier 1967 fut sinistre, raconte Genoud. Il pleuvait inlassablement. Le 4 au soir, je débranche tôt le téléphone pour dormir. Le 5 au matin, je le rebranche. Il sonne aussitôt. Je reconnais la voix d'un grand ami tunisien, opposant à Bourguiba, qui vit en Europe. Je le salue gaiement par des vœux de bonne année. Il me répond : "Mais, vous ne savez pas ? Notre ami Khider a été assassiné !" La nouvelle était tombée dans la soirée du 4. Toute la nuit, des amis avaient cherché à me joindre, mais mon téléphone ne répondait pas... »

Genoud est catastrophé par la perte de cet ami très cher. Le lendemain, il est à Madrid au milieu de la famille Khider qui lui propose de rouvrir le cercueil. Genoud refuse : il souhaite garder l'image de Khider vivant. Il s'envole pour le Maroc avec la famille et le cercueil à bord d'un vieux Junker. À Casablanca, sur sa tombe, les trois grands opposants algériens de l'époque, Aït Ahmed, Boudiaf et Lebjaoui, font le serment de lutter, unis, contre la dictature de Boumediene, et de tout faire pour réhabiliter la mémoire de Khider. Aït Ahmed, qui était non seulement le plus proche camarade de combat de Khider, mais son beau-frère, est chargé par les deux autres de suivre le dossier du « trésor ».

---

1. À l'époque, le défenseur de la BCA est un avocat parisien, Luys Bouquet.

Au cours d'une conférence de presse réunie à Londres le 2 février 1967, Aït Ahmed a raconté les circonstances de l'assassinat de son beau-frère et désigné le vrai coupable, le colonel Boumediene :

« Ce crime, commis en présence de sa femme, eut lieu dans une rue de Madrid, le 3 janvier 1967 à 22 heures. Les circonstances du crime furent les suivantes :

Mon beau-frère, sa femme et un de ses parents, en visite à Madrid, sortirent de l'immeuble dans lequel Mohammed Khider résidait depuis plus de deux ans et prirent place dans sa voiture personnelle qui était parquée près de l'entrée. À ce moment, un étranger s'approche de M. Khider, assis au volant de son auto, et demande à lui parler en privé. M. Khider, ne le connaissant pas, lui propose de convenir d'un rendez-vous pour plus tard. Alors, sous prétexte de lui donner son adresse, l'individu sort son pistolet et tire. L'arme s'enraie. Il tire à nouveau. La balle pénètre à travers le pare-brise, sans toucher Khider. Celui-ci sort de la voiture et se dirige vers l'immeuble. L'assassin tire encore et Khider s'affale, sérieusement blessé à l'épaule. Le meurtrier s'agenouille alors aux côtés de sa victime et froidement, sauvagement, lui tire à bout portant quatre balles, deux au cœur et deux à la tête. La mort est instantanée.

L'assassin s'est échappé vers la voiture qu'il avait louée deux heures auparavant, poursuivi par Mme Khider qui appelait au secours. L'assassin voulut même tirer sur elle, mais son chargeur était vide, et le courage de Mme Khider l'obligea à abandonner la voiture qu'il avait louée...

Nous avons maintenant la certitude, sur la base d'informations recueillies en Algérie et au-dehors, que l'assassin est Dakhmouche Youssef, un truand, faux-monnayeur, affairiste louche, qui fut arrêté en Algérie en 1966 pour contrefaçon. En juin de la même année, un officier de la Sécurité militaire le fit libérer après avoir conclu un marché avec lui. Dakhmouche reçut un passeport en juin 1966 et quitta l'Algérie. L'homme qui conclut ce marché et recruta Dakhmouche dans son propre service n'est autre que Rabah Boukhalfa, actuellement attaché « culturel » à l'ambassade d'Algérie à Madrid.

Ce nom n'est pas inconnu de la presse, puisque la police espagnole chargée de l'enquête sur l'assassinat de Khider l'a emmené pour interrogatoire le mois dernier. Boukhalfa est un officier appartenant de longue date à la Sécurité militaire. Ami de Boumediene, il a la confiance du clan d'Oujda : il fut dépêché à Madrid un mois avant le putsch pour y prendre en main l'ambassade. C'est un ancien ami de Dakhmouche. La preuve est faite que si Dakhmouche fut l'exécutant de ce crime, Boukhalfa en a été l'organisateur. C'est sur les instructions de ce dernier que Dakhmouche suivit Khider de Madrid en Suisse, du 7 au 14 décembre 1966. À cette date, Dakhmouche retourna à Madrid et fut accueilli par Boukhalfa à l'ambassade algérienne. Depuis, il a été pris étroitement en main par ce dernier. Les gérants et employés des pensions successives où logea Dakhmouche pendant la préparation du lâche assassinat ont témoigné que seul Boukhalfa lui rendait visite et que Dakhmouche était en possession de fortes sommes d'argent.

Le 27 décembre, ses nerfs lâchèrent et Dakhmouche disparut, faisant faux bond à Boukhalfa avec lequel il avait rendez-vous à sa pension. Ce dernier entra alors dans une vive agitation et parcourut la ville pour le retrouver, s'adressant à de nombreuses personnes, notamment à l'associé de Dakhmouche. Il réussit à le retrouver et l'hébergea dans son appartement où Dakhmouche résida jusqu'au 2 janvier, date à laquelle il alla, sans bagages, passer la nuit à l'Hôtel Regina.

Les témoignages sont irréfutables. L'associé en bijouterie de Dakhmouche est formel : Boukhalfa lui avait montré le pistolet même qui a servi au crime et qui a été découvert le 4 janvier près du lieu où s'est déroulé le drame. Au lendemain de l'assassinat, Boukhalfa est allé menacer ce témoin : "Vous me connaissez, lui a-t-il dit, mais si vous êtes forcé de parler de moi, dites que nous n'avons que des relations commerciales."

Ce crime abominable a été préparé méticuleusement sur tous les plans. Au lendemain de l'assassinat, les tenants du pouvoir néo-fasciste

1. essayèrent de faire transférer le corps de la victime ;

2. demandèrent aux autorités espagnoles la mise sous séquestre des biens du frère de Khider ;

3. lancèrent une "offensive de coopération" avec l'Espagne ;

4. suscitèrent dans certaine presse diverses campagnes de mensonges et de mystifications...

J'accuse le régime de Boumediene d'avoir conçu, organisé et perpétré l'assassinat. Cette honteuse pratique de gangsters politiques porte le sceau de ce clan d'aventuriers sans scrupules qui ont usurpé le pouvoir et détruit dans notre pays les principes de liberté, de démocratie et de justice pour lesquels des millions d'Algériens, parmi lesquels Khider, ont donné le meilleur d'eux-mêmes. »

Dans le courant de l'année 1967, Aït Ahmed reçoit par son beau-frère, Me Baraka, avocat marocain constitué par la famille Khider, le dossier que lui ont remis les autorités espagnoles. Quelque temps plus tard, Me Baraka, accueilli à Genève par Mohammed Lebjaoui et Genoud, est très surpris d'apprendre qu'ils ignorent tout sur la communication de ce dossier. « Aït Ahmed considérait probablement qu'il s'agissait d'une affaire de famille », lâche sobrement Genoud (il faut souligner qu'il n'a jamais éprouvé beaucoup de sympathie pour ce dernier, et que la réciproque est vraie).

L'assassinat physique — qui n'eut aucune suite judiciaire — ne suffit pas à Boumediene, dont les sbires passent alors à la seconde phase de l'opération : salir la mémoire de la victime en distillant la rumeur qu'il s'est agi d'un meurtre crapuleux lié au détournement par Khider des fonds du FLN à des fins personnelles. Alger relance l'affaire du « trésor du FLN » en attaquant la BCA au civil et en lui reprochant d'avoir, en 1964, versé à Khider des fonds qui lui avaient été confiés. Boumediene reprend ainsi la thèse algérienne de 1964 alors que la justice genevoise a déjà reconnu, au printemps de 1965, qu'elle était incompétente pour trancher ce problème interne. L'objectif d'Alger est simple : faire passer Khider pour un voleur et les Algériens pour d'infortunés créanciers, alors que la banque genevoise incriminée leur appartient...

De son côté, Genoud se bat avec une énergie farouche pour rétablir la vérité sur son ami. Il est prêt, pour cela, à aider l'Algérie à recouvrer ses droits sur la BCA. Après la mort de Khider, il s'oppose en effet violemment à Zouheir Mardam, patron de la banque, sur l'attitude à observer vis-à-vis d'Alger. Il préconise de faire savoir officiellement, avec l'accord des héritiers Khider, que la BCA appartient en majorité à l'Algérie à la suite de l'achat des deux tiers de son capital par Khider pour le compte du FLN, alors que Mardam, lui, se refuse à toute révélation à ce sujet avant la conclusion du procès entre la banque et l'Algérie.

Genoud se retrouve seul. Il ne peut compter que sur la veuve de Khider pour l'aider dans son combat. Il ne comprend pas que Boumediene, qui connaît ses liens avec les opposants à son régime, ne puisse le considérer autrement que comme un élément dangereux. Genoud se bat au nom de principes, alors que la « lecture » algérienne de l'affaire du « trésor du FLN » est d'ordre exclusivement politique.

Il est vrai que s'il s'obstine à ne pas vouloir choisir entre tous ses amis algériens, son comportement ne peut être que suspect aux yeux d'Alger. En 1968, il apporte par exemple son écot à un projet d'enlèvement de Ben Bella qui est, depuis le putsch, étroitement surveillé par les hommes de Boumediene. Myriam Ben Bella, nièce de l'ancien président, joue un rôle clé dans cette affaire, car elle fait partie des quelques personnes autorisées à lui rendre visite. Une poignée d'Algériens, parmi lesquels le colonel Laktar, Saïd Rahal, le colonel Hassen Khatib et le commandant Azzedine, nourrissent l'idée de faire évader Ben Bella avec la complicité de sous-officiers chargés de le garder. Myriam reçoit mission de convaincre son oncle. Après avoir refusé pendant quelques mois, celui-ci donne son accord au projet d'évasion. En mai 1968, Myriam quitte l'Algérie pour se procurer de faux papiers et les fonds destinés à monter l'opération.

Le premier contacté en France est « Pablo », le trotskiste, fidèle entre les fidèles de Ben Bella, qui fournit rapidement tous les faux papiers nécessaires à Myriam. Celle-ci se rend ensuite en Suisse voir l'ami François Genoud. Elle le connaît suffisamment pour savoir que le souvenir de son propre emprisonnement par Ben Bella ne l'empêchera pas de répondre favorablement à sa demande. De toute façon, pour Genoud, un ennemi en prison devient *de facto* un ami ! Myriam lui demande un peu d'argent pour aller voir Nasser. Genoud considère cette demande comme un honneur, mais il est malheureusement à sec. Voulant à tout prix rendre service à un homme qui l'a certes jeté en prison, mais qui fut auparavant son ami et l'aida beaucoup, Genoud, violant le secret bancaire, s'adresse à un client algérien de la Banque commerciale arabe qui vient d'être crédité d'une commission : invoquant un important service rendu à Alger alors qu'il était encore patron de la Banque populaire, il lui réclame la quasi-totalité de cette commission... L'homme n'a pratiquement pas le choix. Genoud peut ainsi remettre à Myriam l'argent nécessaire pour aller frapper à la porte de l'ami Fathi el-Dib, prévenu par Genoud et qui, à son tour, lui ouvrira celle de Nasser. Bien qu'il se trouve alors en grandes difficultés politiques, le Raïs n'hésite pas une seconde à entrer dans le complot destiné à faire libérer son ami Ben Bella et accorde à sa nièce les fonds qu'elle sollicite. Il lui recommande en outre d'aller voir l'ami Fidel, mais Myriam, enceinte et souffrante, n'est pas en état de voyager jusqu'à La Havane.

Quand Fathi el-Dib raconte le séjour de Myriam Ben Bella au Caire en mai 1968, des bouffées de rage le reprennent[1]... Après son entretien avec Nasser, il fait raccompagner Myriam à l'aéroport par l'un de ses adjoints. L'ambassadeur d'Algérie, Lakdar Brahimi, qui se trouve dans la salle d'embarquement, comprend alors qu'il se trame quelque chose. Il en fait immédiatement rapport à Boumediene. Ce rapport est intercepté par Fathi el-Dib, qui prévient alors Nasser d'une visite probable du Président algérien au Caire. Une fois de plus, Fathi a vu juste. Peu après le départ de Myriam, Boumediene rend visite au Raïs et lui fait part de son mécontentement. Nasser ne montre aucune surprise ; il lui demande si, au nom de la tradition, confronté à une situation similaire, il n'aurait pas agi de même. Puis il hausse le ton et avise le Président algérien de ne jamais refaire une telle démarche. Boumediene cherche alors à mettre en cause Fathi el-Dib :

— C'est moi qui ai fait cela, Fathi n'y est pour rien, réplique Nasser[2].

1. Entretien avec l'auteur.
2. *Dixit* Fathi el-Dib.

Boumediene fait arrêter tous les comploteurs le 18 juin 1968. Prévenu de ces arrestations, Genoud envoie aussitôt deux avocats pour organiser la défense de Myriam et de ses amis. Ceux-ci sont refoulés à l'aéroport. Le 25 septembre 1968, Genoud tient une conférence de presse à Genève pour sensibiliser l'opinion publique. Voilà qui ne saurait disposer favorablement Boumediene à l'égard d'un Genoud qui lutte toujours pour que « la mémoire de Mohammed Khider soit pleinement réhabilitée et qu'il occupe à jamais la place qui lui revient sans conteste dans l'histoire exaltante du combat pour l'indépendance de l'Algérie : la première[1] » !

Pourtant, malgré une attitude qui le range parmi les principaux adversaires du pouvoir de Houari Boumediene, Genoud a la satisfaction de constater que les deux principales « graines » allemandes qu'il a déposées en terre algérienne continuent de bien pousser. Rechenberg, résident du BND, est toujours *persona grata* à Alger. Surtout, Paul Dickopf, devenu le président de la toute-puissante Police criminelle d'Allemagne fédérale (BKA) au début de 1965, a développé une étroite coopération avec la Sûreté algérienne du colonel Draïa. Conduits par l'Algérie, les pays du « Sud » qui font partie d'Interpol votent le moment venu pour l'ami des Arabes, Paul Dickopf, qui devient président de l'organisation en 1968. Le lecteur se souviendra que Dickopf a conçu son amitié pour les Arabes pendant la guerre sous l'influence conjointe de François Genoud, d'Abdallah Nasser, de Muhidin et de Khaled Daouk, qu'à maintes reprises il a manifesté cette amitié alors même qu'elle allait à l'encontre des intérêts français, que c'est encore Genoud qui l'a introduit à Alger et qui est donc largement responsable de sa nomination comme « premier flic de la planète » !

En juin 1970, Mme Khider et François Genoud croient percevoir une éclaircie. La veuve du chef historique, qui se bat pour la mémoire de son mari, obtient la promesse du gouver-

1. Extrait de la lettre de Genoud à Mme Khider du 18 juin 1970.

nement algérien qu'il fera une déclaration officielle reconnaissant son honnêteté dans la gestion des fonds du FLN en échange de la remise, par elle, de tous les documents qu'elle détient sur cette affaire[1]. Genoud décide de faire connaître à Zahra Khider les principaux secrets de cette histoire dans une lettre datée du 18 juin 1970[2]. Il lui révèle en particulier que le FLN contrôle à la fois la Banque populaire arabe d'Alger et la Banque commerciale arabe de Genève. Il insiste également sur le fait que Khider n'a jamais utilisé l'argent de la banque à des fins personnelles.

Mme Khider rencontre Boumediene à Alger et lui remet en mains propres tous les documents de son mari restés en sa possession. Dès lors, Boumediene ne peut plus ignorer que la banque de Genève appartenait à l'Algérie. Pour autant, il n'honore en rien sa promesse de réhabiliter la mémoire du dirigeant assassiné.

Cette visite à l'homme qui a fait assassiner son mari a beaucoup coûté à Mme Khider. Pour rien : l'Algérie maintient en effet son action judiciaire contre la BCA, autrement dit contre elle-même, puisque la banque genevoise lui appartient !

En juillet 1974, le Tribunal fédéral suisse rend un arrêt défavorable à l'Algérie. Un nouvel acteur entre alors en scène : Me Miloud Brahimi, qui a connu Genoud quand il était président de l'Association des étudiants arabes à Lausanne et militait avec lui en faveur des Palestiniens, propose au gouvernement algérien de reprendre l'affaire sur de nouvelles bases. Genoud lui ayant révélé que Khider avait utilisé une partie des fonds du FLN pour acquérir, au nom de l'Algérie, les deux tiers du capital de la Banque commerciale arabe de Genève, l'avocat propose au gouvernement algérien une nouvelle ligne consistant à attaquer Zouheir Mardam, patron de la BCA, au pénal pour avoir dissimulé, après le décès de Khider, l'existence de cette participation à ses véritables propriétaires, l'Algérie et les

1. Déclaration de Mme Khider à *La Suisse* du 19 décembre 1979.
2. Le double de cette lettre figure dans les archives de l'auteur.

héritiers Khider. Il se prévaut du soutien de Genoud, qui poursuit son objectif de toujours : réhabiliter son ami Khider. Boumediene donne son accord malgré le scepticisme du conseiller qu'il charge de suivre ce dossier, Smaïl Hamdani, futur secrétaire général de la présidence.

Zouheir Mardam réagit en convoquant une assemblée générale de la BCA, en proposant une réduction du capital, puis un apport d'argent frais qui exclut *de facto* l'Algérie. Genoud attaque en justice les décisions prises au cours de cette assemblée, qui spolient l'Algérie. Paradoxalement, Alger ne suit pas Genoud, malgré les signaux donnés à Berne par le Département politique qui n'aurait pas vu d'un mauvais œil cette action mettre fin de manière élégante à ce vieux conflit transporté en territoire helvétique.

Interprétant le silence des Algériens comme un désaveu de Genoud, Mardam porte plainte contre lui pour violation du secret bancaire. Puis, désireux de sortir de cette impasse, il propose à l'Algérie de reprendre la banque pour trois millions de francs suisses. Enfin, se ravisant presque aussitôt, il attaque l'Algérie en dommages et intérêts...

En mai 1977, la justice helvétique donne raison à Genoud, met en lumière les agissements coupables de Zouheir Mardam, et annule les décisions prises lors de l'assemblée générale d'octobre 1974. L'Algérie ne profite pas de cette décision pour contre-attaquer et reprendre la banque. Zouheir Mardam s'en prend par voie de presse à Boumediene. *Le Monde* du 27 juillet 1977 publie un article sur l'affaire dans lequel il expose le point de vue des Algériens tout en soulignant l'aspect paradoxal d'une action en justice qui conduit l'Algérie à s'attaquer elle-même en tant que propriétaire de la BCA. Finalement, le 22 mai 1978, Zouheir Mardam est inculpé pour abus de confiance et gestion déloyale. Mais les Algériens, continuant à tergiverser, ne donnent pas l'impression de vouloir clore l'affaire. Le seul avocat qui se démène alors comme un beau diable et défend objectivement les intérêts de l'Algérie est Maurice

Cruchon, conseil de Mme Khider — et gendre d'un autre de leurs « défenseurs objectifs », François Genoud.

Le 27 décembre 1978, le président Boumediene meurt. Genoud et Brahimi sont alors tout à fait écartés de l'affaire. Début 1979, des tractations ont lieu sous les auspices du département confédéral des Affaires étrangères qui aimerait voir se terminer une fois pour toutes cet interminable litige qui empoisonne les relations de la Suisse avec l'Algérie. Surgissent de nouveaux intervenants. Le roi du Maroc et celui d'Arabie prennent la défense de Zouheir Mardam. Si les Algériens ont éliminé Genoud des négociations, ils ont accepté l'irruption d'un autre acteur, André Mécili, ancien des services secrets algériens, ami de Genoud mais surtout d'Aït Ahmed, beau-frère de Mme Khider, qui va devenir l'un des principaux artisans du règlement de ce contentieux.

Genoud ne connaît rien de ces tractations qui vont bon train. Le 15 juin 1979, il écrit au président Chadli Bendjedid, lui décrit l'affaire, lui dit combien il a été victime, à titre personnel, du comportement des Algériens : « Personnellement, je n'accepterai jamais cette défaite, et cela pour deux raisons. Tout d'abord, parce qu'il est injurieux pour l'Algérie, pour le FLN et pour Mohammed Khider de prétendre que celui-ci ait remis sans écrit à quiconque la propriété fiduciaire sur les actions appartenant au FLN. D'autre part, parce que cette défaite est ruineuse pour moi qui me suis battu seul pour l'Algérie, et cela, sans même la moindre manifestation de sympathie, de solidarité de la part des représentants de l'Algérie. » N'obtenant aucune réponse de Chadli Bendjedid, il écrit le 22 août à Slimane Hoffmann, qu'il a bien connu à Alger, pour lui demander d'intervenir auprès du Président.

Finalement, Zouheir Mardam, Mme Khider, les représentants du gouvernement algérien et les avocats se retrouvent le 26 novembre 1979 à Berne dans le bureau du procureur de la République helvétique et mettent un terme, à l'amiable, à l'affaire des « millions de Mohammed Khider ». Les plaintes sont abandonnées et les actions éteintes au nom de l'intérêt public.

La Suisse va pouvoir enfin renouer des relations normales avec l'Algérie. Celle-ci se retrouve officiellement actionnaire majoritaire de la BCA. Zouheir Mardam reçoit un dédommagement de trois millions de francs suisses. Mme Khider obtient la promesse d'une réhabilitation de son époux.

Même si Genoud n'a pas participé à la phase finale de cet accord, il l'a rendu possible par son attitude, qui a consisté invariablement à faire reconnaître les droits de l'Algérie. Dans cette affaire où il a été constamment sali, il estimera avoir été abandonné par son ami Mécili qui lui avait promis de faire le nécessaire pour qu'il soit remboursé des sommes substantielles déboursées pendant une quinzaine d'années de procédures...

Le ciel de Genoud s'éclaircit le 19 juin 1982, quand l'ancien président Ben Bella, dans *La Tribune-Le Matin* de Lausanne, le blanchit complètement des accusations portées contre lui en 1965 :

« Y a-t-il eu gestion déloyale, non-respect du contrôle des changes, comme certains bruits en ont couru ? demande le journaliste.

— Non, c'était une affaire purement politique. François Genoud avait choisi le clan de Mohammed Khider. Je l'ai fait emprisonner, mais seulement pour une quinzaine de jours[1]. Il a pu ensuite repartir et revenir librement. Aujourd'hui, je regrette d'avoir agi ainsi. François Genoud, dont je ne partage pas du tout les idées politiques, est un homme d'une fidélité totale et d'une transparence absolue. La politique est une chose, mais, au-delà, c'est l'homme qui compte... Durant ma captivité, il m'a beaucoup aidé. Je lui en suis reconnaissant aujourd'hui... »

Au début des années 1980, à l'issue d'une réunion du Conseil de sécurité algérien, le nouveau chef de la Sécurité militaire, Lakhal-Ayat, informe son ami Miloud Brahimi qu'il y a été question de son ami Genoud :

1. Ben Bella a considérablement réduit le temps que Genoud a passé en prison. En réalité, il y est resté quatre mois !

— Il est en train de manigancer des choses contre nous avec Ben Bella !

— J'ignore si c'est vrai, répond Miloud, mais ce serait bien normal, après tout ce qu'on lui a fait !

Lakhal-Ayat a l'air surpris. Il ne connaît pas toute l'histoire du « trésor du FLN ». Il demande à Miloud de lui faire un rapport détaillé sur l'affaire. Plus tard, en 1983, Lakhael-Ayat a cherché à connaître Genoud et lui a envoyé son adjoint, Chafik. Les deux hommes ont sympathisé. Lakhal-Ayat a fait en sorte que Genoud puisse revenir en Algérie. En 1990, le Lausannois y a passé vingt-cinq heures, après vingt-cinq ans d'absence... Depuis lors, il a engagé un procès pour récupérer sa villa, sur les hauteurs de Hydra, qui, après son départ en 1965, avait été considérée comme bien vacant.

Ces quelques satisfactions d'amour-propre ne suffisent pas à Genoud qui, infatigablement, cherche à réhabiliter totalement son ami Mohammed Khider. Il est content le 1er novembre 1984, car le président algérien Chadli décore Khider à titre posthume. Quand, à partir de 1989, une presse libre a commencé à s'épanouir en Algérie, il a pensé que les amis du dirigeant assassiné allaient enfin s'exprimer. Une fois de plus, il a dû déchanter. Après la mort de sa femme, en janvier 1991, Genoud, lui-même malade, pense que sa fin est proche : « Je ne voulais pas mourir sans avoir exprimé mon admiration passionnée pour Khider l'intègre », dit-il. Le 1er novembre 1991, il parvient à faire publier un très long article dans un hebdomadaire algérien, *L'Hebdo libéré*. Cet article, intitulé « C'est Khider l'intègre qui avait raison », raconte son propre engagement, leur rencontre, puis le combat mené par sa femme et lui-même pour la « proclamation de l'honnêteté de Mohammed Khider ». Il termine ainsi : « L'Algérie aura-t-elle enfin le droit à ce que toute la vérité soit proclamée sur cet épisode si important de son passé récent ? »

Genoud est choqué que son texte ne suscite pas de réactions. Il rédige un nouvel article, publié le 8 juillet 1992, qui est une profession de foi révolutionnaire et dans lequel il souligne à quel point les problèmes actuels de l'Algérie trouvent leur source dans les dérapages de l'année 1963 :

« Aujourd'hui, trente ans après, on constate que l'année 1963, première année de l'indépendance, était celle des options fondamentales [....]. Sur le plan économique et social, c'était le choix entre une Algérie originale qui, repartant pratiquement de zéro, pouvait édifier une société qui ne soit ni communiste, ni démocratique à l'occidentale, c'est-à-dire avachie et dégénérée, terrain de chasse privilégié des affairistes et des spéculateurs, mais une Algérie qui, fidèle à son passé victorieux de principal moteur de la décolonisation dans le vaste monde, serait le fer de lance d'un combat harmonieux, du combat contre le néo-colonialisme, autrement plus pernicieux que son grand frère le colonialisme.

Malheureusement, il y eut dérapage, et, aujourd'hui, on ne peut que souhaiter que l'Algérie retrouve sa vocation première, qu'elle parvienne à mobiliser tout son peuple sur un vaste projet de société communautaire, qu'elle reprenne son rôle de leader des peuples opprimés en décidant, par exemple, de se retirer de l'Organisation des Nations Unies tant que celle-ci pratiquera la politique du "deux poids, deux mesures" : Israël constamment dispensé de se soumettre à ses décisions, la Libye sommée d'extrader ses nationaux, donc de violer sa constitution au mépris d'une règle intangible du droit international ; embargo et menace d'intervention militaire pour la Libye, laisser-faire pour Israël, pur produit d'un colonialisme attardé et d'autant plus odieux qu'il se réalise par l'élimination physique de la population autochtone. En cela, les Israéliens sont les dignes émules de leurs alliés et protecteurs inconditionnels, les États-Unis d'Amérique... »

François Genoud n'a pas changé d'idées depuis l'affaire Sacco et Vanzetti, depuis qu'il s'est insurgé contre les massacreurs d'Indiens... Plus que jamais, il part en guerre contre

« l'affairisme, le magouillage, la corruption qui font le plus grand mal. Ce fléau des sociétés humaines, tout à la fois sida et cancer, fait intimement partie de notre merveilleux monde occidental. Il en est de même l'arme absolue qui assure son emprise sur toute l'humanité. Il nous détruit, mais en détruisant le monde. Cela est en route depuis fort longtemps, mais avec une extraordinaire accélération depuis 1945, avec la victoire totale des idées fausses sur ce qui fut un sursaut de l'Europe pour tracer une autre voie possible, et cela, par la redécouverte des vérités élémentaires mais fondamentales pour toute société qui veut survivre et se détourne donc du suicide... »

Il n'a donc pas davantage renoncé à ses idées national-socialistes, baptisées « vérités élémentaires mais fondamentales », ni à son admiration pour Hitler, promoteur du « sursaut de l'Europe » :

« Ce monde unique, cosmopolite, c'est notre invention. Nous ne pouvons le reprocher à personne. Cette société universelle à divisions horizontales : "Prolétaires de tous pays, unissez-vous" — ce qui est parfaitement utopique. Avec pour corollaire naturel : le capitalisme international, apatride, qui effectivement gouverne, lui, le monde. Il est capable en quelques heures d'édifier de colossales fortunes comme de ruiner des centaines de milliers de familles par des spéculations boursières. Tout cela, c'est notre modèle à nous, de l'Ouest ; la grande majorité l'a sinon choisi, du moins accueilli avec enthousiasme. Tous, nous le subissons. Grâce à ce système, l'Ouest a récupéré le contrôle — l'a même renforcé sur le monde entier — que la décolonisation pouvait lui faire perdre. C'est le triomphe du néo-colonialisme. Mais que les dirigeants, les prétendues élites des pays qui ont conquis leur indépendance soient devenus [comme leurs anciens] maîtres, cela dépasse l'imagination. Ayant l'immense tâche, mais aussi la grande chance de repartir de zéro pour reconstruire leur nation, ils auraient dû faire preuve d'imagination et ne pas imiter servilement l'un ou l'autre, en général même l'un *puis* l'autre des modèles occidentaux, le marxisme, le libéralisme. D'une façon générale, de ces deux prestigieux modèles, l'un entame la catastrophe que l'autre achève. Il y a trente ans, on pouvait caresser l'espoir que ces pays nouveaux construiraient, en s'inspirant de leur passé, des sociétés plus saines et plus simples que la nôtre, et mon espoir personnel était que cela aurait une influence bénéfique pour nous et éviterait au monde l'unification totalitaire et la décadence accélérée vers laquelle on le sentait glisser. Aujourd'hui, on ne peut que faire le constat du fiasco général et planétaire. Je pense que c'est dans le monde de l'islam, et en particulier dans le monde arabe qui a donné l'islam au monde, que renaîtra l'espoir pour ces pays et pour nous tous... »

Si Genoud peut être considéré comme blanchi des accusations portées contre lui dans l'affaire du « trésor du FLN », cette histoire compliquée n'a toutefois pas encore livré tous ses secrets. À combien se montait ce trésor ? Qu'est-il devenu ?

Au départ, il y avait, selon François Genoud, 42 millions de francs suisses déposés à la BCA :

— 10 ont servi à l'augmentation de capital datant de 1964 ;

— 2 ont été virés sur un compte à numéro en Algérie ;

— 6 sont allés à Aït Ahmed ;

— 6 à Boudia, qui a pris la part de Moussa sans rien lui en dire (Boudia ne lui a fait parvenir que 200 000 francs français) ;

— Bitat, Lebjaoui et Khider en ont récupéré chacun une partie ;

— plus de 3 millions ont été déposés en liquide par Khider à la BPA ;

— une partie a servi, on l'a vu, à payer des armes destinées au maquis de Kabylie.

Le fameux « trésor du FLN » a suscité bien des convoitises, des haines et des violences. Beaucoup de sang a été versé autour de ce magot. Parce que le pouvoir algérien avait peur de ceux qui le possédaient en totalité ou en partie. Parce que ceux qui pensaient avoir droit à en toucher une portion estimaient avoir été lésés...

Miloud Brahimi se souvient ainsi que Khider lui proposa la part qu'il réservait à Moussa. Il conseilla alors à Khider de solliciter plutôt Boudia pour jouer les intermédiaires. Il n'ignore pas que Boudia reçut effectivement ensuite la part de Moussa et il fut le témoin, quelques mois plus tard, d'une violente altercation entre les deux hommes devant l'hôtel d'Angleterre, à Ouchy :

— Tu m'as trahi ! hurlait Moussa à l'adresse de Boudiaf.

Cerveau du terrorisme international ?

Le 18 février 1969, quatre membres du FPLP, le mouvement palestinien dirigé par Georges Habbache, attaquent un Boeing d'El Al sur le tarmac de l'aéroport de Kloten, à Zurich. Un agent de la sécurité israélienne, Mordechai Rachamin, abat l'un des Palestiniens ; les trois autres tuent un élève-pilote, puis sont arrêtés. L'affaire fait grand bruit en Suisse. L'Union des avocats arabes prend en charge la défense des Palestiniens et c'est le Marocain Abderamane Youssoufi, secrétaire général-adjoint de l'Union, chargé des affaires extérieures, qui prend l'affaire en main.

Dès son arrivée en Suisse, Abderamane Youssoufi se précipite chez son vieil ami François Genoud qui se met aussitôt à la disposition des avocats de la défense, assurant la liaison entre ceux-ci et les autorités confédérales.

Le bruit court soudain que la Suisse va relâcher l'Israélien qui a abattu le Palestinien. Le 19 mars, Genoud et Youssoufi se rendent chez le procureur et lui exposent leurs craintes.

— Jamais je ne le relâcherai ! leur répond le magistrat. C'est une impossibilité, même s'il s'agissait d'un ressortissant suisse. Jamais il ne sortira de prison avant jugement[1].

Le lendemain, l'Israélien est libéré et s'envole immédiatement pour son pays.

Genoud affirme que le procureur lui aurait dit avoir été l'objet de fortes pressions. Toujours est-il que ses amis et lui-même assistent, impuissants, aux nombreux arrangements avec

1. À partir du témoignage de François Genoud.

le droit dont bénéficie la partie israélienne. Les avocats suisses commis d'office pour défendre les Palestiniens renoncent d'ailleurs à leur mission, estimant que « la justice zurichoise a faussé la procédure » et fait preuve d'une « discrimination patente, unique dans les annales de la Justice suisse ». Maints incidents éclatent entre magistrats instructeurs et défenseurs (parmi ceux-ci apparaît la figure de Me Jacques Vergès, du barreau d'Alger). Finalement, le 26 août 1969, les trois Palestiniens entament une grève de la faim. Quelques jours avant l'ouverture du procès, Genoud et Youssoufi sont reçus par M. Gut, président de la cour d'assises du canton de Zurich, et lui font part de la stratégie de défense de leurs clients : les trois prisonniers refusent de participer au procès et ne répondront à aucune question. Les Palestiniens sont condamnés, courant décembre, à douze ans de réclusion ; l'agent de sécurité israélien, lui, est relaxé.

Ce procès braque une nouvelle fois les feux de l'actualité sur François Genoud. « Un curieux observateur au procès de Winterthur », titre le quotidien socialiste *Le Peuple-La Sentinelle*. « Un banquier suisse pro-nazi conseillait les condamnés palestiniens », annonce de son côté *Le Soir* de Bruxelles, terminant par ces mots : « Des questions se posent ici : M. Genoud est-il le représentant des nazis réfugiés en Égypte pour les affaires arabes en général et palestiniennes en particulier ? » *Le Nouvel Observateur* se demande quant à lui : « Peut-on accepter de s'allier avec le diable pour défendre une cause[1] ? » Tous les articles soulignent l'affaiblissement de la cause palestinienne entraîné par la présence du « nazi » auprès des trois détenus. À Bruxelles, le Centre d'information et de documentation sur le Moyen-Orient publie même une brochure spéciale datée du 15 décembre 1969 et intitulée « En marge du procès de Winterthur : l'affaire François Genoud », dont l'objectif est « d'attirer

1. Béchir Boumaza, ancien ministre algérien, militant de la cause palestinienne et ami de Genoud, est parfaitement conscient du problème que pose le soutien du Lausannois : « Quel joli cadeau pour les autres d'avoir Genoud, le nazi, comme ami ! »

l'attention de l'opinion publique sur un curieux personnage apparu dans les coulisses du procès de Winterthur : François Genoud, et sur la collusion de plus en plus affirmée entre nazis et Palestiniens ». Cet opuscule très engagé (très antipalestinien) reprend les principaux articles de la presse internationale véhiculant vérités et contre-vérités sur François Genoud, notamment sur sa participation supposée au réseau de soutien et d'évasion des anciens nazis « *Die Spinne*[1] ». Toute la brochure tend à démontrer que le Fath et le FPLP, en se servant de Genoud, révèlent leurs liens avec les organisations néo-nazies, et à quel point ils partagent leur idéologie antisémite.

Les mêmes journaux auraient crié beaucoup plus fort s'ils avaient su à quel point François Genoud était engagé aux côtés de la cause palestinienne bien avant que n'éclate l'affaire de Kloten. Les services secrets suisses chargés de sa surveillance ne savent d'ailleurs plus, à l'époque, où donner de la tête. Une fiche résume par exemple ses voyages de l'année 1969 : « Genoud a déployé une activité constante dans les milieux arabes. S'est souvent déplacé à Genève (90 fois), dans le reste de la Suisse (50 fois), à Paris (15 fois), en Allemagne (5 fois), au Moyen-Orient (4 fois), en Italie et en Belgique (2 fois), à Londres et à Madrid (1 fois). » Ses voyages les plus « intéressants » sont ceux qui le conduisent à Beyrouth, à Tripoli et à Genève. Il y rencontre trois « gros poissons » du terrorisme : le Palestinien Waddi Haddad au Liban, le chef des services secrets libyens à Tripoli, le Libanais Fouad el-Shemali sur les bords du Léman.

Si le problème palestinien fait irruption dans la vie de François Genoud par le biais de cette affaire de détournement d'avion, on ne saurait dire qu'il rencontre un terrain vierge. Le Lausannois est un sympathisant radical depuis 1936, date de sa première entrevue avec le Grand Mufti de Jérusalem. Par l'intermédiaire de Mohammed Khider, en 1962-1963, il a également connu à Alger Abou Jihad, bras droit de Yasser Arafat,

1. « L'araignée », connu aussi sous le nom de « réseau Odessa ».

qui deviendra son chef militaire, et le propre frère du dirigeant du Fath. Un compte alimenté par Khider, financier du FLN très sensibilisé à la cause palestinienne, a été ouvert à l'intention des Palestiniens à la Banque populaire arabe dont Genoud est alors le patron. Les idées développées par les prisonniers de Zurich et par leurs avocats ne font que relancer, chez Genoud, une cause qui l'emporte dès cet instant sur toutes celles qu'il a déjà fait siennes. Genoud considère comme « scandaleuse » la création de l'État d'Israël, « puisqu'il a été créé contre la volonté de la majorité de sa population et reconnu dans les vingt-quatre heures par les grandes puissances. À partir de ce moment, les pays arabes deviennent responsables de la Palestine ». Genoud estime qu'« après la guerre des six Jours, en 1967, les parrains arabes de la cause palestinienne ont perdu la face. Dès lors, les Palestiniens — OLP, FPLP... — ont pris en main leur destin de façon diverse... ».

Englué à la fin des années 1960 dans l'affaire du « trésor du FLN », Genoud est bien aise de s'en échapper pour se mêler à la lutte des Palestiniens. Il prend des risques qu'il n'a jamais pris jusqu'alors. Peu après l'arrestation des trois Palestiniens, il obtient la permission de leur rendre visite en prison. Il va les voir chaque semaine quand il se trouve en Suisse. Après en avoir discuté avec eux, il décide de se rendre au Liban pour rencontrer la direction du Front populaire de libération de la Palestine (FPLP) qui a commandité le détournement de l'appareil d'El Al. L'un des détenus palestiniens, Mohammed Abou el-Heiga, lui conseille de ne pas trop perdre de temps avec Georges Habbache, chef officiel du FPLP, et d'aller directement trouver Waddi Haddad, responsable des opérations spéciales hors du « champ de bataille » (donc à l'étranger).

Jusqu'à cette discussion entre les murs de la prison du canton de Zurich, Genoud n'avait jamais entendu citer le nom de Waddi Haddad. Il le rencontre au Liban au début de l'été 1969. Rencontre déterminante dans la vie du Lausannois : le Palestinien, déjà considéré par les Israéliens comme leur cible numéro un, rejoint d'emblée la galerie de ses héros principaux. Il a déjà été le responsable du détournement sur Alger du Boeing 707 d'El Al Rome-Tel-Aviv, en juillet 1968, qui força Israël à libérer soixante-seize Palestiniens. C'est lui qui a fait attaquer un appareil d'El Al sur l'aéroport d'Athènes en décembre 1968. Sans parler évidemment de l'attaque de Kloten... L'activiste Genoud ne peut qu'être séduit par cet homme qui ne se contente pas de parler, mais se bat les armes à la main contre les « sionistes », et les frappe partout dans le monde.

Palestinien de rite grec orthodoxe, chassé de Palestine en 1948, le Dr Waddi Haddad a été l'un des quatre fondateurs du Mouvement nationaliste arabe à l'Université américaine de Beyrouth, au début des années 1950, avec un autre orthodoxe, Georges Habbache, le Syrien Hani el-Hindi et le Koweïtien Ahmed el-Khatib. Tous quatre sont issus de familles bourgeoises assez fortunées. Au départ, leurs idées sont proches du national-socialisme, ce qui n'empêche pas la diplomatie américaine d'encourager ces jeunes étudiants qui luttent contre Anglais et Français, lesquels jouent encore un rôle de premier plan dans la région. Cette bienveillance cessera dès février 1955.

Ces quatre-là s'insurgent contre l'occupation de la Palestine, terre arabe, par des colons juifs, contre la création de l'État israélien et sa reconnaissance par la communauté internationale. Habbache joue un rôle déterminant parce qu'il est populaire, possède une forte personnalité et parle bien. C'est lui qui conceptualise le mieux l'idée que le problème palestinien est l'affaire de tous les Arabes, qu'il faut donc réaliser leur unité afin de créer une force suffisamment puissante pour répondre au défi israélien. Seule la force, dit-il, permettra de chasser les Israéliens des terres qu'ils occupent. Jusqu'en 1958, le mouvement est nationaliste arabe et ne revendique aucune attache avec le socialisme. « C'était l'époque de l'arabisme romantique », commente Mohammed Kichli, écrivain-éditeur, ancien du MNA, interviewé à Beyrouth[1].

---

1. Entretien du 10 octobre 1995.

Le MNA publie au milieu des années 1950 un petit journal de quatre pages intitulé *La Vengeance,* entièrement consacré à la Palestine occupée. Au fur et à mesure que les étudiants du MNA terminent leurs études et rentrent au pays, ils essaiment les idées du mouvement et en créent des branches en Égypte, au Yémen, au Koweït, en Syrie...

Malgré l'espoir soulevé par l'union en 1958, entre l'Égypte et la Syrie, des divergences ont tôt fait d'apparaître parmi les nationalistes arabes. Elles gagnent l'intérieur même du MNA après que Nasser, en 1961, a choisi la voie socialiste. Les clivages droite/gauche s'accentuent. Des Libanais, Ibrahim Mohsen, Naif Hawatmeh et Mohammed Kichli, lancent alors le journal *La Liberté*, ancré à gauche. Waddi Haddad et Georges Habbache, opposés à leurs idées, consacrent déjà toute leur énergie à préparer des actions militaires pour libérer la Palestine, et taxent de « parlotes d'intellectuels » les déclarations de l'aile gauche du MNA.

En 1967, la guerre des six Jours change la donne dans la région. La défaite est d'une ampleur telle qu'une nouvelle stratégie s'impose pour les Palestiniens. Habbache et Haddad estiment que le temps des discussions est révolu, que les pays arabes ont failli et que seule compte désormais la question palestinienne. Ils doivent donc prendre eux-mêmes en main leur destin. Pour ce faire, ils s'installent en Jordanie.

Georges Habbache, Waddi Haddad, Hani el-Hindi et quelques autres créent alors le FPLP (Front populaire de libération de la Palestine) et prônent un « engagement total dans la résistance populaire armée ». Hawatmeh et son groupe de gauche restent au Liban et créent plus tard le FDPLP (Front démocratique pour la libération de la Palestine). Ces deux organisations constituent l'aile dure du mouvement.

Le FPLP va développer ses activités à plusieurs niveaux. Le niveau officiel revêt un caractère politique : il consiste à expliquer le problème palestinien. Par opportunisme, le FPLP change d'idéologie. Son nationalisme pur et dur se rapproche du marxisme-léninisme parce que ceux qui aident les mouvements de libération du Tiers Monde sont les Guevara, les Castro et autres Mao. « Toute la gauche du monde nous considérait comme des camarades. Nous sommes allés vers elle... », raconte aujourd'hui Hani el-Hindi à Amman. Le FPLP a alors développé de bonnes relations avec le Vietnam, Cuba et un peu plus tard, l'Algérie. Mais les principales activités du Front deviennent clandestines. Ses dirigeants décident de lancer des actions militaires à l'intérieur d'Israël à partir de la Jordanie, et des actions violentes, hors de la région, afin de sensibiliser l'Occident qui n'a d'yeux que pour les occupants de la Palestine. Habbache, Haddad et Hindi décident ainsi de détourner des avions, de procéder à des prises d'otages, de monter des opérations contre certains centres afin de « contrer les idées sionistes » et d'obliger les médias à parler du problème palestinien.

C'est le Dr Waddi Haddad qui est chargé de mettre sur pied un groupe d'action clandestin autonome appelé en Occident « COSE » (Commandement des opérations spéciales à l'étranger), doté de ses propres membres et de son propre budget. Sa première opération est le détournement d'un appareil d'El Al de la ligne Rome-Alger en juillet 1968. Ce groupe ne va pas tarder à devenir très populaire dans la gauche révolutionnaire internationale qui considère la cause palestinienne comme une étape vers la Révolution mondiale. D'Amérique du Sud, d'Amérique centrale, de France, d'Espagne, d'Italie, d'Allemagne et du Japon affluent par centaines des militants gauchistes prêts à prendre les armes et à perpétrer des actions terroristes de par le monde pour la cause palestinienne.

Quelques semaines après Genoud, un jeune étudiant se présente à Beyrouth à Bassam Abou Charif, l'homme chargé des relations publiques de Waddi Haddad.

— Je suis étudiant. Je viens du Venezuela. J'ai étudié à l'université Patrice Lumumba de Moscou. J'ai suivi votre lutte.

Je désire rejoindre le FPLP parce que je suis un internationaliste et un révolutionnaire[1].

Le garçon est accepté. Son nom est Ilitch Ramirez Sanchez, connu aujourd'hui sous le nom de « Carlos ».

Quelques semaines plus tard, c'est au tour d'un Suisse de se présenter et de s'offrir à défendre la Cause. Il s'appelle Bruno Bréguet. On le retrouvera lui aussi en suivant la trajectoire de Genoud...

À côté de ces démarches d'individus en mal de révolution, sincères, prêts à mourir, il y a celles de groupes internationalistes. Au fil des semaines et des mois, Waddi Haddad se retrouve la figure de proue d'une nébuleuse terroriste internationale comprenant des éléments recrutés par le COSE-FPLP, la Fraction armée rouge et les Cellules révolutionnaires (toutes deux opérant en RFA), l'Armée rouge japonaise et l'INLA[2] irlandais entre autres. Ces groupes vont se rendre mutuellement service, exécuter des actes terroristes pour le compte l'un de l'autre, l'ensemble fonctionnant comme une « coopérative du crime » au service de la révolution mondiale...

Mohammed Kichli, qui a choisi l'extrême gauche aux côtés de Hawatmeh, critique les choix de Waddi Haddad ; il le considère comme un homme de droite qui a monté un « groupe d'action secret et bien organisé », mais qui, pour des raisons d'efficacité internationaliste, est sorti de l'orbite de la droite. Il souligne que Waddi Haddad s'est éloigné de Georges Habbache après septembre 1970, qu'il a monté ses coups sans le prévenir et « s'est enfermé dans l'action », évoluant dans « un monde fermé, mystérieux, à travers l'Europe, l'Algérie, l'Irak... ». Tout en reconnaissant que ce « prophète armé » était habité par la cause palestinienne, il ne peut pas ne pas évoquer sa « grande admiration pour l'expérience nazie » et son

1. In *Tried by Fire,* de Bassam Abu Sharif et Uzi Mahnaimi, Little, Brown and Company, 1995.

2. L'INLA est une dissidence marxiste du mouvement nationaliste irlandais, l'IRA.

« ancrage à droite », malgré ses connexions opportunistes avec des mouvances gauchistes.

Elie, homme d'affaires palestinien, n'a plus milité depuis longtemps au MNA, mais ne montre pas les mêmes réserves que Mohammed, l'intellectuel[1]. Il voue au contraire une admiration sans bornes à Waddi Haddad : « C'était un saint personnage, un juste, pétri de l'idéal nationaliste visant à libérer la Palestine... Il a su attirer les jeunes. C'était un prophète de la violence révolutionnaire, un vrai professionnel de la révolution. Comme l'a dit le *Time*, c'était le *boss*. Je suis fier d'avoir été son ami. Mais il nous faudra encore cinquante ans pour être en mesure de démanteler le projet sioniste... » Il s'arrête pour aller chercher un petit sac en plastique, fouille à l'intérieur et en sort une photo qu'il contemple puis me tend : « C'est la maison de la famille. Un jour, on y reviendra... » Il parle à nouveau de Waddi Haddad : « Il a été très utile. Il faut replacer son action dans le contexte de l'époque. Un peuple chassé de son pays a retrouvé sa fierté grâce à l'action révolutionnaire de Waddi Haddad. Le monde entier a été sensibilisé. La Palestine a pu entrer dans deux milliards de foyers tout autour de la planète... »

On comprend mieux pourquoi François Genoud sympathise d'emblée avec Waddi Haddad : « Une complicité immédiate s'établit entre nous, car je lui suis déjà connu. On discute de la forme du combat, mais je suis tout à fait partisan d'un combat internationalisé, puisque le problème lui-même est internationalisé par les sionistes. » Genoud considère que Waddi Haddad développe la meilleure stratégie : « La communauté internationale condamne Israël mais trahit ses propres principes, puisqu'elle ne fait rien, ne prend aucune mesure, supporte n'importe quoi. Exemple : les décisions du Conseil de sécurité qui restent lettre morte alors que du jour où le même Conseil prend des décisions contre l'Irak, on assiste dans les quelques mois qui suivent à la destruction de ce pays, au martyre de son

1. Entretien à Beyrouth, le 9 octobre 1995.

peuple... Or la cause irakienne était on ne peut plus valable, puisque le Koweït est une province de l'Irak... À partir de l'internationalisation de la cause palestinienne, Waddi Haddad suscite un enthousiasme international. Des gens de gauche aussi bien que de droite se retrouvent au service de cette cause. Des jeunes comme Carlos, Johannes Weinrich viennent se mettre à sa disposition... Waddi Haddad et moi sommes à cet égard sur la même longueur d'onde et j'ai d'ailleurs participé à l'élaboration de cette stratégie... »

Quand je l'interroge pour la première fois[1] sur son éventuel engagement opérationnel, Genoud répond :

— Je me suis limité aux contacts politiques. Je n'ai participé à aucune opération. C'est ce qui fait ma force. Je peux aller voir un juge d'instruction. Je peux correspondre avec Carlos. Je n'ai pas été mêlé à des actions comme celle de la gare Saint-Charles[2], ni à aucune autre. C'est à un autre niveau que ça s'est passé. Avec Waddi Haddad, on discutait de manière globale...

— Vous parliez seulement du concept d'internationalisation ou bien vous alliez plus loin ?

— On allait plus loin... Par exemple, j'ai beaucoup incité aux contacts avec les Irlandais, car il s'agissait du même combat. Ceux-ci ont été soutenus par Kadhafi, puis lâchés. Il y a toujours de la trahison chez les Arabes...

— Qui avez-vous encouragé d'autre ?

— J'ai ménagé des entrées, des contacts. J'ai toujours été mêlé à ce monde-là. Moi, je crois à la cause irlandaise : ç'a été la première colonie, ce sera la dernière. Je crois à ce combat-là. Je suis un anticolonialiste convaincu.

— Vous avez fait le lien avec les Allemands ?

— Non, il n'y a plus d'Allemands !

— Mais, la *Rote Armee*[3]..., lance sa fille Françoise, qui assiste à notre conversation.

---

1. Le 15 mai 1995.
2. Référence à l'attentat commis à Marseille en décembre 1983 et imputé à Carlos.
3. Allusion à la Fraction armée rouge, groupe terroriste allemand.

— Non, pas de ce côté-là. Ce n'est qu'après coup que je les ai connus, parce qu'ils étaient dans ce combat. Ce fut par exemple le cas de Magdalena Kopp[1]...

Jusqu'à ce jour, les rumeurs et accusations sur l'engagement de Genoud aux côtés du terrorisme international reposaient surtout sur ses relations avec Bruno Bréguet, un terroriste de la mouvance de Carlos, arrêté à Paris avec Magdalena Kopp en 1982. Des journaux français — *L'Express, Le Monde, Le Point...* — présentèrent alors Genoud comme le « cerveau » international tirant les ficelles entre milieux néo-nazis et terroristes d'extrême gauche. Jusqu'ici, Genoud n'avait jamais expliqué comment et pourquoi il était venu en aide à Bruno Bréguet.

Fin juin 1970, Waddi Haddad est à Paris sous une fausse identité ; sa présence, semble-t-il, n'a jamais été repérée par les services secrets français. « Pour le déguisement, il était champion, il voyageait souvent sur les lignes israéliennes ! » commente François Genoud non sans délectation. Le Lausannois se souvient que, se rendant en métro à son rendez-vous avec Waddi Haddad, il déplie le journal qu'il vient d'acheter et lit qu'un certain Bruno Bréguet, lui aussi de nationalité suisse, a été arrêté à Haïfa, en Israël, porteur d'explosifs. Waddi Haddad, portant perruque, attend son ami François à la Porte Maillot, au départ de l'avenue de Malakoff. Genoud lui fait lire l'article.

— Ah, il a quand même fait quelque chose ! s'exclame le chef terroriste palestinien.

Waddi Haddad garde en effet le souvenir d'un jeune Suisse qui a débarqué trois mois auparavant au Liban, disant souhaiter s'engager pour la cause palestinienne.

— Puisqu'il est « branché » sur vous, je vais m'occuper de lui, décide Genoud.

1. Magdalena Kopp a fait partie des « Cellules révolutionnaires » avant de rejoindre Carlos et de devenir sa femme.

Le dimanche suivant, en compagnie de sa femme, il part dans le Tessin afin de rencontrer la famille de Bruno Bréguet. Le couple se retrouve face à de braves gens (le père est charpentier). « Je vais m'occuper de la défense de votre fils... », leur dit-il. Il choisit un avocat, Me Maurice Cruchon (qui est devenu son gendre), qu'il expédie en Israël.

Condamné à quinze ans de réclusion, Bruno Bréguet a finalement purgé sept ans et un jour de prison. Après sa libération, dès le lendemain de son retour en Suisse, il a rendu visite à Genoud qu'il rencontrait pour la première fois. Pour le remercier.

D'une façon générale, je sens bien que, sur ses activités liées au terrorisme palestinien, François Genoud se montre moins disert. À l'évidence, il ne me dit pas tout. Je m'obstine et reviens sur les mêmes questions.

— Waddi Haddad s'entretenait-il avec vous avant de lancer une nouvelle opération ?

Long silence.

— Il est bien difficile de répondre.

Sa fille, présente à l'entretien, s'esclaffe.

— Ça marche toujours ? s'enquiert-il en désignant l'appareil enregistreur.

— Je ne vous ai pas caché que ça marchait !

Il sourit. Sa fille rit de plus belle.

— Bon... De fait, on était très liés...

Il se lève et revient avec un ouvrage de Xavier Raufer intitulé *La Nébuleuse : le terrorisme du Moyen-Orient*[1] :

— Ce livre contient de bonnes indications... Il y a quelque chose sur Waddi Haddad...

— Je sens que vous restez bien vague sur certains sujets. Il faudra que je vous entraîne plus loin...

1. Publié aux Éditions Fayard en 1987.

Nouveau rire de Françoise à l'adresse de Me Miloud Brahimi, ancien président de la Ligue algérienne des droits de l'homme, qui nous a rejoints dans l'appartement de Pully.

— Est-ce qu'il y a prescription pour ces choses-là ? l'interroge Genoud.

— Bien sûr ! répond l'avocat.

Après avoir feuilleté le livre de Xavier Raufer, Genoud en lit un passage. Il s'agit d'un entretien de la « présidente » de l'Armée rouge japonaise, accordé en juin 1985 au journal *Al Mostakbal*, dans lequel elle s'explique longuement sur l'opération de Lod-Tel-Aviv où elle perdit son mari. Cette opération terroriste, qui se déroula en mai 1972, fut montée par trois membres de l'Armée rouge japonaise agissant pour le compte du COSE-FPLP, et fit 28 morts et 76 blessés :

> *Question* : La planification de tous les détails demande un « cerveau » qui soit aussi riche de ressources et intelligent que le Mossad. Qui était-il ?
>
> *La « présidente »* : Les agents du Mossad ne sont pas plus intelligents que les autres. La preuve : notre action a réussi.
>
> *Q* : Ce cerveau qui a rassemblé tous les renseignements et organisé l'action était-il un membre de l'Armée rouge japonaise ?
>
> *R* : Non. C'était un Palestinien, le Dr Waddi Haddad. On le trouvait derrière chaque opération réussie. Il n'a jamais rien raté de ce qu'il a entrepris. Il accordait un soin extrême à chaque détail. C'était un maniaque du secret le plus absolu. Avec lui, le moindre risque d'erreur était soigneusement éliminé. Il a trompé de nombreux services secrets, notamment le Mossad. Je n'exagère pas. Il reste aujourd'hui, même après sa mort, notre maître et notre modèle. Nous avons beaucoup appris avec lui, et sa mort prématurée a laissé un grand vide dans nos rangs, vide que personne n'a rempli, notamment dans le domaine des opérations militaires spéciales à l'étranger.

— Vous voyez comme en parle cette Japonaise ! C'était un type génial. Les Arabes ont eu la chance extraordinaire d'avoir un type comme ça, reprend d'une voix émue François Genoud.

Pourtant fatigué, essoufflé, il a déclamé ce texte avec force : ce n'était plus la « présidente » de l'Armée rouge japonaise qui s'exprimait, mais lui, François Genoud, en parfaite communion de pensée avec le texte.

— ... C'était un homme doux, civilisé. Un type parfait, mon cher ! conclut-il.

— Vous conversiez en quelle langue ?

— Nous parlions en anglais. Il ne parlait pas le français.

— Quel est le meilleur portrait de Waddi Haddad qu'on ait fait à ce jour ?

— Celui-ci, me dit-il en me désignant l'interview de la terroriste japonaise. Ils sont bien, ces Japonais ! Voyez comme Waddi Haddad faisait toujours agir les gens les plus inattendus. En Israël, les Japonais débarquent tranquillement comme des touristes, avec leurs appareils photo, puis ils ouvrent leurs valises et tac-tac-tac, ils tuent je ne sais combien de personnes... C'est formidable ! Waddi Haddad faisait des trucs comme ça partout. À chaque fois il surprenait. C'était un génie, ce gars-là. Il a été condamné par les uns, rejeté par les autres, mais lui-même s'en foutait complètement. Entre Habbache et lui, c'était une de ces comédies...

— En quoi ?

— Comme Arafat, Habbache se dégonfle toujours. Il veut être trop bien vu. Ce n'est qu'une bande de pauvres types. Ils n'assument rien...

Genoud entame un nouveau couplet contre les leaders arabes qui, aujourd'hui, à ses yeux, sont tous « des faux jetons qui livrent leurs anciens amis pour obtenir un certificat de bonne conduite » !

— Waddi Haddad avait-il de bons contacts avec Alger ?

— Oui, Alger s'est toujours montré correct[1]... Il est d'ailleurs mort là-bas...

— Non, intervient Miloud Brahimi. Il a été soigné à Alger par le Dr Ziari (qui ignorait d'ailleurs qui il soignait), mais les analyses ont été faites à Paris. Il a très vite décliné et a été trans-

1. Alger a été plus que correct puisque Waddi Haddad a disposé d'une villa près de la capitale algérienne et a reçu une aide substantielle des autorités.

porté à Berlin-Est. Il avait probablement été empoisonné par une substance radioactive. Il peut y avoir des traîtres partout, jusque dans les plus belles organisations[1]...

C'est peu dire que Waddi Haddad a exercé une véritable fascination sur Genoud. Aujourd'hui encore, dix-sept ans après sa mort, les superlatifs paraissent lui manquer pour en parler : « Ce Waddi Haddad était un type extraordinaire. Il s'efforçait toujours d'avoir le moins possible de victimes innocentes. Quand il a procédé aux détournements d'avions sur Zarka[2], qui entraînèrent la guerre entre Jordaniens et Palestiniens, le fameux « Septembre noir », les centaines d'otages furent épargnés et protégés par les Palestiniens, et tous rentrèrent transformés en propagandistes de la cause palestinienne. »

Sa fille va quérir dans sa chambre un portrait de Waddi Haddad ; le cliché révèle un homme au crâne chauve et rouflaquettes, qui n'a vraiment rien de romantique. Le sourire, toutefois, est avenant.

— On échangeait des idées, reprend-il. Waddi Haddad a été le grand combattant de cette seconde moitié du siècle. Il a fait quelque chose d'absolument extraordinaire pour la cause arabe, et tous ont cherché à l'imiter. Même Arafat, mais en moins bien et avec beaucoup plus de victimes... Il était partisan qu'on ménage beaucoup le Liban : « Le Liban est un cadeau du ciel, disait-il, il ne faut pas en abuser ! » Ainsi, au moment des événements de Damour, quand toute la population chrétienne a été expulsée à la suite de provocations et de pillages et que la région a été envahie par les réfugiés palestiniens, le FPLP a dit non : « Nous ne devons pas faire comme les Israéliens ! » Le Liban était devenu invivable à cause de l'attitude des Palestiniens qui se conduisaient de façon outrancière, se sentant en territoire conquis, brûlant tous les feux rouges, etc. Cela cho-

1. Voir l'histoire de sa mort, p. 342.

2. Plusieurs avions furent détournés par les hommes de Waddi Haddad sur l'aéroport de Zarka, en Jordanie, en septembre 1970. Plusieurs centaines de passagers furent pris en otages. Au terme de cette opération, l'armée jordanienne réprima très durement les Palestiniens.

quait beaucoup Waddi Haddad. Il disait qu'il fallait être respectueux de la souveraineté des Libanais...

Pour compléter son portrait de Waddi Haddad, Genoud prétend qu'il lui a sûrement sauvé la vie. Lors d'un de ses passages à Alger, le Palestinien eut une rencontre avec le colonel Draïa, le chef de la Sûreté algérienne, devenu l'ami de Dickopf, avec qui il entretenait d'excellentes relations. La conversation roula sur Genoud, à propos duquel l'Algérien eut des mots particulièrement durs. Waddi l'aurait alors rabroué, défendant avec véhémence son ami lausannois et empêchant les Algériens d'user de gros moyens pour l'éliminer...

Genoud revoit fréquemment Waddi Haddad jusqu'au jour où le chef terroriste doit quitter Bagdad pour aller se faire soigner à Alger, où le Suisse est lui-même devenu interdit de séjour. Le plus grand nombre de leurs rencontres ont eu lieu au Liban, mais ils se sont également retrouvés à Bagdad et Aden. Genoud ne s'est pas limité à des discussions d'ordre général avec Waddi Haddad. Il a établi des « passerelles », contactant des amis pour les rallier au FPLP. Il ne tient pas à s'étendre sur ce sujet afin de ne pas mettre en cause des gens qui ont aujourd'hui repris une vie paisible. Mais il a — dit-il — poussé certains Algériens (comme Mohammed Boudiaf et Bechir Boumaza) davantage tentés par le FDPLP de Nayef Hawatmeh, considéré comme plus à gauche, à rejoindre Waddi Haddad.

Genoud se définit en somme comme ayant été chargé des relations publiques de Waddi Haddad en Europe.

— Il n'était donc pas totalement faux de vous présenter comme un cerveau du terrorisme international ?

— Oh ! un cerveau occasionnel...

Je me suis sérieusement demandé si Genoud, à la fin de sa vie, n'en rajoutait pas en s'affublant d'une partie du manteau de son héros. Deux « anciens », Bassam Abou Charif, ancien porte-parole de Waddi Haddad et recruteur de Carlos, et le Syrien Hani el-Hindi, cofondateur du FPLP, m'ont apporté leur réponse. Tous deux ont en commun d'avoir été marqués dans leur chair par un attentat du Mossad. Le 25 juillet 1972, Bassam

Abou Charif reçut un livre piégé dont l'explosion le blessa grièvement ; entre autres séquelles, il a perdu plusieurs doigts et est resté sourd d'une oreille. Dans sa villa cossue d'Amman, avec ses cheveux blancs, sa voix douce et son élocution élégante, on a du mal à imaginer en Hani el-Hindi[1] le révolutionnaire pur et dur qu'il a été. Son corps dévoile pourtant une partie de son *curriculum vitae* : il n'a plus de bras gauche, la partie gauche de son visage est marquée de taches bleuâtres, et il est sourd de l'oreille gauche. Ce sont les séquelles d'un attentat perpétré contre lui à Chypre par le Mossad, le 3 janvier 1981. Il a eu beaucoup de chance d'en sortir vivant : sa voiture, piégée, était garée devant sa maison ; il a ouvert la portière pour prendre une lettre déposée sur le siège ; en effleurant le siège, il a entendu un sifflement, a aussitôt compris et a eu le temps de se dégager... Un Israélien pourvu de trois passeports avait été interpellé la veille à cause de son comportement suspect autour du domicile de Hani el-Hindi. Faute de preuves, il avait été relâché...

Bassam Abou Charif[2], qui se décrit lui-même comme l'ancienne « vitrine » de Waddi Haddad, qu'il surnomme « le Master », a plaisir à me parler de son ami Genoud, qu'il rencontra pour la première fois dans l'appartement de Waddi Haddad à Beyrouth, dans le quartier de Sanayeh. Autour du « Master » se trouvaient réunis ce jour-là François Genoud, Bechir Boumaza et un autre Palestinien. « Ça faisait chaud au cœur de voir quelqu'un d'aussi enthousiaste que nous, et même davantage. Comme toujours, François n'a pas beaucoup parlé. Nous avons eu des échanges politiques, et j'ai compris qu'il coopérait avec nous. C'est après que Waddi Haddad m'a donné son *background*. Il était très actif, mais discret. Il était engagé dans plusieurs activités en Europe. Le Dr Waddi Haddad adorait François. Lui et nous l'appelions "Cheikh François". *Cheikh* est un

1. Entretien avec l'auteur à Amman, le 11 octobre 1995.
2. Rencontré à l'hôtel Métropole de Genève le 15 octobre 1995, Bassam Abou Charif n'est plus un révolutionnaire, mais est maintenant proche de Yasser Arafat.

mot qui signifie à la fois "le Chef" et "le Vieux". Il exerçait beaucoup d'influence. L'avis de "Cheikh François" était très important, il avait de l'expérience, savait apprécier les situations, il était ponctuel, correct, et avait une très juste vision des choses. Il a été mêlé à certaines de nos discussions et je suis sûr que sa participation a conféré une dimension stratégique à notre action... »

Quant à Hani el-Hindi, bien avant de le rencontrer, il avait entendu parler de Genoud par les Algériens, les Marocains et les Tunisiens qui le considéraient comme un ami de leur cause. Les Algériens Ben Bella, Boumaza, les opposants marocains Basri, Youssoufi et Ibrahim Tobal[1] ne tarissaient pas d'éloges à son sujet. Quand il fait sa connaissance en août 1969, Hani est donc fort bien disposé à son égard. Il devient son ami et ne craint pas de le proclamer. Il a gardé un souvenir précis des rapports de François Genoud avec les dirigeants du FPLP : « Il nous fournissait sur l'Occident des analyses qui nous permettaient de mieux définir notre action. Il nous conseillait dans nos actions médiatiques, nous indiquait des noms de journalistes, la façon de les aborder. C'était un bon consultant qui nous aidait dans notre lutte. Il avait des liens avec des membres du Fatah, mais, pour nous, ce n'était pas un handicap, au contraire. Il défendait notre cause et pouvait établir des "passerelles". Le Dr Waddi Haddad avait un profond respect pour François Genoud. Quand, dans nos discussions, il avait lancé : "Genoud m'a dit", ce n'était plus la peine d'en rajouter, la discussion était close. Genoud nous a fourni des contacts essentiels. Il a vraiment été un de nos plus proches supporters.

— Les idées pro-nazies de Genoud vous ont-elles posé problème, au Dr Waddi Haddad et à vous-même ?

— Il est clair que nous sommes absolument contre le nazisme, mais nous ne discutions pas idéologie avec Genoud ; nous parlions action, aide, propagande. Waddi Haddad divisait

1. Ibrahim Tobal, pro-nazi, partisan de Salah Ben Youssef, a été l'un des deux mentors de Ben Bella au milieu des années 1950.

le monde politique entre activistes et idéologues. Il agissait d'abord et discutait ensuite. C'était un activiste et il considérait également François Genoud comme un activiste. Ce qui comptait pour lui, c'était la victoire contre le sionisme. Le reste lui importait peu.... Nous voyions en Genoud un partisan enthousiaste de notre cause qui avait déjà fait ses preuves dans les luttes de libération du Maghreb auprès des Ben Bella, Khider, Basri, Youssoufi, Ibrahim Tobal, et qui avait même débuté dès 1936 en se tenant aux côtés de ceux qui déclenchèrent le premier coup d'État contre les Anglais en Irak[1]... Le reste ne nous intéressait pas. »

Genoud se trouva donc bel et bien impliqué dans l'« aile dure » de la lutte palestinienne, celle qui est responsable d'une quinzaine de détournements d'avions, dont ceux de septembre 1970, sur l'aéroport de Zarka, en Jordanie, qui se conclurent par l'explosion de trois appareils et la répression sanglante menée contre les Palestiniens par le roi Hussein. Waddi Haddad, ce sont aussi les 28 morts de Lod-Tel-Aviv, de nombreuses opérations menées par Carlos, dont l'attaque à Vienne du siège de l'OPEP, le 21 décembre 1975, qui se solda par 3 morts et 8 blessés. Beaucoup d'attentats et beaucoup de morts...

Mais, comme le souligne Hani el-Hindi, l'implication de Genoud ne se limite pas à son aide au COSE-FPLP de Waddi Haddad. Les fiches de surveillance qui le concernent signalent à partir du 17 juillet 1969 l'apparition dans son horizon d'un nouveau personnage, Fouad el-Shemali. Pour être tout à fait précises, les fiches de Berne auraient dû mentionner également la femme de Fouad, Alissar, fille d'Antoun Saadé, fondateur en 1933 du Parti syrien national-social (PSNS), appelé aussi Parti populaire syrien (PPS), qui joua un rôle non négligeable dans le combat de l'aile dure palestinienne. Le couple Shemali est venu à Lausanne pour des raisons médicales. Fouad était atteint de la maladie de Hodgkin, un cancer du système lymphatique.

---

1. Cf. *supra* pp. 80 *sq*.

Ni Alissar Saadé ni François Genoud ne se souviennent au juste des conditions de leur première rencontre : le Lausannois suggère qu'elle était « naturelle », tant il était connu dans les milieux pro-palestiniens. Quoi qu'il en soit, c'est pour lui l'occasion de pénétrer une nouvelle branche de l'activisme palestinien.

Le grand-père d'Alissar, en lutte contre le mandat, avait déjà été poursuivi par les Français. Son père fut arrêté à son tour à plusieurs reprises. Le parti qu'il a fondé, le PSNS, lutte pour l'unité de la « Syrie naturelle » et contre la présence de la France. Il est fascisant et laïque, et place la nation au rang de valeur suprême. Antoun Saadé passe toute la guerre en exil en Argentine. C'est donc dans ce pays que naît Alissar, qui n'arrive au Liban qu'en 1947. Pour avoir prôné la lutte armée, Antoun Saadé est exécuté en 1951. La petite Alissar mène dès lors une vie difficile. Elle passe d'abord quelques années dans un couvent au Liban. De retour en Syrie, sa mère est arrêtée et condamnée à dix-sept ans de travaux forcés. Elle fuit clandestinement la Syrie avec sa sœur et est recueillie par une famille du PSNS. Le parti, de son côté, connaît une vie chaotique avec des scissions, des changements de cap idéologiques... Alissar fait la connaissance de Fouad el-Shemali, « exécuteur général chargé des étudiants » au sein du PSNS, peu avant la tentative de coup d'État du 31 décembre 1961 auquel il participe et qui entraîne la dissolution du parti. Fouad est alors obligé de fuir le Liban, où il est condamné à mort par contumace ; il se réfugie d'abord en Jordanie, puis en France où il débarque au début de 1963. Toujours aussi militant, il passe un DES en Sorbonne et met la main sur l'« Assemblée générale des Libanais ». Sa cause essentielle est devenue la défense des droits des Palestiniens contre Israël. Il sensibilise étudiants arabes et français au problème palestinien en faisant de nombreuses conférences, s'évertuant, par exemple, à démontrer que la Palestine n'avait rien d'un désert avant la création d'Israël. À partir de 1965, Fouad effectue de mystérieux voyages en Jordanie ; une partie de sa vie devient clandestine. Alissar le rejoint à Paris et s'engage à ses côtés dans la défense de la cause palestinienne. Mais, bientôt, Fouad tombe malade et doit se faire soigner en Suisse où le couple se lie d'amitié avec François Genoud.

Par l'intermédiaire des Shemali, le Lausannois va faire la connaissance de tout un noyau de militants du PSNS qui se sont lancés — ou vont se lancer — dans l'action clandestine et terroriste. Fouad el-Shemali est en effet devenu responsable de l'OLP pour l'Europe et rencontre régulièrement Arafat, tout en disposant d'une large autonomie. Autour de lui gravitent les Ali Hassan Salameh, Hamchari, Daoud Barakat, Kerbec, personnages que nous recroiserons plus loin.

L'opération de Zarka, conduite par Waddi Haddad en septembre 1970, fait encore monter d'un cran l'escalade du terrorisme. La terrible répression jordanienne qui s'ensuit oblige Yasser Arafat, chef de l'OLP, à réagir contre le régime de Hussein. Peu auparavant, Arafat avait décidé de ne pas abandonner complètement le champ de l'action terroriste à Waddi Haddad, qui était en train de prendre une stature trop importante à son gré. Abou Iyad, chef du renseignement de l'OLP, monte alors un groupe clandestin qui prend le nom de « Septembre noir », par référence au massacre perpétré par les troupes du roi Hussein, et dont les premières actions vont être dirigées contre des responsables jordaniens. Fouad el-Shemali devient alors un personnage clé de « Septembre noir ». Ce groupe, après avoir abattu quelques « cibles » jordaniennes, se reconvertit au début de 1972 dans les actions terroristes internationales du même type que celles qui sont montées par Waddi Haddad.

Genoud s'est ainsi retrouvé dans la mouvance des deux organisations les plus engagées dans le terrorisme international. Shemali connaît d'ailleurs les liens de Genoud avec Waddi Haddad. Il l'a même consulté quand il a décidé de passer à l'action. Genoud se souvient d'une rencontre à l'hôtel Bristol de Beyrouth, réunissant Fouad el-Shemali, Daoud Barakat, Hamchari et Ali Hassan Salameh, surnommé le « Prince rouge », qui constituaient le noyau de « Septembre noir ». « Fouad souhaitait imiter Waddi Haddad », constate Genoud qui a lui-même œuvré au rapprochement entre « Septembre noir » et le COSE-FPLP de Waddi Haddad.

En 1972, le Lausannois gravite donc autour des centres névralgiques du terrorisme international. On l'a vu, il rencontre souvent Waddi Haddad, d'abord à Beyrouth, puis à Bagdad et Aden. Il établit des « passerelles » entre des groupes qui ont tous confiance en lui, soit à cause de son passé, soit en raison de son amitié avec Waddi Haddad. Il convainc quelques amis algériens — notamment Mohammed Boudia et Bechir Boumaza — de nouer des relations avec le FPLP, de préférence au FDPLP d'Hawatmeh. Il met en contact certains Européens, en particulier des Suisses, avec le COSE-FPLP. Il joue un rôle dans l'établissement de liens entre terroristes irlandais et combattants de Waddi Haddad. Genoud a conservé également d'étroites relations avec le « père » de tous les terroristes palestiniens, le Grand Mufti de Jérusalem, à qui il rendra visite, chaque fois qu'il se trouvera à Beyrouth, jusqu'à sa mort en 1974. Le vieil homme lui a notamment raconté à quel point les visites d'Arafat l'exaspéraient. Il lui aurait même lancé au cours d'un de leurs entretiens[1] : « Comment peux-tu garder ton sempiternel sourire alors que tu conduis notre peuple de catastrophe en catastrophe ? »

Cette relation avec le Grand Mufti contribue à donner à Genoud une aura dont aucun autre Occidental ne bénéficiera, hormis peut-être Carlos, mais à un niveau bien différent. Les deux hommes se croisent d'ailleurs à Beyrouth en ce début des années 1970 dans l'entourage de Waddi Haddad, mais sans qu'aucun lien solide s'établisse alors entre eux...

Dans le même temps qu'il se lie à Waddi Haddad et à Fouad el-Shemali, Genoud noue des relations étroites avec la Libye du colonel Kadhafi.

Le 1er septembre 1969, le roi Idriss est renversé par une poignée d'officiers, dont Kadhafi. Le programme de ces jeunes

1. *Dixit* Genoud...

militaires révolutionnaires a de quoi réjouir le cœur de Genoud, puisqu'ils affirment vouloir lutter contre le colonialisme, contre le sous-développement, et ferment immédiatement les bases britanniques et américaines. Autre initiative décisive : Kadhafi « offre » son pays à Nasser. Il y a évidemment du Fathi el-Dib derrière les nouveaux dirigeants libyens : l'ami égyptien de Genoud séjourne d'ailleurs à Tripoli pendant quelques mois pour installer la nouvelle équipe inexpérimentée au pouvoir.

L'homme de Fathi el-Dib dans la nouvelle Libye est Abdel Moumen el-Honi, qui devient patron des services secrets et ministre des Affaires étrangères après le coup d'État. Tout naturellement, Genoud débarque peu après à Tripoli, muni d'une très chaleureuse recommandation de Fathi el-Dib, afin de rencontrer El-Honi. Dès lors, le Suisse se lie d'une vive amitié avec le chef des services libyens. Il retournera régulièrement à Tripoli où il effectuera de longs séjours, reçu comme une haute personnalité. Il lui est ensuite facile de faire la liaison entre El-Honi et Waddi Haddad, voire de se rendre en Libye en compagnie de Georges Habbache. Il deviendra ensuite l'ami de Mansour Kikhia[1] quand celui-ci succédera à El-Honi au ministère des Affaires étrangères.

Genoud a joué également un certain rôle dans l'établissement de relations entre Tripoli et les indépendantistes irlandais qu'il avait déjà introduits auprès du COSE-FPLP[2]. Son propre intermédiaire avec les Irlandais était Jean L'Hostellier (il préférait se faire appeler Yann), un Breton, ancien de la Waffen SS, devenu journaliste sur le tard.

— J'ai aussi monté des affaires pour Waddi en Libye, précise encore Genoud. Je l'ai aidé à monter des opérations...

— Lesquelles ?

Mais Genoud ne veut pas en dire davantage[3].

---

1. Mansour Kikhia a été, semble-t-il, assassiné par le pouvoir libyen.
2. Il est intéressant de signaler qu'à Tripoli, on affirme aujourd'hui que le lien entre la Libye et l'IRA a été établi par le KGB en 1971. On affirme également ne pas connaître Genoud !
3. Le 17 juin 1995.

Quand Bruno Bréguet sort de prison en 1977 et qu'il vient rendre visite à son protecteur François Genoud, c'est pour lui dire qu'il aimerait revoir le Dr Haddad. Non seulement Genoud acquiesce, mais il propose d'accompagner Bréguet à Bagdad. Il sollicite à l'ambassade d'Irak un visa, qui lui est refusé. Le Lausannois conclut d'un air contrit : « Je n'ai plus jamais revu le Dr Waddi Haddad. »

Le chef d'orchestre du terrorisme international est en effet tombé gravement malade à Bagdad. Bassam Abou Charif, son ancien préposé aux relations publiques, m'a raconté avec émotion la fin du « Master » : « À l'issue d'un dîner dans le jardin d'un ami à Bagdad, il a pris un café dont il a senti immédiatement la nocivité. Il s'est levé pour aller vomir. Il n'a pas pu atteindre les toilettes. Il est tombé malade. Il est parti se faire hospitaliser à Alger, il perdait ses cheveux, ses sourcils. Puis, sur mes conseils, il est allé se faire soigner à Berlin-Est. Il était déjà dans un état critique en arrivant là-bas. Il est mort le 27 mars 1978. Le chef de la Sécurité à Berlin-Est m'a recommandé peu après d'être prudent, me laissant entendre que Waddi Haddad avait été empoisonné, mais quand on m'a remis le rapport d'autopsie, toute mention d'un éventuel empoisonnement en avait disparu. J'ai fait faire par un laboratoire américain une analyse des cheveux de Waddi Haddad. Le laboratoire a émis diverses hypothèses allant d'une consommation excessive d'antibiotiques à une exposition à des rayons dangereux... En 1977, dans un restaurant de Washington, un de mes amis avait surpris une conversation dans laquelle il était question des difficultés rencontrées dans l'élimination de Waddi Haddad : “La seule façon serait d'opérer par l'un de ses proches...” J'avais aussitôt prévenu Waddi Haddad et lui avais recommandé une extrême prudence. »

Hani el-Hindi, cofondateur du FPLP, n'hésite pas aujourd'hui à dresser un bilan très critique du leadership palestinien, de son absence de vision, du temps perdu en Jordanie et au Liban. Il conclut son exposé par l'évocation du rôle de Waddi Haddad ; comme Genoud, il affirme qu'avant sa mort il n'était déjà plus en mesure de poursuivre la lutte de façon efficace, à cause des moyens considérables qui avaient été mobilisés contre lui : « Le signe de la fin de Waddi Haddad a été l'échec de l'opération d'Entebbé contre un appareil d'Air France en juin 1976... »

Au début des années 1970, les principaux services secrets occidentaux, qui connaissent bien Genoud, cherchent à savoir ce qu'il peut bien « trafiquer » avec des « Arabes » apparus dans leur champ de vision, soit soupçonnés d'actes terroristes, soit menacés ou liquidés par le Mossad.

Après l'assassinat de Mohammed Khider, Genoud a fait la connaissance de l'inspecteur Pillard, qui s'occupait de la surveillance des Algériens en Suisse. Les relations entre les deux hommes étaient si bonnes que, d'après Genoud, Pillard l'a prévenu de beaucoup de choses. Après sa mort d'une tumeur au cerveau, il a été remplacé par Jean-François Lugon, qui joue auprès de Genoud le même rôle, sans se montrer aussi chaleureux que son prédécesseur. Récemment, après son interview sur Carlos[1], Lugon lui a dit : « Vous devriez vous reposer et vous occuper plutôt de vos petits-enfants[2]... » L'homme qui « traite » Genoud ne manque pas de travail : non seulement il est harcelé par sa hiérarchie, mais il est sollicité par maints services secrets étrangers, particulièrement le Mossad, la CIA et la DST. Un des hommes qui connaissent bien le dossier Genoud à Berne déclare que « le Lausannois est pervers, ne dit jamais tout » et a sûrement déjà souvent piégé ceux qui étaient chargés de le surveiller. Depuis les négociations d'Évian entre la France et le FLN, les Suisses ont un « intérêt de sécurité » à suivre les contacts de Genoud. L'homme de Berne déclare à quel point la police fédérale « aurait aimé le coincer », mais « il n'y en a jamais eu assez ». Il affirme que Genoud vit pratiquement depuis soixante ans dans la clandestinité ; ce qui rend difficile

1. Cf. *infra* p. 374 *sq.*
2. *Dixit* Genoud.

sa surveillance, c'est qu'« il part du principe qu'il est toujours écouté ». Autrement dit, la police et, derrière elle, les services secrets étrangers ont une connaissance de ses activités qui se limite quasiment à l'identité de ses contacts. « Avec Genoud, on peut échafauder beaucoup de scénarii, mais on n'a jamais pu aller plus loin. Le personnage est dangereux, car il perpétue des situations de guerre. Il a trempé dans des histoires pas claires... » Il n'empêche que les relations entre la police fédérale et Genoud restent ambiguës et que les services suisses lui assurent une certaine protection en échange d'informations qu'il leur fournit. On confirme à Berne que, malgré tout ce qui a pu être dit et écrit, les services de l'armée suisse ont « bien traité » Genoud pendant la guerre pour avoir une liaison avec l'Abwehr, et le considéraient comme un agent malgré lui. L'histoire du monde du renseignement est décidément réversible : les mêmes services estiment encore aujourd'hui que c'est Paul Dickopf qui « traitait » depuis le début François Genoud pour le compte de l'Abwehr...

La lecture des fiches consacrées à Genoud permet de relever les périodes de « surchauffe » dans le travail de la police fédérale, correspondant à une actualité liée au terrorisme. En mars 1970, on signale un contact entre Genoud et un représentant de la Swissair qui souhaite se protéger du terrorisme palestinien. En avril, un service étranger le dénonce aux Suisses comme le « trésorier des mouvements arabes en Europe » et comme l'intermédiaire entre différents groupes arabes. Les services suisses en profitent pour s'interroger sur ses revenus et ses nombreux voyages à l'étranger. En juin, la police vaudoise signale à Berne l'apparition, dans l'entourage de Genoud, de l'ancien Waffen SS Jean L'Hostellier[1]. Fin 1970, Fouad el-Shemali est souvent signalé en sa compagnie. Début 1971, les anges gardiens de Genoud remarquent beaucoup d'agitation ayant trait à l'assassinat de Krim Belkacem, l'un des chefs his-

1. Jean L'Hostellier a fait partie de ces autonomistes bretons qui ont choisi l'Allemagne contre la France.

toriques du FLN à qui Genoud était très lié. De fréquentes rencontres entre Bechir Boumaza et Genoud intriguent fort les gens de Berne dans la mesure où Boumaza est l'homme qui l'a fait interner quelques années plus tôt en Algérie ; ils ignorent que Boumaza est lui aussi impliqué dans le combat du FPLP. Boumaza animait le Rassemblement unitaire des révolutionnaires (RUR), un petit groupe d'Algériens marxistes très engagé dans le combat palestinien. Il a cherché à faire l'unité des « durs ». Il a réuni Waddi Haddad et Abou Jihad, il a fait le tampon entre Waddi Haddad le nationaliste et Georges Habbache le marxiste, il a joué, lui aussi, le *go-between* entre les Irlandais et les Palestiniens. S'il n'a pas participé directement à des actions violentes, il les a approuvées. Comme son ami Genoud, il a servi de conseil auprès de Waddi Haddad. À la fin de 1971, les services suisses procèdent à une importante synthèse des activités de Genoud pour tenter d'y voir plus clair ; diverses mesures sont décidées en vue de contrôler ses déclarations fiscales, ses comptes bancaires, ses déplacements. Début 1972, il est placé sur écoutes téléphoniques permanentes. En août, on signale que Bechir Boumaza désire changer de domicile, car il craint d'être découvert par les « agents spéciaux de Boumediene ». Le jeudi 3 août 1972 meurt à Genève Fouad el-Shemali, qui est enterré quelques jours plus tard à Beyrouth avec tous les honneurs dus à un « grand combattant palestinien ». Le 23 août, une fiche signale que la presse, citant Genoud, prétend que Shemali a été l'organisateur de divers attentats...

Le 5 septembre 1972 est une journée noire pour tous les services qui s'occupent de terrorisme palestinien. Ce jour-là, on déplore aux Jeux Olympiques de Munich l'assassinat de onze athlètes israéliens ; un policier et un pilote allemands trouvent également la mort, de même que cinq terroristes. Peu après, le journal libanais *Al Moharrer* fait l'éloge funèbre de Fouad el-Shemali, qu'il baptise « le héros de Munich » (dont il a en effet été l'un des principaux organisateurs). *Newsweek*, repris par *La Tribune de Genève* du 11 septembre, met en cause à propos de cet attentat Daoud Barakat, un diplomate arabe en poste à Genève. Le procureur général de la Confédération annonce qu'il y avait bien à Genève un important réseau de soutien à « Septembre noir », que plusieurs terroristes ont transité par la ville et y ont obtenu gîte et faux papiers. Le nom de Genoud est cité dans la presse et dans les fiches, mais l'affaire en reste là. Journalistes et agents secrets connaissent les liens existant entre Genoud et « Septembre noir », notamment avec Fouad el-Shemali et Daoud Barakat, deux des organisateurs présumés de l'attentat de Munich, mais ils ne peuvent aller plus loin que cette simple constatation. Le nom de Waddi Haddad ne figure même jamais dans les fiches concernant Genoud !

Toujours d'après ces fiches, Genoud, en mars 1973, se démène pour « blanchir » son ami Mohammed Boudia, qui fait lui aussi partie du RUR avec Boumaza, de tout lien avec les organisations palestiniennes. Il ment : en effet, si Boumaza se contente d'approuver les actions violentes, Boudia y participe activement.

Après la mort de Shemali, les liens entre « Septembre noir », son vivier du PSNS et le groupe de Waddi Haddad se sont resserrés. Après qu'Ali Hassan Salameh, impliqué lui aussi dans l'organisation de l'attentat de Munich, a remplacé provisoirement Shemali à la tête des opérations européennes, c'est Mohammed Boudia qui est implanté en Europe. Il constitue la « cellule Boudia », dont la liaison avec Beyrouth est assurée par Michel Moukharbel, ami des Shemali, qui fait partie du « noyau dur » propalestinien du PSNS. Le 23 février 1973, un commando israélien attaque le quartier général de « Septembre noir » à Beyrouth, faisant plusieurs morts, tous amis de Fouad et Alissar el-Shemali. Les Israéliens emportent également des dossiers importants dont celui de Moukharbel, un homme que connaît bien Genoud...

Après l'attentat de Munich, Israël a décidé d'éliminer tous ses auteurs. Plus généralement, le Mossad s'emploie à pourchasser sans rémission les terroristes palestiniens de « Septembre noir » et ceux du groupe de Waddi Haddad qui ont fait alliance. L'attaque du 23 février marque le début d'une longue série.

Après l'assassinat par le Mossad, à Paris, le 5 avril 1973, de Basil Raoul Kubaissi, le nom de Bechir Boumaza est cité comme celui de l'un de ses proches. Or Kubaissi avait dans ses papiers un numéro de téléphone lui permettant de joindre Boumaza : celui de Genoud. Les services suisses dressent une nouvelle fiche...

Aucun service ne fait le rapprochement entre Genoud et la victime d'un étrange fait divers qui a lieu à Paris le lendemain 6 avril. Genoud connaissait pourtant bien Me Luys Bouquet, qui avait été l'avocat de Mohammed Khider et qui conseillait la BCA. Mais, également proche de la « Piscine », c'était un honorable correspondant de Maurice Robert, patron du SDECE pour l'Afrique. Depuis quelques années, Bouquet s'occupait beaucoup du Gabon. Il s'apprêtait d'ailleurs à s'envoler pour Libreville, où il devait dénoncer les manœuvres d'un consortium allemand dans le projet de construction d'un grand hôtel. Rentrant le dimanche soir de Normandie, tout heureux à l'idée de partir le lendemain matin pour l'Afrique, il fait un détour par son bureau, et, d'un seul coup, si l'on en croit la version officielle, il en aurait eu assez de la vie et se serait suicidé... Sa famille n'a jamais cru à cette version, mais a toujours craint, semble-t-il, de la contester.

Il n'a nullement échappé aux services suisses, en revanche, que Mohammed Boudia, assassiné par les soins du Mossad le 28 juin 1973 par explosion de sa voiture, était un proche de Genoud. Assassinat sophistiqué, rendu possible par le « retournement » de Moukharbel, quelques semaines auparavant. Moukharbel raconte tout au Mossad[1] : qu'il était l'agent de liaison de Boudia avec Beyrouth, qu'il connaît bien Genoud et va le rencontrer à plusieurs reprises durant toute cette période. Il signale à ses nouveaux patrons que c'est Carlos qui va rempla-

1. Lire à ce sujet *Mossad. Un agent des services secrets israéliens parle*, de Claire Hoy et Victor Ostrovsky, Presses de la Cité, 1990.

cer Boudia à la tête des opérations européennes. La DST, la CIA et les services suisses ignorent encore tous ces éléments. Ils voient certes réapparaître le nom de Genoud dès qu'il est question de terroristes ou d'actes de terrorisme, mais ils sont dans l'incapacité d'aller plus loin.

On note pourtant une soudaine accélération de l'intérêt des « services » pour Genoud à la fin de 1973. Un service étranger dont le nom est rayé signale le 17 décembre à ses homologues suisses que « Genoud est un des deux activistes... » ; le reste de la fiche a été « caviardé ». C'est en réalité le Mossad qui estime que Boumaza et Genoud pourraient ne pas être étrangers à l'attentat de Rome, qui fit 32 morts ce même 17 décembre. Attentat qui pourrait avoir eu comme objectif de torpiller la Conférence sur le Proche-Orient qui devait s'ouvrir le lendemain à Genève et qui fut finalement repoussée au 21 décembre. Les Suisses réagissent : le même jour, ils décident l'« ouverture d'une enquête de police judiciaire contre Genoud, soupçonné d'emploi, avec dessein délictueux, d'explosifs ou gaz toxiques », et le font placer sur écoutes téléphoniques. Quatre jours plus tard, une note est envoyée à divers services de la Confédération pour que Genoud et ses bagages soient fouillés à son retour de Libye où il vient de passer quelques jours. Genoud débarque bien comme prévu, le 22 décembre, à Kloten. Il est très surveillé, mais quelqu'un (le nom est « caviardé » sur la fiche en ma possession) a décidé d'annuler toutes les dispositions prévues pour l'« accueillir ».

En date du 28 février 1974, les « services » signalent un contact de Michel Raptis, *alias* « Pablo », l'ancien leader de la IVe Internationale.

Le 4 avril, Berne fait le point sur l'enquête judiciaire ouverte en décembre : « Si Genoud n'est pas capable d'une action directe, il est par contre à même de fournir des indications pour la réalisation d'une action violente. Genoud est, aujourd'hui comme par le passé, en contact avec les Arabes. Ses voyages le prouvent. » L'enquête est refermée.

Le 8 juillet 1974, la police fédérale remarque une liaison avec un émissaire du FPLP qui descend pendant six jours à l'Hôtel du Rhône, à Genève. Beaucoup de noms arabes apparaissent, qui ne suscitent aucun commentaire des services suisses. Début août, de guerre lasse, le contrôle téléphonique est abandonné.

Le 13 août, Genoud se déplace à Berne pour rencontrer son « ange gardien ». Il est très fâché car, au début du printemps précédent, il a été interpellé à Berlin-Ouest par la police qui lui a signifié qu'il était interdit de séjour en République fédérale, sans qu'on lui en ait fourni le motif. Genoud a d'abord cru que cette mesure était liée à la publication des mémoires de Goebbels, puis, après qu'il eut pris contact avec un de ses amis, ministre en Rhénanie-Westphalie, le Dr Posser, on lui a laissé entendre qu'il s'agissait plutôt de ses relations avec des terroristes palestiniens. « Sur ce, Genoud a affirmé que jamais il n'avait favorisé une action révolutionnaire, soit en y prenant part directement, soit en participant à son financement d'une manière ou d'une autre. Il se dit contrarié par la mesure prise à son égard. »

Les fiches de Berne ne signalent rien de spécial en juin 1975. Or, à cette date, Moukharbel, revenu à Beyrouth, a rencontré les gens de l'organisation de Waddi Haddad, ainsi que François Genoud. Alors qu'il va prendre l'avion pour Orly afin de rencontrer Carlos, Moukharbel est interpellé par les services libanais qui photocopient ses papiers et son carnet d'adresses avant de le laisser repartir. La DST, prévenue, interpelle Moukharbel, sans connaître ses nouveaux liens avec le Mossad. Le 27 juin 1975, deux policiers de la DST, accompagnés de Moukharbel, se présentent à la porte de la planque de Carlos, rue Toullier, dans le Ve arrondissement, en ignorant l'importance du personnage. Le Mossad, qui a fourni le tuyau au contre-espionnage français, n'a en effet pas donné le vrai CV du locataire de l'appartement. Carlos comprend que Moukharbel l'a trahi. Il tire et tue les trois hommes.

Mi-août 1975 : Berne parle du voyage de Genoud au Venezuela et en Colombie, et du refus que l'ambassade américaine lui a opposé quand il a sollicité un visa pour se rendre aux États-Unis. La police fédérale n'apprend donc que le haut d'un nouvel iceberg. Depuis le début de 1974, Genoud, Raptis et Mécili se rencontrent beaucoup. Après la révolution des Œillets, ils se retrouvent à Lisbonne et rencontrent quelques révolutionnaires, et notamment le général Otelo de Carvalho, après qu'il eut été débarqué du triumvirat militaire.

De Lisbonne, forts des recommandations des révolutionnaires portugais, Mécili et Genoud approchent, au Venezuela et en Colombie, des responsables politiques et tentent de faire des affaires, notamment dans la distribution d'eau, pour le compte d'une société française. Genoud affirme que « Mécili a probablement obtenu un contrat ».

De 1976 à 1979, les fiches sont presque totalement « caviardées » ; elles doivent reproduire pour l'essentiel des informations ou des demandes d'informations émanant de services secrets étrangers. Peut-être y était-il aussi fait allusion à deux événements marquants de cette période : l'assassinat de Georges Debbas, mari de sa fille Martine, et celui d'Ali Hassan Salameh, dit le « Prince rouge ».

La mort a toujours beaucoup tourné autour de François Genoud. Son gendre meurt le 6 mars 1976 au Liban dans des conditions particulièrement horribles. Martine a assisté dans sa maison au mitraillage à bout portant de son époux et de tous les gens présents. Bilan : 8 tués et 4 blessés (dont deux fils d'un premier mariage de Georges Debbas).

La femme et les enfants de François Genoud ont vécu de très près ses aventures et y ont même été parfois impliqués. Il avait envoyé sa fille Martine en mission au Liban, au printemps 1970, dans le cadre de ses activités bancaires. Elle y est retournée au printemps 1972, toujours pour le compte de son père, mais, cette fois, elle y est restée : elle a en effet rencontré celui qui va devenir son mari, Georges Debbas, plus âgé qu'elle, veuf avec quatre fils. Georges appartenait à une grande famille de confession grecque orthodoxe. Son oncle Charles avait été par trois fois président de la République. Entrepreneur de travaux publics, lui-même faisait également de la politique et apparaissait en 1975 comme un candidat possible à la présidence. Peu après le drame, Martine a déclaré qu'il s'agissait d'une « liquidation politique ». Venant de qui ?

Genoud affirme que le Palestinien Abou Jihad lui a dit : « C'est Jibril qui a fait le coup pour le compte des Syriens afin de faire redémarrer la guerre dans le Chouf. » Mais les Syriens n'auraient pas précisé la cible, et, du coup, trois actions furent menées le même jour... Il est également important de noter que, la veille de l'attentat, Georges Debbas avait rencontré le chef de l'OLP, Arafat, et les deux chefs de clans libanais, Walid Jumblatt et Camille Chamoun, qui lui avaient donné leur accord pour qu'il fasse revenir les chrétiens dans la région du Chouf. Debbas devait rencontrer le Président syrien le lundi suivant afin d'obtenir qu'il cautionne cette opération.

Le 22 novembre 1979, le Mossad exécute le dernier membre important de « Septembre noir », Ali Hassan Salameh, un des organisateurs de l'attentat de Munich, au terme d'une longue traque et après l'assassinat, en Norvège, d'un Marocain pris pour lui par erreur. Il faut dire que le « Prince rouge » a facilité le travail des agents israéliens en claquant de l'argent et en se pavanant dans la compagnie de très jolies femmes (il avait d'ailleurs fini par épouser une ancienne Miss Univers, Georgina Risk). À Paris, une agente israélienne, Erika Chambers, fait exploser une voiture Golf bourrée d'explosifs, rue Marie-Curie, sur le passage du véhicule du « Prince rouge »[1]. Encore un familier de Genoud qui meurt de mort violente... Ce dernier garde à Pully un souvenir de lui : un vrai-faux passeport algérien qu'il utilisa entre 1970 et mai 1972 ; le « Prince rouge » y porte le nom d'Abdelkader Madani, commerçant, né le 1er avril 1942 à Alger, domicilié au 54, rue Larbi ben M'Hidi. Comment

1. Lire à ce sujet *Le Prince rouge*, de Michel Bar-Zohar et Eitan Haber, Fayard, 1984.

ce passeport est-il parvenu jusque dans la banlieue de Lausanne ? Genoud affirme ne pas s'en souvenir. Dans cette même année 1979, on ne sera pas surpris d'apprendre que le Lausannois s'est emballé pour la révolution iranienne, espérant, une nouvelle fois, que le grand Ayatollah arriverait à bouleverser l'ordre mondial qu'il abhorre.

Reprenons la lecture des fiches de François Genoud après les caviardages des années 1976-1979. Le seul élément de quelque importance figure à la date du 26 janvier 1981 : « Genoud se rend fréquemment au "Bureau populaire" libyen et il y est reçu avec beaucoup d'égards. Genoud est très bien considéré par les Libyens et, de ce fait, fait l'objet de nombreuses invitations. Genoud fréquentait les Libyens de Berne avant l'entrée en fonction du "Bureau populaire". »

Les fiches en ma possession s'arrêtent en 1981. À partir de cette date, je ne peux donc plus rendre compte avec précision des efforts des services suisses et de ceux de leurs homologues étrangers pour suivre les activités de François Genoud. Je ne prends néanmoins aucun risque en affirmant qu'à plusieurs reprises, leurs « clignotants » ont dû encore s'allumer.

Au moment de l'arrestation à Paris, au début de 1982, de Bruno Bréguet et Magdalena Kopp, les services suisses ont dû également être beaucoup sollicités par la DST, d'autant plus que les deux terroristes avaient pris Me Vergès pour avocat et que Carlos exerça ensuite une intense pression sur le gouvernement français, commanditant des attentats pour obtenir la libération de sa femme et celle du protégé de « Cheikh François ». Quelques grands journaux français, on l'a vu, ont alors reparlé de celui-ci comme du « cerveau » opérant la liaison entre le terrorisme international et les milieux néo-nazis. Genoud leur a intenté un procès, qu'il a ensuite abandonné...

Les fiches de Berne doivent également mentionner l'ample campagne de presse lancée à la même époque par le fameux Lyndon LaRouche, *alias* Lyn Marcus, ancien communiste américain, puis trotskiste, puis membre de l'Internationale socialiste, puis patron d'une secte de quelques centaines d'adeptes très agissants — y compris ceux de la branche française, le Parti ouvrier européen (POE) dirigé par Jacques Cheminade, lequel connut quelques heures de gloire en se présentant contre Jacques Chirac aux élections présidentielles de 1995. À partir de 1982, Genoud est devenu l'une des cibles favorites de LaRouche. Il est présenté dans tous les documents diffusés par l'organisation comme étant le diable en personne, le cerveau de la réorganisation de l'Internationale nazie, finançant et actionnant le terrorisme international, notamment Carlos, manipulant Ben Bella et indirectement... Régis Debray[1] ! Selon les bulletins de LaRouche, Genoud aurait assisté à une importante réunion des chefs nazis, le 10 août 1944, à l'hôtel de la Maison Rouge, à Strasbourg, pour organiser l'évacuation des biens nazis dans la perspective d'un difficile après-guerre. Cette information, souvent reprise, est fausse, le lecteur le sait, puisque Genoud fut incarcéré ce jour-là à Lausanne. LaRouche en fait également l'un des patrons du réseau « Odessa » qui aida les nazis à s'évader. Il aurait également servi d'intermédiaire dans les négociations entre Allen Dulles et Karl Wolf, aux termes desquelles le général nazi se rendit avec ses troupes. Un Dulles qui, devenu patron de la CIA, regarda d'un œil bienveillant, toujours selon LaRouche, l'installation de ses réseaux au Moyen-Orient. Autour de 1960, Genoud est présenté comme le financier du FLN et la plaque tournante d'un trafic d'armes avec les anciens nazis. Toujours selon les chroniqueurs de la secte, il est également proche du secrétaire général du SAC (jusqu'en 1974) Jean-Marie Tiné, et se livre à ce titre à beaucoup de tractations secrètes. Cette supposée relation de Genoud avec le SAC et le financement des réseaux Foccart avait déjà été consignée dans un livre publié au milieu des années 1960, *B... comme Barbouzes*, de Dominique Calzi, livre qui valut à son éditeur, Alain Moreau, une condamnation pour diffamation, le 25 mai 1976, devant la 17e chambre correction-

1. In *Nouvelle solidarité*, journal du POE, 13 septembre 1982.

nelle. LaRouche lui-même a signé en mars 1984 un long article, dans un périodique espagnol de son organisation, reprenant tous les thèmes déjà développés mais les enveloppant dans une théorisation nouvelle : une alliance soviéto-nazie dirige le terrorisme international, et Genoud en est évidemment l'un des pivots. Lassé qu'une journaliste de Lausanne, un ancien député et quelques autres personnalités respectables soient attaqués régulièrement pour le soutien qu'ils seraient réputés apporter à Genoud, baptisé « chef de l'Internationale nazie », *L'Hebdo* du 26 juillet 1984 dénonce l'« intoxication-désinformation » de ce « spécialiste des bruits en tout genre ». Le quotidien romand *Le Matin* prend le relais, le 14 octobre 1984, contre ce LaRouche qui « sème à tous vents »...

Les clignotants de la police fédérale se sont mis au rouge, en cette même année 1984, avec l'arrestation, près de la frontière suisse, de Stephen Mario, un ancien policier de Lausanne reconverti dans une entreprise de sécurité. Mario, qui transportait des armes et des munitions, n'a pas résisté longtemps à ses interrogateurs français : « C'est Philippe Brennenstuhl qui m'a demandé de transporter ces armes en France », leur lâcha-t-il.

Philippe Brennenstuhl fut interpellé peu de temps après par la police fédérale, qui n'eut pas de mal à découvrir qu'il était le garde du corps de Ben Bella et que c'est Genoud qui lui avait procuré ce travail. Le jeune homme ne se proclamait-il pas national-socialiste ?

Les Suisses avaient en effet été aiguillonnés par leurs collègues français qui n'avaient pas encore mis un point final à une opération lancée au début de l'année précédente. Lors de la perquisition qu'ils avaient effectuée à Montmorency, au domicile de Ben Bella (expulsé deux jours plus tard vers la Suisse), ils avaient trouvé des armes provenant du Bureau populaire libyen de Londres. Or, dans le coffre de Stephen Mario se trouvaient également des armes libyennes en provenance du Bureau populaire de Berne...

Genoud était connu pour être en bons termes avec les Libyens et avec Ben Bella... Policiers suisses et français espéraient donc enfin le coincer, mais Brennenstuhl resta muet comme une carpe, se contentant d'évoquer un commanditaire bien mystérieux, un certain Antonio.

Le garde du corps de Ben Bella fut finalement condamné et mis en prison. Genoud reprit alors le rôle qu'il maîtrisait si bien, celui de visiteur de prison. Et quand Brennenstuhl fut libéré, il renoua le plus simplement du monde avec Genoud...

Le nom de Genoud est aussi réapparu dans les fiches des « services » bernois à propos de l'affaire Barbie, sur laquelle nous reviendrons[1]. Il a dû également ressortir au moment de la vague d'attentats commis à Paris au cours de l'année 1986, qui débute par celui de la librairie Gibert Jeune. Le jeudi 13 février 1986, *France-Soir* évoque sur sept colonnes « un gigantesque coup de filet à travers toute la France dans les milieux intégristes musulmans », et livre ce « scoop » : « *France-Soir* est aujourd'hui en mesure de révéler que derrière le gigantesque coup de filet de la DST [...] se profile un personnage fort célèbre que personne ne s'attendait à revoir sur le devant de la scène : Ahmed Ben Bella... Samedi, les policiers du contre-espionnage français retrouvent la trace des deux mystérieux terroristes à l'Opel rouge... Ces derniers logeaient dans un petit hôtel de Saint-Germain-des-Prés. Ils n'ont donné qu'un seul coup de téléphone à Lausanne, au domicile d'un banquier suisse connu des services de renseignement occidentaux pour ses sympathies à la fois pro-nazies et pro-palestiniennes... Au téléphone, le conducteur de l'Opel rouge a demandé à parler à Mme Ben Bella, puis à son mari... » Immédiatement, la DST a « réactivé » le dossier Ben Bella et pris une nouvelle fois Genoud dans son collimateur.

Les « clignotants » de surveillance ont dû s'allumer derechef à la mi-1993. L'infatigable Genoud a entendu parler de l'arrestation d'Abir Waheidi, une jeune universitaire palestinienne soupçonnée d'avoir commandité l'assassinat d'un colon israélien pour venger un de ses camarades de classe, Razmi Sahine,

1. Cf. *infra* p. 369 *sq.*

abattu par l'armée le 11 novembre 1991. Les journaux la décrivent comme très belle, très libre. La mécanique Genoud, qui semblait rouillée, se remet en marche. D'après la description qu'en donnent les journaux, Genoud est convaincu qu'il est possible de faire d'Abir Waheidi l'héroïne dont le peuple palestinien a besoin pour se mobiliser : « Une héroïne, il n'y a rien de tel !... Voyez Jeanne d'Arc, Djamila Bouhired[1]... Pour une cause, c'est merveilleux ! » Après maintes difficultés, il réussit à prendre contact avec le père de la jeune fille, « un type magnifique », pour organiser sa défense et, avec son accord, monter une opération autour d'elle. De retour en Europe, le 18 juin 1993, il mobilise trois avocats proches de lui, Mes Mourad Oussedik, Miloud Brahimi et Jean-Pierre Garbade, et un journaliste suisse que le lecteur connaît déjà, Ahmad Huber, pour constituer un « Comité Abir Waheidi pour la libération des prisonniers palestiniens ». Le manifeste envoyé à la presse reprend certains thèmes chers à Genoud, même si son nom ne figure pas parmi les signataires :

> « ... Le but de ce comité, qui se veut large, ne s'arrête toutefois pas à réclamer la libération des prisonniers. Il veut aussi rappeler qu'en choisissant la lutte armée à l'intérieur des territoires occupés par Israël, cette nouvelle génération de Palestiniens dont fait partie Abir, qui est née sous l'occupation et n'a jamais rien connu d'autre que la répression et les privations économiques imposées par Israël, ne fait que se conformer au droit explicitement reconnu tant par le Conseil de sécurité que par l'Assemblée générale de l'ONU.
>
> Abir est exemplaire par le choix de ses cibles, du terrain de son action (uniquement dans les territoires occupés) et par sa biographie. Le moteur de son action n'est pas la haine, mais son amour pour la liberté et son prochain, qui mérite notre respect. Elle-même se déclare "combattante de la liberté". Elle nous rappelle certains actes de la résistance française contre l'occupant allemand[2].
>
> Nous pensons qu'il est grand temps de présenter cet appel à la presse, au moment où l'on est en train de se perdre à Vienne dans de

1. La première femme de Jacques Vergès.
2. Passage surprenant, le lecteur en conviendra.

laborieuses tentatives de redéfinition de nouveaux droits de l'homme, pour rappeler :

a) l'urgence de se donner les moyens politiques pour faire appliquer les résolutions relatives au respect des droits de l'homme prises par les plus hautes instances de l'ONU ;

b) que la volonté d'épuration ethnique n'est pas l'apanage de la Serbie, ni celui du stalinisme ou du nazisme ; Chaïm Weizmann, premier président d'Israël, en avait lui-même fait état pour qualifier l'expulsion des Palestiniens, en 1948, d'"épuration miraculeuse du pays... une simplification miraculeuse de la tâche d'Israël" ;

c) que la Paix passe par le respect préalable de l'identité nationale et du droit des peuples de lutter pour leur indépendance... »

On reconnaît là le « ton Genoud ». La jeune fille n'est pas devenue pour autant une héroïne : les temps ont changé, l'heure n'est plus au terrorisme, mais à la discussion entre Palestiniens et Israéliens.

« Le "grand leader Arafat" nous a foutu les choses par terre avec les accords de Madrid. Elle est en prison. Je ne peux pas, sous son nom, avec son nom, mener un combat qui est contre son intérêt... Nous sommes complètement coincés, émasculés par ce salaud-là... », enrageait Genoud au début de l'année 1994.

Le 6 octobre 1993, les « services » bernois ont encore été obligés de se remettre en chasse pour savoir qui en voulait assez au « Vieux » pour commettre un attentat sur son palier[1]...

Sans doute les fiches s'espacent-elles désormais. Au total, l'intense surveillance dont a bénéficié Genoud depuis des décennies n'a pas donné grand-chose. Elle n'a jamais mis en lumière le plus important : sa liaison avec Waddi Haddad, dont a résulté son implication décisive dans le terrorisme des années 1970. Pas plus que ses liens avec Carlos... La DST a toutefois discerné son nom, au début des années 1970, associé à celui d'un certain Ali Issawi, proche de Carlos ; elle l'a également

1. Cf. *infra*, p. 403.

perçu au moment de la mort de Waddi Haddad. Sans plus... François Genoud avait pourtant continué à rencontrer l'homme le plus recherché de la planète et à échafauder des plans avec lui jusqu'à ce que le Palestinien tombe malade en Irak en 1977.

Mais si la « grande période » de Genoud s'est terminée avec la mort de son dernier héros, il faut croire que son palmarès n'est pas sans poser encore quelques problèmes à la sécurité de l'État suisse. À une demande de consultation de son fichier présentée par Genoud, âgé de soixante-dix-huit ans, le Conseil fédéral opposait encore un refus, en 1993, parce que « le recourant a fréquenté des personnes qu'il faut qualifier de terroristes, d'extrémistes violents ou de sympathisants de ces milieux, et ce, jusqu'à tout récemment... La révélation de ces inscriptions informerait le recourant de résultats encore exploitables dans le domaine de la lutte contre le terrorisme, entraverait ou rendrait même impossibles de futures opérations contre le terrorisme en Suisse et à l'étranger, et porterait atteinte à l'obligation de maintenir le secret en vertu d'engagements passés envers des services étrangers de renseignement et de sécurité ».

Malgré toutes leurs investigations, les « anges gardiens » de François Genoud — à l'exception probable du Mossad — n'ont pas, et de loin, fait le tour du personnage...

Une rançon de cinq millions de dollars

Le 25 février 1972, Georg Leber, ministre des Transports de la République fédérale, donne à Bonn une conférence de presse sur une affaire qui secoue l'Allemagne et fait la une des journaux du monde entier : le détournement d'un Boeing 747 de la Lufthansa par des pirates de l'air se réclamant de la cause palestinienne et qui, en début de semaine, ont exigé de la compagnie le versement d'une rançon de cinq millions de dollars. Pour évoquer le professionnalisme des commanditaires de l'opération, il n'hésite pas à parler d'une action montée « comme un super-roman policier »...

Dans la soirée du 21 février, l'appareil, ayant à son bord 188 passagers, dont Joseph Kennedy, fils du sénateur assassiné, est détourné peu après son décollage de New Delhi. La tour de contrôle de Bombay reçoit le message d'un des pirates : « Appelez-nous “Jihad victorieuse”. Si vous nous appelez “Lufthansa”, nous ne vous répondrons pas. » Suivant les instructions des pirates, le Boeing atterrit finalement à Aden. Avant même la moindre négociation, les pirates relâchent d'abord les femmes et les enfants, puis, deux heures plus tard, les autres passagers adultes. Seuls les membres de l'équipage sont gardés en otages.

Dès l'annonce du détournement, Georg Leber, en coordination avec le ministre de l'Intérieur, celui des Affaires étrangères et le BKA, a pris la tête d'un état-major de crise. La direction de la Lufthansa annonce le mercredi à minuit et demi que les pourparlers ont abouti. Tous les journaux insistent, en fin de semaine, sur la rapidité du règlement, mais aussi sur le « mystère entourant le règlement de la rançon ». Finalement, le vendredi, le ministre des Transports révèle les dessous de l'affaire.

Au début de l'opération, Bonn n'y comprend rien, puisque les pirates se refusent à toute négociation. Ce n'est que le mardi à 16 h 25 que la direction de la Lufthansa reçoit une lettre postée le matin même à Cologne, rédigée dans un excellent anglais, contenant des instructions très précises des pirates de l'air qui se réclament de l'« Organisation pour les victimes de l'occupation sioniste ». Ils exigent l'équivalent de cinq millions de dollars et décrivent en quelles monnaies et quelles coupures la rançon doit être rassemblée. L'homme chargé de remettre la valise de billets devra porter une veste noire et un pantalon gris, descendre à l'aéroport de Beyrouth en tenant *Newsweek* à la main gauche et la valise dans la main droite. La lettre précise qu'il ne sera pas contrôlé, qu'il devra se diriger vers le parking, ouvrir une vieille Volkswagen garée sous un platane avec la clé qui se trouve dans l'enveloppe, et lire les instructions déposées sur le siège arrière.

« L'opération avait été planifiée jusque dans le moindre détail », raconte Georg Leber. La cellule dirigée par le ministre des Transports prend connaissance de la lettre le mardi vers 17 heures. Convaincus que les pirates feront sauter l'avion et l'équipage s'ils ne s'exécutent pas, ses membres décident de céder aux exigences figurant dans la lettre. On a du mal à trouver les diverses sortes de billets exigés. Une équipe comprenant l'homme chargé de porter la valise et des accompagnateurs chargés d'assurer sa sécurité est bientôt prête à s'envoler à bord d'un avion de location. L'appareil décolle de Francfort pour Athènes à minuit. À cet instant, Leber espère encore que les pirates, qui ont relâché tous les passagers, relâcheront également l'équipage. Dans ce cas, la décision a été prise de les laisser faire sauter l'appareil plutôt que de leur remettre la rançon.

À 11 h 25, le mercredi matin, l'avion de location allemand décolle d'Athènes pour Beyrouth où il arrive à 13 h 2. Le porteur de valise, Monsieur X..., n'est effectivement pas contrôlé et trouve la vieille Volkswagen ornée d'une photo de Kadhafi à l'avant et d'une autre de Nasser à l'arrière. Il ouvre avec la clé glissée dans l'enveloppe et lit les instructions. Il doit se rendre hors de Beyrouth et passer en deux endroits précis. Peu après avoir commencé de rouler, Monsieur X... constate qu'il est suivi. Au second contrôle, il reçoit l'ordre de se rendre en un troisième endroit où il remet la valise. En guise de reçu, les gens qui réceptionnent la rançon lui donnent un message codé : « Notre ami, le martyr Aba Talaat », qu'il doit faire parvenir au plus vite aux pirates pour qu'ils ne fassent pas sauter le Boeing. « Nous ne garantissons rien si vous arrivez trop tard. » Une course contre la mort est déclenchée. Arrivé à l'aéroport de Beyrouth, Monsieur X... fait parvenir le message codé aux gens de la Lufthansa qui attendent sur le tarmac de l'aéroport d'Aden la libération de l'équipage retenu en otage. Dès que les pirates en ont pris connaissance, tout va très vite. Ceux-ci sont si pressés de décamper que leur chef en oublie son manteau, acheté dans un magasin de Francfort et qui va faire désormais partie des pièces à conviction.

Les communiqués envoyés aux agences de presse en même temps que la lettre adressée à la Lufthansa affirmaient que la rançon exigée de l'Allemagne était destinée à compenser son aide à Israël et visait à lutter contre les « nouveaux nazis en Israël ».

L'opération constituait une « première » tant par l'importance de la rançon exigée que par la minutie de ses préparatifs. Bonn lança immédiatement ses plus fins limiers pour en retrouver les commanditaires. Le BKA et Interpol furent saisis. Il est intéressant de rappeler qu'au moment du détournement, Paul Dickopf était encore patron d'Interpol et conseiller du ministre de l'Intérieur pour les affaires criminelles. « L'enquête n'a pas fait la lumière sur cette affaire », constate Georg Leber dans sa retraite de Bavière[1].

1. Interrogé par téléphone le 11 novembre 1995.

Ce détournement a été l'œuvre du groupe Waddi Haddad. Bassam Abou Charif, qui faisait alors partie de l'organisation palestinienne, a levé quelques pans du voile dans un ouvrage récent[1]. L'opération avait été organisée pour résoudre la crise financière que traversait alors le FPLP. Haddad avait tout calculé, par exemple le temps exact que prendrait l'acheminement d'une lettre déposée dans une certaine boîte de Cologne pour parvenir jusque sur le bureau du directeur de la Lufthansa.

« Au moment où les pirates prenaient le contrôle de l'avion, une lettre de Waddi Haddad arrivait sur le bureau du directeur général de la compagnie, raconte Bassam. À l'intérieur, il y avait une clé, une demande de cinq millions de dollars en billets usagés, et un ensemble d'instructions détaillées. La clé ouvrirait une voiture parquée sur l'aéroport international de Beyrouth. Les instructions disaient que la personne transportant la rançon devait se diriger vers la voiture, l'ouvrir, et regarder dans la boîte à gants ; là, elle trouverait de nouvelles instructions. Si ces instructions n'étaient pas suivies, la lettre indiquait que l'avion exploserait à une heure déterminée.

« Une heure avant l'expiration du délai, un avion privé atterrit à Beyrouth. Un Allemand, portant un sac très lourd, en descendit seul, regarda nerveusement autour de lui, puis se dirigea vers le parking. Un de nos quatre combattants reconnut en lui un ancien membre du "corps diplomatique" à l'ambassade de Beyrouth. L'Allemand était en fait un agent... Un ensemble de vingt véhicules le surveillèrent à tous ses points de passage pour vérifier qu'il était bien seul. L'Allemand s'arrêta à l'endroit prévu. Quand il descendit de voiture, une douzaine de véhicules l'entourèrent. "S'il vous plaît, ne me tuez pas ! J'ai l'argent, ne me tuez pas !" — tels furent ses premiers mots. On peut comprendre sa nervosité. Il prit un café. Cependant que les combattants parlant allemand discutaient avec lui des films qu'il avait vus récemment, d'autres comptaient l'argent. Il

1. *Tried by Fire,* de Bassam Abu-Sharif et Uzi Mahnaimi, Little, Brown and Company, 1995.

manquait 50 marks. Au fond du sac, il y avait un mot signé du directeur de la Lufthansa : "Nous nous excusons pour les 50 marks manquants, mais il a été impossible de réunir la totalité de la somme un dimanche !" »

Il n'y a aucune raison de soupçonner Bassam de mauvaise foi ; son récit ne recoupe pourtant pas totalement la réalité. Comme on l'a vu, toute l'opération s'est déroulée entre un lundi soir et un mercredi midi ; le motif invoqué pour les 50 marks manquants relève donc du mauvais feuilleton. Surtout, Abou Charif omet volontairement ou involontairement d'évoquer le rôle décisif de son ami « Cheikh François » dans la conception et la réalisation du détournement.

C'est Waddi Haddad et François Genoud qui imaginèrent ensemble, dans les moindres détails, cette opération de remise à flot « financière ». « Le montant de la somme exigée de la Lufthansa était très important. Un chiffre trop faible nous aurait dévalorisés. Un chiffre trop important risquait de faire capoter l'affaire, compte tenu notamment de la rapidité avec laquelle la somme devait être réunie », raconte placidement Genoud. Il n'était pas prévu, au départ, que ce dernier participerait à l'exécution de l'opération. Dans la journée du 21 février 1972, le Lausannois est tranquillement installé chez lui, à Pully, quand il reçoit l'appel angoissé d'un Palestinien qu'il a connu au moment du procès de Winterthur[1] et qui vient de débarquer à l'aéroport de Genève-Cointrin. Genoud fonce jusqu'à l'aéroport. Le Palestinien lui apprend que le processus du détournement est enclenché, alors qu'il détient toujours les lettres destinées à la Lufthansa et à différentes agences de presse. Genoud est contrarié, car les choses ne se déroulent pas comme prévu. Si les lettres sont postées immédiatement en Suisse, elles n'arriveront pas à temps, ce qui risque de faire capoter l'opération. Il serait, de surcroît, dangereux de les poster à Genève. Il s'empare donc des sacs remplis d'enveloppes, revient chez lui et explique à sa femme qu'il doit absolument partir en Alle-

1. Cf. *supra* pp. 319 et suivantes.

magne pour les poster. Elle refuse de le laisser partir seul et tient absolument à l'accompagner. Les deux Genoud partent en voiture dans la nuit. Ils s'arrêtent sur l'autoroute Bâle-Cologne et ouvrent la radio. Ils entendent qu'un avion de la Lufthansa a été détourné dans la nuit. Ils exultent et sont en même temps inquiets : la demande de rançon arrivera-t-elle à temps ? Le couple reprend la route, sachant qu'il n'y a vraiment plus de temps à perdre.

Il arrive à 7 heures à Cologne et se dirige vers la poste, située près de la gare. Mme Genoud envoie toutes les lettres par exprès. Genoud en garde une : le double de celle qu'il dépose au siège de la compagnie d'aviation allemande en veillant à ne pas se faire remarquer. Moins d'une heure plus tard, heureux d'avoir rempli leur mission, les deux Suisses sont installés dans un petit hôtel des Ardennes belges, à l'Hostellerie de la Barrière de Champlon, où ils ont l'habitude de s'arrêter ! Ils y restent quelques heures et repartent vers Lausanne sans avoir rempli de fiche d'hôtel.

Waddi Haddad ne pouvait être que reconnaissant au « Cheikh François » pour la réussite d'une opération qui lui permettrait d'en monter beaucoup d'autres, de renforcer son organisation et de la doter d'une autonomie complète. L'aisance financière du « Master » devint telle qu'il participa au capital d'une nouvelle banque, la « Banque de Beyrouth pour le commerce », qui a toujours pignon sur rue dans le quartier Hamra...

Ainsi François Genoud n'a pas fait qu'apporter ses visions stratégiques à Waddi Haddad, il a pris part à l'exécution d'au moins une grande action terroriste. A-t-il participé directement à d'autres ? Tel était sans doute le soupçon du Mossad à la fin de 1973, quand il envoya aux services suisses un télex affirmant qu'il était « un des deux activistes... », déclenchant par là l'ouverture d'une enquête judiciaire. C'est aussi ma conviction, mais François Genoud n'était prêt à tout me dire qu'à la condition que ses révélations ne mettent pas en cause des gens encore vivants... Je pense, par exemple, qu'il en sait plus long qu'il ne dit sur les activités de « Septembre noir », notamment sur l'attentat de Munich. S'il m'a montré sans difficulté le faux passeport du « Prince rouge », c'est parce que celui-ci a été assassiné, mais il prétend ne pas se souvenir des voies par lesquelles ce document est parvenu jusqu'à Pully...

Il est certain qu'il a donné son avis sur de nombreuses actions projetées par le « Master », mais il ne souhaite pas entrer dans les détails. Il reconnaît qu'il était toujours disponible pour la « cause », qu'il a caché beaucoup de papiers, qu'il en a détruit d'autres, et qu'il a rendu nombre de services aux exécutants des opérations de Waddi. Il se rappelle par exemple une jeune Palestinienne qu'il a rencontrée dans un parc de Genève où se dresse une statue de Brunswick. Il se souvient encore d'avoir négocié avec les Japonais de la Japal une importante rançon pour que les appareils de la compagnie puissent voler sans encombre : « Waddi Haddad s'estimait être le créancier de cette compagnie. » Il se rappelle avoir approché la Japal par l'intermédiaire d'une de ses relations, Hartdeggen, responsable des relations de la Lufthansa auprès du gouvernement fédéral. « Les négociations sont allées assez loin, mais ont finalement capoté... Il y a eu une fuite en Allemagne. » C'est cette fuite qui explique probablement qu'en avril 1974 la police allemande lui ait interdit pendant quelques mois le territoire de la RFA. Une interdiction qu'il a réussi à faire lever promptement grâce à l'intervention d'une vieille connaissance, le Dr Posser, ministre de Rhénanie-Westphalie, grâce également aux bons offices du toujours actif Hans Rechenberg !

Au terme de cet aperçu partiel de l'activisme de François Genoud, je me pose évidemment quelques questions que le lecteur a sans doute déjà lui-même formulées. Pourquoi a-t-il traversé toute cette période sans être inquiété ? Comment se fait-il que la plupart de ses amis aient été assassinés et qu'il ait pu continuer à mener une vie sans gros problèmes ? À propos de ses nombreuses rencontres avec Waddi Haddad à une époque où celui-ci était l'« homme à abattre », j'ai fait part de mon étonnement à François Genoud :

— Cela paraît ahurissant. Voilà un homme qui est alors le plus recherché au monde, et vous allez le voir sans problème !

— D'abord, je suis un type qui passe inaperçu. Je prends mon billet à la dernière minute. Peut-être y a-t-il des dossiers, dans certains services, sur mes activités à ce moment-là, mais je n'ai pas été inquiété... Pendant toute la durée de la guerre, j'ai été du côté des Allemands, je protégeais mon ami Dickopf, un déserteur, je le conduisais, je revenais... Personne ne savait rien ! Il ne faut pas croire que les gens sont si bien informés. Les "services" ne valent pas grand-chose. Les espions sont comme des enfants : ils jouent, ils ont plusieurs noms... C'est de l'autosatisfaction ! Ils se masturbent avec ces histoires-là... Ils se prennent au sérieux, mais ce n'est pas sérieux !

Cette explication me semble insuffisante, surtout quand on dresse la liste de ses amis ou relations assassinés : Ben Barka, Mohammed Khider, Krim Belkacem, Basil Kubaissi, Luys Bouquet, Hamchari, Mohammed Boudia, Michel Moukharbel, Georges Debbas, Waddi Haddad, Ali Hassan Salameh, André Mécili et certains militants du PSNS comme Kerbec... Plusieurs ont été liquidés par le Mossad. Pourquoi lui-même a-t-il échappé à l'action des services israéliens ? Ceux-ci ignoraient-ils la coopération avec le terrorisme d'un Genoud qui a toujours affirmé de surcroît son virulent antisionisme ?

Il est sûr que les sympathies et l'activité nazies de Genoud n'ont guère de secrets pour Tel-Aviv. Il suffit de rappeler comment l'Israélien Zwy Aldouby s'adressa directement à lui pour organiser l'enlèvement de Léon Degrelle et atteindre éventuellement Martin Bormann. On a également vu que la seule enquête judiciaire jamais lancée contre le Lausannois pour ses accointances terroristes fut déclenchée en décembre 1973 par une note du Mossad. Le lecteur se rappelle enfin que la police fédérale de Berne tint le Mossad ou/et la CIA informés des déplacements de Genoud au Proche-Orient...

J'émets l'hypothèse que l'« extrémiste », qui fut proche des responsables de « Septembre noir », tous morts ou assassinés, proche également du véritable chef d'orchestre du terrorisme international des années 1970, Waddi Haddad, proche enfin de l'équipe Carlos, a pu être jugé plus utile vivant que mort, puisqu'il a suffi de le suivre pour croiser tout le « gotha » du terrorisme palestinien pendant un quart de siècle. N'a-t-il pas pu servir ainsi involontairement d'appât au Mossad ?

Au secours de Barbie

L'ex-capitaine SS Klaus Barbie, ancien chef de l'*Einsatzkommando* de la Sipo SD, celui qu'on appelait le « boucher de Lyon », avait quitté la capitale des Gaules en septembre 1944 et — comme Dickopf et beaucoup d'autres — offert ses services aux Américains qui l'internèrent pendant deux cents jours. Il devient alors un agent du CIC, le contre-espionnage militaire, qui le protège de la justice française, puis, comme Hans Rechenberg, comme Aloïs Brunner, parmi bien d'autres, il appartient à l'« organisation Gehlen »... Enfin, après pas mal de détours, il se retrouve Klaus Altman, homme d'affaires en Bolivie. Le 4 février 1983, repéré, traqué, il est lâché par les autorités boliviennes qui l'expulsent vers la France, où il devra répondre d'une inculpation pour crimes contre l'humanité. Barbie est notamment accusé d'avoir fait déporter une quarantaine d'enfants juifs de trois à treize ans à Izieu (Ain).

Chez eux, à Pully, non loin de Lausanne, François Genoud et sa femme regardent la télévision. Ils apprennent l'arrestation de Barbie par les Boliviens, la remise du prisonnier aux Français, son transfert en Guyane et son arrestation officielle par les autorités françaises. Rien de surprenant, compte tenu de ce que l'on sait de lui et du précédent Eichmann, à ce que Genoud manifeste sa colère. Il trouve cette arrestation « honteuse ».

— Il va falloir que nous nous occupions de cela ! dit-il à sa femme.

Mais celle-ci n'a plus le même entrain. Elle est fatiguée :

— François, tu ne le connais même pas ! Vraiment, tu penses que tu dois encore t'occuper de ça ?

— Si nous ne le faisons pas, qui le fera ?

— Tu as raison, répond Élisabeth.

Elle sait bien qu'elle est incapable d'arrêter François.

Un peu plus tard, le téléphone sonne. C'est Mme Rudel, veuve du fameux pilote de Stukas, qui appelle :

— J'ai chez moi la fille de Barbie, qui est désespérée. Je lui ai dit que nous allions téléphoner à notre ami François Genoud...

Mme Rudel lui demande d'aider la fille de l'ancien officier de la Gestapo. Genoud accepte.

— Tu vois, qu'on le veuille ou non, nous ne pouvons y échapper, dit-il à sa femme.

Il réfléchit déjà à la seule défense concevable pour Barbie : une défense de rupture, comme celle qu'il avait en vain préconisée à l'avocat d'Eichmann. Il téléphone ensuite à Jacques Vergès, qui a lui aussi regardé la télévision et qui reconnaît la voix de Genoud :

— Je pensais justement à vous...

— Eh bien, vous voyez, moi, quand je pense à un ami, je lui téléphone... Qu'en dites-vous ?

— C'est une affaire intéressante, mais je ne peux prendre de décision immédiate. Accordez-moi quarante-huit heures avant de vous donner une réponse[1]...

Au bout de quarante-huit heures, Me Vergès donne une réponse positive à François Genoud qui part aussitôt avec sa femme pour Munich afin d'y rencontrer Mme Rudel et la fille de Klaus Barbie. Genoud tient aux deux Allemandes ce langage : « Me Vergès est un communiste, un adversaire ; il était de la France Libre. Mais c'est un type courageux, un homme qui n'a pas peur de choquer, et je pense qu'il serait beaucoup plus apte à défendre votre père qu'un avocaillon lyonnais... »

1. *Dixit* Genoud.

La fille de Barbie retient la suggestion de Genoud, qui va dès lors se démener. Il donne rendez-vous à Lyon à la fille de Barbie et à son mari pour voir le prisonnier. L'accident d'un train en provenance de Kufstein, petite ville du sud de l'Allemagne, empêche les deux Allemands d'être à l'heure au rendez-vous. François Genoud se présente seul chez le bâtonnier Servette pour lui parler de la défense de Barbie et lui dit :

— Je verrais un collectif d'avocats auquel pourrait participer Me Vergès...

— C'est un grand avocat, digne de cette grande cause.

— Mais vous-même êtes un grand avocat...

— Non, non ! fait modestement le bâtonnier.

Finalement, Genoud prépare un projet de lettre que signera Barbie et dans laquelle il demandera à Me Vergès d'être son défenseur. Genoud prétend avoir assumé une partie des frais de Me Vergès en faisant la « quête » parmi les cercles nazis. Vergès réplique : « Non, ce n'est pas le financier néo-nazi suisse François Genoud qui a payé la facture de deux mois de Sofitel à Lyon[1] ! »

Genoud parle encore aujourd'hui avec respect de l'attitude de Me Vergès dans cette affaire, même si, depuis lors, il a pris ses distances avec lui. Il trouve qu'il a eu un bon contact avec le prisonnier, qu'il est venu souvent le voir, qu'il a continué à lui rendre régulièrement visite après le procès. Genoud regrette seulement que sa « défense de rupture » n'ait pas été retenue. Il aurait préféré que Barbie refuse de coopérer avec la justice française, alors que ce dernier, à son avis, a beaucoup trop parlé au juge d'instruction. « Je souhaitais déjà une telle défense à Nuremberg, où les Allemands ont été jugés de façon absolument scandaleuse après s'être pliés aux ordres de ce tribunal. J'ai tenté la même chose avec Eichmann, mais cela a aussi été un échec, du fait de l'avocat qui a trahi la cause, et probablement aussi par la faute d'Eichmann qui n'était pas à la hauteur... J'espère maintenant y arriver avec Carlos, car c'est un

1. *Le Nouvel Économiste*, n° 984, 17 février 1993.

peu le même cas : un homme qui est tombé, victime de crimes... Il doit se borner à demander pourquoi il est en France, et ne rien dire d'autre ! Voilà comment je conçois la défense de rupture ! Mais les avocats aiment tellement se mettre en valeur qu'il est pratiquement impossible de leur demander de s'en tenir à une telle défense... »

Jusqu'à la mort de Barbie, la bibliothécaire de Kufstein est venue une semaine sur deux visiter son père à la prison de Lyon. Régulièrement accompagnée de son mari, elle passait par Pully faire un brin de visite aux Genoud. François Genoud, qui est toujours en rapport avec elle, est fier de me montrer une carte postale que Klaus Barbie lui a envoyée après le décès de sa femme et au dos de laquelle il lui demande de garder la tête droite...

L'ami de Carlos

Le 15 août 1994, le terroriste le plus recherché au monde, le célèbre Carlos, auquel on impute plus de quatre-vingts morts, est capturé au Soudan, avec l'aide des services soudanais, par le général Philippe Rondot[1]. Depuis, le juge Bruguière instruit son dossier. La présence de Carlos à Khartoum, où il est arrivé en août 1993, venant de Amman, grâce à l'un de ses proches, Ali Issawi, avait été connue de Paris par une source proche du terroriste. Information qui fut ensuite confirmée par la CIA. Ali Issawi, qui s'était chargé de lui trouver un logement à Khartoum et qui vint en février 1994 pour le tirer de prison, l'a sans doute trahi. Le général Rondot a fait plusieurs voyages à Khartoum, à la fois pour surveiller Carlos et pour convaincre les services soudanais du Dr Ali Nafeh que l'homme d'affaires qui se faisait appeler Barakhat était bien le même homme qui avait tué deux agents de la DST à Paris, rue Toullier, qui avait monté à Vienne l'opération contre les ministres de l'OPEP, qui était soupçonné d'être à l'origine des attentats contre le Drugstore Saint-Germain en septembre 1974, contre le Capitole en mars 1982, contre la gare Saint-Charles à Marseille en décembre 1983, et qui avait menacé Gaston Defferre, alors ministre de l'Intérieur, pour le pousser à libérer Bruno Bréguet et sa propre femme, Magdalena Kopp...

1. Saint-cyrien, ancien du service Action du SDECE, qu'il a dû quitter en 1977 à la suite d'une cabale, il rejoint la DST après avoir collaboré quelque temps au Centre d'analyses et de prévisions (CAP). Conseiller pour le renseignement auprès de Pierre Joxe, lors de son passage à la Défense, il est revenu à la DST en tant que chargé de mission opérationnelle.

Ali Issawi a appartenu au FPLP au début des années 1970. C'est lui qui a introduit Carlos auprès des Irakiens, notamment auprès d'Abou Ibrahim[1], l'homme aux valises piégées. Il dit savoir comment Waddi Haddad a été liquidé par « Sami le boxeur », avec du thé empoisonné, pour le compte des Irakiens. Après la mort du « Master », Ali Issawi et Carlos ont quitté l'Irak. C'est Issawi qui dès lors planifie toutes les opérations de l'équipe en liaison avec les Sud-Yéménites, les Iraniens et les services de l'armée de l'air syrienne. Issawi est l'homme des services syriens, auxquels finit d'ailleurs par s'affilier toute l'équipe de Carlos...

Les temps ont changé, les causes défendues ont perdu de leur fraîcheur et de leur spontanéité au fil des ans : Carlos est devenu un mercenaire de la Syrie, cependant que Yasser Arafat s'engage délibérément dans la voie de la négociation avec l'« ennemi sioniste ». Carlos est « traité » par Haitham Said, membre des services de renseignement de l'armée de l'air dirigés par Mohammed Khouly. Il exécute nombre de basses œuvres pour le compte de la Syrie. Les bouleversements entraînés par la désintégration de l'URSS et la guerre du Golfe obligent Carlos à quitter Damas pour Tripoli, d'où il regagne la capitale syrienne, puis Amman, pour échouer finalement au Soudan avant que le général Rondot ne vienne l'en déloger pour la Santé.

Un seul homme vole alors à son secours : François Genoud. Le Suisse contacte *La Tribune de Genève,* qui vient l'interviewer. Dans le numéro du 18 août 1994, il retrouve ses accents habituels et n'hésite pas à clamer son admiration pour Carlos :

« Dans ce monde aux valeurs fondamentalement inversées, c'est l'arrestation du plus grand terroriste, et c'est la glorification des "héros" qui ont réussi cet exploit. Pour moi, qui évidemment pense "mal", c'est la chute d'un héros qui consacra sa

1. Abou Ibrahim (véritable nom : Hussein el-Omari) était le chef-artificier du groupe de Waddi Haddad et le responsable du bureau de Bagdad. Il a mis au point un système de valise piégée, indétectable dans les aéroports, explosant en avion à une certaine altitude.

vie au combat pour la Palestine arabe, et c'est la glorification de toute une bande de fouineurs, de noyauteurs et d'éplucheurs de poubelles soviétiques !

« Quand nos routes se sont croisées, Carlos était jeune. Il s'est lancé corps et âme dans la lutte palestinienne et a risqué sa vie pour elle à de nombreuses reprises. C'est un homme d'action, rapide, courageux, dont les convictions profondes ne sont pas à mettre en question. Il n'a jamais eu peur de jouer sa peau pour une cause qui n'était pas la sienne. Souvenez-vous de la prise en otages de ministres de l'OPEP. Je l'admire pour ça. Au même titre que j'ai une certaine estime pour Menahem Begin : il a été un terroriste terrible qui a mené son combat sans faillir. Le comble : il a obtenu le prix Nobel de la Paix ! Begin était mon ennemi mortel, mais je le respecte...

« Ce n'est pas comme ces dirigeants arabes, syriens, libyens, qui ont trahi et vendu Carlos. C'est une honte ! On assiste à un concours, au Proche-Orient : c'est à celui qui trahira le plus vite. La palme de la trahison revient d'ailleurs au Soudan, qui a eu le triste "courage" de trahir ouvertement les lois de l'hospitalité, lois autrefois sacrées pour les musulmans en général et pour les Arabes en particulier.

— Et les 83 victimes innocentes de Carlos ? demande le journaliste.

— Il n'y a pas de guerre sans victimes. C'est bien joli de parler de Carlos comme d'un criminel ou d'un terroriste, mais il s'agit bel et bien d'une guerre mondiale contre le sionisme. Je revendique le droit de se battre contre l'ennemi et de le tuer. C'est un droit fondamental qui n'empêche pas de respecter son ennemi.

« Les victimes innocentes... C'est vous qui oubliez un peu vite les Palestiniens tués dans leur pays et chassés de leurs terres. Vous oubliez les raids israéliens, aujourd'hui encore, au Sud-Liban. Toutes ces bombes qui massacrent des civils... Ce sont aussi des victimes innocentes ! Plus généralement, durant la Seconde Guerre mondiale, les bombardiers alliés au-dessus des villes allemandes s'attaquaient à des objectifs civils dépourvus de toute défense. Et les bombes atomiques sur le Japon...

« Je le répète : le sionisme est, de mon point de vue, planétaire. Carlos et les autres ont mené leur guerre partout dans le monde, comme des soldats. »

L'article est repris : nul ne peut plus ignorer que ce vieux monsieur de soixante-dix-neuf ans était non seulement nazi, mais proche de Carlos dont il a fait la connaissance dans l'entourage de Waddi Haddad au début des années 1970 : « À un certain âge, on se passionne, on est prêt à se dévouer... J'ai de l'admiration pour ce jeune Sud-Américain gauchiste, devenu l'allié de la belle cause palestinienne. Il avait adhéré, comme moi. Tous ces gens me sont très sympathiques... »

Genoud est intarissable sur sa dernière cause, la défense de Carlos. Il voit dans son arrestation le triomphe du « néo-colonialisme » :

« Carlos, Weinrich et les autres ont le droit de vivre en paix. Un jour, il y aura une réaction. Les peuples sains finiront par faire sauter ces régimes pourris, corrompus... Toutes ces magouilles à la Pasqua/Tourabi, ça ne portera pas bonheur à la France ! On aurait tout intérêt à dire que c'est une page tournée. Maintenant, les Palestiniens cherchent à faire la paix avec Israël. Un type comme Carlos, qui a peut-être participé à certaines opérations dans le cadre de cette lutte internationale, ne devrait pas intéresser la justice française... À présent, tout ce monde a vieilli... Pourquoi sort-on les gens de leur retraite ? On ne peut reprocher à un soldat d'avoir fait la guerre[1]...

— Est-ce que Carlos connaissait votre passé ?

— Oui, oui, j'étais l'ami suisse qui, que, quoi... Oui, il connaissait mon passé, je ne l'ai jamais caché ! On m'a toujours accepté. Ceux qui me rejettent sont des faux jetons, exactement comme ceux qui livrent leurs hôtes[2]... Le nazi, il était bon pour des tas de choses !...

---

1. Genoud fait allusion à la livraison de Carlos à la France.
2. Genoud fait ici allusion à la Libye et au Soudan.

Rire de François Genoud, qui reprend :

— Je les ai connus, mais je n'ai pas été mêlé directement à leurs opérations... Après la mort de Waddi Haddad, j'ai continué à voir les membres de son organisation au Liban. Mon amitié s'est reportée sur ses amis, il n'y a pas eu de changement. Mais l'organisation se disloquait déjà avant même sa mort. Les circonstances ont évolué, les opérations sont devenues de plus en plus difficiles. Par exemple, Entebbe a été un échec. L'espace de quelques années, les Palestiniens ont vraiment eu les choses en main, car le monde en face d'eux n'était pas armé pour riposter, mais, peu à peu, on a commencé à les contrer. C'est ainsi qu'on en est arrivé à la situation actuelle : il n'y a plus rien de notre côté, tout est de l'autre. C'est un phénomène assez naturel. Waddi Haddad aurait-il trouvé des voies nouvelles ? Possible. Mais il est tout aussi possible qu'à un moment donné, il n'ait plus rien trouvé. Les circonstances ont changé du tout au tout. Il a été l'homme d'une époque... »

Au début des années 1970, Genoud a donc fait la connaissance de Carlos comme celle d'autres jeunes révolutionnaires attirés par le personnage qui symbolisait alors le mieux, à leurs yeux, la grande cause de la Révolution mondiale : Waddi Haddad. Il l'a revu plusieurs fois à Beyrouth à la fin des années 1970 et au début des années 1980. C'est Nabil Dourbali, un proche de Carlos, qui sert de courrier entre les deux hommes. Mais Genoud ne se lie vraiment avec celui qui est alors devenu l'homme le plus recherché au monde qu'à la fin des années 1980, quand Carlos vit à Damas. Le Suisse le revoit à plusieurs reprises et couche même sous son toit durant les quelques jours qu'il passe dans la capitale syrienne. Après avoir pas mal cherché, Genoud retrouve dans ses carnets quelques dates de ses séjours chez les Carlos : pendant l'été 1990, en décembre 1990, en juillet 1991, fin août 1991... Il se souvient que Carlos était très lié au ministre syrien de la Défense, le général Tlas, ex-beau-père d'Akram Ojjeh. Si ses souvenirs communs avec Carlos relèvent principalement du domaine amical et affectif, il reconnaît volontiers s'être démené pour trouver un refuge sûr à son ami, car on savait dans l'entourage du Vénézuélien qu'il serait bientôt contraint de quitter Damas.

Genoud a d'abord utilisé à cette fin son excellent contact avec Walid Gordji, le diplomate iranien, qui, après les attentats de Paris de 1986, fut « exfiltré » par le juge Boulouque après avoir été bloqué plusieurs jours à l'intérieur de l'ambassade d'Iran à Paris. Il avait connu Gordji à Paris, à l'ambassade, par l'intermédiaire de Trab, un étudiant islamiste tunisien. Les deux hommes avaient sympathisé. À cette époque, police et contre-espionnage français avaient eu de nouveau le Suisse dans le collimateur, tant étaient suivies les relations de Genoud avec Gordji, soupçonné d'être en contact étroit avec Fouad Ali Saleh et Mouhadjer, les terroristes musulmans impliqués dans les attentats de Paris. Les RG découvrirent ainsi que Gordji et Genoud fréquentaient la librairie néo-nazie Ogmios (dans le VIe arrondissement de Paris), qui affichait des sympathies pro-arabes. Un jour, Genoud aperçut chez Ogmios la traduction du *Mythe du XXe siècle* du nazi Rosenberg. Il demanda aux deux patrons de la librairie s'ils avaient bien payé les droits à la fille de Rosenberg. Regard interloqué des jeunes néo-nazis, si bien que le Lausannois leur proposa de les présenter à celle-ci, qui habitait alors Vienne... Quand il évoque cette affaire, Genoud n'a pas de mots assez durs pour parler de ces « deux petits cons ». Il raconte aussi qu'il lui est arrivé de donner un peu d'argent à la fille de Rosenberg... Mais revenons aux liens entre Genoud et Carlos. Walid Gordji[1] mit Genoud en contact avec Nassiri, le numéro deux de l'ambassade d'Iran à Paris et son patron dans les services secrets. En 1987-1988, à Téhéran, Gordji remit Genoud en liaison avec Nassiri pour discuter du problème Carlos. Nassiri est alors venu en Syrie et plusieurs réunions ont eu lieu dans la montagne au-dessus de Damas,

1. Gordji, qui a été mis sur la touche après son retour en Iran, tente maintenant de faire des affaires en commercialisant des plantes médicinales. Genoud et Gordji ont essayé de coopérer, sans grand succès. Lors de l'arrestation de Carlos, Gordji a fait traduire l'interview de Genoud sur Carlos et a tenté en vain de la faire publier dans la presse iranienne.

auxquelles assistèrent Bruno Bréguet, Nabil Dourbali, Peter Weinrich, Nassiri, Carlos et Genoud[1]. Nassiri a semblé disposé à accepter l'installation de Carlos et de plusieurs personnes de son entourage en Iran, mais le Vénézuélien a tout fait capoter par ses exigences. Genoud a alors tenté la même démarche auprès des Algériens et a établi des contacts entre Carlos et le numéro deux de la Sécurité militaire algérienne — sans succès.

Genoud a revu Carlos en mars 1992, à Amman, une dernière fois avant son incarcération en France. Carlos, Magdalena et leur petite fille occupaient deux/trois chambres dans un modeste hôtel. Genoud couchait dans un autre hôtel, mais passait la journée avec Carlos et les siens. Genoud se souvient de l'ambiance très collégiale qui régnait autour du Vénézuélien, en ces années-là : « Pour les décisions importantes, il réunissait tout le monde : Nabil Dourbali, Peter Weinrich, moi... Il exerçait un grand ascendant sur ses hommes. » Le Suisse affirme qu'en Syrie, Carlos et Weinrich, qui étaient les hôtes du gouvernement, étaient des gens tranquilles, retirés, et qu'ils avaient cessé d'être opérationnels à la fin des années 1980. Selon lui, après la mort de Waddi Haddad, Carlos et son groupe étaient devenus autonomes et leurs activités n'étaient plus directement liées à la cause palestinienne.

Sitôt après l'arrestation de Carlos, malgré la fatigue et son âge, Genoud se démène pour lui venir en aide : « C'est ma dernière cause ! » aime-t-il à dire. Lui qui connaît des difficultés financières, commence par lui envoyer 10 000 francs. Genoud contacte quelques avocats, notamment l'inévitable Me Vergès et son ami Me Mourad Oussedik, tous deux choisis initialement par le Vénézuélien. Le Suisse approuve avec enthousiasme le choix d'Oussedik, en qui il a une confiance absolue. Il fait parvenir une lettre à Carlos pour lui en faire part.

---

1. Genoud a été signalé en février et en juin 1987 à Damas, à Téhéran à la mi-janvier 1988. À plusieurs reprises, pendant cette période, « on » a perdu sa trace à Vienne...

Le 4 décembre 1994, Carlos remercie son « cher camarade » pour l'envoi de ses mandats, et lui dit son admiration pour ses déclarations à la presse suisse. Dans cette première lettre du prisonnier à Genoud, on s'aperçoit à quel point Carlos croit — ou feint de croire encore — à son combat contre « l'impérialisme et le sionisme ». Il affirme même que les « vrais révolutionnaires islamiques forment l'avant-garde de cette lutte ». Répondant à la lettre de Genoud qui devait évoquer sans doute la « trahison » des gouvernements arabes, Carlos lui dit que ces accusations doivent être soupesées en tenant compte de l'impact qu'elles pourraient avoir sur la capacité des peuples arabes de faire face à l'ennemi : « Le renforcement de la résistance arabe doit prévaloir sur toutes autres considérations. » En revanche, Carlos donne son feu vert pour dénoncer les agissements des « éléments malhonnêtes dans les cercles libyens du pouvoir », à qui il ne pardonne pas de lui avoir refusé l'aéroport de Tripoli en 1992. Il dit être en bonne forme et garder le moral, balaie les accusations d'éthylisme et autres rumeurs véhiculées par les Soudanais et reprises par les « éléments félons du gouvernement français et les milieux du renseignement. La lutte continue en prison, qui est une grande école pour les révolutionnaires ». Carlos demande à son ami d'entrer en contact avec Lana, la femme qu'il a épousée selon la tradition islamique et dont il est sans nouvelles depuis son enlèvement. Il lui recommande de ne pas lui rendre visite en prison, non seulement parce qu'il est placé en quartier d'isolement, mais parce que cela pourrait donner l'occasion de l'attaquer, lui, Genoud, comme un « symbole de résistance contre les mensonges sionistes et les calomnies ». Et il signe sa lettre : « Vôtre en révolution, Carlos. »

Le 19 janvier 1995, le détenu lui envoie une nouvelle lettre dans laquelle il le remercie pour son récent envoi de 5 000 francs[1] et espère qu'il n'aura plus à solliciter sa générosité, car il attend de l'argent de sa famille par l'intermédiaire de ses avo-

1. Qui s'ajoutent aux 10 000 francs déjà envoyés.

cats allemands. Le terroriste vénézuélien évoque la visite de l'avocat « révisionniste » français Éric Delcroix[1] avec qui il a eu un long échange d'idées : « Nous avons beaucoup de choses en commun, y compris un profond respect pour vous. » Carlos dit avoir « commencé à organiser une véritable défense collective, formée par des avocats de plusieurs pays qui n'ont pas vendu leur âme au diable et qui chérissent vraiment la justice ». Il remercie Genoud en français pour sa lettre « pleine de fougue militante, qui me remonte vraiment le moral ».

Le 6 février, Carlos avise la presse que Me Figrane, la collaboratrice de Me Oussedik, était « infiltrée » par la police. C'est un coup de tonnerre pour Genoud, qui a la plus haute opinion de l'avocat et donc de son assistante. C'est par lui qu'il transitait dans toutes ses relations avec le prisonnier.

Le 11 mars, Genoud se dit heureux que son ami Carlos soit résolu à ne pas se faire le complice d'une parodie de justice, alors que s'il est physiquement en territoire français, c'est à la suite d'une série de forfaits dont il est la victime. En revanche, il lui signifie son désaccord total sur Me Oussedik, « l'un des rares avocats parfaitement honnêtes et capable, lui, de désintéressement absolu pour la cause d'un combattant de votre qualité... Vous êtes évidemment en droit de penser que votre vieil ami est sénile et que, pendant plus de quarante ans d'expériences multiples dans ce monde si équivoque des hommes de droit et de robe, il était déjà un crétin. Nous sommes, vous et moi, des hommes à l'esprit libre et chacun de nous pense comme il veut. Ce qui est certain, c'est que Mourad Oussedik, dès l'instant de votre enlèvement, pensait comme moi qu'il fallait lancer, bille en tête, la plainte contre le gouvernement français en général et contre M. Pasqua en particulier. Je considère que, pour vous, le retrait de cette plainte et sept mois d'atermoiements sont une catastrophe. Vous ont-ils été inspirés par

1. Ancien militant d'Ordre nouveau, proche de l'historien négationniste Robert Faurisson, passionné lui aussi par les questions arabes, Éric Delcroix a écrit des textes dans les *Annales d'histoire révisionniste*, puis dans la *Revue d'histoire révisionniste*.

votre intuition ou par un quelconque salaud ? Je préfère l'ignorer... Quoi qu'il en soit, je serai toujours votre ami et je pense avec émotion à Waddi Haddad grâce à qui nous nous connaissons et qui, pour moi, est le plus admirable combattant de la plus noble des causes en cette dernière moitié du dernier siècle de notre deuxième millénaire ».

Le 18 mars 1995, Carlos lui adresse une très longue lettre :

« Mon très cher camarade,

« J'ai bien reçu hier votre courrier daté du 2 mars 1995. Je veux que vous sachiez que vous êtes la seule personne — avec ma famille proche — avec laquelle je corresponds de prison.

« Dans ce pays où l'allégeance politique ne dépend que des sondages, votre fidélité envers nos idéaux suscite davantage l'admiration.

« Je sais que vous avez commencé à lutter pour la libération de la Palestine dès l'âge de vingt ans, à Jérusalem, en 1936, avec le Grand Mufti Cheikh Amin el-Husseini.

« J'ai moi-même commencé à lutter pour la libération de la Palestine dès l'âge de vingt ans sur l'*East Bank* du Jourdain, en 1970, avec Georges Habbache et Waddi Haddad.

« Depuis, j'ai consacré ma vie à la plus noble des causes, la libération de la Palestine dans le contexte de la Révolution mondiale...

« Si jamais nous nous rencontrons encore, nous attendrons le Walhalla[1] des révolutionnaires et nous partagerons des moments de complicité avec nos chers martyrs disparus...

« Je serais heureux d'arriver à votre âge avec seulement un dixième de votre esprit indomptable, et je veux que vous sachiez que je vous admire sincèrement, que je vous fais confiance, et que votre amitié me tient à cœur. Adressez mes considérations à vos proches. Gardez contact avec ma famille au Venezuela, qui est aussi votre famille. *Recibe un abrazo revolucionario de* Carlos... »

---

1. Le paradis.

Cet extrait montre à quel point Carlos, une des figures emblématiques de la Révolution telle qu'elle était encore perçue dans les années 1970 et le début des années 1980, voue un respect quasi filial à Genoud et situe son combat dans le contexte de la « Révolution mondiale » en évacuant complètement son engagement pro-nazi, qu'il connaît pourtant. Pour lui, Genoud est un révolutionnaire qu'il range à l'évidence de son côté, c'est-à-dire à l'extrême gauche, puisque lui-même se définit toujours comme communiste et marxiste-léniniste.

Dans cette même lettre, Carlos revient longuement sur l'affaire Oussedik. Il s'évertue à démontrer à Genoud que son ami et sa collaboratrice seraient liés à la police. Il raconte comment sa plainte pour enlèvement n'a pas été déposée en temps utile à cause de la rivalité entre Me Vergès et Me Oussedik. Carlos lui reproche même sa naïveté :

« Les hommes de principes ont un sens moral très développé, mais, sur cette affaire, vous avez une attitude moraliste dont Oussedik a abusé et dont d'autres se sont servis pour vous manipuler, et cela peut-être depuis longtemps... Vous avez vous-même souffert d'un malencontreux sens de l'amitié et de la loyauté, ayant mené à une passion explosive, sans regard pour les conséquences... Dans les questions de sécurité, les sentiments pour une personne devraient être soupesés d'une manière inversement proportionnelle... Creusez dans vos racines, inspirez-vous de ces hommes extraordinaires qui ont presque conquis le monde qu'ils voulaient remodeler selon leurs rêves, sans aucun sentimentalisme... Je comprends à quel point il est douloureux d'envisager qu'un si vieil ami vous ait trahi, mais songez à ces prisonniers plus modestes encore qui ont été manipulés comme des marionnettes par ces deux avocats sans scrupules et agents de la police, ceux mêmes que vous défendez passionnément. Je désire mais ne peux écrire davantage. »

Carlos met le doigt sur un point sensible. De fait, Genoud marche à l'affectif, son appréciation sur les hommes est déterminée par les sentiments. Je suis moi aussi convaincu qu'il a dû se faire souvent manipuler par des gens qu'il croyait être ses amis, tant il est vrai que l'amitié est sa valeur suprême et que, malgré ses dénégations, ce diable aime être aimé...

Avant réception de cette lettre, Genoud, qui est pourtant très fatigué, est parti pour Beyrouth et Amman afin de chercher des informations sur Lana, l'épouse jordanienne de Carlos, de trouver de l'argent pour la défense de son ami et de transmettre quelques messages aux derniers amis du Vénézuélien. À son retour, il fonce à Paris pour rendre compte — par avocat interposé — de son voyage, mais tombe gravement malade, le 28 mars 1995. Transporté à Cochin, rapatrié en Suisse, il est hospitalisé et opéré. Le 1er mai, il écrit à Carlos :

« J'aurais aimé être foudroyé. Le Destin a choisi de me torturer. Je vais à nouveau être hospitalisé. Cher, très cher Don Ilitch, votre amitié me touche très profondément. C'est elle qui, pour moi, passe avant tout. Malgré tous mes efforts, je n'ai pas réussi à avoir des nouvelles de Lana. Que, pour moi, cet état de survie se prolonge, ou sinon, et je l'espère, du Walhalla de nos chers martyrs, je serai toujours très proche de vous et de tous les vôtres... »

Avant d'avoir reçu la moindre réponse, Genoud écrit une nouvelle lettre datée du 18 mai pour faire part à Carlos de son optimisme après l'arrivée de Jacques Chirac à l'Élysée :

« L'action contre vous a été le fait de Pasqua, couvert par Balladur. À mon avis, c'est quelque chose d'accidentel, en quelque sorte, dû aux circonstances de l'époque... Votre juge d'instruction Bruguière est un homme qui a le sens très développé du Droit. La France actuelle est très capable de corriger une erreur par respect du Droit... »

Le 30 mai, Carlos répond :

« *Nous avons été des supporters de Jacques Chirac depuis plus de vingt ans, et je suis très heureux que notre candidat ait enfin gagné*[1]... J'ai été enlevé et détenu en France par une déci-

1. Souligné par l'auteur.

sion politique. Un retour à une politique internationale gaulliste devrait bénéficier quelque peu aux prisonniers politiques de la cause palestinienne comme moi-même. Mais je ne crois pas Jacques Chirac capable de briser rapidement le système quasi mafieux actuel qui prévaut en France, très lié aux intérêts étrangers et fortement supporté par eux. On ne devrait pas donner trop de crédit à Pasqua, qui n'est qu'une note en bas de page dans cette affaire. »

Carlos demande à Genoud de lui recommander un avocat français qui aurait le courage de le défendre loyalement, qui ne coopérerait pas avec l'ennemi ni n'abandonnerait le terrain avant la bataille. « Comme tout vrai révolutionnaire, je suis optimiste, mais je n'attends pas que l'ennemi traître me permettra d'atteindre vivant le Venezuela... Néanmoins, je persévérerai dans ma lutte jusqu'à mon dernier souffle. »

Jusqu'à son dernier souffle, Genoud luttera lui aussi pour venir en aide à ses amis révolutionnaires. Non content d'épauler Carlos, le voilà qui se démène pour son principal adjoint, Johannes Weinrich, qui vient d'être, à son tour, trahi par un gouvernement arabe, celui du Yémen du Sud. Il est maintenant en prison à Berlin. Genoud se sent la nouvelle obligation de soulager le sort de l'ami de Carlos, mais aussi de sa femme, Madgalena Kopp. Weinrich et Kopp faisaient en effet partie des « Cellules révolutionnaires » allemandes avant de rejoindre Carlos. Malgré son état de santé, il part donc dans le Tessin, le 9 juin 1995, en compagnie de Philippe Brennenstuhl[1], à la recherche de la tante de Weinrich, afin de susciter une aide morale et matérielle comme il le fit naguère pour Bruno Bréguet.

Magdalena Kopp, installée avec sa fille au Venezuela, chez les parents de Carlos, téléphone régulièrement à Genoud. Peu de temps après l'arrestation de Weinrich, elle lui a demandé d'entrer en relation avec un avocat allemand, Me Teming — un

---

1. Cf. *supra*, p. 353.

avocat qui a la particularité, selon Magdalena, de ne jamais voyager en avion, car il a peur —, pour qu'il s'occupe de son ami. « Je ne sais pas si le contact sera bon, car il est de gauche », lui a dit Magdalena. « Je n'ai pas de problèmes avec les gens de gauche. Vous-même, vous n'êtes pas fasciste, que je sache ! » aurait répliqué Genoud, riant de cette anecdote et s'exclamant : « Ils sont formidables, ces gens-là ! »

Genoud s'est exécuté et a téléphoné immédiatement à Me Teming, à Francfort.

Le 9 juin, Genoud écrit au juge Bruguière pour lui demander rendez-vous afin de s'entretenir avec lui du cas de « M. Ramirez Sanchez ».

Le 10, Carlos lui demande des nouvelles de son voyage au Proche-Orient et s'inquiète du sort de Lana après son enlèvement.

François Genoud pénètre dans le bureau du juge Bruguière le 5 juillet 1995 à 17 h 30. Le juge, selon lui, a été « charmant, très aimable, bien élevé, gentleman ». L'entretien a duré une petite demi-heure. Il a tout de suite accepté de lui accorder un droit de visite. Genoud lui a ensuite exposé son point de vue sur le « rapt d'un combattant d'une guerre internationale ». La communauté internationale, a-t-il expliqué en substance, a condamné les agissements d'Israël depuis 1967 en lui demandant de se retirer des territoires occupés ; or, jusqu'aux accords de Madrid, il ne s'est rien passé. Genoud a conclu en réclamant la libération de Carlos. Après l'avoir poliment écouté, le juge Bruguière a changé de registre[1] et lui a demandé de témoigner devant l'inspecteur Hugues Saumet, qui l'attendait à la sortie du bureau. Genoud a hésité, puis a invoqué sa grande fatigue pour qu'on reporte au lendemain cet « interrogatoire ». Le juge a accepté, mais Genoud s'est demandé, l'espace de quelques instants, s'il n'allait pas finir en détention...

Si Genoud doit répondre à quelques questions, c'est que son nom apparaît par deux fois dans la procédure initiée par le juge

1. *Dixit* Genoud.

Bruguière contre Carlos. Il est notamment cité dans une note d'information de la Stasi du 6 février 1986 qui évoque ses relations avec Bréguet ; qui affirme — ce qui n'est pas vraiment nouveau — qu'il a été un des fondateurs du parti nazi suisse ; qu'il est l'exécuteur testamentaire de Goebbels, le banquier des fascistes et des Palestiniens. Le document évoque une note manuscrite de Weinrich au sujet de « Pavolo » (Bréguet). Weinrich connaissait les liens entre Bréguet et Genoud. Le juge n'exclut pas non plus que les archives hongroises parlent d'un Genoud abrité derrière divers *alias*. Le nom de Genoud figure également dans le carnet de Carlos.

Le 8 juillet, Carlos tempête toujours contre Mes Oussedik et Vergès à propos de Lana et de son courrier. Il cherche à obtenir les numéros de téléphone et de fax des parents et des sœurs de Johannes Weinrich, et charge Genoud de transmettre à ce dernier ses salutations révolutionnaires les plus chaleureuses s'il parvient à lui rendre visite.

Le même jour, Genoud envoie une lettre à Carlos pour célébrer le « glorieux anniversaire de l'Insurrection cubaine ».

Le 2 août, Carlos demande à son ami d'appeler sa fille Ebbita, le 17 août, jour de son neuvième anniversaire, et de lui transmettre un gros baiser de sa part.

Le 30 août, Carlos s'inquiète toujours de la santé de son ami : « Je sais que vous êtes très affecté par la mort de votre femme, la compagne de votre vie qui vous donna le support émotionnel pour continuer à mener votre vaillante lutte. Les accidents et les méformes dont vous souffrez n'ont pas rendu votre situation plus facile. Mais nous savons tous les deux que pour des hommes de notre caractère, le pouvoir de la volonté peut faire disparaître toutes les adversités... En cette période de déclin révolutionnaire, les hommes avec votre vision et votre foi dans la Victoire sont plus nécessaires que jamais... Notre conception matérialiste du monde ne nous a pas empêchés de voir, il y a quelques années, qu'une nouvelle espèce de militant, le révolutionnaire islamique, a rejoint l'avant-garde de la Révolution dont il est maintenant la tête chercheuse. Ce nouvel état des affaires ne fut pas alors accepté par la plupart des camarades révolutionnaires en dehors du dogmatisme... »

Dans la même lettre, il exprime son dégoût pour la trahison des deux beaux-fils de Saddam Hussein, mais il ne croit pas que Barzam, le frère de Saddam, ait trahi la Révolution[1] : « Je sais que, le 17 juillet 1968, Barzam était avec Saddam à l'intérieur du premier tank qui força les portes du palais présidentiel de Bagdad pour libérer l'Irak du néo-colonialisme britannique et américain. S'il vous plaît, cherchez la vérité sur cette affaire [Barzam est ambassadeur d'Irak aux Nations Unies à Genève], parce que toutes les nouvelles affirment sa défection, mais aucune preuve n'en est donnée. »

Au terme de longues discussions, Me Antoine Comte devient l'avocat de Carlos. L'avocat exigeait de Carlos que François Genoud, qu'il gratifie de qualificatifs peu amènes, ne fût plus « dans le circuit ». Il a eu beaucoup de mal à obtenir que cette condition soit remplie, tant Carlos, selon son nouveau défenseur, nourrit des sentiments très forts, quasi filiaux, à l'égard du vieux nazi suisse... Il en faut davantage pour décourager ce dernier. Le 15 septembre 1995, il vient à Paris chercher le permis de visite que le juge Bruguière a décidé de lui octroyer, mais le magistrat n'est pas là pour le parapher. Il se rend néanmoins jusqu'à la porte de la prison pour porter deux livres[2] que lui a réclamés son ami, mais que l'administration pénitentiaire refuse de transmettre.

Genoud obtient la faculté de visiter Carlos à Fresnes. Il est heureux de se retrouver enfin avec son camarade révolutionnaire. Il passe une heure et quart avec lui dans une petite pièce probablement « sonorisée ». Je l'ai vu à sa sortie de Fresnes. Il était apaisé. Il a trouvé le détenu en forme : « Comme ça ! » dit-

---

1. Au mois d'août 1995, les frères Hassan ont trahi Saddam Hussein et fait des révélations à la CIA à propos des armes secrètes de l'Irak. La rumeur a aussi couru que Barzam, le frère du numéro un irakien, avait également trahi. Il semble bien qu'il ne l'ait pas fait, mais qu'il ait néanmoins pris ses distances.

2. *Mossad*, de Claire Hoy et Victor Ostrovsky (Presses de la Cité), et *Tried by Fire*, de Bassam Abu Sharif, déjà cité.

il en tendant son poing fermé. « C'est un vrai révolutionnaire, il n'a peur de rien. Il n'a rien à redire au régime de la prison. Il est convaincu que, plus que les Français, ce sont Tourabi et la CIA qui sont les principaux responsables de son enlèvement. Il est persuadé qu'il ne retournera jamais au Venezuela, qu'il sera liquidé avant. Il cherche toujours à obtenir des nouvelles de Lana... » Carlos lui a demandé d'aller voir ses avocats vénézuéliens avant de repartir pour Lausanne. Il souhaite également qu'il se rende au Venezuela pour convaincre Magdalena de ne pas rentrer en Allemagne où, il en est sûr, elle sera victime d'une provocation des services allemands. Il a retrouvé ses accents terroristes : « Si elle tombe, des gens tomberont ! » Fanfaronnade, car Carlos n'a pour ainsi dire plus personne qui veuille prendre des risques pour lui. Tous les autres l'ont trahi ou oublié.

Carlos a demandé également à son ami suisse de faire quelque chose pour Fouad Ali Saleh, ce Tunisien proche des services iraniens, qui est condamné à perpétuité pour son implication dans les attentats de 1986 à Paris. Il lui a parlé en termes violents de Me Vergès, qu'il considère comme un « traître » qu'il a utilisé. « C'est un agent algérien ! » s'est exclamé le détenu, furieux que l'avocat ait osé lui réclamer 350 000 dollars d'honoraires. Comme dans ses lettres, Carlos lui a dit sa satisfaction de voir Jacques Chirac et Alain Juppé gouverner la France...

Genoud a effectué un dernier voyage au Proche-Orient du 8 au 12 octobre 1995 et y a rencontré Nabil, l'« ex-courrier » de Carlos, qui rêve encore de « faire quelque chose pour lui, mais c'est du rêve... ». Puis le Lausannois a tenu à accomplir une dernière mission : il est parti au Venezuela, du 8 au 15 novembre, pour convaincre Magdalena de rester tranquillement là-bas et de ne surtout pas rentrer en Allemagne. Il a passé huit jours dans l'appartement de Magdalena à refaire le monde, mais n'a pas réussi à la convaincre de rester au Venezuela...

Genoud, Carlos, Weinrich, Bréguet, Kopp : des noms qui

claquent comme les drapeaux en loques de combats perdus. Leur dernier espoir ne peut résider que dans l'existence d'un Walhalla réservé aux martyrs de la Révolution, ou, pire, dans la victoire des « durs » du Hamas et du Djihad islamique sur les combattants de la paix comme Pérès et Arafat.

Éclats d'une vie

Au terme de cette enquête sur un activiste infatigable, j'ai conscience que la description de ses actes a laissé trop peu de place à François Genoud lui-même et aux ressorts qui l'ont conduit à agir comme il l'a fait. Le personnage raconte, mais ne se livre guère. Quelques témoignages et anecdotes captés de-ci, de-là, contribueront à nourrir les impressions éparses des pages précédentes afin que le lecteur puisse se faire ne serait-ce qu'une ébauche de portrait de ce personnage à contre-courant de l'Histoire...

Voilà un homme qui, par l'affirmation quasi obsessionnelle de son attachement au national-socialisme, suscite généralement l'aversion, et qui n'a cessé de quêter l'amour et l'amitié de manière parfois aveugle. L'amour de sa femme transparaît dans tous ses actes : il a été essentiel dans sa vie. Son principal coup d'éclat pendant la guerre a consisté à aider, lui, le nazi, un officier de l'Abwehr à trahir. Au cours de cette enquête, j'ai enfin été frappé par le nombre et la qualité de ses amis, à qui il ne rend pourtant pas la tâche facile en brandissant en permanence sa croix gammée...

Yvonne, sa sœur aînée, réussit le tour de force d'adorer son cadet tout en posant sur lui un regard lucide : « Hitler me fait horreur, mais je ne veux pas que cela gâche mon affection pour François », dit-elle. Elle voit d'abord et avant tout en lui « un défenseur des causes perdues ».

Le plus surprenant est de voir surgir le personnage du père dans les paroles aimantes de Françoise et Martine, les deux filles de François Genoud.

Françoise, qui revendique haut et fort des idées de gauche, avec un attachement tout particulier pour Cuba, Fidel et le « Che », est une inconditionnelle de son père : « Nous avons connu une vie de famille extraordinaire. Mon père jouait aussi le rôle de la mère. Il nous douchait quand il était là, mais, aussitôt après, il nous passait à l'eau froide, nous disant d'être courageuses, de serrer les dents, que c'était important dans la vie... Il nous racontait beaucoup d'histoires comme *Le Petit Chaperon rouge*, nous lisait aussi *Le Mouron rouge*, l'histoire d'un aristocrate qui utilisa sa fortune pour sauver des victimes de la Révolution. Il nous disait de nous méfier des bandits qui se promènent avec de grands manteaux noirs... Robin des Bois, Ivanhoé : il nous a inculqué le culte des héros. Durant nos longs parcours en voiture, il inventait des histoires merveilleuses où se mélangeaient petits Espagnols (le meilleur des peuples) et petits Arabes. Le racisme a toujours été étranger à ses propos. Il essayait de nous cultiver, nous emmenait à Paris au théâtre... » Mais, en dehors des héros classiques, Genoud a élevé ses enfants dans le culte de Hitler, de Nasser et des chefs de la Révolution algérienne : « Il nous parlait toujours de l'"héroïque peuple algérien". Il nous racontait la prise du pouvoir par les Chemises brunes comme une épopée. »

Martine, que son père appelait « le petit LRIB » (Lapin rose des îles Bleues), s'exprime avec plus de recul que sa sœur aînée. Elle aussi est pourtant marquée : elle est la filleule du général Ramcke et se demande si elle ne doit pas son prénom à Martin Bormann ! Elle parle du « patriarche qui imposait sa loi, à la fois très présent et très absent, mais dont la forte présence faisait oublier les absences ». Elle évoque « leur éducation à la fois rigide et ouverte ». Au moindre bobo, il leur « mettait de la teinture d'iode, pour que nous apprenions à supporter la douleur ». Mais les enfants vécurent beaucoup plus libres que leurs camarades, car leur père admettait leurs sorties du soir, leurs « excentricités ». « Quand nous faisions des "bêtises", au lieu de nous réprimander, il nous expliquait. » Cette ouverture d'esprit ne s'est pas relâchée : les repas de famille sont l'occasion de réunir autour de la table des petits-enfants pour moitié vietnamien, afghan ou libanais...

Les deux filles s'accordent à trouver leur propre enfance « géniale ». Leur père leur faisait tout partager, ses combats, ses amis, ses rencontres : « À table, il racontait beaucoup, témoigne Martine, et faisait de nous des adeptes. Il argumentait bien. Nous étions complètement prises par ses combats. Pendant la guerre d'Algérie, nous sortions dans la cour et criions : "De Gaulle à la poubelle ! L'Algérie pour les rebelles !", ou : "Ben Bella au château ! Lagaillarde au poteau !" On était très pris là-dedans... Il y avait toujours du monde à la maison, des gens intéressants. Depuis, on aime toujours être en bande. » Françoise complète : « Mes parents étaient très hospitaliers. Il y avait toujours du monde à la maison : des amis, des enfants, des clandestins, des révolutionnaires... Nous avons été entraînées dans le sillage de leur couple. Je garde par exemple un merveilleux souvenir de notre séjour à Turquant. Au début, j'étais très déçue de voir les prisonniers en costume, qui ressemblaient à des Européens, alors que je m'attendais à voir des Arabes en djellaba... Je me souviens d'un Ben Bella jouant au ping-pong avec mon frère, c'était un homme très séducteur... Je me rappelle Krim Belkacem, qu'on a beaucoup revu à la maison à la fin de sa vie. Mon père s'est toujours intéressé aux opprimés, aux vaincus. C'est quelqu'un de passionné, d'absolu. »

Les deux filles parlent de l'exceptionnel attachement qui liait leurs parents : « Ma mère avait l'air de le suivre, mais elle savait lui faire prendre les décisions qu'elle voulait. Ils s'entendaient si bien que lorsque mon père élevait un tant soit peu la voix, on s'amusait à les stimuler pour qu'ils se chamaillent... », raconte Martine.

Et l'idéologie nazie ? Françoise, le professeur d'histoire, est gênée. Pour elle, son père « est d'une autre époque et il serait évidemment devenu antinazi si Hitler avait gagné ». Elle reconnaît avoir soigneusement évité de parler devant ses élèves de la période qui court de 1933 à 1945 : « C'est une période que je connais mal », explique-t-elle.

Si les articles de presse consacrés à leur père ne semblent pas avoir beaucoup perturbé leur enfance et leur adolescence, le caractère indéterminé de sa profession les a manifestement gênées : « Nous ne savions pas quoi mettre quand on nous interrogeait sur la profession du père. Nous demandions à notre père, qui répondait qu'il ne fallait pas mettre "aventurier", la vérité, mais plutôt "administrateur"... »

Michel, le fils, a eu plus de mal que ses sœurs à « gérer » la très forte personnalité du père. Il a fait des fugues, s'est souvent opposé à lui. Mais il n'y paraît plus guère aujourd'hui. Il parle de sa peur, dans les années 1970, que son père ne disparaisse dans un attentat et de se retrouver lui-même sans moyens d'existence. Il a alors décidé d'arrêter ses études pour exercer un métier. Devenu cadre dans une société... américaine (!), Michel évoque les difficultés que les enfants ont rencontrées avec la notion même de travail : « Mon père n'a jamais eu de travail, n'a jamais subi de contraintes... » Après s'être longuement concertés, tous trois choisissent le terme « pagaille » comme maître-mot de l'éducation dispensée par leur père. Il répétait tout le temps : « Il faut mettre la pagaille ! » Ou encore, après avoir reçu des plaintes d'un fermier à la suite des maraudages de ses enfants, il leur disait : « Faites, comme les Sarrasins, des razzias dans des lieux où vous n'êtes pas connus et tenez-vous parfaitement, selon les usages, dans l'endroit où vous vivez. » Il y a à l'évidence un côté anarchique chez cet homme qui n'a admiré l'ordre que chez les autres, qui a toujours été mû par la volonté de faire ou faire faire la révolution, de voir voler en éclats les cadres d'un monde qu'il rejette avec une farouche énergie. Il faut l'avoir vu mimer la scène, quand il évoque la pose d'une bombe ou le jet d'une pierre dans la boutique d'un coiffeur...

Françoise Genoud livre une clé qui permet de bien comprendre son père : « Il a toujours besoin d'"en être". Il a un impérieux besoin de participer à l'Histoire. C'est lui qui s'introduit dans de multiples affaires. Il décroche son téléphone et appelle des gens qu'il ne connaît pas... Quand nous partions en vacances, malgré son sens aigu de la famille et tout l'amour qu'il nous portait, au bout de deux à trois jours, il bouillait de rester inactif et se mettait à téléphoner... Mon père a toujours perçu le monde arabo-musulman de façon mythique. Il aime les gens qui sont capables de se battre, puis de se donner l'accolade. Lui aussi recherche la compagnie de ses ennemis. Il n'y a rien qui lui fasse plus plaisir que de parvenir à joindre l'un d'eux, de discuter avec lui et, mieux encore, de devenir son ami. Il aime le dialogue avec les sionistes et les Juifs. Il respecte ses plus violents adversaires, les Herzl, Begin et Shamir... »

Une histoire récente révèle l'étendue de sa crédulité. Quand il a su que sa femme était atteinte d'un cancer, toute son énergie lui a été consacrée. Je l'ai rencontré durant cette dure épreuve. Il avait mis tous ses espoirs en Philippe Ghouezh, le mage-escroc rendu célèbre par une émission de Patrick Sabatier sur TF1[1]. Aujourd'hui encore, Ghouezh est pour lui un sujet tabou. Quand je veux lui en parler[2], il commence par refuser, tant ce souvenir lui est cuisant, puis il se lance : « C'est une crapule !... Moi, il ne m'a rien volé, il n'a même pas accepté les 2 000 francs suisses que je lui proposais. Il ne voulait pas que je paie... Ces gens-là m'ont surestimé... » Ces « gens-là » sont Philippe Ghouezh et son égérie, Marie-Josée Peiffer. « Peiffer avait fait ma "propagande" en racontant à Ghouezh que je connaissais beaucoup de monde, que j'étais très puissant... Ils m'ont cultivé... » Au fil de la conversation, j'apprends que Genoud avait connu Marie-Josée Peiffer par Léon Degrelle en 1961. Cette dame d'extrême droite avait plusieurs cordes à son arc : avec l'argent qu'elle gagnait dans le business de la sécurité, elle faisait de l'édition et publia même l'ancien fasciste belge.

1. « Si on se disait tout », le 28 décembre 1991.
2. Le 26 septembre 1995, en l'accompagnant à Fresnes.

« En 1990, j'avais rendez-vous avec elle à "L'Européen", devant la gare de Lyon. Elle est venue avec un type répugnant à cheveux longs. Tout ce qui me déplaît. Il sentait mauvais... Des crasseux, des salauds, des abjects ! Mais, quand on est paumé, qu'on n'a plus d'espoir, on se raccroche à des idioties... »

Genoud se rend régulièrement avec sa femme chez Philippe Ghouezh. Quelques mois avant la mort de celle-ci, il téléphone à Ghouezh et tombe sur Marie-Josée Peiffer. Il l'informe que les résultats des dernières analyses sont très mauvais. « Cela fait bien longtemps que Philippe ne s'occupe plus d'elle », réplique Marie-Josée Peiffer. Élisabeth Genoud a entendu la conversation. « Elle nous a poignardés. Après, j'ai essayé de recontacter Ghouezh, mais il n'était plus là pour nous. »

Cette histoire relance une fois de plus[1] l'hypothèse sur l'« instrumentalisation » dont Genoud a pu faire l'objet à plusieurs époques de sa vie. Il est troublant de faire défiler les membres de services secrets qui ont été ses « amis » : Paul Dickopf, Hans Rechenberg, Fathi el-Dib, le général Grossin, Moumen el-Honi, Lakhal-Ayat, Pillard, Walid Gordji, Nassiri, sans parler de Carlos et Weinrich, eux-mêmes liés aux services syriens, hongrois, est-allemands, parmi bien d'autres dont je n'ai pas réussi à déchiffrer le sigle sur leur casquette... Tous ces gens ont écrit et dit que Genoud était leur agent, ce qui ne suffit assurément pas à faire de lui un « manipulé ». Le Lausannois n'a pas tort d'objecter que les espions s'embrouillent eux-mêmes dans leur petit monde : « Si certains revendiquent la paternité de mes actions, peu importe que celles-ci correspondent exactement à ce que je suis et à ce que je pense ! Je suis un homme libre... » Néanmoins, surtout dans sa période pro-palestinienne, je n'exclus pas du tout qu'il ait pu se faire véritablement « instrumentaliser » à son insu, en servant d'appât au Mossad. Surveiller sérieusement Genoud aurait en effet permis d'approcher beaucoup de gros poissons du terro-

1. Cf. *supra* pp. 367, 383 et 384.

risme. D'autres, en Suisse, ont évoqué devant moi l'hypothèse d'une instrumentalisation par le KGB, sans apporter toutefois la moindre preuve... Sans non plus en apporter la preuve, je crois probable que sa naïveté, son enthousiasme et son sentimentalisme ont été utilisés au cours de sa vie.

Genoud, si ouvert en amitié, est en revanche d'une extraordinaire rigidité dans ses idées. Pour lui, évoluer c'est trahir. Tout son système d'appréhension du monde s'est figé dans les années 1930. Il s'est construit de façon affective par rapport à une vision de l'ordre mondial défini par le traité de Versailles. Une fois pour toutes, il a pris le parti des vaincus, des humiliés, et a identifié l'« Entente » au Mal. L'installation de Hitler au pouvoir, le cataclysme qu'il a provoqué n'ont rien changé à ses positions ; il a jugé les exactions commises à l'aune des humiliations subies. Par un raidissement impardonnable, il refuse de parler de la Shoah comme du mal absolu qui disqualifie définitivement Hitler, les nazis et le nazisme. La défaite des « humiliés » en 1945 et la victoire des Alliés symbolisée par le procès de Nuremberg ont figé ses héros dans la pose de martyrs incarcérés, condamnés à mort ou privés de tous leurs droits. Dans son univers mental, il n'y a pas de différence entre ceux-là, les Indiens ou les Palestiniens spoliés de leurs terres, ou les colonisés dominés et exploités par les vieux empires européens...

Il aurait été possible de raconter toute la vie de François Genoud en brodant sur le thème de la prison et de l'enfermement, qu'il soit physique ou moral. Genoud a toujours été attiré par les exclus, les bafoués, les réprouvés de l'Histoire : les Peaux-Rouges, Sacco et Vanzetti, les humiliés du traité de Versailles, les Irlandais persécutés par les Anglais, les Palestiniens chassés de leurs terres, les nazis en fuite ou en prison... Les grandes étapes de sa vie ont commencé par une visite à un ou plusieurs prisonniers : la rencontre avec le général Ramcke ; la visite aux chefs historiques du FLN ; le face à face avec les trois pirates de l'air palestiniens dans la prison du canton de Zurich. On pourrait continuer : l'aide à Eichmann, sa propre incarcération en 1964, son assistance aux prisonniers Bréguet, Barbie, Brennenstuhl, à l'« héroïne » palestinienne Abir Waheidi, à Carlos, à Weinrich...

N'aurait-il pas cherché toute sa vie à sortir lui-même d'un très fort sentiment d'isolement, né d'une enfance étouffante entre un père respecté mais non aimé et une mère trop adorée ? Psychologiquement et symboliquement, s'employer avec autant de constance à faire libérer autrui, n'est-ce pas privilégier une certaine façon d'avoir des relations avec lui, chercher à le sauver en se sauvant soi-même ? Tournant et retournant cette analyse un peu simpliste, j'avais demandé à François Genoud s'il n'avait pas gardé quelque souvenir d'enfance lié à l'enfermement. Une première fois, il m'avait répondu par la négative ; puis, dans l'avion qui nous emmenait, le 8 octobre 1995, de Vienne à Beyrouth, revenant sur ce thème de l'emprisonnement, il se mit à me raconter une histoire presque trop belle.

Quelques jours auparavant, se rendant à Zurich, il avait retrouvé dans le train un vieux camarade, Oyez, Lausannois comme lui. Ils s'étaient mis à égrener de vieux souvenirs. Oyez rappela une anecdote qui l'avait manifestement marqué. Dans la belle propriété familiale des Oyez, avenue des Mousquines, que le jeune François avait l'habitude de fréquenter, celui-ci s'était lové un jour dans une vieille malle que son copain avait refermée à clé, cassant celle-ci dans la serrure... Le jeune François, qui n'avait alors qu'une dizaine d'années, resta un bon moment enfermé avant que des adultes alertés par l'ami Oyez ne viennent le sortir de ce mauvais pas. Les deux vieillards en rirent beaucoup dans le train de Zurich ; mais le petit Genoud rit-il autant, autrefois, quand il attendait du secours, enfermé à double tour dans cette malle ?

Il me semble enfin important de revenir sur la citoyenneté suisse de Genoud. S'il a pu agir comme il l'a fait sans être inquiété, c'est parce qu'il est Suisse et a bien pris soin de se montrer — presque — toujours un bon Suisse veillant à respecter les lois suisses. Il se reconnaît une seule infraction : quand il a fourni à l'Abwehr quelques indications sur l'espionnage allié dans son pays. Pour le reste, il s'est servi de la Suisse comme d'une base arrière où il revenait après avoir posé ses « bombes » ailleurs. Dans cet *ailleurs*, il était bien difficile aux policiers et aux agents secrets de le cerner, tant il bougeait en permanence, prenant de surcroît grand soin d'élire plusieurs domiciles.

Il reconnaît bien volontiers s'être servi de la Suisse : « Je remercie mon grand-père de nous avoir faits Suisses, car on peut dire merde au reste du monde. Si je n'étais pas en accord avec Dieu, je faisais en sorte de l'être avec les lois suisses. Là-dessus, j'ai toujours eu la conscience tranquille. La Suisse m'a tenu lieu de base arrière. J'y suis toujours revenu, je n'ai jamais été longtemps absent... Je suis un bon Suisse. Les Suisses ont inventé la liberté. Ici, il peut y avoir des Brasillach qui soient considérés comme de grands patriotes. » Quand je lui parle de la surveillance constante dont il a fait l'objet depuis 1934, et lui rappelle les soupçons qui ont pesé sur lui à la fin de 1973, il marmonne sobrement : « Je les ai bien emmerdés. »

Mon enquête touchait à sa fin, le 6 décembre 1995, quand j'ai rencontré l'avocat algérien Mourad Oussedik, installé au début du boulevard Saint-Germain à Paris. Oussedik a été un résistant de la première heure. Avocat du collectif FLN, il est aussi l'un des cofondateurs du FFS. Il a quitté, amer, l'Algérie en 1966 et s'est taillé depuis une réputation d'avocat généreux, militant, soucieux des droits de l'homme. Il défend les petites causes (les problèmes d'immigrés) et les grandes (Habbache, Carlos, l'ambassade d'Algérie...). Oussedik a connu Genoud au début des années 1960, quand le Suisse entrait en contact avec les « Cinq ». Sans lui poser de questions précises, je lui demande de me parler de François Genoud qu'il connaît depuis trente-cinq ans. Pendant trois quarts d'heure, l'avocat algérien me brossera un portrait enthousiaste de son ami « Monsieur Genoud » :

« Le mot qui vient quand on pense à lui, c'est fidélité. Il ne sait pas ce que c'est que la mesquinerie. Il ne connaît pas le mensonge. Je n'ai jamais pris en compte son idéologie, ce n'était pas mon problème, d'autant qu'il n'a jamais fait mystère de sa vision idéologique du monde. Il est fascinant de constater que c'est le seul homme qui, depuis 1945, contre vents et marées, l'a revendiquée... Ce n'est pas un provocateur et il a toujours œuvré en fonction de ses valeurs. Il dégage un côté paisible. Il est merveilleux, prévenant. Il n'a jamais eu d'ennemis, seulement des adversaires. »

Oussedik développe ensuite longuement l'un des traits de caractère de Genoud que le lecteur connaît bien : sa capacité de venir en aide à ceux qui lui ont fait du mal, comme Ben Bella et Boumaza, tous les deux responsables de ses malheurs algériens...

« Il s'est engagé aux côtés des Algériens d'une façon totalement désintéressée. Il a tout fait pour que l'Algérie obtienne une véritable indépendance, et est tombé ensuite dans un véritable traquenard. Genoud s'est retrouvé en prison. Il a quitté l'Algérie le cœur gros... Il s'est toujours battu pour l'Algérie, il l'a beaucoup aidée et en retour il s'est retrouvé nu. On a voulu le salir à travers l'affaire du trésor du FLN. J'atteste sur l'honneur qu'il n'a non seulement pas pris un franc, mais qu'il a de surcroît été dépouillé...

« Avec tout ce qu'il a fait, je l'ai toujours vu se débattre dans des problèmes matériels invraisemblables. Quand il n'a rien dans sa poche, il donne le peu qu'il a et se retrouve avec moins que rien. On en a fait un homme tellement étrange... Il ne peut être que suspect, car il est trop bien... C'est l'homme des causes qu'il estime justes. Ce n'est pas un visiteur du soir. Il ne porte pas de masque. Il fait tout dans la clarté. Il ne tient compte ni des critiques, ni des adversaires, ni du danger. A partir de tels paramètres, il ne respecte donc plus les normes. Chacun de nous fait des compromissions. Il a tout le temps agacé, souvent désorienté et toujours été critiqué sur un seul plan, celui de l'idéologie. L'attaquer sur l'idéologie était le seul moyen de le gêner, de le contrer, voire de le neutraliser.

« Sur la fin de sa vie, il n'a jamais dévié de sa route qu'il s'est tracée alors qu'il avait dix-sept ans. Cet homme, à quatre-vingts ans, n'est jamais sorti de son adolescence. A travers un tel comportement, on peut donner une définition du romantisme : celui qui garde sa vision d'adolescent jusqu'à sa mort. Genoud, c'est le dernier romantique nordique, à l'allemande. Il n'y a pas un bonheur qui ne comporte pas la tragédie au bout. Il a vécu les dernières tragédies de la décolonisation... C'est un homme d'exception. Genoud est une mémoire, une bibliothèque. Le dernier témoin d'un monde révolu. Il n'avait qu'une hantise : c'est qu'un événement survienne et qu'il ne soit pas là. Genoud ne regardait pas les cortèges défiler devant lui, il se mettait dedans. Il n'a pas peur de la mort, tout juste regrettera-t-il de n'être plus le témoin de l'Histoire. »

Sans doute le lecteur comprendra-t-il encore mieux le personnage quand il apprendra que Genoud a mis en scène jusqu'à sa propre mort pour braver l'ordre, l'emprisonnement de la destinée, la déchéance programmée — bref, pour sortir de la prison-vie...

Exit

La mort n'a cessé de hanter François Genoud. Il n'a jamais aimé le monde où il lui a été donné de vivre. Comme son héros Hitler, il a pensé que l'Europe ne pourrait se construire que sur des décombres, que la résurrection ne pourrait survenir qu'après une défaite totale. Depuis le procès de Nuremberg, il s'obstine à clamer que le monde ne peut trouver son salut que dans le national-socialisme et, faute d'avoir été entendu, il a constamment rêvé d'une catastrophe, d'un séisme qui l'engloutirait. Plutôt que de voir que le monde a changé, il préfère dire qu'il a sombré dans l'erreur. Il a toujours violemment haï le camp des vainqueurs et s'est délecté de figurer dans celui des vaincus. Là où se trouve évidemment la vérité.

Tant que l'activiste Genoud a eu de l'énergie à revendre pour ferrailler contre les vainqueurs, la mort n'a été que la toile de fond de sa vie. Les nombreuses morts violentes qui ont jalonné sa carrière n'ont en rien altéré sa foi ni son comportement, mais la maladie puis la mort de sa femme ont ébranlé ce survivant d'un monde maudit. Fin 1988, lui-même est opéré d'une hernie. Sa femme profite de son absence pour consulter un médecin qui confirme ses appréhensions. Elle parle des résultats à ses filles, mais n'en dit mot à son mari. En mai 1989, le couple passe de doux moments dans un lieu idyllique du sud de l'Allemagne, aux côtés d'Arthur Axmann, ancien chef des Jeunesses hitlériennes, et de sa femme. De retour à Lausanne, François Genoud se sent ragaillardi et décide d'organiser un nouveau périple dans le sud de l'Allemagne. Il sait qu'il n'y a rien qui fasse plus plaisir à sa femme que ces escapades. Il décroche le téléphone pour réserver une chambre à l'hôtel Torbräu de Munich. Il commence à composer le numéro, mais sa femme l'arrête :

— François, je ne pourrai pas t'accompagner, car je dois entrer en clinique.

Stupeur de Genoud qui apprend ainsi que son épouse est atteinte d'un cancer. Il est effondré qu'elle le lui ait caché.

— Ça aurait tout gâché, lâche-t-elle.

« Depuis cet instant, c'est la fin de tout... », me confie François Genoud à une centaine de mètres de la prison de Fresnes, le 26 septembre 1995, en attendant l'heure de sa visite à Carlos. Il pleure.

Au début de l'année 1990, il s'est cassé un bras en Belgique. Huit jours plus tard, en se rendant à un rendez-vous avec le journaliste Karl Laské qui écrit un livre sur lui, il fait une nouvelle chute, et, cette fois, se casse l'autre bras et une jambe. Il s'adresse à son médecin iranien. « Comme vous savez, j'ai un faible pour tous les gens qui viennent de l'étranger. Pour moi, ce sont toujours les meilleurs... », me dit-il à quelques mètres de l'entrée de la prison. Le médecin le fait hospitaliser, mais ne semble pas s'étonner vraiment de ces trois fractures. Sur son lit d'hôpital, il rumine beaucoup. Tout va mal. Sa femme, qui occupe la place la plus importante dans sa vie, vient de subir une deuxième opération et lui-même se sent très diminué. Une lettre du Dr Gandolfo, publiée dans *Le Monde* du 13 mars 1990 sous le titre « Interruption volontaire de vieillesse », l'enthousiasme. Pourquoi reconnaît-on à une femme le droit de pratiquer l'IVG et ne reconnaît-on pas la même faculté à une personne âgée qui estime avoir terminé sa tâche en ce monde ? demande le Dr Gandolfo. « Le veuvage entraînant une solitude dramatique — même dans les résidences de luxe —, tout être humain vieillissant devrait être reconnu libre de son destin et assisté en conséquence. À quand les cliniques de la mort douce ?... Quand inscrira-t-on dans la Déclaration des droits de l'homme celui de mettre un terme à son existence quand celle-ci est accomplie ? » L'idée de décider du jour de sa mort va faire son chemin chez Genoud, qui écrit au Dr Gandolfo et va le rencontrer à plusieurs reprises.

Depuis la mort d'Élisabeth, le 26 janvier 1991, il n'est plus le même. Il pense constamment à elle, n'a plus goût à la vie. Le ressort est cassé, l'œil ne s'allume plus de la même façon. Physiquement, il se voûte, se ramasse sur lui-même, commence à ressembler au petit vieux qu'il n'était pas encore en dépit de son âge.

Son rêve secret a failli se réaliser à l'automne 1993. Le 6 octobre, comme à son habitude quand il séjourne à Lausanne, il est rentré chez lui, 21, rue Fontanettaz, à Pully, vers 20 heures, après avoir dîné chez sa fille Françoise qui habite à quelques centaines de mètres de là. À 21 h 20, l'ex-mari de sa fille Martine, un commerçant veveysan d'origine afghane, Nassir Nour, vient lui rendre visite. Il remarque sur le palier un paquet jaune des PTT à demi déchiré, contenant un cylindre orange et blanc relié à une minuterie. Il comprend tout de suite, déplace l'engin quelques marches plus bas, revient vite ouvrir la porte de l'appartement de son beau-père. François Genoud sort précipitamment sur le palier, jette un coup d'œil au paquet, revient en courant pour appeler la police, puis prévient ses voisins de palier et les prie de ne point sortir de chez eux. À l'instant où il raccroche, une violente explosion souffle vitres et portes. Il est furieux : « Ce qui me choque le plus, c'est que ces incapables aient mis délibérément en danger mes voisins, totalement étrangers à mes idées ! » explique-t-il à un journaliste de *L'Illustré*. Genoud regrette surtout que ces imbéciles l'aient raté : « Ma vie s'est arrêtée il y a deux ans avec la mort de ma femme, dit-il au même journaliste. Je suis un homme en sursis. Je n'ai jamais eu peur ; ce n'est pas maintenant que ça va commencer. Je vis sans surveillance, je me promène tranquillement dans mon quartier. On peut me flinguer facilement... » La police a proposé une protection à François Genoud ; il a refusé. « Je ne suis pas un froussard, je m'en fous ! Ces petits voyous ne me font pas peur ! » Depuis lors, il ne décolère pas contre ces « amateurs » qui auraient pu lui éviter bien du tracas et bien des formalités s'ils avaient agi en « professionnels ». À plusieurs reprises, il me l'a répété en traitant de tous les noms ses apprentis assassins : « Je suis pourtant une cible facile ! » Périr dans un attentat à l'explosif était bien le rêve secret de cet aventurier qui sait que, quoi qu'il fasse à présent, il ne réalisera plus celui de faire exploser ce monde qu'il abomine.

Le 28 mars, il rentre épuisé du Proche-Orient. Il s'arrête à Paris pour s'occuper de la défense de Carlos. Le matin, comme chaque fois qu'il vient à Paris, je le rencontre chez le boulanger de la place Saint-Philippe-du-Roule et constate qu'il ne va pas bien du tout. Il doit encore rencontrer l'après-midi un avocat « révisionniste », Me Delcroix, avant de repartir pour Lausanne. En revenant de chez l'avocat, à Neuilly, rien ne va plus : il ne peut plus uriner. Il est admis aux « urgences » de l'hôpital Cochin, puis rapatrié en Suisse où il se fait opérer. Il a du mal à se remettre de cette crise et se trouve diminué. Il ne cesse plus d'ironiser sur sa sénilité et n'hésite pas à se traiter de « vieux gâteux ».

Un article publié par *24 heures*, le 26 avril 1995, tient lieu d'ultime déclic. C'est une voisine de sa fille Françoise qui l'a découpé. Il parle de Meinrad Schär, président de l'association Exit, en Suisse alémanique, qui pratique l'aide au suicide. Schär est interviewé. Titre de l'entretien : « Dans certains cas, apporter la mort est un acte de paix. » La page entière de *24 heures* explique que, contrairement à sa sœur romande, la branche alémanique de l'association aide les gens à mourir en leur procurant la substance qui les endormira pour toujours. « Cet acte grave suscite, on le sait, un vaste débat qui sera bientôt abordé au Parlement. » Meinrad Schär, autrefois directeur de l'Institut de médecine sociale et préventive de Zurich, a notamment aidé l'écrivain suisse Sandra Paretti à mourir, mais aussi le couple Geigy[1]. Dans son entretien avec la journaliste Francine Brunschwig, il définit ainsi une mort digne : « Une

1. Ex-patron de la firme pharmaceutique du même nom.

mort si possible sans angoisse, sans souffrances physiques ni morales », et il raconte comment il aide les gens à mourir : « La personne concernée nous téléphone. Nous lui rendons une première visite pour vérifier qu'elle agit librement, sans pression, et nous assurer que les conditions pour une aide sont réunies. C'est lors d'une seconde visite que nous venons avec le médicament, toujours à deux. » L'association a déjà aidé soixante-deux personnes et Meinrad Schär s'est occupé personnellement de quatre cas. Les deux membres apportent dix grammes d'une poudre blanche au goût amer, à dissoudre dans l'eau. La mort intervient en moins d'une heure, en présence des deux membres de l'association. Meinrad termine ainsi son interview : « C'est un acte de paix, une mort calme qui se passe généralement sans panique ni larmes chez ceux qui partent. »

« J'ai trouvé ça formidable ! J'ai pris aussitôt contact avec ces gens », m'a confié Genoud quelques jours plus tard.

Le 10 mai, il se rend à Zurich avec ses filles Martine et Françoise pour rencontrer le professeur Schär. Il explique pourquoi il souhaite adhérer à l'association. Le professeur lui répond que seules sont habilitées à bénéficier d'une telle assistance les personnes qui souffrent de douleurs intolérables. Genoud lui réplique que les douleurs morales peuvent être au moins aussi insoutenables. « Mon cas était limite... Il m'a fourni de la documentation ... », raconte-t-il tranquillement.

Le 15 mai 1995, jour où il a décidé de me parler, il m'a clairement signifié que cette confession serait son dernier effort avant sa mort, pour faire plaisir à sa fille Françoise. Celle-ci le poussait depuis quelques mois à écrire ses mémoires. Plus de cent pages étaient déjà rédigées. Nous avons mis une éternité pour marcher jusqu'au restaurant chinois situé à trois cents mètres de son appartement. Il était essoufflé, constamment obligé de s'arrêter. « Regardez, mon cher, je suis devenu un petit vieux sénile. C'est insupportable ! »

Situation inattendue, troublante même : je sentais mon interlocuteur pressé d'en finir avec moi pour en finir plus vite avec lui-même... Et cette manière détachée de parler de sa mort comme d'un événement ordinaire... Il en devisait même devant sa fille Françoise. J'ai trouvé le procédé trop dur pour elle, je le lui ai dit et l'ai prié de se montrer plus discret. Début septembre : « J'aimerais bien partir fin octobre, en tout cas avant les fêtes de fin d'année... » J'apprends par ses filles que le 30 octobre correspond à la date de sa rencontre avec sa seconde femme...

Au cours des fréquentes conversations relatives à son départ, il me confie qu'il aurait préféré une autre solution qu'Exit : « L'idéal aurait été de monter une émission de télévision avec le patron de l'organisation sioniste et de nous faire sauter avec une bombe en direct. Mais impossible... » Finalement, il signe sa demande d'assistance le 19 juin 1995.

Le 15 septembre, je me retrouve face à Genoud dans une brasserie voisine de la gare de Lyon. Il vient de passer un peu plus de vingt-quatre heures à Paris pour rendre visite à Carlos, mais le juge, absent, n'a pu signer son permis. Les échéances se précisent : « Les dates ont toujours été importantes pour moi. » Et d'égrener devant moi les dates symboliques qu'il pourrait choisir pour tirer sa révérence... Le ton est naturel, sans aucune note mélodramatique. Le même que celui qu'il a utilisé pour évoquer notre voyage au Moyen-Orient, programmé pour la mi-octobre.

Le 26 septembre, j'accompagne Genoud jusqu'à Fresnes où il doit rencontrer Carlos. Dans la voiture, il me confie : « Demain, je vais voir l'administrateur d'Exit qui m'a annoncé que le "délai de grâce" est arrivé à échéance. Pendant les trois mois qui suivent l'adhésion à l'association, il n'est pas possible, en effet, de se faire assister pour mettre fin à ses jours. Je prends de Lausanne le train de 9 h 12 ; j'arriverai à 10 h 39 à Grenschen... On va me demander quand je veux mourir. C'est eux qui apporteront le liquide. Ils vous assistent. Ils sont encore là au moment de la mort. J'ai demandé que cela se passe chez moi...

— Il y faut beaucoup de courage...

— Je ne sais pas comment je vais réagir... Peut-être que je paniquerai *(rire),* on ne peut pas savoir, c'est la première fois *(rire),* ce ne sera peut-être pas la dernière *(rire en cascade),* on verra bien ! » Genoud justifie le pourquoi d'une telle décision, puis conclut : « Voilà que j'apprends que mon œil, le bon, est foutu. Un moment vient où il y a une limite, où ça suffit... Je vois venir la déchéance et je n'en ai pas envie... »

Ce même jour, je redemande à Genoud ce qui l'a poussé à rechercher naguère de façon aussi systématique les anciens nazis, car il est clair que les motivations éditoriales n'expliquaient pas tout.

— C'étaient mes amis qui étaient pourchassés, qui accumulaient sur eux toute la haine du monde. C'est dans ces moments-là qu'on doit se manifester... Voyez avec Carlos que je vais visiter : tout le monde se terre, tout le monde a peur... Moi, j'ai la possibilité, car je ne suis pas mêlé à ces trucs, je n'ai pas porté de bombes, je n'ai rien fait de tout cela... Que voulez-vous que les Français me reprochent ? D'être un ami de Carlos ? Ça ne tient pas la route... Moi, ça me plaît d'aider les gens. C'est une question de vanité, au fond. Ma femme m'y encourageait beaucoup. J'avais une femme, vous ne pouvez pas imaginer...

En sortant de Fresnes, Genoud est contrarié de devoir aller voir des avocats vénézuéliens, ainsi que le lui a demandé Carlos, dans un hôtel de la rue Charles-V, car il ne va pas pouvoir prendre son train direct jusqu'à Lausanne et a peur de manquer, le lendemain, son rendez-vous avec le responsable d'Exit. Son « délai de grâce » est passé et il peut maintenant décider de la date de sa mort. « Dans mon état, je vais encore aller jusqu'au Venezuela, vous vous rendez compte ! Mais, quand je serai parti, Carlos ne pourra plus rien me demander... »

De façon systématique et toute lausannoise, François Genoud contacte les amis qu'il veut voir ou entendre une dernière fois, sans leur préciser évidemment qu'il s'agit de la dernière. Comme il a beaucoup d'amis, il téléphone sans arrêt.

Je cherche à mieux cerner les raisons de cet acte ultime. Le 15 octobre, chez lui à Pully, je demande si, avant de prendre sa décision, il a songé à ses héros préférés, en particulier à Hitler et Goebbels qui ont mis fin à leurs jours. Il ne rejette pas la question et ne montre aucun agacement. Il parle d'abord de la « maîtrise de son destin », puis se laisse aller : « Je suis habité par celui de mes héros et ma décision n'est sans doute pas étrangère à cette obsession. On a dit d'eux qu'ils avaient fait cela par lâcheté ; c'était au contraire un acte de courage. Ils l'ont accompli dans des conditions extraordinaires. Mes héros sont morts dans la force de l'âge, debout... » Il reconnaît que c'est une façon de faire disparaître le monde qu'on porte en soi, un monde déjà mort mais dont il estime qu'il renaîtra un jour : « Il faut que le héros d'aujourd'hui disparaisse dans la tragédie pour que le futur héros surgisse. »

Folie destructrice de celui qui, à l'instar de ses modèles, a rêvé de maîtriser le monde et doit se contenter de maîtriser sa propre mort ? Étrangement, je ne suis pas convaincu par cette représentation caricaturale. En regardant mon interlocuteur, si élégant, raffiné, n'évoquant en rien la sénilité qu'il se reproche sans relâche, comme par une ultime coquetterie, je vois plutôt en lui un dandy dont la dernière prérogative est de maîtriser les apparences. Une mise en scène grandiose ne lui aurait pas déplu ; il répète qu'il aurait préféré mourir dans une explosion. Et quand il évoque cette scène, il esquisse toujours le même geste : celui par lequel il mime un jet de pierres, l'envoi de ses premières « bombes », jadis, enfant, dans la boutique du coiffeur de Lausanne... Mais, à défaut d'emporter le monde avec lui, il souhaite en finir debout afin que ses enfants gardent un bon souvenir de lui. « Je resterai pour eux un cas particulier... C'est mieux que de mourir gâteux ! »

Son ambiguïté le suivra jusque dans la mort. Les contradictions qui ont marqué sa vie — un extrémiste fasciné par la révolution et l'anarchie mais qui se réclame de l'ordre nazi — brouilleront les motivations profondes de ce trépas programmé. Or, derrière les arguments monolithiques qu'il invoque (mourir debout, préserver sa dignité...) transparaissent à l'évidence des raisons plus humaines : le poids de sa vie privée, son culte des anniversaires, son amour inaltérable pour sa femme, son refus d'« encombrer » ses filles, ses pèlerinages auprès de ses anciens amis... N'est-ce pas tout simplement un vieil homme démenti et défait par l'Histoire, sans plus aucun espoir de revanche et qui n'aspire plus maintenant qu'à rejoindre l'amour de sa vie ?

Index

Table

Impression réalisée sur CAMERON par
BRODARD ET TAUPIN
La Flèche

pour le compte des Éditions Fayard
en janvier 1996

Imprimé en France
Dépôt légal : janvier 1996
N° d'édition : 2947 – N° d'impression : 1349N-5
ISBN : 2-213-59615-8
35-57-9615-01/2